Vandmelonen

Marian Keyes

Vandmelonen

Oversat fra engelsk
af
Henriette Rostrup

Cicero

Copyright © Marian Keyes 1996
Originaltitel: *Watermelon*
Sats: Cicero, København
Tryk: ScandBook, Falun
Omslagslayout: Harvey Macaulay / Imperiet
ISBN: 87-7714-749-9
Første danske udgave 2006

www.cicero.dk

Til mor og far

Tak

Først og fremmest vil jeg takke min redaktør, Kate Cruise O'Brien. Kate 'opdagede' mig, da jeg ved en pludselig indskydelse sendte nogle noveller til Poolbeg, og det slog med det samme gnister mellem os. Hun troede på *Vandmelonen*, før jeg gjorde, før den overhovedet var skrevet! Hun har været så vidunderlig over for mig, beskyttende, utrolig entusiastisk, altid fuld af ros, følsom med hensyn til eventuelle ændringsforslag og rettelser, for ikke at tale om, hvor sød og gæstfri og hvor god en ven hun er.

Og selvfølgelig en enorm tak til mr. Poolbeg, Philip MacDermott, og alle hans vidunderlige medarbejdere. Philip har været meget imødekommende og venlig, og alle hans medarbejdere har arbejdet hårdt og meget opmærksomt på *Vandmelonen*.

Tak til mor og far, som altid har været der for mig. De er to af de mest uselviske og gennemført anstændige mennesker, jeg nogensinde har mødt. Og tak til mine vidunderlige brødre og søstre, Niall, Caitriona, Tadhg og Rita-Anne, som alle er smukke og talentfulde og unikke.

Tak til Charlotte og Niall for deres tålmodighed, tolerance og støtte, som går langt ud over, hvad de havde behøvet. Tillige tak til dem begge og Kirsten for den medfølelse og venlighed, de har vist mig. Tak til Belinda, min forsøgskanin, for al hendes opmuntring og entusiasme.

Tak til Eileen for så meget forskelligt. For hendes mildhed, hendes ikkefordømmende venskab og det grundige arbejde, hun lavede med min kontrakt.

Tak til Ailish for hendes entusiasme og energi og tak for det venskab, hun har vist mig gennem årene.

Tak til Louise for den store loyalitet, kærlighed og det venskab, hun har vist mig.

Tak til Conor, Patricia og Alan for alting, især for januar 1994. Der findes ikke ord til at udtrykke min taknemmelighed.

Tak til Liam for det gode eksempel og de gode vitser.

Tak til Jenny for *alt*. Hun har gjort så meget for mig, jeg ved slet ikke, hvor jeg skal begynde. Så det lader jeg være med.

Tak til den vidunderlige Albyn. Det har været en gave at møde hende.

Tak til Maureen for hendes vidunderlige citat.

Tak til medarbejderne på Rutland Centre og til de folk, som var 'indsatte', mens jeg var der. Tak til alle de fantastiske mennesker, jeg har mødt i Anonyme Alkoholikeres lokaler.

Og til sidst, tak til min elskede Tony, min tålmodige skolemester! For hans beundring, for at tryne mig til at arbejde, når jeg ikke havde lyst til det, for hans praktiske råd, for at grine, når jeg skrev noget sjovt, og for at gøre mig så lykkelig.

Prolog

Femtende februar er en meget særlig dag for mig. Det er den dag, jeg fødte mit første barn. Det er også den dag, min mand forlod mig. Da han var til stede ved fødslen, kan jeg kun gå ud fra, at de to begivenheder ikke var helt usammenhængende.

Jeg ved, at jeg burde have fulgt mine instinkter.

Jeg var ellers tilhænger af den klassiske, eller man kan kalde det den traditionelle rolle, fædre kan spille ved deres barns fødsel. Den er som følger:

Lås dem ude på gangen uden for fødestuen. Lad dem ikke på noget tidspunkt komme ind. Giv dem fyrre cigaretter og en lighter. Giv dem besked på at vandre ned for enden af gangen. Når de når denne lykkelige position, så giv dem besked på at vende om og gå tilbage til udgangspunktet.

Gentag om nødvendigt.

Samtale bør være kort. Det er dem tilladt at udveksle enkelte ord med andre kommende fædre, som vandrer frem og tilbage side om side med dem.

„Mit første." (Skævt smil).

„Tillykke... mit tredje." (Bedrøvet smil).

„Godt gået." (Anstrengt smil – antyder han, at han er mere viril, end jeg er?)

På dette tidspunkt har følelserne en tendens til at være lidt højspændte.

Det er dem også tilladt at kaste sig over enhver læge, som udmattet kommer ud fra fødestuen, dækket i blod op til albuerne, og gispe: „Noget nyt, doktor?" Hvortil lægen måske svarer: „Gud i himlen, min gode mand – hun har kun udvidet sig tre centimeter." Og din mand vil nikke vidende, selvom han ikke forstår andet end det faktum, at der stadig er et stykke vej at vandre.

Han har også lov til at lade en lille ængstelig trækning løbe hen over ansigtet, hver gang han hører sin elskedes smertensskrig indenfor. Og når det hele er overstået, og mor og barn er blevet gjort rene, og moren er

7

iført en ren natkjole og ligger tilbagelænet på blondepuden og ser ud-mattet, men lykkelig ud, og det perfekte barn dier ved hendes bryst, så, og først da, må faren komme ind.

Men nej, jeg gav efter for gruppepres og indvilligede i alt det der new age-ævl. Jeg var meget i tvivl, det kan jeg godt fortælle dig. Jeg mener, jeg ville jo ikke have nogen af mine nære venner eller familie med, hvis jeg for eksempel skulle have fjernet min... min blindtarm. Ydmygende! Man ville virkelig være ugunstigt stillet. Alle disse mennesker, der står og ser på en på steder, man aldrig selv har set før, ikke engang med et spejl. Jeg ved da ikke, hvordan min tyktarm ser ud. Og ydermere vidste jeg heller ikke, hvordan min livmoderhals så ud. Og det havde jeg heller ikke lyst til. Men størstedelen af de ansatte på St. Michaels Hospital vidste det.

Jeg følte mig meget ugunstigt stillet. Jeg viste ikke, hvad jeg virkelig duede til.

For at gøre en lang historie kort, så syntes jeg ganske enkelt ikke, at jeg tog mig ud fra min bedste side. Som sagt, en meget ydmygende omgang.

Jeg har set nok uartikulerede, macholastbilchauffører på tv med tårer i øjnene, en stemme, der knækkede over, mens de kæmpede med at fortælle, hvordan det at være med til deres barns fødsel var det mest in... ind... ind... dybe, de nogensinde havde været med til. Og jeg havde hørt historier om totalt sportsidiotiske, ølbøvede rugbyspillere, som inviterede hele holdet med hjem for at se videoen af deres kone, der fødte.

På den anden side kan man jo kun undre sig over deres motiver.

Bortset fra det, James og jeg blev meget emotionelle omkring det og besluttede os for, at han skulle være med.

Det var historien om, hvorfor han var med til fødslen. Historien om, hvorfor og hvordan han forlod mig, er lidt længere.

Kapitel et

Undskyld, du må jo synes, jeg er utrolig uforskammet. Vi er knap nok blevet præsenteret for hinanden, og her sidder jeg og fortæller dig om alle de forfærdelige ting, jeg har været ude for.

Lad mig lige komme med en lynhurtig præsentation af mig selv, og jeg skal nok gemme detaljerne, som for eksempel om min første skoledag, til senere, når vi har mere tid.

Lad os se, hvad skal jeg fortælle dig? Jo, altså, jeg hedder Claire, og jeg er niogtyve år gammel, som sagt har jeg lige fået mit første barn for to dage siden (en lille pige, 3300 gram, usandsynlig smuk), og min mand (fik jeg sagt, at han hedder James?) fortalte mig for omkring fireogtyve timer siden, at han har haft en affære de sidste seks måneder – og hør lige – det er ikke med hans sekretær eller en eller anden glamourøs kvinde fra hans arbejde, nej, det er en gift kvinde, som bor i lejligheden to etager under os. Jeg mener, hvor forstadsagtigt kan det blive! Og ikke alene har han en affære med hende, men han vil skilles.

Jeg er ked af, hvis jeg opfører mig unødvendigt opkørt over det. Jeg ved ikke, hvad jeg skal gøre af mig selv. Om et øjeblik begynder jeg at græde igen. Jeg er nok stadig i chok. Hun hedder Denise, og jeg kender hende ganske godt.

Åbenbart ikke lige så godt som James.

Det mest forfærdelige ved det hele er, at hun altid har virket virkelig sød.

Hun er femogtredive (spørg mig ikke, hvor jeg ved det fra, det gør jeg bare. Og med risiko for at lyde som sure rønnebær og miste al medfølelse, så ser hun ud som en på femogtredive), og hun har to børn og en sød mand (det vil sige ud over min mand). Og hun er tilsyneladende flyttet ud af sin lejlighed, og han er flyttet ud af sin (eller vores, burde jeg måske sige), og de er flyttet sammen i en ny lejlighed et hemmeligt sted.

Kan du fatte det?! Hvor melodramatisk har man lov til at være? Jeg ved, at hendes mand er italiensk, men jeg tror faktisk ikke, at der er særlig stor sandsynlighed for, at han slår dem ihjel. Han er tjener, ikke mafiamorder, så hvad skulle han gøre? Kværne dem ihjel med sort peber? Smigre dem så meget, at de gik i koma? Køre dem over med dessertvognen?

Men nu virker jeg igen opkørt.

Det er jeg ikke.

Jeg er ulykkelig.

Og det er sådan en katastrofe. Jeg ved ikke engang, hvad jeg skal kalde min lille pige. James og jeg har diskuteret nogle navne – eller set i bakspejlet, så er det mig, der har diskuteret, og James, der har ladet, som om han lyttede – men vi havde ikke besluttet os for noget endeligt endnu. Og det er, som om jeg har mistet evnen til at beslutte mig for noget som helst på egen hånd. Ynkeligt, jeg ved det, men sådan er ægteskabet. Bang, og så er ens fornemmelse for personlig integritet røget!

Jeg har ikke altid været sådan her. Engang var jeg viljestærk og uafhængig. Men det virker, som om det er meget, meget lang tid siden.

Jeg har været sammen med James i fem år, og vi har været gift i tre. Og gud, hvor jeg elsker den mand.

Selvom vi havde en mindre heldig start, så blev vi hurtigt grebet af stemningen. Vi er enige om, at vi forelskede os, cirka et kvarter efter at vi havde mødt hinanden, og sådan blev det ved med at være.

Eller det troede jeg i hvert fald.

I lang tid troede jeg ikke, at jeg nogensinde ville møde en mand, som ville gifte sig med mig.

Okay, det burde jeg måske lige uddybe.

Jeg troede ikke, at jeg nogensinde ville møde en *ordentlig* mand, som ville gifte sig med mig. Der var uden tvivl masser af galninge. Men en ordentlig mand, der var lidt ældre end mig, som var lækker, sjov og rar og havde et ordentligt job. Du ved – en, som ikke så skævt til mig, når jeg nævnte „The Partridge Family", en som ikke lovede at invitere mig på McDonald's, lige så snart han var færdig med niende klasse (eller sin GCSE, for de ikkeirske mennesker der eventuelt læser med), en, som ikke undskyldte, at han ikke kunne give mig en fødselsdagsgave, fordi hans ekskone havde scoret hele lønnen til hustrubidraget, en som ikke fik mig til at føle mig gammeldags og hæmmet, fordi jeg blev vred, når han sagde, at han havde kneppet sin ekskæreste, aftenen efter at han havde kneppet mig („Gud, hvor er I klosterskolepiger bare *snerpede*"), en, som ikke fik mig til at føle mig utilstrækkelig, fordi jeg ikke kunne kende forskel på en Piat D'Or og en Zinfandel (hvad det end er).

James behandlede mig ikke på nogen af disse ubehagelige måder. Det forekom mig næsten for godt til at være sandt. Han kunne lide mig. Han kunne næsten lide alt ved mig.

Da vi mødte hinanden første gang, boede vi begge to i London. Jeg var servitrice (mere om det senere), og han var revisor.

Af alle Tex-Mex-restauranter i hele verden skulle han absolut vandre ind på min. Jeg var ikke *rigtig* servitrice, forstår du nok. Jeg havde en universitetsgrad i engelsk, men jeg gennemlevede mit oprørske stadie lidt senere end de fleste andre, da jeg var omkring treogtyve år. Dengang mente jeg, at det ville være sjovt at sige mit velbetalte job med pensionsordning i Dublin op og tage til den gudsforladte by, London, og leve som en uansvarlig studerende.

Det var noget, jeg burde have gjort, da jeg *var* en uansvarlig studerende. Men dengang havde jeg alt for travlt med at få arbejdserfaring i mine sommerferier, så min uansvarlighed måtte bare vente, til jeg var klar til den.

Som jeg altid har sagt: Spontanitet hører hjemme på rette tid og sted.

Bortset fra det, så var det lykkedes mig at skaffe mig et job som servitrice på en vældig trendy restaurant i London, ikke andet end høj musik og videoskærme og mindre kendte berømtheder.

For at være helt ærlig så var der flere mindre kendte berømtheder blandt medarbejderne end blandt klientellet, for de fleste ansatte var arbejdsløse skuespillere og modeller og sådan noget.

Hvordan jeg nogensinde fik job der, fatter jeg ikke. Det kan selvfølgelig være, at jeg blev ansat som den stedlige Sunde Servitrice. For eksempel var jeg den eneste servitrice, der var under to en halv meter høj og vejede over femogtredive kilo. Og selvom jeg måske ikke var af rette modelstøbning, så har jeg vel haft en vis, skal vi kalde det naturlig charme – kort, blankt, brunt hår, blå øjne, fregner, stort smil, den slags ting.

Og jeg var så godtroende og naiv. Det gik aldrig op for mig, at jeg stod ansigt til makeuppet ansigt med stjernerne fra teater og fjernsyn.

Det skete rimelig ofte, hvis jeg serverede (og jeg bruger ordet i dets mest vidtrækkende betydning) for nogle mennesker (og det ord bruger jeg også i dets mest vidtrækkende betydning), at en af de andre servitricer puffede mig i siden (og sendte skoldhed barbecuesovs flyvende ned i en eller anden ulykkelig kundes skød) og hvæsede noget i stil med: „Den fyr ved dit bord, er det ikke hvaderdetnuhanhedder fra det der band?"

Og jeg svarede højst sandsynligt: „Hvilken fyr? Ham i lædertøjet?" (Du må huske på, det var i firserne).

„Nej," hvæsede hun igen, „Ham med de lyse dreadlocks og Chanellæbestiften. Er det ikke ham sangeren?"

„Øh, er det?" stammede jeg og følte mig usmart og åndssvag, fordi jeg ikke vidste, hvem den pågældende person var.

Men bortset fra det elskede jeg at arbejde der. Det glædede mig langt ind i middelklassemarven i mine bourgeoisknogler. Det forekom mig så dekadent og spændende at vågne klokken et om eftermiddagen hver dag og tage på arbejde klokken seks og være færdig klokken tolv og drikke mig fuld med bartenderne og afrydderne bagefter.

Alt imens min mor græd sine bitre tårer hjemme i Irland ved tanken om datteren med universitetsuddannelsen, der serverede hamburgere for popstjerner.

Og det var ikke engang særligt berømte popstjerner, for at føje spot til skade.

Den aften, jeg mødte James, havde jeg arbejdet der omkring seks måneder. Det var en fredag aften, den aften hvor KI'erne normalt frekventerede restauranten. KI stod naturligvis for Kontor-Idioterne.

Klokken fem hver fredag frigav kontorer over hele Londons centrum deres ansatte for weekenden, som grave der gylpede deres døde op, og horder af blege, bumsede kontorfolk iført tarvelige jakkesæt sænkede sig ned over os, ivrige og med store øjne, på udkig efter stjernerne og en gevaldig brandert i vilkårlig rækkefølge.

Det var dybt nødvendigt for os piger at stå og vrænge foragteligt ad det jakkesætklædte klientel, ryste vantro på hovedet over staklernes påklædning, frisurer osv. osv., mens vi ignorerede dem det første kvarter, de var der, hvorpå vi sejlede forbi dem med klirrende ørenringe og armbånd, mens vi helt åbenlyst lavede noget, der var langt vigtigere end at tage os af deres ynkelige behov, og til sidst, efter at have bragt dem på grænsen af et nervøst sammenbrud af frustration og sult, svansede vi hen til deres bord med et enormt smil og kuglepen og blok klar. „Godaften, de herrer, har I lyst til noget at drikke?"

Ser du, det gjorde dem så taknemmelige. Derefter gjorde det ikke det fjerneste, om de fik de forkerte drinks, og maden aldrig kom, de lagde stadig en ordentlig bunke drikkepenge, for de følte sig uendelig heldige, fordi vi havde nedværdiget os til at give dem lidt opmærksomhed.

Vores motto var: „Ikke alene tager kunden altid fejl, han er højst sandsynligt også grimt klædt på."

Den pågældende aften sad James og tre af hans kolleger i min sektion, og jeg opfyldte deres behov på min sædvanlige, uansvarlige facon. Jeg tog mig næsten ikke af dem, lyttede knap nok, da jeg tog imod deres bestilling, og jeg havde helt sikkert ingen øjenkontakt med dem. Hvis jeg havde, ville jeg sandsynligvis have lagt mærke til, at en af dem (ja, James, selvfølgelig) var meget pæn på en sorthåret, grønøjet, en meter og firs-agtig måde. Jeg burde have set ud over jakkesættet og set mandens sjæl.

Åh, overfladiskhed, dit navn er Claire.

Men jeg havde lyst til at være ude bagved sammen med de andre servitricer og drikke øl og ryge og snakke om sex. Kunderne var en uvelkommen afbrydelse.

„Min steak skal være meget rød," sagde en af mændene.

„Mmm," sagde jeg vagt. Jeg var endnu mere uopmærksom end ellers, for jeg havde lagt mærke til en bog, der lå på bordet. Det var en virkelig god bog, en bog, jeg selv havde læst.

Jeg elskede bøger. Og jeg elskede at læse. Og jeg elskede mænd, som læste. Jeg elskede en mand, som kunne skelne mellem eksistentialisme og magisk realisme. Og jeg havde tilbragt de sidste seks måneder sammen med folk, som kun lige akkurat kunne læse *Stage Magazine* (mens de møjsommeligt mimede ordene med læberne, mens de læste). Pludselig gik det op for mig, hvor meget jeg savnede en intelligent samtale i ny og næ.

For jeg kunne nemlig hæve indsatsen i enhver samtale om den moderne amerikanske roman. Jeg ser din Hunter S. Thompson, og så hæver jeg med en Jay McInerney.

Pludselig holdt personerne ved dette bord op med bare at være irritationsmomenter og antog en identitet for mig.

„Hvem ejer denne bog?" spurgte jeg brat og afbrød bestillingen. (Jeg er *ligeglad* med, hvordan du vil have din steak).

Det gav et sæt i alle fire mænd om bordet. Jeg havde talt til dem! Jeg havde behandlet dem, næsten som om de var menneskelige.

„Det gør jeg," sagde James, og idet mine blå øjne mødte hans grønne øjne hen over en Mango Daiquiri (selvom han rent faktisk havde bestilt en stor fadøl), så skete det. Det sølvfarvede, magiske støv dryssede ned over os. I det øjeblik skete der noget vidunderligt. Fra det øjeblik vi virkelig så hinanden, selvom vi næsten ingenting vidste om hinanden (ud over at vi kunne lide de samme bøger, åh jo – og så kunne vi godt lide hinandens udseende), vidste vi begge, at vi havde mødt en ganske særlig person.

Jeg hævdede, at vi forelskede os øjeblikkeligt.

Han hævdede overhovedet ikke noget i den stil og sagde, at jeg var et romantisk fjols.

Han sagde, at det tog ham mindst tredive sekunder at forelske sig i mig. Historikere vil diskutere denne påstand.

Til at begynde med var han nødt til at få fastslået, at jeg også havde læst den pågældende bog. For han var overbevist om, at jeg måtte være en eller anden halvdum model eller sanger, hvis jeg arbejdede som servitrice. Du ved, på samme måde som jeg havde afskrevet ham som en umenneskelig kontorslave. Så fik jeg dén.

„Har du læst den?" spurgte han, tydeligvis overrasket, i hans stemme lå der en undertone af „kan du *overhovedet* læse?"

„Ja, jeg har læst alle hans bøger," sagde jeg.

„Er det rigtigt?" sagde han tankefuldt, idet han lænede sig tilbage i stolen og så interesseret op på mig. En lok af hans sorte, silkeagtige hår faldt ned i panden på ham.

„Ja," lykkedes det mig at svare, og jeg fik næsten kvalme af begær.

„Biljagterne er gode, ikke?" sagde han.

Nuvel, jeg burde måske fortælle jer, at der ikke er nogen biljagter i de bøger, vi snakkede om. Det er seriøse og dybsindige bøger om livet og døden og sådan nogle ting.

Min gud! tænkte jeg foruroliget. Lækker, intelligent *og* morsom. Kan jeg virkelig klare det?

Og så smilede James til mig, et langsomt, sexet smil, et vidende smil, der var i total modstrid med det nålestribede jakkesæt, han havde på, og jeg sværger, at mine indvolde forvandledes til varm flødeis. Sådan lidt varmt og koldt og kildrende og… altså… som om de var i opløsning eller sådan noget.

Og i flere år efter, lang tid efter at den indledende magi var slidt ned, og da de fleste af vores samtaler handlede om forsikringspolicer og skyllemiddel og hussvamp, så skulle jeg bare huske det smil, og det føltes, som om jeg havde forelsket mig i ham helt forfra igen.

Vi udvekslede et par ord mere.

Bare et par.

Men det var nok til at fortælle mig, at han var sød og begavet og mor-som.

Han bad om mit telefonnummer.

Det var fyringsgrund at give en kunde sit telefonnummer.

Jeg gav ham mit telefonnummer.

Da han forlod restauranten den første aften med sine tre kammerater i en sky af attachemapper, paraplyer, sammenrullede eksemplarer af *Financial Times* og dystert udseende jakkesæt, smilede han farvel til mig, og (altså, dette siger jeg jo med bagklogskabens indsigt. Det er meget let at forudsige fremtiden, når det allerede er sket, hvis du forstår, hvad jeg mener): Jeg vidste, at jeg stod og så efter min fremtid.

Min fremtid.

Et par minutter senere kom han igen.

„Undskyld," grinede han. „Hvad hedder du egentlig?"

I samme øjeblik de andre servitricer fandt ud af, at et jakkesæt havde bedt om mit telefonnummer, og værre endnu, at jeg rent faktisk havde givet ham det, blev jeg behandlet som en snylter. Der gik lang tid, før jeg igen blev inviteret med hjem for at sniffe kokain, det kan jeg godt fortælle dig.

Men jeg var ligeglad. For jeg var virkelig faldet for James.

På trods af al min snak om uafhængighed så var jeg faktisk et meget romantisk menneske inderst inde. Og trods al min snak om oprør så var jeg så middelklasse, som man kan være.

Fra den første gang vi gik ud sammen, var det vidunderligt. Så romantisk, så smukt.

Jeg er ked af at gøre det mod dig, men jeg bliver nødt til at bruge en masse klicheer her. Jeg kan ikke komme uden om det.

Jeg skammer mig over at fortælle dig, at jeg svævede. Og jeg er endnu mere ked af at skulle fortælle dig, at jeg havde det, som om jeg havde kendt ham hele mit liv. Og jeg kommer til at vanskeliggøre det hele ved at sige, at jeg havde det, som om ingen anden forstod mig, sådan som han gjorde. Og nu hvor jeg alligevel har mistet enhver troværdighed i dine øjne, kan jeg lige så godt fortælle, at jeg ikke troede, at det var muligt at være så lykkelig. Men jeg skal nok lade være med at stramme den og sige, at han fik mig til at føle mig tryg, sexet og sød. (Og undskyld, men jeg bliver virkelig nødt til at sige, at jeg havde det, som om jeg havde mødt min anden halvdel, og at jeg nu var hel, og nu lover jeg, at jeg nok skal lade det ligge – bortset fra måske at nævne, at han var rigtig morsom og fantastisk i sengen. Det er det *hele*, jeg mener det, det er virkelig det hele).

Da vi begyndte at komme sammen, arbejdede jeg som servitrice de fleste aftener, så jeg kunne ikke se ham, før jeg fik fri. Men han ventede oppe på mig. Og når jeg kom over til ham, udmattet efter i flere timer at have serveret grillet hvad som helst til Londons samlede befolkning (eller Pennsylvanias og Hamburgs befolkning, hvis det skal være helt korrekt), badede han – og den dag i dag har jeg svært ved at fatte det – mine ømme fødder og masserede dem med Body Shops pebermynte-fodlotion. Han gjorde det, også selvom klokken var over tolv og han skulle på arbejde klokken otte næste morgen og hjælpe folk med kreativ bogføring, eller hvad det nu er, revisorer laver. Fem aftener om ugen. Og han førte mig ajour med sæbeoperaernes handling. Eller tog hen til den døgnåbne benzintank, hvis jeg løb tør for cigaretter. Eller fortalte mig små sjove historier om sin dag på jobbet. Jeg ved, at det er svært at tro, at historier om revisionsarbejde kan være sjove, men det lykkedes ham.

Det betød, at vi ikke kunne gå ud sammen lørdag aften. Alligevel brokkede han sig aldrig.

Mærkeligt, hva'?

Ja, det syntes jeg også.

Han hjalp mig med at tælle mine drikkepenge. Og gav mig gode råd om, hvad jeg skulle investere dem i. Obligationer og den slags ting.

Som regel købte jeg sko.

Kort tid efter blev jeg til mit store held fyret fra servitricejobbet (en dum misforståelse, der drejede sig om flere flasker importerede øller, en 'maden i skødet'-episode og en totalt urimelig kunde, som overhovedet ikke havde nogen sans for humor. Bortset fra det var hans ar så godt som forsvundet).

Det lykkedes mig at finde et andet job med mere almindelige arbejdstider. Så vores romance fortsatte efter et mere traditionelt tidsskema.

Efter et stykke tid flyttede vi sammen. Efter lidt længere tid blev vi gift. Et par år senere bestemte vi os for at få et barn, og det så ud til, at mine æggestokke var med på den, hans sædceller brokkede sig ikke over det, og min livmoder havde ingen indvendinger, så jeg blev gravid. Og jeg fødte en lille pige.

Jeg tror, det var her, du kom ind i billedet.

Nu er du vist rimelig ajourført.

Hvis du håbede på eller forventede en rædselsfuldt blodig beskrivelse af fødslen, med stigbøjler og sugekopper og smertensskrig og vulgære sammenligninger med at skide en sæk kartofler på femogtyve kilo ud, så må jeg desværre skuffe dig.

(Okay så, men kun for at gøre dig glad: Forestil dig dine værste menstruationssmerter nogensinde, gang det med halvfjerds millioner og få det til at vare omkring fireogtyve timer, så har du en nogenlunde ide om, hvordan fødselsveer føles).

Ja, det var skræmmende og ulækkert og ydmygende og ganske foruroligende smertefuldt. Men det var også spændende og ophidsende og vidunderligt. Men det vigtigste for mig var, at det var overstået. Jeg kunne ligesom godt huske smerten, men den havde ikke længere kraft til at gøre mig ondt. Da James forlod mig, gik det op for mig, at jeg hellere vil gennemgå smerterne fra hundrede fødsler end at gennemleve den smerte, jeg følte over at miste ham.

Han fortalte mig nyheden om sin umiddelbare fraflytning på følgende måde:

Efter at jeg havde holdt mit barn i armene for første gang, tog sygeplejersken hende med over til spædbørnsafdelingen, og jeg blev kørt tilbage til min stue og sov lidt.

Jeg vågnede op og så James stå bøjet ind over mig, mens han stirrede på mig, og hans øjne forekom mig meget grønne i det hvide ansigt. Jeg smilede søvnigt og triumferende op til ham. „Hej, skat," sagde jeg og grinede.

„Hej, Claire," sagde han formelt og høfligt.

Dum som jeg var, troede jeg, at han var højtidelig og alvorlig som et udtryk for respekt. (Se min kone, i dag nedkom hun med et barn, hun er kvinde, hun giver liv – du ved, sådan noget i den stil).

Han satte sig ned. Han sad på yderkanten af den hårde hospitalsstol og så ud, som om han når som helst kunne rejse sig og stikke af. Og det gjorde han minsandten også.

„Har du været nede og se hende?" spurgte jeg ham drømmende. „Hun er så smuk."

„Nej, det har jeg ikke," sagde han kortfattet. „Hør, Claire, jeg går min vej," sagde han brat.

„Hvorfor det?" spurgte jeg og puttede mig ned i puderne igen. „Du er jo lige kommet." (Ja, jeg ved det, jeg kan heller ikke fatte, at jeg sagde det, hvem *skriver* det her?).

„Claire, hør på mig," sagde han og lød lidt nervøs. „Jeg går fra dig."

„Hvad?" sagde jeg langsomt og tydeligt. Jeg må indrømme, at han havde min fulde opmærksomhed nu.

„Hør her, Claire, jeg er virkelig ked af det, men jeg har mødt en anden, og jeg vil være sammen med hende, og jeg er ked af at forlade dig sådan her, med babyen og alt muligt, men det bliver jeg nødt til," fløj det ud af munden på ham. Han var hvid som et spøgelse i ansigtet, og hans øjne strålede af smerte.

„Hvad mener du med, at du 'har mødt en anden'?" spurgte jeg desorienteret.

„Jeg mener, at… altså… jeg er blevet forelsket i en anden," sagde han og så ulykkelig ud.

„Hvad mener du, en anden kvinde eller sådan noget?" spurgte jeg og havde det, som om nogen havde banket et boldtræ ned i kraniet på mig.

„Ja," sagde han, uden tvivl lettet over, at jeg tilsyneladende havde fattet situationen.

„Og du *forlader* mig?" gentog jeg vantro.

„Ja," sagde han og så på sine sko, på loftet, på min flaske med Lucozade, alle andre steder end på mig.

„Jamen, elsker du mig ikke længere?" tog jeg mig selv i at spørge.

„Det ved jeg ikke. Det tror jeg ikke," svarede han.

„Men hvad med babyen?" spurgte jeg lamslået. Han kunne umuligt forlade mig, men han kunne især ikke forlade mig nu, hvor vi havde fået et barn sammen. „Du skal jo tage dig af os to."

„Jeg er ked af det, men det kan jeg ikke," sagde han. „Jeg skal nok sørge for, at I kan klare jer økonomisk, og vi finder ud af noget med lejligheden og kreditforeningslånet og alt det, men jeg bliver nødt til at gå."

Jeg nægtede at tro, at vi førte den her samtale. Hvad helvede snakkede han om, lejlighed og penge og kreditforeningslån og lort? Ifølge manuskriptet skulle vi sidde og kurre over babyen og skændes kærligt om, hvilken del af familien hun lignede. Hvem er det, der bestemmer her på stedet? Jeg vil godt klage over mit liv. Jeg bestilte helt præcis et lykkeligt liv med en kærlig mand og mit nyfødte barn, og hvad er det her for en latterlig parodi, jeg har fået i stedet?

„Gud altså, Claire," sagde han. „Jeg hader at forlade dig sådan her. Men hvis jeg tager med dig hjem med babyen nu, så vil jeg aldrig nogensinde kunne forlade jer."

Jamen, var det ikke hele ideen med det? tænkte jeg forvirret.

„Jeg ved, at der ikke findes noget godt tidspunkt at fortælle dig det. Jeg kunne ikke fortælle dig det, mens du var gravid, for tænk nu, hvis du mistede barnet. Så jeg bliver nødt til at sige det nu."

„James," sagde jeg med svag stemme. „Det her er meget mærkeligt."

„Ja, det ved jeg godt," samtykkede han hurtigt. „Du har været igennem en masse i løbet af de sidste fireogtyve timer."

„Hvorfor var du med til fødslen, hvis du havde planer om at forlade mig, i samme øjeblik det var slut?" spurgte jeg, mens jeg holdt ham i armen og forsøgte at få ham til at se på mig.

„Fordi jeg havde lovet det," sagde han, rystede min hånd af armen uden at møde mit blik og så ud som en skoledreng, der får skældud.

„Fordi du havde lovet det?" sagde jeg og forsøgte at få det til at give mening. „Jamen, du har lovet mig tonsvis af ting. Som for eksempel at elske og ære mig, indtil døden os skiller."

„Jeg er ked af det," mumlede han. „Men de løfter kan jeg ikke holde."

„Hvad skal der så ske?" spurgte jeg stift. Jeg nægtede at acceptere et eneste ord, han sagde. Men musikken spiller videre, også selvom der ikke er nogen, der danser. For alle udenforstående så det nok ud, som om jeg førte en samtale med James. Men det var overhovedet ikke nogen samtale, for jeg mente ikke noget af det, jeg sagde, og jeg accepterede ikke noget af det, han sagde. Da jeg spurgte ham, hvad der nu skulle ske, behøvede jeg ikke noget svar. Jeg *vidste* godt, hvad der skulle ske. Han kom hjem sammen med mig og babyen, og så var det slut med det her ævl.

Jeg tror mere, jeg følte, at hvis jeg fik ham til at snakke mere med mig, så ville han indse, hvor fjollet det var at overveje at forlade mig.

Han rejste sig. Han stod for langt fra mig til, at jeg kunne røre ved ham. Han var iført et sort jakkesæt (før i tiden havde vi ofte lavet sjov med, at han tog det på, når han var bobestyrer eller stod for likvidationer), og han så alvorlig og bleg ud. På en måde havde jeg aldrig set ham være så smuk.

„Jeg kan se, at du har dit bedemandstøj på," sagde jeg bittert. „Fin detalje."

Han forsøgte ikke engang at smile, og i det øjeblik vidste jeg, at jeg havde mistet ham. Han lignede James, han lød som James, han duftede af James, men det var ikke James.

Ligesom en science fiction-film fra halvtredserne, hvor heltens kærestes krop bliver overtaget af rumvæsner – det ligner hende stadig udadtil (lyserød angorasweater, nuttet lille håndtaske, bh så spids, at den kan prikke øjet ud på en edderkop osv.) – men hendes blik har forandret sig.

Den almindelige iagttager ville måske nok stadig tro, at det var James. Men ved at se på blikket i hans øjne vidste jeg, at min James var væk. En kold, ukærlig fremmed havde overtaget hans krop. Jeg vidste ikke, hvor *min* James var blevet af.

Måske sad han oppe i rumskibet sammen med Peggy-Jo.

„Jeg har flyttet de fleste af mine ting," sagde han. „Jeg ringer. Pas på dig selv."

Han vendte om på hælen og forlod hurtigt afdelingen. Det var faktisk lige før, han begyndte at løbe. Jeg havde lyst til at løbe efter ham, men røvhullet vidste, at jeg var bundet til sengen takket være utallige sting i min vagina.

Han var væk.

Jeg lå meget stille i min hospitalsseng i meget lang tid. Jeg var lamslået, jeg var chokeret, jeg var rædselsslagen, jeg nægtede at tro det. Men på en meget besynderlig måde så var der noget af det, som jeg troede på. Der var noget næsten genkendeligt over denne følelse.

Jeg vidste, at det ikke kunne være en genkendelse, for min mand havde aldrig nogensinde før forladt mig. Men der var helt sikkert noget der. Jeg tror, der er en del af den menneskelige hjerne, i hvert fald af min, der sidder langt oppe i bjergene og holder vagt på et klippefremspring og holder udkig efter faresignalerne. Og den sender signaler tilbage til resten af hjernen, når der opstår problemer. Den følelsesmæssige version af 'Indianerne kommer'. Jo mere jeg tænkte over det, jo mere indså jeg, at den del af min hjerne højst sandsynligt havde blinket med spejlet og sendt røgsignaler som en sindssyg i løbet af de sidste par måneder. Men resten af min hjerne sad i hestevognen nede i graviditetens dejlige, grønne dal og ville ikke vide af de truende farer. Så den ignorerede totalt de beskeder, der blev sendt.

Jeg havde godt vidst, at James havde det elendigt under det meste af min graviditet, men jeg troede, det var på grund af mine humørsvingninger, min konstante sult, min galopperende sentimentalitet, hvor jeg græd over alting, lige fra *Det lille hus på prærien* til programmer om nationaløkonomi.

Og vores sexliv var selvfølgelig blevet noget indskrænket. Men jeg havde troet, at alting ville blive normalt, lige så snart jeg havde født. Bare bedre, hvis du forstår, hvad jeg mener.

Jeg troede, at James' elendighed var et resultat af min graviditet og dens bivirkninger, men set i bakspejlet så havde jeg måske ignoreret ting, som jeg ikke burde have ignoreret.

Så hvad skulle jeg gøre? Jeg vidste ikke engang, hvor han boede. Mit instinkt sagde mig, at jeg skulle lade ham være i fred nogen tid. Føje ham. Lade, som om jeg accepterede det.

Jeg havde svært ved at fatte det.

Forlade mig, minsandten! Min normale reaktion, når jeg var såret eller følte mig svigtet, var at gå på krigsstien, men på en eller anden måde vidste jeg, at det ikke ville hjælpe i den her situation. Jeg måtte holde hovedet koldt og tilregneligt, indtil jeg havde besluttet mig for, hvad jeg skulle gøre.

En af sygeplejerskerne knirkede forbi mig i sine gummisko. Hun stoppede op og smilede til mig. „Hvordan har du det nu?" spurgte hun.

„Åh, fint," sagde jeg og ville ønske, hun ville forsvinde.

„Din mand kommer vel for at se dig og barnet senere," sagde hun.

„Det skal du ikke regne med," sagde jeg bittert.

Hun sendte mig et forskrækket blik og forsvandt hurtigt over til en af de søde, kultiverede, høflige mødre, mens hun klikkede med sin kuglepen og sendte mig nervøse blikke.

Jeg bestemte mig for at ringe til Judy.

Judy var min bedste veninde. Vi havde været venner, siden vi var atten. Vi var flyttet til London sammen. Hun havde været min brudepige.

Jeg kunne ikke klare det her på egen hånd. Judy ville fortælle mig, hvad jeg skulle gøre.

Jeg løftede forsigtigt og usikkert min krop ud af sengen, og så hurtigt som mine sting tillod det, kæmpede jeg mig hen til mønttelefonen.

Hun tog den med det samme.

„Åh hej, Claire, jeg var lige på vej over til dig."

„Godt," var alt, hvad jeg sagde.

Guderne skal vide, at jeg havde *lyst* til at bryde grædende sammen og fortælle hende om James, der tilsyneladende forlod mig, men bag mig var der en kø af kvinder i lyserøde frottébadekåber, som ventede på at bruge telefonen (uden tvivl for at ringe til deres hengivne ægtemænd), og imod alle odds havde jeg stadig lidt stolthed tilbage.

Selvglade kællinger, tænkte jeg surt (og irrationelt, det må jeg indrømme), mens jeg humpede tilbage til min seng.

Lige så snart Judy kom, vidste jeg, at hun vidste besked med James. Jeg vidste det, fordi hun sagde: „Claire, jeg ved besked med James." Men også fordi hun ikke ankom med en enorm buket blomster, et endnu større smil og et kort med storke på størrelse med et køkkenbord. Hun så ængstelig og nervøs ud.

Mit hjerte sank helt ned til sokkerne. Hvis James havde sagt det til andre mennesker, så *måtte* det være sandt.

„Han har forladt mig," sagde jeg melodramatisk.

„Det ved jeg," sagde hun.

„Hvordan kunne han gøre det?" spurgte jeg.

„Det ved jeg ikke," sagde hun.

„Han er blevet forelsket i en anden," sagde jeg.

„Det ved jeg," sagde hun.

„Hvor ved du det fra?" spurgte jeg og pumpede hende for information.

„Michael fortalte mig det. Aisling fortalte ham det. George havde fortalt hende det."

(Michael var Judys kæreste. Aisling arbejdede sammen med ham. George var Aislings mand. George arbejdede sammen med James).

„Så alle ved det," sagde jeg stille.

Der var en pause. Judy så ud, som om hun havde lyst til at grave sig ned.

„Så må det jo være rigtigt," sagde jeg.

„Det tror jeg, det er," sagde hun åbenlyst forlegen.

„Ved du, hvem den anden kvinde er?" spurgte jeg og følte mig virkelig ussel, fordi jeg satte hende i sådan en akavet situation, men jeg måtte vide det, og jeg var for chokeret til selv at spørge James, før han gik.

„Øh, ja," sagde hun, endnu mere pinligt berørt. „Det er hende Denise."

Det tog mig et minut eller to, før det gik op for mig, hvem hun talte om.

„HVAD?" kvækkede jeg. „Ikke søde Denise, der bor neden under os?" Judy nikkede elendigt.

Det var nok meget godt, at jeg allerede lå ned.

„Den lede *kælling!*" udbrød jeg.

„Og der er mere," mumlede hun. „Han snakker om at gifte sig med hende."

„Hvad helvede mener du med det?" råbte jeg. „Han er *allerede* gift. Med mig. Jeg har ikke hørt, at de har legaliseret bigami inden for det sidste døgn."

„Det har de heller ikke," sagde hun.

„Jamen, så…" Jeg tav forvirret.

„Claire," sukkede hun fortvivlet. „Han siger, at han vil skilles fra dig."

Som sagt var det nok meget godt, at jeg allerede lå ned.

Eftermiddagen svandt lige så stille hen, ligesom Judys tålmodighed og ethvert håb, jeg kunne have næret.

Jeg så fortvivlet på hende.

„Judy, hvad skal jeg gøre?"

„Hør her," sagde hun nøgternt. „Om to dage kommer du ud herfra. Du har stadig et sted at bo, du har penge nok til mad til dig og den lille, du vender tilbage til dit arbejde om seks måneder, du har en nyfødt baby, du skal tage dig af, så giv James noget tid, og til sidst skal du og James nok finde ud af noget."

„Jamen, Judy," hylede jeg. „Han vil *skilles*."

Det virkede nu, som om James havde glemt én stor ting. Der findes ikke skilsmisser i Irland. James og jeg var blevet gift i Irland. Vores ægteskab var velsignet af præsterne i Vor Frue af den Evige Undsætnings Kirke. Selvom det åbenbart ikke havde gjort nogen forskel. Farvel, Undsætning.

Jeg var totalt blank. Jeg følte mig alene og bange. Jeg havde lyst til at trække tæppet op over hovedet og dø. Men det kunne jeg ikke, for jeg havde et lille, forsvarsløst barn, som jeg skulle tage mig af.

Sikke en start på livet hun fik. Ikke engang to dage gammel, og hun var allerede blevet forladt af sin far, og hendes mor var på randen af et nervøst sammenbrud.

For gud ved hvilken gang undrede jeg mig over, hvordan James kunne gøre det mod mig.

„Hvordan kan James gøre det mod mig?" spurgte jeg Judy.

„Det har du spurgt om en million gange," sagde Judy.

Det havde jeg ganske rigtigt.

Jeg vidste ikke, hvordan James kunne gøre det mod mig, jeg vidste bare, at han havde gjort det.

Indtil nu havde jeg troet, at livet tildelte mig de ubehagelige ting i lige store bidder. At det aldrig gav mig mere, end jeg kunne klare på én gang.

Når jeg før i tiden havde hørt om folk, som havde oplevet flere katastrofer på én gang, som for eksempel i samme uge at være indblandet i et trafikuheld, miste arbejdet og finde kæresten i seng med ens søster, plejede jeg at tænke, at det var deres egen skyld. Eller altså ikke ligefrem deres *skyld*. Men hvis folk opførte sig som ofre, så ville de ende som ofre, hvis folk forventede, at det værste ville ske for dem, så ville det uvægerligt det.

Nu kunne jeg se, hvor meget jeg havde taget fejl. Sommetider melder folk sig ikke frivilligt til at være ofre, og de bliver det alligevel. Det er ikke deres egen skyld. Det var helt sikkert ikke min skyld, at min mand troede, at han havde forelsket sig i en anden. Jeg havde ikke forventet, at det ville ske, og jeg *ønskede* under ingen omstændigheder, at det skulle ske. Men det var sket alligevel.

Så nu vidste jeg, at livet på ingen måde respekterer omstændighederne.

Den kraft, som kaster katastroferne ned over os, siger ikke: „Nå, jeg venter med at give hende den knude i brystet til næste år. Må hellere lade hende komme sig over sin mors død først." Den fortsætter bare derudad og gør lige præcis, hvad den har lyst til, når som helst den har lyst til det.

Det gik op for mig, at ingen er immune over for Akkumulerende Katastrofe-syndromet. Ikke fordi jeg syntes, at det var en katastrofe at have fået et barn. Men det kunne helt sikkert godt blive rubriceret under Omvæltning.

Jeg troede, at jeg havde så meget styr på mit liv. Hvis, Gud forbyde det, der nogensinde skulle ske noget dårligt mellem mig og James, så ville jeg kunne hellige mig det helt og fuldt og få det ordnet. Jeg havde ikke ligefrem forventet at blive droppet inden for fireogtyve timer, efter at jeg havde født mit første barn, mens mit energiniveau var på sit allerlaveste, og mit sårbarhedsniveau ikke kunne blive højere.

For ikke at tale om at være lige så tyk som det fjols, jeg åbenbart var. Fede røve havde aldrig været noget for den kønne James.

Judy og jeg sad på sengen, tavse, og forsøgte begge at komme i tanke om noget konstruktivt at sige. Pludselig havde jeg svaret. Eller altså måske ikke svar*et*, men *et* svar. Noget, der kunne bringe mig videre lige i øjeblikket.

„Jeg ved, hvad jeg skal gøre," sagde jeg til Judy.

Åh, gudskelov, kunne jeg mærke hende tænke. *Gudskelov.*

Og som Scarlett O'Hara i de sidste øjeblikke af *Borte med blæsten* sagde jeg tænksomt: „Jeg tager hjem. Jeg tager hjem til Dublin."

Ja, jeg er fuldstændig enig. 'Dublin' lyder ikke nær så godt som 'Tara', men hvorfor skulle jeg tage hjem til Tara? Jeg kendte ikke nogen der. Jeg havde faktisk kun kørt forbi to gange på vej til Drogheda.

Kapitel to

Judy hentede mig på hospitalet et par dage senere. Hun havde bestilt en enkeltbillet til mig og mit barn til Dublin. Hun tog med mig hjem for at pakke nogle ting.

Jeg havde ikke hørt fra James i mellemtiden. Jeg væltede rundt i en sorggennemsyret tåge.

Sommetider kunne jeg ganske enkelt ikke fatte det. Alt, hvad han havde sagt til mig, forekom mig at være en drøm. Jeg kunne ikke huske detaljerne ordentligt, men jeg kunne huske følelsen. Den syge fornemmelse af, at der var noget grueligt galt.

Men sommetider gav tabet en gæsteoptræden.

Det invaderede mig. Det tog magten over mig. Det var som en fysisk kraft. Det slog livet ud af mig. Det gjorde mig åndeløs. Det var vildt og voldsomt.

Det hadede mig.

Det måtte det gøre for at kunne gøre så ondt.

Jeg kan ikke rigtig huske, hvordan jeg tilbragte de dage på hospitalet.

Jeg kan svagt huske at være forvirret, når alle de andre mødre snakkede om, hvordan deres liv havde forandret sig for altid, og de aldrig nogensinde ville være sig selv igen, problemerne med at skulle justere deres liv i forhold til den nye baby og alt sådan noget.

Men jeg kunne ikke forstå problemet. Et liv uden mit barn var for mig ikke længere noget liv. „Så er det dig og mig, lille skat," hviskede jeg til hende.

Det faktum, at vi begge var blevet forladt af manden i vores liv, fik sikkert tilknytningsprocessen til at gå stærkere. Som man siger, så er der ikke noget som en krise til at bringe folk sammen.

Jeg brugte meget tid på at sidde helt stille og holde hende.

Røre hendes småbitte dukkefødder, hendes perfekte, lyserøde miniaturetæer, hendes små knyttede hænder, hendes fløjlsbløde ører, blidt ae den fine hud på hendes utroligt lille ansigt og spekulere på, hvilken farve øjne hun ville få.

Hun var så smuk, så perfekt, sådan et lille mirakel.

Jeg havde fået at vide, at jeg skulle forvente at føle en overvældende kærlighed til mit barn, guderne skal vide, at jeg var blevet advaret. Men der var ikke noget, der kunne have forberedt mig på denne intense følelse. Følelsen af at jeg ville dræbe enhver, der så meget som krummede et af hendes lyse, fine hår på det bløde, lille hoved.

Jeg kunne forstå, at James forlod mig – eller altså, det kunne jeg faktisk ikke – men jeg kunne *virkelig* ikke forstå, at han kunne forlade dette smukke, perfekte, lille barn.

Hun græd meget.

Men jeg kan ikke rigtig klage, for det gjorde jeg også.

Jeg prøvede og prøvede at trøste hende, hun holdt sjældent op.

Efter at hun havde grædt uafbrudt i omkring otte stive timer den første dag, og jeg havde skiftet hendes ble hundrede og tyve gange og givet hende mad niogfyrre tusind gange, blev jeg lettere hysterisk og krævede, at en læge så på hende.

„Der *må* være noget forfærdeligt galt med hende,“ erklærede jeg til den udmattede ungersvend, der var lægen. „Hun kan *umuligt* være sulten, og hun har ikke (jeg vrængede ansigt, da jeg sagde det) ‘gjort’, men hun vil ikke holde op med at græde.“

„Jamen, jeg har undersøgt hende, og der er absolut intet i vejen med hende, så vidt jeg kan se,“ forklarede han mig tålmodigt.

„Jamen, hvorfor græder hun?“

„Fordi hun er en baby,“ sagde han. „Det gør de.“

Han havde læst medicin i syv år, og det var det bedste, han kunne komme på?

Jeg var ikke overbevist.

Måske græd hun, fordi hun på en eller anden måde kunne fornemme, at hendes far havde forladt hende.

Eller måske – kæmpe stik af skyldfølelse – græd hun, fordi jeg ikke ammede hende. Måske følte hun sig dybt krænket, fordi hun fik flaske. Ja, jeg ved det, du er sikkert chokeret over, at jeg ikke ammede hende. Du synes sikkert, at jeg ikke er en ordentlig mor. Men for lang tid siden, *før* jeg fik mit barn, tænkte jeg, at det ville være okay at få min krop tilbage, efter at jeg havde lånt den ud i ni måneder. Jeg vidste, at jeg ikke ville kunne kalde min sjæl min egen, nu hvor jeg var mor. Men jeg havde ligesom håbet på, at jeg måske kunne beholde mine brystvorter. Og jeg skammer mig over at sige det, men jeg var bange for, at jeg ville blive offer for ‘indskrumpede, flade hængepatte’-syndromet, hvis jeg ammede.

Nu hvor jeg sad med mit vidunderlige, perfekte barn, virkede mine amme-bekymringer smålige og egoistiske. Alting forandrer sig virkelig, når man har født. Jeg havde aldrig troet, at den dag skulle komme, hvor jeg ville tilsidesætte mine brystvorters tiltrækningskraft for en andens behov.

Jeg måtte overveje at amme min lille elskling, hvis hun ikke snart holdt op med at græde. Hvis det gjorde hende glad, så ville jeg lide med revnede brystvorter, lækkende patter og fnisende trettenårige drenge i bussen, der forsøgte at få et glimt af mine meloner.

Judy, baby og jeg kom hjem. Jeg lukkede os ind i lejligheden, og selvom James havde fortalt mig, at han var flyttet, så var jeg stadig ikke forberedt på de tomme steder på badeværelset, det tomme klædeskab, hullerne i bogreolen.

Det var forfærdeligt.

Jeg satte mig langsomt ned på vores seng. Puden duftede stadig af ham. Og jeg savnede ham så meget.

„Jeg kan ikke fatte det," hulkede jeg til Judy. „Han er virkelig væk."

Mit barn begyndte også at græde, som om hun også følte tomheden. Og det var ellers kun omkring fem minutter siden, at hun var stoppet.

Stakkels Judy så hjælpeløs ud. Hun vidste ikke, hvem af os hun skulle trøste først.

Efter et stykke tid holdt jeg op med at græde og vendte langsomt mit tårevædede ansigt mod Judy. Jeg var udmattet af sorg.

„Kom," hviskede jeg. „Jeg må hellere pakke."

„Fint," hviskede hun og vuggede stadig mig og mit barn i sine arme.

Jeg begyndte at smide ting ned i en vadsæk. Jeg pakkede alt, hvad jeg troede, jeg ville få brug for. Jeg var klar til at medbringe en bunke engangsbleer på størrelse med et mindre sydamerikansk land, men Judy fik mig til at lade dem ligge. „De har dem også i Dublin," mindede hun mig blidt om. Jeg smed sutteflasker ned i tasker, en flaskevarmer med et billede af en ko, der sprang over månen, sutter, legetøj, rangler, sparke-dragter, små sokker på størrelse med frimærker, alt hvad jeg kunne komme i tanke om til mit stakkels, faderløse barn.

Da jeg nu var enlig mor, overkompenserede jeg tydeligvis. „Jeg er ked af det, skat, jeg har taget din far fra dig, fordi jeg ikke var begavet eller smuk nok til at holde på ham, men jeg skal nok gøre det godt igen ved at overøse dig med materielle goder."

Så bad jeg Judy om alligevel at give mig et par bleer.

„Hvorfor?" spurgte hun og knugede dem tæt ind til sig.

„I tilfælde af at der sker et uheld på flyet," sagde jeg og forsøgte at tage dem fra hende.

„Fik du ikke nogen bind på hospitalet?" spurgte hun chokeret.

„Ikke hvis *jeg* har et uheld, din dumrian. Hvis *babyen* har et uheld.

Selvom det strengt taget ikke er et uheld, vel?" sagde jeg tankefuldt. „Mere en slags erhvervsrisiko."

Hun gav mig tre bleer. Men meget modvilligt.

„Ved du hvad? Du kan ikke blive ved med at kalde hende 'babyen'," sagde Judy. „Du bliver nødt til at give hende et navn."

„Det kan jeg ikke tænke på lige i øjeblikket," sagde jeg og begyndte at blive panikslagen.

„Jamen, hvad har du lavet de sidste ni måneder?" Judy lød chokeret. „Du må da have tænkt på *nogle* navne."

„Det gjorde jeg også," sagde jeg, og min underlæbe begyndte at bæve. „Men jeg overvejede dem sammen med James. Og det føles ikke rigtigt at give hende et af de navne."

Judy så ud, som om hun var lidt irriteret på mig. Men jeg var på grådens rand igen, så hun sagde ikke noget.

Jeg tog ikke rigtig noget med til mig selv ud over en håndfuld babybøger. Hvorfor skulle jeg det, tænkte jeg, nu hvor mit liv var slut.

Desuden kunne jeg ikke passe noget af mit tøj længere.

Jeg åbnede mit klædeskab og veg tilbage fra alle de frastødende blikke, mine små kjoler sendte mig. Der var ingen tvivl om det. De snakkede alle sammen om mig.

Jeg kunne næsten se dem puffe til hinanden og sige: „Se hende lige, se, hvor stor hun er blevet. Tror hun helt ærligt, at sådan nogle små størrelser 38 som os vil have noget at gøre med sådan en størrelse 44-krop, som hun slæber rundt på? Ikke så mærkeligt, at hendes mand stak af med en anden."

Jeg vidste, hvad de tænkte.

„Du har givet op. Du har altid sagt, at du ikke ville lade det ske. Du har svigtet os, og du har svigtet dig selv."

„Undskyld," sagde jeg og krympede mig. „Jeg taber mig. Jeg kommer tilbage efter jer, det lover jeg. Lige så snart jeg kan."

Deres skepsis var til at tage og føle på.

Jeg havde valgt mellem at tage mit ventetøj på eller et par cowboybukser, som James havde efterladt i sit hastværk for at komme ud ad døren. Jeg tog cowboybukserne på og fik øje på min frastødende, overvægtige krop i soveværelsesspejlet. Gud, hvor var jeg rædselsvækkende. Jeg så ud, som om jeg var iført min storesøsters Michelinmands-kostume. Eller værre endnu, jeg så ud, som om jeg stadig var gravid.

I ugerne op til, at jeg fødte, var jeg helt enormt stor.

Fuldstændig rund. Det eneste, der passede mig, var min grønne uldbusseronne, og kombineret med det faktum, at jeg på grund af konstant kvalme altid var grøn i hovedet, fik det mig til at ligne en vandmelon, som havde taget et par støvler og lidt læbestift på.

Selvom jeg ikke længere var grøn i hovedet, så lignede jeg stadig en vandmelon på alle andre områder. En vandmelon, der ville have haft godt af en håndfuld jerntabletter.

Hvad var det, der skete med mig? Hvor var den rigtige mig og mit rigtige liv forsvundet hen?

Med et hjerte, som ikke var det eneste tunge ved mig, gik jeg ind for at ringe efter en taxa, der skulle køre os til lufthavnen.

Det ringede på. Jeg kastede et sidste blik rundt i min stue, de gabende store huller i bogreolen, den skinnende nye babyalarm, der var sat op på væggen (sikke et *spild!*), det lille bjerg af forladte bleer på gulvet.

Jeg lukkede døren bag mig, før jeg begyndte at græde igen.

Fast.

Ja, jeg ved det. Rimelig tydelig symbolik. Ked af det.

Så gik det op for mig, at jeg manglede noget. „Åh gud," sagde jeg. „Mine ringe." Jeg løb tilbage og tog min forlovelsesring og min vielsesring fra soveværelset. De havde ligget på kommoden de sidste to måneder, fordi mine fingre var så fede og opsvulmede, at jeg ikke kunne få dem på. Jeg pressede dem ned over min finger, og de passede lige knap og nap.

Jeg greb Judy i at sende mig et mærkeligt blik.

„Han er stadig min mand, at du ved det," sagde jeg trodsigt til hende. „Og det er ensbetydende med, at jeg stadig er gift!"

„Jeg sagde ikke noget," sagde hun og forsøgte at se uskyldig ud

Judy og jeg kæmpede os ind i elevatoren, jonglerende med tasker, vadsække, håndtasker og en to dage gammel baby i en babylift.

Det er noget andet, folk ikke fortæller dig om at få børn! Der burde stå noget i manualerne i stil med: „Det er bydende nødvendigt, at din mand ikke forlader dig i løbet af de første par måneder efter dit barns fødsel, for ellers skal du bære alting selv."

Judy baksede alting ind i taxaen, da jeg til min rædsel fik øje på Denises mand, der kom gående ned ad gaden. Han må have været på vej hjem fra arbejde.

„Åh shit," sagde jeg ildevarslende.

„Hvad?" spurgte Judy nervøst, helt rød i ansigtet og svedende af anstrengelse.

„Denises mand," mumlede jeg.

„Og hvad så?" sagde hun højt.

Jeg forventede en eller anden form for forfærdelig, følelsesmæssig scene fra hans side. Som sagt, han var italiener. Eller også var jeg bange for, at han ville foreslå en alliance mellem ham og mig. Noget i stil med 'min fjendes fjende er min ven'. Det havde jeg *helt sikkert* ikke lyst til.

Vi fik øjenkontakt, og jeg havde det, som om jeg i min skyldbetonede og angstfulde tilstand kunne mærke, præcis hvad han tænkte: Det er alt sammen din skyld. Hvis du bare havde været lige så tiltrækkende som min Denise, så var din mand måske blevet hos dig, og jeg ville stadig være lykkeligt gift. Men nej, du skulle absolut ødelægge alting, din grimme, fede ko.

Fint, tænkte jeg. Hvis det skal være på den måde.

Jeg stirrede på ham og sendte hans tanke-beskeder tilbage til ham: Nå, men hvis du ikke havde giftet dig med en dulle, der gik rundt og ødelagde hjem og ægteskaber, hvis du bare havde giftet dig med en pæn og ordentlig pige, så ville ingen af os sidde i denne her situation.

Jeg var sikkert forfærdelig uretfærdig over for den stakkels mand. Han sagde ikke noget til mig. Han så bare på mig på en trist og anklagende måde.

Jeg gav Judy et farvelknus. Vi græd begge to. For en gangs skyld græd mit barn ikke.

„Heathrow. Terminal et," sagde jeg grådkvalt til taxachaufføren, og vi svingede ud fra kantstenen og lod mr. Andrucetti stå tilbage og stirre trist efter os.

Da jeg kæmpede mig ned ad midtergangen om bord på Air Lingus-flyet, bumpede jeg flere gange ind i vrede passagerer med min taske med babyting. Da jeg endelig fandt min plads, rejste en mand sig for at hjælpe mig med at stuve mine tasker væk. Jeg sagde smilende tak til ham, samtidig med at jeg automatisk overvejede, om han var vild med mig.

Det var så forfærdeligt. Det var en af de ting, jeg virkelig godt kunne lide ved at være gift. I et par år var jeg hoppet af den forfærdelige karrusel, hvor man forsøger at finde den rette mand, hvorpå man finder ud af, at han allerede er gift, bor sammen med en anden mand, er sygeligt nærig, læser Jeffrey Archer, kun kan få orgasme, hvis han må kalde dig 'mor', eller et af de tusind andre karaktertræk, som ikke er umiddelbart synlige første gang, man giver ham hånden og ser smilende ind i hans øjne og får en varm, fjollet følelse i maven, som absolut intet har at gøre med de rekreative stoffer, man har eller ikke har indtaget tidligere på aftenen, og tænker ved sig selv: Hej, han kunne være den eneste ene.

Nu stod jeg igen i en situation, hvor enhver mand er en potentiel kæreste. Jeg var tilbage i en verden, hvor der er otte hundrede udsøgt smukke kvinder for hver single hetero-mand. Og det er endda før, man har fået sorteret de mest frastødende fra.

Jeg så ordentligt på den hjælpsomme mand. Han var ikke engang særlig tiltrækkende. Han var sikkert bøsse. Eller præst snarere, i betragtning af at det var et Air Lingus-fly.

Og for mit eget vedkommende var jeg jo ikke ligefrem den store fangst, den forladte hustru med en to dage gammel baby og en selvtillid på størrelse med en amøbes (så meget?), tolv kilos overvægt, en overhængende fare for fødselsdepression og en vagina, som var ti gange større end normalt.

Flyet lettede, og huse, bygninger og gader forsvandt under mig. Jeg så ned, mens Londons gader og veje blev mindre og mindre. Jeg efterlod seks år af mit liv.

Jeg spekulerede på, om det var sådan, en flygtning havde det.

Min mand var dernede et sted. Min lejlighed var dernede et sted. Mine venner var dernede et sted. Mit liv var dernede et sted.

Jeg havde været lykkelig der.

Og så forsvandt byen i skydækket.

Mere slet skjult symbolik. Undskyld.

Jeg lænede mig tilbage i sædet med min baby på skødet. I de andre passagerers øjne lignede jeg sikkert en fuldstændig normal mor. Men, og tanken ramte mig med et stød, det var jeg ikke. Jeg var nu en Forladt Hustru. Jeg var en statistik.

Jeg havde været mange forskellige ting i mit liv. Jeg havde været Claire, den pligtopfyldende datter. Jeg havde været Claire, den forfærdelige datter. Jeg havde været den studerende Claire. Jeg havde været tøjten Claire (kortvarigt. Som sagt, hvis der er tid, så skal jeg nok fortælle om det). Jeg havde været administratoren Claire. Jeg havde været hustruen Claire. Og her sad jeg så og var Claire, den forladte hustru. Jeg havde det ikke godt med den tanke, det kan jeg godt fortælle dig.

Jeg havde altid troet (på trods af min erklærede liberalisme), at forladte hustruer var kvinder, som boede i socialt boligbyggeri med ægtemænd, der kun holdt inde et kort øjeblik for at give dem et blåt øje, forlod dem med en flaske vodka, pengene fra juleopsparingen og børnenes lommepenge og lod dem sidde grædende tilbage, ofre for en mands luner med et bjerg af ubetalte regninger, en løgnehistorie om at gå ind i en dør og fire dysfunktionelle børn, som alle var under seks.

Det var en ydmygende og lærerig oplevelse at finde ud af, hvor galt afmarcheret jeg havde været. Det var *mig*, der var den forladte hustru. Mig, middelklasse-Claire.

Eller det ville have været en ydmygende og lærerig oplevelse, hvis ikke det var, fordi jeg følte mig så bitter og vred og svigtet. Hvem var jeg? En tibetansk munk? Forpulede Moder Teresa?

Men jeg indså, på trods af selvmedlidenhed og selvretfærdighed, at jeg en dag, når alt dette var overstået, måske ville være et bedre menneske, at jeg ville være stærkere og klogere og mere medfølende.

Men bare ikke endnu.

„Din far er et røvhul," hviskede jeg til mit barn.

Den hjælpsomme homoseksuelle præst gispede.

Han må have hørt mig.

I løbet af en time begyndte vi indflyvningen til Dublin Lufthavn. Vi cirklede om det nordlige Dublins grønne marker, og selvom jeg vidste, at hun ikke rigtig kunne se noget endnu, så holdt jeg mit barn op til vinduet, så hun kunne få sit første glimt af Irland. Det var så anderledes end det glimt af London, vi lige havde forladt. Jeg havde aldrig haft det mere elendigt, end da jeg så ned på det blå Irske Hav og den grå dis over de grønne marker. Jeg følte mig som sådan en fiasko.

Jeg havde forladt Irland seks år tidligere, fuld af forventninger til fremtiden. Jeg skulle have mig et fantastisk job i London, møde en vidunderlig mand og leve lykkeligt til mine dages ende. Og jeg *havde* fået det fantastiske job, jeg *havde* mødt den vidunderlige mand, og jeg *havde* levet lykkeligt til mine dages ende – i hvert fald i et stykke tid – men på en eller anden måde var det hele gået galt, og nu var jeg tilbage i Dublin med en ydmygende fornemmelse af deja-vu.

Men der var en vigtig ting, der havde forandret sig.

Nu havde jeg et barn. Et perfekt, vidunderligt barn. Det ville jeg for alt i verden ikke lave om på.

Den hjælpsomme homoseksuelle præst så ud, som om han var meget pinligt berørt, mens jeg græd hjælpeløst. Synd, tænkte jeg. Vær bare pinligt berørt. Du er mand. Du har sikkert også fået utallige kvinder til at græde.

Jeg har haft mere rationelle dage.

Da vi først var landet, forlod han flyet rimelig raskt. Han kunne faktisk ikke komme af flyet hurtigt nok. Der var ingen tilbud om at hjælpe med at få mine tasker ned. Man kunne ikke bebrejde ham det.

Kapitel tre

Og så af sted til bagageudleveringen.

Det er efter min mening altid noget af en prøvelse.

Ved du, hvad jeg mener?

Angstfølelsen begynder, i samme øjeblik jeg kommer til ankomsthallen og står ved bagagebåndet og pludselig er overbevist om, at alle de pæne, venlige mennesker, som jeg har fløjet sammen med, har forvandlet sig til væmmelige bagagetyve. At hver og en af dem holder øje med båndet med det ene formål at stjæle mine tasker.

Jeg står med et sammenbidt, mistænksomt ansigtsudtryk. Et øje på lemmen, hvor taskerne kommer ud, mens det andet springer fra person til person i et forsøg på at få dem til at indse, at jeg har regnet dem ud. At de har valgt at stjæle fra den forkerte person.

Det ville nok hjælpe lidt på sagen, hvis jeg var et af disse velorganiserede mennesker, som det på en eller anden måde altid lykkes at stå der, hvor båndet begynder eller lige i nærheden. Men i stedet står jeg altid nede i den fjerneste ende og kniber øjnene sammen og står på tæer for at se, hvad der kommer ud af lemmen, og når jeg endelig ser min taske dukke op, er jeg så bange for, at der er nogen, der vil stjæle den, at jeg umuligt kan stå tålmodigt og vente på, at båndet leverer den til mig, når tid er. I stedet løber jeg gennem hele ankomsthallen for at fange den, før andre tager den. Bortset fra at jeg som regel finder det helt umuligt at bryde den tætte kæde af andre menneskers bagagevogne. Så min taske sejler uskyldigt forbi mig og rundt i ankomsthallen flere gange, før jeg kan få fat i den.

Det er et mareridt!

Denne gang lykkedes det mig til min store overraskelse at sikre mig en plads lige i nærheden af lemmen.

Måske var folk venligere over for mig, fordi jeg havde en baby med.

Jeg vidste, at hun nok skulle blive til nytte.

Så jeg ventede ved båndet og forsøgte at være tålmodig, mens jeg puffede og masede til alle de andre mennesker, som lige var kommet af flyet, og knækkede sammen i knæene, hver gang en medpassager hamrede

32

sin bagagevogn direkte ind i mine ankler.

Jeg fik øjenkontakt med så mange mennesker som muligt i håb om at kunne overbevise dem om ikke at stjæle mine tasker. Er det ikke den slags råd, man får af kriminologer? Du ved, hvad jeg snakker om. Hvis man bliver taget som gidsel, må man gøre sig gode venner med sin kidnapper. Få øjenkontakt med ham, så han indser, at man er et menneske, og dermed mindske chancerne for, at han slår én ihjel

Lige meget. Jeg er sikker på, at du ved, hvad jeg mener.

Der skete ikke noget i hundrede år.

Alles øjne var rettet mod den lille lem for at få det første glimt af kufferterne.

Ingen sagde noget. Folk turde end ikke trække vejret. Så pludselig! Lyden af båndet, der begyndte at køre.

Fantastisk!

Bortset fra at det ikke var vores.

En meddelelse over højtaleranlægget: „Vil passagererne, der er ankommet fra London på fly EI179, gå til bånd nummer fire for at afhente deres bagage."

Dette på trods af at skærmen over vores hoveder de sidste tyve minutter selvsikkert havde forsikret os om, at bagagen om kort tid ville komme til syne her.

Så begyndte en sindssyg kamp om at komme først hen til bånd fire. Folk puffede og masede, som om deres liv afhang af det. Og denne gang virkede det ikke, som om nogen tog sig af, at jeg havde en baby i armene.

Som resultat endte jeg i den fjerneste ende af det nye bånd.

Og i et kort stykke tid var jeg okay.

Oven i købet rolig.

Jeg forsøgte beslutsomt at se munter ud, mens folk rundt om mig en efter en greb deres tasker.

Jeg sagde til mig selv, at ingen ved deres fulde fem ville stjæle tasker fulde af babytøj og sutteflasker.

Jeg havde fuld tillid til, at personalet i Dublin Lufthavn ikke havde sendt mine tasker videre med fly til Darwin.

Eller Mars.

Men da der ikke var andet tilbage på båndet end et sæt golfkøller, der så ud, som om de havde været der siden slutningen af halvfjerdserne, og de var kørt forbi mig fjorten gange, og mit barn og jeg var de eneste mennesker tilbage i ankomsthallen, og vindheksene var begyndt at blæse forbi mig, var det langt om længe tid til at læse skriften på væggen.

Jeg vidste, at de ville få mig en dag, tænkte jeg og fik kvalme. Det var kun et spørgsmål om tid. Jeg vil vædde på, at det var den gamle ko med rosenkransen. Det er altid de stille.

Jeg begyndte at løbe frem og tilbage med babyen i armene, mens jeg febrilsk ledte efter noget personale. Til sidst fandt jeg et lille kontor, hvor der sad to nogenlunde gemytlige portnere.

„Kom ind, kom ind!" inviterede den ene, da jeg stod og hang usikkert i døråbningen. „Hvad kan vi gøre for Dem på denne herlige, våde, irske eftermiddag?"

Jeg kastede mig ud i den triste historie om mine stjålne tasker og babyliften. Jeg var lige ved at begynde at græde igen. Jeg følte mig som et *offer*.

„Bare tag det roligt, miss," sagde den ene beroligende. „De er ikke blevet stjålet. De er bare blevet væk. Jeg skal nok finde dem for Dem. Jeg har direkte forbindelse til Skt. Antonius."

Og ganske rigtigt, fem minutter senere vendte han tilbage med al min bagage. „Er det her Deres, miss?" spurgte han.

Jeg forsikrede ham om, at det var det.

„Og De skal ikke til Boston?"

„Jeg skal ikke til Boston," samtykkede jeg så roligt, som jeg kunne.

„Det er De sikker på?" spurgte han tvivlrådigt.

„Helt sikker," forsikrede jeg ham.

„Ja, det er der jo altså nogen, der mener, at De skal, men lad nu det ligge. Så, smut så med Dem," grinede han.

Jeg takkede dem og skyndte mig hen mod 'Intet at deklarere'-udgangen.

Jeg susede igennem med min bagagevogn og min baby og min genfundne bagage. Mit hjerte sank, da jeg blev stoppet af en af tolderne.

„Rolig, rolig," sagde han. „Hvor er der ildebrand? Har De noget at deklarere?"

„Nej, det har jeg ikke."

„Hvad er det, De har der?"

„Det er en baby."

„*Deres* baby?"

„Ja, min baby."

Mit hjerte holdt næsten op med at slå. Jeg havde ikke fortalt James, at jeg rejste. Måske havde han gættet, at jeg ville tage herover? Havde han fortalt politiet, at jeg havde kidnappet vores barn? Holdt man øje med alle havne og lufthavne? Ville de tage mit barn fra mig? Ville jeg blive deporteret?

Jeg var rædselsslagen.

„Så," fortsatte tolderen, „De har altså intet andet at deklarere end Deres gener." Han kluklo hjerteligt.

„Åh ja, den var god," sagde jeg slapt.

„En stor humorist, den kære mr. Wilde," sagde tolderen snakkesaligt. „En ægte gentleman."

„Åh, så absolut," sagde jeg og nikkede.

„De gjorde mig forfærdelig nervøs," sagde jeg og smilede til ham.

Han stillede sig som en sherif, blinkede og sagde drævende: „Det er okay, ma'am. Jeg gør bare mit arbejde."

Det var rart at være hjemme.

Kapitel fire

Jeg styrtede ud i ankomsthallen. Jeg kunne se min mor og far, der stod og ventede på mig på den anden side af rækværket. De så mindre og ældre ud, end sidst jeg så dem for seks måneder siden. Jeg fik dårlig samvittighed. De var begge sidst i halvtredserne og havde bekymret sig om mig, fra den dag jeg blev født. Faktisk fra før jeg blev født, hvis man skal være helt præcis, for min mor gik tre uger over tiden, og de troede, at de skulle til at sende en velkomstkomite ind efter mig.

Jeg har hørt om folk, der er kommet for sent til deres egen begravelse, men jeg har den usædvanlige ære at være kommet for sent til min egen fødsel.

Og de var bekymrede for mig, da jeg var seks uger gammel og havde kolik.

Og da jeg var to år gammel og ikke ville spise andet end dåseferskner i et helt år. De var bekymrede for mig, da jeg var syv og klarede mig rigtig dårligt i skolen. Og de var bekymrede for mig, da jeg var otte og klarede mig rigtig godt i skolen og ikke havde nogen venner. De var bekymrede for mig, da jeg var elleve og brækkede anklen. De var bekymrede for mig, da jeg som femtenårig gik til skolefest og måtte sendes hjem sanseløst beruset. De var bekymrede for mig, da jeg var på mit første år på universitetet og aldrig gik til nogen forelæsninger. De var bekymrede for mig, da jeg skulle til eksamen og altid var til forelæsning. De var bekymrede for mig, da jeg var tyve og holdt op med at komme sammen med min første sande kærlighed og lå i et mørkt rum og græd i to uger i træk. De var bekymrede for mig, da jeg var treogtyve og sagde mit job op og tog til London for at arbejde som servitrice.

Og her stod jeg og var næsten tredive, gift og med mit eget barn, og de skulle stadig bekymre sig om mig. Jeg mener, det var bare ikke retfærdigt, vel? I samme øjeblik de havde kunnet ånde lettet op og tænke: Gudskelov, det er lykkedes hende at score en nogenlunde respektabel mand, så kan vi måske lade ham bekymre sig om hende fra nu af og komme videre med at bekymre os om hendes fire yngre søstre, havde jeg den frækhed at vende om og sige: Ked af det, folkens, falsk alarm, jeg er tilbage, og denne gang er det værre end alle de andre ting, jeg har tvunget jer til at være bekymrede over.

Ikke noget under, at de så lidt grå og duknakkede ud.

„Åh, gudskelov," sagde min mor, da hun fik øje på mig. „Vi troede ikke, du havde nået flyet."

„Jeg er ked af det," sagde jeg og bristede igen i gråd. Og vi krammede alle sammen hinanden, og de begyndte begge to at græde, da de så min baby, deres første barnebarn.

Jeg måtte virkelig til at give hende et navn snart.

Vi klarede Dublin Lufthavns parkeringslabyrint. Tingene blev forsinket en smule, da far forsøgte at køre ud af den forudbetalte udgang, selvom han ikke havde betalt på forhånd, og alle de biler, som holdt bag ham, var nødt til at bakke for at lukke ham ud. Han blev en lille smule ophidset, og det var der også en anden bilist, der blev, men det behøver vi ikke komme ind på.

Da vi kom ud på vejen, kørte vi et stykke tid i stilhed. Det var en meget mærkelig situation. Min mor sad på bagsædet sammen med mig, og hun holdt babyen og vuggede hende stille. Jeg ville ønske, at det var mig, der var den baby, og at min mor kunne holde om mig og få mig til at føle mig tryg og at alting nok skulle gå.

„Så Uheldige Jim er skredet, hva'?" sagde min far pludselig.

„Ja, far," sagde jeg grådkvalt.

Min far havde aldrig rigtigt syntes om James. Min far er den eneste mand i et hus fuld af kvinder, og han længes efter mandligt selskab, nogen at snakke med om fodbold og den slags ting. Efter fars mening spillede James ikke nok rugby og vidste alt for meget om madlavning. Det talte ikke, at det var min far, der lavede alt husarbejdet derhjemme, madlavning var noget andet; 'kvindearbejde', kaldte han det. Men det sidste, han ønskede, var at se mig ulykkelig.

„Hør her, Claire," sagde han med en stemme, jeg genkendte som 'Jeg skal til at sige noget om følelsesmæssige ting, det er jeg ikke vant til, og det gør mig ubehageligt til mode, men det skal jo gøres, og jeg mener det faktisk'-stemmen. „Vi er din familie, og vi elsker dig, og det her vil altid være dit hjem. Du og babyen kan blive hos os, lige så længe du vil. Og... øh... både din mor og jeg ved, hvor ulykkelig du er, og hvis vi på nogen måde kan hjælpe, skal du bare sige til. Øh... æh... ja," sagde han og accelererede, mægtig lettet over, at det var overstået.

„Tak, far," sagde jeg og begyndte at græde igen. „Det ved jeg godt."

Jeg var uendelig taknemmelig. Det var vidunderligt at vide, at de elskede mig. Der var bare det ved det, at det ikke var nogen erstatning for at have mistet den mand, der var den eneste ene for mig, min bedste ven, min

37

elsker, det eneste pålidelige i en upålidelig verden.

Langt om længe nåede vi hjem. Det lignede sig selv. Hvorfor skulle det ikke også det? Livet fortsætter, imod al fornuft. Og der duftede fuldstændig på samme måde. Det var så velkendt, så beroligende. Vi slæbte taskerne og babyliften op ad trappen til det værelse, som jeg havde delt med min søster Margaret, indtil jeg flyttede til London. (Margaret, seksogtyve, sportslig, udadvendt, ordentlig, bosat i Chicago, arbejdede som advokatmedhjælper, gift med den eneste kæreste, hun nogensinde har haft). Værelset så virkelig sært ud, for der var ingen, der havde boet der i lang tid. Nogle af Margarets sko stod på gulvet, helt dækket af støv. Noget af hendes gamle tøj hang stadig i klædeskabet. Det var ligesom en slags helligdom.

Jeg smed et par af taskerne på gulvet, stillede babyliften frem og lagde babyen ned i den, satte flaskevarmeren med koen, der sprang over månen, på kommoden, satte mig på sengen og sparkede skoene af, stillede mine bøger i reolen, dryssede indholdet af min makeuppung ud over natbordet. Og i løbet af nul komma fem lignede stedet en svinesti.

Sådan, det var bedre.

„Nå, hvem er hjemme?" spurgte jeg mor.

„Ja, bare os og far lige i øjeblikket," sagde hun. „Helen er på universitetet, hun kommer hjem senere. Guderne skal vide, hvor Anna er. Jeg har ikke set hende i flere dage."

Anna og Helen er mine to yngste søstre. De er de eneste, der stadig bor hjemme.

Mor sad sammen med mig, mens jeg gav babyen mad. Efter at jeg havde bøvset hende af og lagt hende til at sove på ryggen, sad min mor og jeg stille på sengen og sagde ingenting. Det holdt op med at regne, og solen begyndte at skinne. Lugten af den våde have og lyden af brisen, der blæste gennem træets grene, kom ind gennem det åbne vindue. Det var en fredfyldt februar aften.

„Vil du have noget at spise?" sagde hun til sidst.

Jeg rystede på hovedet.

„Jamen, du bliver nødt til at spise noget, især nu hvor du har babyen at tage dig af. Du må være stærk. Skal jeg lave noget suppe til dig?"

Jeg skar ufrivilligt en grimasse.

„Fra en karton?" spurgte jeg.

„Fra en karton," nikkede hun ivrigt.

„Nej, mor, jeg har det fint."

Jeg må nok hellere forklare. Evnen til at lave mad springer en generation over. Jeg kan lave mad. Ergo vil min datter ikke kunne. Fred være med hende. Hvad var det for en start i livet, hun fik? Og af samme grund kan min mor ikke lave mad. Min mor og kulinariske nydelser er ikke bedste venner. Det vil faktisk være fair at sige, at min mor og kulinariske nydelser knap nok hilser på hinanden.

Mareridtsagtige minder om familiemiddage væltede ind over mig. Var jeg blevet sindssyg? Hvorfor helvede var jeg kommet hjem? Ville jeg virkelig gerne *sulte* ihjel?

Næste gang du gerne vil tabe dig rigtig hurtigt – til en to ugers solskinsferie. Din søsters bryllup. En date med kontorets lækre fyr. Glem alt om at melde dig ind i Vægtvogterne eller at forsøge at overleve på Lean Cuisine eller rode rundt med pulver. Bare kom og bo hos os i et par uger, og insister på, at min mor laver mad til dig.

Helt ærligt, der er masser af plads. Du kan sove på Rachels værelse. I løbet af to uger vil du ikke være andet end skind og ben. For uanset hvor sulten du er, vil du ikke kunne få dig selv til at spise noget, min mor har lavet.

Det er utroligt, at ingen af os nogensinde blev indlagt på hospitalet på grund af fejlernæring, da vi var yngre.

Der blev kaldt på mine søskende og mig, når der var mad. Så satte vi os alle sammen ned og stirrede stille på tallerknen foran os i et par forvirrede minutter. Til sidst spurgte en af os:

„Nogen bud?"

„Kan det være kylling?" sagde Margaret tvivlrådigt, idet hun forsigtigt prikkede til det med sin gaffel.

„Åh nej, jeg troede, det var blomkål," sagde vegetaren Rachel og styrtede ud for at brække sig.

„Nå, men lige meget hvad det er, så rører jeg det ikke," sagde Helen. „Cornflakes ved man i det mindste, hvad er," sagde hun og rejste sig for at tage en skål.

Så da min mor endelig satte sig ved bordet og fortalte os, hvad det var („Det er kartoffelmos med grønkål, I utaknemmelige skarn"), havde vi allerede rejst os fra middagsbordet og begivet os ud på vores egen mission, hvor vi fouragerede i køkkenskabene i et forsøg på at finde noget, der var bare lidt spiseligt.

„Margaret," råbte mor, vel vidende, at Margaret var den mest pligtopfyldende af os alle. „Har du ikke engang lyst til at smage?"

Og Margaret, som den gode pige hun var, løftede en mundfuld op til læberne.

„Nå?" sagde mor og turde knap nok trække vejret.

„Man ville ikke fodre en hund med det," svarede Margaret, da ærlighed var en anden af hendes dyder, side om side med lydighed og tapperhed.

Så efter mange års grådkvalte middagsmåltider og konstant stigende cornflakes-regninger besluttede min mor, til alles store lettelse, at holde fuldstændig op med at lave mad.

Hvis nogen af hendes døtre eller hendes mand fortalte hende, at de var sultne, tog hun dem derfor stille i hånden og førte dem ud i køkkenet. Hvorpå hun sagde: „Se, fryseren er fuld af frossen mad", slog fryserlågen op og tilskyndede dem med utallige opfordringer til at undersøge den myriade af delikatesser, der var derinde. Så gik hun hen over køkkengulvet med den udvalgte middagsmad og sagde: „Hil mikroovnen. Mit råd til jer er at gøre jer gode venner med disse to maskiner. I vil finde ud af, at de er uundværlige i kampen mod sult her i huset."

Nu indser du måske, hvorfor jeg nærede sådan en modvilje mod at tage imod hendes tilbud om suppe.

Men det vidunderlige ved, at min mor ikke lavede mad eller noget andet husarbejde, var, at hun havde masser af tid til de virkelig vigtige ting i livet. Hun så gennemsnitligt seks sæbeoperaer dagligt og læste omkring fire romaner om ugen, så hun var ekspert udi at give sine døtre råd om deres ødelagte kærlighedsforhold.

Tragiske kærlighedshistorier var ikke fremmede for hende.

Især ikke hvis de var australske.

Hun var for eksempel med, da Skip (Brads uægte søn med en sygeplejerske, han havde haft en affære med, da han var i Vietnam) blev gift med Bronnie (halvsøster til Wayne og Scott), og Bronnie blev gravid, og Skip havde en affære med Chrissie. Det fandt Jeannie (Chrissies steddatter) naturligvis ud af og fortalte det til mrs. Goolagong (ikke i familie med nogen). Mrs. Goolagong konfronterede Skip med det over et par dåseøl og et måltid mad på The Billy Can, og det viste sig, at Skip følte sig udenfor på grund af graviditeten, og det eneste, Bronnie kunne tale om, var babyen. Mrs. Goolagong beroligede ham. Skip afsluttede sin affære med Chrissie, blev gode venner med Bronnie igen, Bronnie fødte en smuk baby, som blev kaldt Shane, og Chrissie tog tilbage til Northern Territory med sin hund Bruce. (Jeg tror nok, at mrs. Goolagong derefter blev fyret for at have indtaget de førnævnte øl, mens hun var på arbejde, men det er en anden historie).

Vi sad sammen i det mørke rum og lyttede til lyden af mit barn, der tilfreds trak vejret.

„Hun er så smuk," sagde mor.

„Ja," sagde jeg og begyndte stille at græde.

„Hvad skete der?" spurgte mor.

„Jeg ved det ikke," sagde jeg. „Jeg troede, at alting gik godt. Jeg troede, at han var lige så spændt på babyen, som jeg var. Jeg ved godt, at graviditeten ikke var let. Jeg var hele tiden syg, og jeg blev fed, og vi gik næsten aldrig i seng med hinanden, men jeg troede, at han forstod."

Min mor var så god. Hun fyldte mig ikke med noget af alt det ævl om, at mænd er... altså... anderledes end os, skat. De har... behov... skat, på samme måde som dyr. Hun fornærmede ikke min intelligens ved at antage, at James havde forladt mig, fordi vi ikke havde været i seng sammen, mens jeg var gravid.

„Hvad skal jeg gøre?" spurgte jeg hende, vel vidende, at hun var lige så meget på Herrens mark som mig.

„Du bliver bare nødt til at komme videre," sagde hun. „Det er det eneste, du kan gøre. Lad være med at forsøge at få en mening ud af det, det vil bare drive dig til vanvid. Den eneste, der kan fortælle dig, hvorfor James gik, er James, og hvis han ikke vil snakke med dig, så kan du ikke tvinge ham. Måske forstår han det ikke engang selv. Men du kan ikke lave om på det, han føler. Hvis han siger, at han ikke elsker dig længere, og at han elsker den her anden kvinde, så bliver du nødt til at acceptere det. Måske vil han komme tilbage og måske ikke, men uanset hvad, så bliver du nødt til at komme videre."

„Jamen, det gør så ondt," sagde jeg hjælpeløst.

„Det ved jeg, det gør," sagde hun trist. „Og hvis jeg kunne få det til at forsvinde, så ville jeg gøre det, det ved du."

Jeg så ned på min lille pige, der lå og sov i sin lift, så fredfyldt, så uskyldig, så tryg og lykkelig nu, og følte en ubærlig smerte. Jeg ønskede, at hun altid skulle være glad. Jeg havde lyst til at kramme hende og kramme hende og kramme hende og aldrig slippe hende. Jeg ønskede, at hun aldrig skulle føle sig så afvist og ensom og chokeret, som jeg følte mig nu.

Jeg ønskede at beskytte hende altid mod enhver smerte. Men det ville jeg ikke få lov til. Det skulle livet nok sørge for.

Lige i det øjeblik blev døren slået op, og det rykkede os begge to ud af den elendighed, vi var sunket hen i. Det var min yngste søster, Helen. (Helen, atten år, klarede sig lige igennem første semester på universitetet med sin fikse, lille røv i vandskorpen ved at tage nogle usandsynligt nyttige fag som antropologi, kunsthistorie og oldgræsk, havde langt, sort hår, skrå katteøjne, grinede altid, var ekstremt uopdragen og var elsket af de fleste mennesker, især de mænd, hvis hjerter hun knuste i massevis. Jeg tror, at vendingen 'fræk som en slagterhund' var møntet direkte på hende).

„Du er her!" råbte hun, idet hun brasede ind på værelset.

„Hej, lad mig lige se min niece," hvinede hun. „Er det ikke for langt ude! Forestil dig mig som tante. Var det forfærdeligt? Er det virkelig ligesom at skide en sofa? Fortæl mig lige, hvorfor de koger vand og river lagner i stykker? Det har jeg altid gerne villet vide."

Uden at vente på svar stak hun sit ansigt helt ned i babyliften. Det stakkels barn begyndte at hyle skrækslagent. Helen løftede babyen ud af liften og holdt hende under armen som en rugbyspiller, der lige skal til at score det vindende mål for England.

„Hvorfor græder hun?" spurgte hun.

Hvad skulle jeg sige?

„Hvad hedder hun?" spurgte hun.

„Claire har endnu ikke bestemt sig for et navn," sagde mor.

„Jo, jeg har," sagde jeg og besluttede mig for at gøre forvirringen endnu større.

Jeg så på mor. „Jeg har bestemt mig for at opkalde hende efter din mor."

„Hvad?" skreg Helen rædselsslagen. „Du kan ikke kalde hende mormor Maguire. Det er ikke et navn for en baby."

„Nej, Helen," sagde jeg træt. „Jeg har tænkt mig at kalde hende Kate."

Hun stirrede på mig et kort øjeblik og rynkede sin smukke, lille næse, da det gik op for hende.

„Åh, nu *forstår* jeg det," sagde hun grinende.

Og så mumlede hun, ikke helt lavt nok: „Det er stadig ikke et navn til en baby."

Hun rakte mig babyen igen, lidt på samme måde som bønder, der smider tolvkilosække med kartofler fra lastvognsladet og ned til grønt-handleren. Det vil sige, kluntet, uforsigtigt, med meget lidt omtanke for kartoflernes vel og vel. Og så sagde hun til min store rædsel: „Hej, er James her? Hvor er James?"

Hun vidste det åbenbart ikke.

Jeg begyndte at græde.

„Hvorfor græder hun?" spurgte hun og så chokeret på min mor.

Min mor stirrede bare dumt på hende. Hun kunne ikke svare hende.

Du nægter at tro det. Hun græd.

Helen stirrede med målløs væmmelse på tre generationer af Walsh-kvinder, der alle sammen hylede.

„Hvad er der *galt* med jer? Hvad har jeg sagt? Mor, hvorfor græder du?" sagde hun irriteret.

Vi så bare på hende, klynget sammen på sengen med tårerne trillende ned ad vores respektive kinder, mens nyligt navngivne Kate brølede som et tog.

„Hvad sker der?" sagde hun frustreret.

Vi sad der bare. Uden at sige noget.

„Jeg går nedenunder og spørger far," truede hun. Men så bed hun sig i læben og blev hængende i døren, mens hun tænkte over det. „Medmindre han også begynder at græde."

Til sidst lykkedes det mor at sige noget. „Nej, du skal ikke gå nogen steder, skat," sagde hun og rakte Helen sin hånd. „Kom og sæt dig ned. Du har ikke gjort noget."

„Hvorfor græder I så?" spurgte Helen og vendte modvilligt tilbage til den tårevædede seng.

„Ja, hvorfor græder *du*?" spurgte jeg mor. Jeg var lige så nysgerrig som Helen efter at høre, hvorfor hun græd. Havde hendes mand lige forladt hende? Skulle hun have skiftet ble?

Det regnede jeg ikke med, så hvad gik de tårer ud på?

„Fordi jeg kom til at tænke på mormor," snøftede hun. „Og at hun ikke er i live til at se sit første oldebarn. Det er så dejligt, at du har opkaldt babyen efter hende. Hun ville være blevet glad. Og bæret."

Jeg fik så dårlig samvittighed. I det mindste var *min* mor stadig i live. Stakkels mor, mormor var død sidste år, og vi savnede hende alle sammen meget. Jeg gav mor og baby Kate, som begge to stadig græd, et knus.

„Sikke en skam," grundede Helen tankefuldt over.

„Hvad?" spurgte jeg hende.

„Åh, du ved, at mormor ikke hed et eller andet pænt, som for eksempel Tamsin eller Isolda eller Jet," sagde hun.

Jeg ved ikke, hvorfor jeg ikke slog hende ihjel på stedet.

Men af en eller anden grund var det meget svært at blive vred på hende.

Og så vendte hun sin opmærksomhed mod mig. „Og hvorfor græder du så?" spurgte hun. „Åh gud, jeg ved det, jeg vil vædde med, at du har fået den der fødselsdepressions-ting. Der stod noget i avisen om en kvinde, som led af det, og hun smed sin baby ud fra tolvte etage, og så ville hun ikke åbne døren, da politiet kom, og de blev nødt til bryde døren ind, og hun havde ikke taget affaldet ud i flere uger, og stedet var vildt klamt, og så forsøgte hun at begå selvmord, og de blev nødt til at putte hende i den elektriske stol. Eller sådan noget," sagde Helen fornøjet, for hun lod aldrig små, irriterende detaljer som fakta forstyrre fortællingen af en god, blodtørstig historie.

„Eller måske spærrede de hende bare inde eller sådan noget," indrømmede hun modvilligt og tav.

„Nå, men bortset fra det, hvad er der galt med dig?" spurgte hun muntert, på rette spor igen. „Det er nok meget godt, vi ikke bor på tolvte etage, ikke, mor? Ellers ville der være et styks udsplattet baby ud over hele terrassen? Og Michael ville flippe helt ud."

Michael var den hidsige, arbejdssky, overtroiske nogleogfirsårige mand, som kom to gange om måneden for at 'ordne' vores frimærke af en have på sin helt egen yderst videnskabelige facon. Michaels vrede var en frygtelig ting at skue. Lige såvel som Michaels havearbejde. Det vil sige, i de få tilfælde, hvor han rent faktisk udførte noget havearbejde. Min far var alt for bange for ham til at fyre ham. Faktisk var hele familien frygtelig bange for Michael. Selv Helen var meget nedtonet, når han var i nærheden.

Jeg kan huske en eftermiddag året før, hvor min stakkels mor stod og frøs i sit forklæde (som hun kun havde på for udseendets skyld) i haven og nikkede desperat med et stivnet smil, mens Michael udførligt forklarede med uartikulerede grynt og skræmmende bevægelser med havesaksen, at muren ville falde sammen, hvis hækken blev klippet. („Ser De, den har brug for hækken som støtte, ma'am"). Eller at alt græsset ville visne og dø, hvis han klippede det. („Bakterierne kommer ind i græsset gennem de afskårne ender, og så går det bare hen og dør").

Til sidst lykkedes det min mor at komme ind i køkkenet igen, hvor hun grådkvalt slog om sig med køkkenredskaberne, mens hun satte vand over til Michaels te.

„Det dovne gamle røvhul," snøftede hun til mig og Helen. „Han laver aldrig noget. Nu er jeg gået glip af *The flyvende læger* og scrable på tv på grund af ham. Og græsset når helt op til knæene. Jeg skammer mig så grusomt over det. Vi er det eneste hus i hele kvarteret, hvis have ligner en jungle. Jeg har lyst til at spytte i hans te."

En tårevædet pause. Nedtælling til tre.

„Må Gud tilgive mig," sagde hun med dirrende stemme. „Helen, lad de Jaffa-kager ligge. De er til Michaels te."

„Hvorfor får Michael Jaffa-kager, når du hader ham, og vi andre får elendige Digestives?"

Godt spørgsmål, tænkte jeg.

„Shhh," sagde min mor. „Han kan høre dig."

På dette tidspunkt stod Michael ved bagdøren og tog sine ulastelige gummistøvler af. Man kunne have spist sit aftensmåltid på dem.

„Jeg mener, du hader jo ikke os," fortsatte Helen kværulantisk. „Og vi får ikke de gode kager, og *du hader Michael.*" (De sidste tre ord blev sagt meget højt og i retning af bagdøren), „og han får de gode kager. Åh goddag, Michael, kom ind og få en småkage." Hun smilede sødt til ham, idet han haltede ind i køkkenet, mens han åbenlyst tog sig til ryggen, som om den smertede efter hårdt arbejde.

„Go' aften," sagde han og så mistænksomt på mig. Han troede åbenbart, at det var mig, der havde talt om ham. Der var aldrig nogen, der mistænkte Helen med det engleagtige, uskyldige ansigt for noget.

Sikke nogen fjolser.

„Må jeg skænke dig en kop te?" spurgte min mor føjeligt.

44

Men senere den aften hørte jeg mine forældre skændes i køkkenet.

„Jack, du bliver nødt til at sige noget til ham."

„Hør her, Mary, jeg skal nok selv slå det græs."

„Nej, Jack, vi betaler ham for at gøre det. Så han burde gøre det. Og så fylder han mig med alt det ævl om, at bakterier vil angribe græsset! Han må tro, at jeg er komplet idiot!"

„All right, jeg snakker med ham."

„Eller måske skulle vi bare asfaltere det hele. Så ville vi blive nødt til at fyre ham."

Men far 'talte' aldrig med Michael. Og jeg ved med sikkerhed, at han selv slog græsset den dag, mor tog til Limerick for at besøge tante Kitty, og fortalte mor en lodret løgn om det.

Fra tid til anden spurgte Helen min mor, om mor ville købe Jaffa-kager kun til hende, hvis hun lovede aldrig at slå græsset.

Helen havde ret. Hvis en baby var 'udsplattet' (er det et ord?) ud over terrassen, ville Michael helt sikkert blive sur.

Men det ville ikke ske.

Selvom jeg måske nok ville være nødt til at genoverveje det, hvis Kate ikke snart holdt op med at græde.

„Nej, Helen," forklarede jeg hende. „Jeg har ikke en fødselsdepression. Det tror jeg i det mindste ikke, jeg har. Ikke endnu i hvert fald."

Shit! Det var lige, hvad jeg havde brug for.

Men før jeg nåede at fortælle hende, at James havde forladt mig, kom min far ind på værelset.

Hvis der blev ved med at komme gæster i det her tempo, ville vi snart blive nødt til at flytte nogle af møblerne ud på reposen.

„Hijack," sagde vi alle sammen i kor.

Min far anerkendte denne hilsen med et smil og et nik. Ser du, min fars navn var Jack, og i begyndelsen af halvfjerdserne, da flykapringer var en populær nyhed (siden hen overskygget af misbrug af børn), hilste en onkel fra Amerika på min far med ordene 'Hi Jack'. Mine søstre og jeg var lige ved at gøre i bukserne af grin. Det fik altid smilet frem.

Man skulle nok have været der. „Jeg er kommet for at se mit første barnebarn," meddelte min far. „Må jeg holde hende?"

Jeg rakte far Kate, og han holdt hende som en professionel. Kate holdt øjeblikkeligt op med at græde. Hun lå fredeligt i hans arme, mens hun skiftevis knyttede sine små søstjernehænder og strittede med fingrene.

Fuldstændig ligesom sin mor, tænkte jeg sørgmodigt – en mand kan sno hende om sin lillefinger.

Jeg blev virkelig nødt til at tage det i opløbet hos Kate. Har du ikke noget selvrespekt, pigebarn! Du har ikke brug for en mand til at være lykkelig! Alle andre mødre ville læse historier for deres små piger om lokomotiver, der kunne snakke, og ulve, der fik deres straf. Jeg bestemte mig for, at jeg i stedet ville læse feministiske manifester for min datter.

Ud med *Den lille havfrue* og ind med *Den kvindelige eunuk.*

„Hvornår finder du et navn til hende?" spurgte far.

„Åh, det har jeg lige gjort," sagde jeg. „Jeg har opkaldt hende efter hendes oldemor."

„Skønt," sagde far og strålede.

„Hej, lille Nora," sagde han til den lille, lyserøde bylt med trallende babystemme.

Helen, mor og jeg sendte hinanden chokerede blikke.

Forkert oldemor!

„Øh nej, far," sagde jeg forlegent. „Jeg har kaldt hende Kate."

„Men min mor hedder ikke Kate," sagde han og rynkede forvirret brynene.

„Det ved jeg godt, far," sagde jeg tøvende. (Åh gud, hvorfor var der så mange faldgruber i livet?). „Men jeg har opkaldt hende efter mormor, ikke farmor."

„Åh, jeg forstår," sagde han lidt køligt.

„Men jeg kan kalde hende Nora til mellemnavn," lovede jeg og krympede mig.

„Under ingen omstændigheder!" afbrød Helen. „Kald hende noget pænt. Jeg har det! Hvad med Elena? Elena er græsk for Helen, at du ved det."

„Shhh, Helen," formanede mor. „Det er Claires baby."

„Du har altid sagt, at vi skulle dele alt vores legetøj," sagde Helen mopset.

„Kate er ikke et stykke legetøj," sukkede mor.

Hold op, hvor var Helen anstrengende.

Da hun imidlertid har en koncentrationsevne på størrelse med en stegepande, det vil sige ingen overhovedet, vendte Helen sin opmærksomhed mod noget andet.

„Du far, gider du køre mig over til Linda?"

„Helen, jeg er ikke din privatchauffør," svarede far roligt og fast.

„Far, jeg spurgte dig ikke, hvad du arbejder som. Jeg *ved* godt, hvad du laver. Jeg spurgte dig bare, om du gad køre mig," sagde Helen med en meget 'jeg er klar til at være rimelig'-stemme.

„Nej, Helen, du kan fandme gå!" udbrød far. „Jeg ved helt ærligt ikke, hvad der er galt med unge mennesker i dag. Dovenskab er, hvad det er. Dengang jeg…"

„Far," afbrød Helen ham skarpt. „*Vær sød* at lade være med at fortælle mig historien om, hvordan du måtte gå fem kilometer til skole i bare fødder igen. Det kan jeg simpelthen ikke klare. Bare kør mig," og så sendte hun ham et lille kattesmil inde under sit lange, sorte pandehår.

Han stirrede opgivende på hende et kort øjeblik, og så begyndte han at grine. „Okay, da," sagde han og raslede med bilnøglerne. „Kom så."

Han rakte mig Kate igen.

Sådan som en baby skulle rækkes over.

„'Nat, 'nat, Kate *Nora*," sagde han med lidt for meget vægt på 'Nora'. Han havde vist ikke tilgivet mig helt endnu.

Far og Helen gik.

Mor, Kate Nora og jeg blev siddende på sengen og nød stilheden efter Helens exit.

„Så," sagde jeg strengt til Kate. „Det var din første lektie i, hvordan man skal behandle en mand, velvilligt demonstreret af din tante Helen. Jeg håber virkelig, du var opmærksom. Behandl dem som slaver, og de vil helt sikkert opføre sig som slaver."

Kate stirrede på mig med store øjne.

Min mor smilede bare uudgrundeligt.

Et selvtilfreds, hemmelighedsfuldt smil.

Et bedrevidende smil.

Et smil fra en kvinde, hvis mand er den, der gennem de sidste femten år har stået for støvsugningen.

Kapitel fem

Og så i seng.

Det var meget sært at lægge sig til at sove i den seng, som jeg havde tilbragt mine teenageår i. Jeg havde troet, at de dage var slut.

Deja-vu.

Det kunne jeg nu godt have været foruden.

Det var rimelig sært at blive kysset godnat af min mor, når mit eget barn lå i liften ved siden af mig.

Jeg var en mor, men jeg behøvede ikke Sigmund Freud til at fortælle mig, at jeg selv stadig følte mig som et barn.

Kate stirrede med vidåbne øjne på loftet. Hun var sikkert stadig i chok over sit møde med Helen. Jeg var lidt ængstelig for hende, men jeg var til min store overraskelse faktisk temmelig træt. Jeg faldt hurtigt i søvn. Selvom jeg troede, at jeg ikke ville kunne sove.

Nogensinde igen, mener jeg.

Kate vækkede mig blidt klokken cirka to om natten ved at græde med en lydstyrke omkring en million decibel. Jeg spekulerede på, om hun overhovedet havde sovet. Jeg gav hende mad. Så gik jeg i seng igen.

Jeg faldt i søvn, men et par timer senere vågnede jeg rædselsslagen med et sæt. En rædsel, som ikke havde noget at gøre med det frodige, blomstrede Laura Ashley-agtige tapet, gardiner og sengetæppe, som omgav mig, og som jeg svagt kunne se i mørket.

Rædsel over, at jeg var i Dublin og ikke i min lejlighed i London sammen med min elskede James.

Jeg så på uret, og den var (ja, du har gættet rigtigt) fire om natten. Det faktum, at en fjerdedel af verdens befolkning, der er på Greenwich-tid, også lige var vågnet med et sæt og lå og stirrede ulykkeligt ud i mørket, mens de spekulerede på alt fra „Bliver jeg fyret?" til „Vil jeg nogensinde møde en, som virkelig elsker mig?" til „Er jeg gravid?", burde have beroliget mig.

Men det var ingen trøst.

For jeg havde det, som om jeg var i helvede.

Det gør ikke smerten i mit helvede mindre at sammenligne det med andres helvede.

Undskyld, jeg er så blodtørstig omkring det her, men hvis man får savet sit ben af med en rusten nedstryger, er der ingen trøst i det faktum, at personen i cellen inde ved siden af bliver sømmet fast til bordpladen.

Jeg satte mig op i sengen i mørket.

Kate sov fredfyldt ved siden af mig i sin lyserøde babylift.

Vi var ligesom nattevægtere, der skiftedes til at være vågne. Det virkede i hvert fald, som om mindst en af os var vågen på et hvilken som helst tidspunkt.

Men sammenligningen endte der, for jeg kunne ikke sige – i hvert fald ikke med nogen overbevisning – „Klokken er fire, og alt er godt."

Det hele var så forfærdeligt, at det vendte sig i maven på mig. Jeg kunne ikke fatte, at jeg var i mine forældres hus i Dublin og ikke i min lejlighed i London sammen med min mand. Jeg måtte jo have været sindssyg, da jeg forlod London og overlod James til en anden kvinde. Jeg havde bare overladt ham til hans skæbne!

Var jeg blevet komplet vanvittig? Jeg måtte tilbage. Jeg måtte kæmpe for ham! Jeg måtte have ham tilbage!

Hvordan var jeg endt her?

Jeg havde taget den gale vej og var endt i et parallelt univers, der stadig lignede mit liv, men det var ondt og dystert og forkert.

Jeg *kunne* ikke leve uden James.

Han var del af mig.

Hvis min arm var faldet af, så ville jeg jo ikke sige: „Åh, lad den bare være i fred lidt. Den kommer nok tilbage, hvis det er meningen. Ingen grund til at tvinge den. Det kan bare skubbe den længere væk." Det var trods alt bare min arm, og James var en meget større del af mig end en arm.

Jeg havde meget mere brug for ham.

Jeg elskede ham meget højere.

Jeg kunne ganske enkelt ikke leve uden ham.

Jeg ville have ham tilbage. Jeg ville have mit liv med ham tilbage. Og jeg skulle nok få ham tilbage. (Og få ham tilbage i sengen).

(Undskyld, det var respektløst og vulgært).

Jeg var panikslagen.

Hvad hvis det var for sent nu?

Jeg burde aldrig være taget af sted.

Jeg skulle have kæmpet for min ret og fortalt ham, at han og jeg kunne ordne tingene. At han umuligt kunne elske Denise. At han elskede mig. Jeg var for stor en del af ham til, at han ikke elskede mig.

Men jeg havde indrømmet mit nederlag og overgivet ham til Denises appelsinhud (Jamen, det har hun altså!) uden at protestere.

Jeg måtte tale med ham nu.

Han ville ikke have noget imod, at jeg ringede klokken fire om natten. Jeg mener, det var James, vi snakkede om. Han var min bedste ven. Jeg kunne gøre *hvad som helst*, og James havde ikke noget imod det. Han forstod mig. Han kendte mig.

Næste morgen ville jeg flyve tilbage til London med Kate. Og mit liv ville være i orden.

Den sidste uge ville være glemt. Vores livs brud ville blive lappet uden problemer. Arrene ville falme. Man ville kun kunne få øje på dem, hvis man så meget godt efter.

Der ville blive rettet op på alting. Alt ville komme tilbage på rette spor. Sådan som det altid havde været meningen, at det skulle være.

Det var en forfærdelig misforståelse, noget værre rod, men der var ikke sket nogen permanent skade.

Når enden er god, er alting godt, er det ikke rigtigt?

Jeg ved godt, hvad du tænker.

Ja, det gør jeg virkelig.

Du tænker: Hun er blevet gal..

Ja, det var jeg måske nok. Måske var jeg blevet afsindig af sorg.

Du tænker: Hvor er din selvrespekt, Claire?

Men jeg er bange for, at jeg havde indset, at mit ægteskab betød mere for mig end min selvrespekt. Selvrespekt luner ikke om natten. Selvrespekt lytter ikke til dig hver aften. Selvrespekt fortæller dig ikke, at den hellere vil i seng med dig end med Cindy Crawford.

Det var ikke bare en ungpigeromance, der var gået galt. Han havde ikke inviteret en anden cheerleader med til bal. Det handlede ikke om lidt sværmeri.

Det her handlede om kærlighed.

Jeg elskede James. Han var en del af mig. Det var for godt til bare at give slip.

Selv hvis kaptajnen for fodboldholdet inviterede mig med til bal i stedet, og jeg kunne tage min nye kjole på og ranke ryggen og redde min stolthed, så var det lige meget. Jeg måtte stadig have James tilbage.

Jeg kæmpede mig ud af sengen, asede og masede mig vej gennem metervis af bomuldsnatkjole, som mor havde insisteret på, at jeg tog på. Da jeg flygtede fra London, glemte jeg at pakke en natkjole. Og da min mor opdagede det, informerede hun mig stramtandet om, at under hendes tag var der ingen, der sov nøgne. „Hvad hvis der var ildebrand?" og „Det kan godt være, at det er sådan, man gør i London, men du er ikke i London nu." Så jeg havde valget mellem at iføre mig en af fars paisleymønstrede pyjamasser eller låne en af mors enorme, victorianske, gulvlange, blomstrede natkjoler med høj hals og uld i kanterne. Hvordan det nogensinde lykkedes den kvinde at få sin mand til at gøre hende gravid, fem gange oven i købet, med sådan nogen beklædningsdele, det går over min forstand.

Den ville kunne dæmpe en femtenårig italieners begær. Når en mand endelig havde aset og maset sig igennem metervis af stof og var nået frem til et blottet stykke hud, var han alt for udmattet til at gøre noget ved det.

Jeg valgte natkjolen frem for fars pyjamas, fordi natkjolens uendelige mængder stof fik mig til at føle mig tynd og nuttet og feagtig. Hvorimod fars pyjamas sad foruroligende og deprimerende stramt.

Jeg bestemte mig for, at alle følelser er relative. Det var forkert af mig at føle mig fed. Jeg var ikke for fed. Der var ikke noget galt med mig. Det var bare, fordi resten af verden var for tynde. Jeg behøvede ikke at forandre mig. Det eneste, jeg behøvede, var at forandre verden omkring mig. Ganske enkelt gøre tingene omkring mig femten procent større, end de var nu – tøj, møbler, mennesker, bygninger, lande – og så ville jeg pludselig have den helt rigtige størrelse igen!

Lad os sige tyve procent. Så ville jeg måske oven i købet føle mig helt skrøbelig.

Jeg indså hurtigt, at alting bare var et spørgsmål om *proportioner*.

Alt var enten godt eller dårligt, for tykt eller for tyndt, stort eller lille i forhold til det, som omgav det.

Så hold dine kvikke bemærkninger om min natkjole for dig selv. Der var metode i galskaben (eller i hvert fald i den særlige del af min galskab). Jeg vidste tilfældigvis, hvad jeg gjorde. Jeg følte mig udmagret. Tynd og svævende og lillepiget.

Det tog mig omkring ti minutter at komme ud af sengen, og da jeg satte fødderne på gulvet, havde jeg nær stranguleret mig selv ved at stå på natkjolens bagerste søm, så jeg trak kraven opad, og den skar ind i halsen på mig som en skruetvinge.

Jeg hostede og spruttede rimelig meget, og Kate begyndte at røre hvileløst på sig i liften. Åh nej, du må ikke vågne, lille skat, tænkte jeg febrilsk. Du må ikke græde. Det behøver du ikke. Alting skal nok gå. Jeg skal nok få din far tilbage. Du skal bare se. Bare du holder skansen her.

Og mirakuløst nok faldt hun til ro og vågnede ikke. Jeg listede ud af det mørke rum og ud på reposen. Den enorme natkjole hvirvlede rummeligt omkring mig på en behagelig facon, da jeg gik ned ad den mørke trappe. Telefonen stod nedenunder i entreen. Det eneste lys kom fra gadelampen uden for huset, som skinnede ind gennem de matterede ruder i hoveddøren.

Jeg begyndte at dreje nummeret på min lejlighed i London. Lyden gav ekko i stilheden. Det lød som en salve fra et maskingevær i stilheden i det sovende hus. Åh gud, tænkte jeg. Familien McLoughlin tre huse længere nede ad vejen kommer over for at klage over larmen.

Der lød et par klik, mens telefonen i Dublin fik forbindelse med telefonen i en tom lejlighed i en by seks hundrede og halvtreds kilometer væk.

Jeg lod den ringe. Måske hundrede gange. Måske tusind gange.

Den ringede og ringede ud i en kold, mørk, tom lejlighed. Jeg kunne se telefonen for mig, som den ringede og ringede ved siden af de glatte, uberørte, ikke-sovede-i-senge, skyggerne fra vinduet, der faldt ind over den, idet lyset fra gaden strømmede ind gennem de åbne gardiner. Åbne, fordi der ikke var nogen til at trække dem for.

Og alligevel lod jeg den ringe og ringe. Og lige så langsomt mistede jeg alt håb.

James tog den ikke.

For James var der ikke.

James var i en anden lejlighed. I en anden seng.

Med en anden kvinde.

Jeg var skør, hvis jeg troede, at jeg kunne få ham tilbage, bare fordi jeg ville have det. Jeg må have været vanvittig at tro, at jeg bare kunne ignorere det faktum, at han boede sammen med en anden kvinde. Han havde *forladt* mig, for himlens skyld. Han havde fortalt mig, at han elskede en anden.

Langsomt vendte fornuften tilbage.

Forbigående Sindssyge var kommet forbi, og jeg havde råbt: „Kom indenfor, døren er åben." Heldigvis kom Realiteterne uventet hjem og greb Forbigående Sindssyge i at rumstere rundt i min hjernes lange gange uden opsyn, på vej ind i værelserne, hvor den åbnede skabe, læste mine breve, kiggede i min undertøjsskuffe og sådan noget. Realiteterne løb hen og hentede Fornuften. Og efter et håndgemæng var det lykkedes dem begge at smide Forbigående Sindssyge ud og smække døren i ansigtet på ham. Nu lå Forbigående Sindssyge på gruset i mine tankers indkørsel, gispende og rasende, mens den råbte: „Hun inviterede mig indenfor, at I ved det. Hun *bad* mig komme. Hun *ville* have mig der."

Realiteterne og Fornuften lænede sig ud ad vinduet på anden sal og råbte: „Smut så med dig. Der er ingen, der vil have dig her. Hvis du ikke er væk om fem minutter, så ringer vi efter Følelsespolitiet."

Enhver psykiater, der var noget værd, ville nok have sagt, at jeg benægtede faktum. At chokket over, at James havde forladt mig så pludseligt, var for stort til, at jeg kunne indoptage det. Jeg kunne ganske enkelt ikke acceptere det eller forholde mig til det. Det var lettere for mig at lade, som om der ikke var sket noget skidt, og hvis jeg lod, som om alting kunne ordnes, så ville det rent faktisk gå sådan.

Jeg satte mig på gulvet i den kolde, mørke entre. Efter lang tid lagde jeg røret på.

Mit hjerte, som havde hamret hektisk derudad, begyndte at slå normalt igen. Mine hænder holdt op med at ryste. Mit hoved holdt op med at fantasere og lade som om.

Jeg ville ikke tage tilbage til London næste morgen.

Mit liv var her nu. I hvert fald i øjeblikket.

Jeg havde det elendigt.

Efter den oplivende fornemmelse af at tro, at jeg kunne snakke med James og kysse alting væk, sad jeg tilbage med den største, mest tomme tristhed, jeg nogensinde havde oplevet. Tristhed så stor som et kontinent. Så dyb som Atlanterhavet. Så tom som Helens hjerne.

Mine fødder begyndte at blive kolde.

Selvom jeg følte mig så træt, som var jeg tusind år gammel, havde jeg det, som om jeg aldrig nogensinde ville kunne sove igen.

Den smerte, jeg følte over tabet, var for stor til at lade mig sove. Og jeg ønskede desperat at sove. Hvad som helst for at stoppe den følelse.

Hvor ville jeg ønske, at vi havde en neurotisk mor. En, som havde sovepiller og valium og antidepressive midler i spandevis i medicinskabet på badeværelset.

I stedet opførte hun sig, som om vi var klar til Betty Ford-klinikken, hvis bare vi bad om to paracetamol mod ondt i halsen/mavepine/brække-de ben/åbne, blødende mavesår.

„Bid det i dig," ville hun sige. „Tænk på Herren, der led på korset." Eller „Hvad ville du gøre, hvis man ikke havde opfundet smertestillende piller?" Hvortil man eventuelt kunne svare: „At være sømmet til korset en dag eller to ville være en fest sammenlignet med den her ørepine." Eller: „Du kan piske mig hvilken som helst dag i løbet af ugen, hvis bare du fjerner min tandpine."

Det ville naturligvis ødelægge enhver chance, hvor lille den end måtte være, for at få stoffer ud af min mor. Blasfemi stod højt på hendes liste over utilgivelige ting.

Hvor jeg ville ønske, at min søster Anna stadig solgte stoffer. Hvad ville jeg ikke give for lidt E på det tidspunkt!

Som det var, så var selv chancen for at opdrive alkohol uforudsigelig. Ingen af mine forældre drak selv særligt meget. Og de havde meget lidt sprut i huset.

Nej, jeg mener det. Det var ikke, fordi de havde taget en beslutning om det. Det var ikke en holdning, de havde. Det var bare noget, som var sket for dem.

Selv dengang de *forsøgte* at have sprut i huset, havde de i virkeligheden stadig meget lidt, takket være mig, og i nyere tid mine søstre.

Det var, som om vores motto var: 'Ingen procenter kan være for høje eller for lave. Alle drikkevarer indtages.' Alt fra hjemmebrændt whisky til kirsebærlikør over lyserød champagne og alt derimellem var vand på vores ganske særlige mølle.

I mine yngre dage, de gode, gamle dage før jeg opdagede, hvad sprut kunne gøre for mig, havde vi et fuldt, om end varieret barskab.

Den reneste, polske vodka gnubbede skuldre med flasker med Malibu. Flasker med ungarsk Slibovitch opførte sig, som om de havde al mulig ret til at stå ved siden af flasken med Southern Comfort. Der var ingen kold krig i vores barskab.

Ser du, far vandt konstant cognac eller whisky, når han spillede i golf-turneringer. Og mor vandt indimellem en flaske sherry eller en eller anden tøset likør, når hun spillede bridge. Folk tog eksotiske flasker med hjem til os som gaver, når de havde været på ferie. Vores nabo tog en flaske Ouzo med hjem fra Cypern.

Fars sekretær købte Slibovitch med til os, når hun tog på ferie Bag Jerntæppet. (Det var i 1979, og mine søstre og jeg syntes alle sammen, at hun var virkelig modig og tapper, og udspurgte hende længe, da hun vendte hjem, om hun havde været vidne til et brud på ungarernes menneskerettigheder. „Er det virkelig rigtigt? Går de stadig med kasse-bukser og plateausko?" spurgte vi med store, rædselsslagne øjne. Mens Margaret, praktisk som altid, ville vide, hvad kursen var for en pakke tyggegummi. „Hvor mange pakker skal jeg købe, før jeg kan købe et hus?" Helt ærligt, pigen var fremsynet). Anna vandt en flaske fluore-scerende gul banansnaps til St. Vincent de Pauls julelotteri. En anden faldt over en vildfaren flaske abrikossnaps.

Lidt efter lidt voksede vores barskab. Og i og med at mine forældre drak meget lidt, og vi børn endnu ikke var begyndt på det, var det ved at løbe over sine bredder.

Disse lykkelige dage var imidlertid slut.

Jeg må desværre fortælle, at da jeg var omkring femten, opdagede jeg alkoholens glæder. Og indså hurtigt, at mine lommepenge umuligt ville kunne holde mig forsynet med min nyfundne lidenskab. Med det resultat, at jeg tilbragte mangen en ængstelig time med at se mig over skulderen, mens jeg tappede små mængder fra de forskellige flasker i skabet i dagligstuen.

Jeg hældte dem ned i en lille lemonadeflaske, jeg havde fremskaffet som samlekar for den blanding, jeg var i færd med at lave. Jeg var bange for at tage for meget fra én enkelt flaske, så jeg valgte ud fra et bredt spektrum af sprut. Og puttede det alt sammen ned i samme lemonadeflaske, forstår du. Uden at tage hensyn til, hvordan det i sidste ende ville smage. Min første prioritet var at blive fuld. Og hvis jeg var nødt til at drikke noget, som smagte klamt, for at blive det, så var det bare ærgerligt.

Jeg tilbragte mangen en lykkelig time, når jeg havde drukket en blanding af (lad os bare sige) sherry, vodka, gin, cognac og vermouth (tante Kitty havde taget vermouthen med hjem efter en tur til Rom), lykkeligt beruset på det diskotek, som det var lykkedes mig at true eller snyde mine forældre til at lade mig tage på.

Skønne dage. Vidunderlige dage.

For at undgå enhver form for akavede eller pinlige scener med mine forældre erstattede jeg, hvad jeg havde taget fra hver flaske, med den tilsvarende mængde vand. Hvad var lettere? tænkte jeg.

Men ligesom skrøbelige planter kan overvandes og dø, lykkedes det mig at overvande temmelig meget sprut. Især en bestemt flaske vodka.

Regnskabets time kom til sidst.

En lørdag aften, da jeg var omkring sytten år, havde mor og far besøg af mr. og mrs. Kelly og mr. og mrs. Smith. Mor og mrs. Kelly drak tilfældigvis vodka. Eller det troede de i hvert fald. Men takket være min indsats i løbet af de sidste atten måneder eller deromkring var det, der engang havde været Smirnoff, nu mere eller mindre 100 procent rent, ufortyndet vand, uberørt af den mindste smule alkohol.

Resten af selskabet havde det store held at drikke rigtig sprut.

Så mens far, mr. Kelly, mr. og mrs. Smith blev mere og mere højrøstede og rødmossede og grinede af ting, som ikke var spor sjove, og far fortalte alle, at han ikke opgav alle sine indtægter til skattevæsnet, og mr. og mrs. Smith afslørede, at mr. Smith havde haft en affære sidste år, og de havde været lige ved at gå fra hinanden, men de gav det en sidste chance nu, sad mor og mrs. Kelly stive og med pokerfjæs og smilede stramtandet, når de andre klukkede af latter.

Mor fandt det på ingen måde morsomt, da mrs. Smith spildte sin Bacardi og cola (jeg kunne ikke særlig godt lide Bacardi, så alkoholindholdet var nogenlunde intakt) ud over det pæne gulvtæppe i dagligstuen, men far morede sig strålende over det. Munterheden bredte sig. Blandt alle, bortset fra dem, der drak vodka.

Tiøren faldt for min mor næste dag.

Vodkaflasken blev hidkaldt og udsat for utallige prøver. (Som: „Her, lugt til den. Hvad synes du, det lugter som?" „Ikke noget, mor," „*Lige præcis!*").

55

Resultatet fra det interimistiske laboratorium, der var blevet etableret i køkkenet, viste, at der ganske rigtigt var blevet pillet ved vodkaflasken. Gentagne gange, for at være helt præcis.

Der var en tårevædet scene mellem mig og mine forældre. Eller min mor var i hvert fald tårevædet. Af forlegenhed og raseri. „Åh," hylede hun. „Tænk at invitere folk på besøg og tilbyde dem drinks, og så servere noget udvandet noget i stedet. Jeg kunne grave mig ned! Hvordan kunne du gøre det? Og du lovede ikke at drikke, før du var atten år gammel."

Jeg var vranten og mopset og stille. Jeg hang med hovedet for at skjule min skam og mit raseri over at være blevet grebet på fersk gerning.

Far var stille og trist.

Derpå fulgte en udrensning. Al alkohol blev samlet sammen og låst inde. Tilbageholdt uden retssag i et sikkert skab med nøgle til. Kun mor vidste, hvor den nøgle var gemt, og som hun sagde, så ville hun hellere lide de fordømtes lidelser end at afsløre, hvor den var.

Det var naturligvis kun et spørgsmål om tid, før jeg eller en af mine søstre regnede ud, hvordan man dirkede låsen op.

Der fulgte en slags guerillakrig, hvor min mor konstant forsøgte at finde nye gemmesteder til de hastigt svindende alkoholforsyninger. Helen sværger faktisk på, at hun engang overhørte mor på telefonen bede tante Julia, som er alkoholiker, om at anbefale nogle gode gemmesteder. Men det er aldrig blevet bekræftet, så du skal ikke tage det for gode varer.

Men mor var altid kun et lillebitte skridt foran os. Ikke så snart havde hun fundet et nyt sted til sit forråd, før en af os fandt det. På samme måde som man konstant er nødt til at opfinde nye former for antibiotika til at bekæmpe nye og modstandsdygtige bakterier, måtte mor konstant finde nye steder at gemme flaskerne. Uheldigvis for hende blev de ikke ved at være nye eller gemte særlig længe.

Hun forsøgte endda at sætte sig ned og tale fornuft med os. „Vær søde at lade være med at drikke så meget. Eller lad i al fald være med at drikke så meget af fars og mit sprut."

Og det svar, hun fik, blev som regel ytret mere trist end rasende, det må jeg indrømme, og var altid noget i stil med: „Jamen, mor, vi kan godt lide at drikke. Vi er fattige. Vi har ikke noget andet valg. Tror du, vi kan *lide* at opføre os som gemene tyveknægte?"

Selvom Margaret, Rachel og jeg var flyttet hjemmefra og havde råd til at betale de dårlige vaner, vi nu engang havde anlagt, så boede Helen og Anna stadig hjemme og var hjerteskærende fattige. Så kampen fortsatte.

Og det, som engang var en stolt og ædel samling sprut, var nu et par tarvelige, ødelagte og tømte flasker, der bevægede sig nomadisk rundt gennem klædeskabene og kulspandene og under sengene på udkig efter en tryg havn. Forsvundet var de funklende flasker med genkendelige mærker. Alt, hvad der var tilbage, var en klistret flaske Drambuie, dækket af støv, med omkring en centimeter tilbage i bunden, eller to-tre centimeter cubansk vodka (helt ærligt, det findes skam. Klart den rette drink for den ideologisk bevidste ven af Cuba) og en næsten fuld flaske banansnaps, som Helen og Anna begge to har erklæret, at de hellere ville dø af tørst end at drikke den.

Jeg blev siddende på det kolde gulv i den mørke entre. Jeg trængte virkelig til en drink. Jeg kunne endda have drukket banansnapsen, hvis jeg havde vidst, hvor den var. Jeg følte mig så ulideligt *ensom*. Jeg legede med tanken om at vække min mor og bede hende give mig noget at drikke, men fik virkelig dårlig samvittighed ved tanken. Hun var så bekymret for mig, så hvis det overhovedet var lykkedes den stakkels kvinde at falde i søvn, så kunne jeg ikke med god samvittighed vække hende.

Måske Helen kunne hjælpe mig.

Jeg gik træt op ad trappen til hendes værelse. Men da jeg sneg mig ind på hendes værelse, var hendes seng tom. Enten overnattede hun hos Linda, eller også havde en eller anden ung mand været meget heldig. Hvis hun var sammen med en mand, ville man sikkert finde hans døde krop om morgenen ved siden af et brev, hvor der stod noget i stil med: „Jeg har opnået alt, hvad jeg nogensinde ønskede mig i livet. Jeg vil aldrig igen blive så lykkelig som nu. Jeg vil dø med den følelse af ekstase. PS. Hun er en gudinde.“

Og så, som om jeg ikke havde det slemt nok i forvejen, blev jeg pludselig grebet af en panisk angst for, at der var sket Kate noget forfærdeligt.

At hun var død af vuggedøden. Eller kvalt i sit eget opkast. Eller *noget*.

Jeg styrtede tilbage til mit værelse og var lettet over at se, at hun stadig trak vejret.

Hun lå bare der, en rynket, lyserød, velduftende lille bylt, med øjnene klemt i.

Mens jeg ventede på, at min vejrtrækning skulle blive normal og sveden fordampe fra min pande, kom jeg til at tænke på, hvordan andre forældre klarede det. Hvordan turde de lukke deres børn ud for at lege med andre børn? Gik de ikke i panik, hver gang de var væk fra deres barn i mere end fem minutter?

Jeg syntes, det var slemt nok nu. Hvordan helvede skulle jeg så klare det, når hun skulle i skole? De kunne under ingen omstændigheder forvente, at jeg bare skulle overlade hende til dem på den måde. Skolen måtte lade mig sidde bagerst i klassen.

Nu *trængte* jeg virkelig til en drink.

Måske var Anna hjemme.

Jeg slæbte mig hen til hendes værelse og åbnede forsigtigt døren.

Dampene ramte mig i samme øjeblik, jeg havde åbnet døren på klem. Det vil sige alkoholdampene.

Bingo!

Gudskelov, tænkte jeg. Jeg var tydeligvis kommet til det rette sted.

Anna lå sammenkrummet på sengen med det lange, sorte hår spredt ud omkring hende og noget, der lignede en Big Mac-bakke ved siden af.

„Anna," hviskede jeg højlydt og rystede hende lidt.

Intet svar.

„Anna!" hviskede jeg, meget højere denne gang, og rystede hende energisk i skulderen.

Jeg tændte natlampen og lyste hende i ansigtet, som om jeg var Gestapo. Vågn op!

Hun åbnede øjnene og stirrede på mig.

„Claire?" kvækkede hun vantro.

Hun så virkelig bange ud, som om hun troede, at hun måske hallucinerede.

Og i betragtning af at det var Anna, så var det klart en mulighed.

At hun hallucinerede, altså.

Glad for humørforandrende stoffer, hvis du forstår, hvad jeg mener.

Den stakkels pige. Så vidt hun vidste, var jeg seks hundrede og halvtreds kilometer væk, i en anden by, i et andet liv. Men her stod jeg og materialiserede mig inde på hendes værelse midt om natten.

På tiggerfærd, for at føje spot til skade.

„Anna, ked af at forstyrre dig sådan her, men har du noget, jeg kan drikke?" spurgte jeg hende.

Hun stirrede bare på mig.

„Hvorfor er du her?" spurgte hun med en lille, skræmt stemme.

„Fordi jeg for fanden leder efter noget at drikke," sagde jeg forbitret.

„Har du en besked til mig?" spurgte hun og stirrede stadig på mig med store øjne.

Åh gud, tænkte jeg irriteret.

Anna elskede alt, hvad der var okkult. Der var ikke noget, hun ville elske højere end at være besat af Djævlen. Eller bo i et hjemsøgt hus. Eller være i stand til at forudsige katastrofer. Hun håbede helt åbenlyst på, at jeg var et eller andet overnaturligt fænomen. Enten det, eller også var hun mere fuld end normalt.

Jeg havde lyst til at fortælle hende noget slemt.

Som: „Ja, Anna, tag dig i agt! Din høst vil mislykkes!" Eller: „Ja, Anna, tag dig i agt ('Tag dig i agt!'-delen er vigtig), din spand lækker, og du vil miste den mælk, som du bærer til markedet." Eller: „Ja, Anna, tag dig i agt! Skær ikke grenene af kristtjørnen."

Det faktum, at Anna ikke havde nogen høst, ingen mælk at bære til markedet, og der ikke var en kristtjørn inden for flere kilometers afstand, ville ikke have bekymret hende det mindste. Hun ville stadig have frydet sig over den overnaturlige kontakt.

„Ja, Anna," sagde jeg og bestemte mig for at føje hende lidt, men følte mig på samme tid temmelig fjollet. „De har sendt mig. Jeg er kommet for at hente sprutten."

„I min rygsæk," sagde hun med svag stemme.

Hendes rygsæk var smidt på gulvet sammen med en sko (hvad var der sket med den anden?), hendes frakke, en pose med lidt chips på bunden og en dåse Budweiser. Jeg havde svært ved at åbne tasken, fordi to balloner var bundet fast til remmen. Anna havde åbenbart været til en fest af en art.

Jeg græd næsten af lettelse, da jeg fandt en flaske hvidvin i tasken.

„Tak, Anna," sagde jeg. „Jeg betaler dig tilbage i morgen." Og så gik jeg.

Hun så stadig omtåget og bange ud. Hun nikkede stumt. „Okay," lykkedes det hende at mumle.

Jeg så ind til Kate. Hun sov stadig fredfyldt.

Jeg havde halvvejs forventet, at hun sad op i sin lift med armene over kors og krævede svar på, hvor den far, jeg havde lovet hende, var henne. Men hun lå bare og sov og drømte babydrømme, om lyserøde skyer og varme senge og bløde mennesker, der duftede godt, og masser af mad og masser af søvn og masser af mennesker, der elskede hende.

Og aldrig at skulle stå i kø for at komme på toilettet.

Jeg tog vinflasken med nedenunder og åbnede den forsigtigt. Jeg vidste, at jeg ville få det bedre efter et glas vin. I samme øjeblik jeg stod og skænkede mig et glas vin, dukkede Anna op i køkkendøren. Hun gned sine øjne og så forvirret og ængstelig ud med det lange, sorte hår ned i ansigtet.

„Åh, Claire, det er virkelig dig. Så det var ikke noget, jeg forestillede mig," sagde hun og lød halvt lettet, halvt skuffet. „Jeg troede måske, at jeg havde delirium tremens. Og så troede jeg, at du måske var en vision. Men jeg tænkte, at hvis du var en vision, ville du nok dukke op i noget pænere end mors rædselsfulde natkjole."

„Ja, det er virkelig mig," sagde jeg og smilede til hende. „Undskyld, hvis jeg gjorde dig bange. Men jeg var ved at dø efter noget sprut." Jeg gik over og lagde armene om hende. Det var virkelig dejligt at se hende.

Anna lignede Helen rigtig meget; lille, blegt ansigt, skrå katteøjne, nuttet, lille næse.

Men så holdt ligheden også op. For det første havde jeg ikke lyst til at slå Anna ihjel omkring tyve gange om dagen. Anna var meget mere stille, meget sødere. Hun var meget venlig over for alle. Hun var desværre også meget vag og meget æterisk. Jeg havde flere gange hørt hendes navn nævnt i samme sætning som 'oppe i skyerne'.

Jeg må vel hellere være fuldstændig ærlig over for dig. Man kan ikke komme uden om det, Anna var lidt af… tja… lidt af en hippie, kan man vel sige.

Hun har aldrig rigtig haft et ordentligt job. Og det var, som om hun altid skulle til rockfestival. Hver gang jeg ringede fra London og bad om Anna, så sagde min mor noget i stil med: „Åh, Anna er taget til Glastonbury," eller „Anna er i Lisdoorvarna", eller „Anna har fået job i en bar på Santorini."

Og så var der de dage – indrømmet, det var dårlige dage – hvor mor sagde: „Hvordan fanden skulle jeg vide, hvor Anna er? Jeg er trods alt kun hendes mor."

Hun havde forskellige job indimellem. Som regel på helsekostrestauranter. Men jobbene varede aldrig særlig længe. Og det gjorde helsekostrestauranterne heller ikke, af en eller anden mærkelig grund.

Hun var på bistand.

Som sagt solgte hun stoffer. Men kun i en kort periode. Og på den pænest mulige måde.

Helt ærligt.

Hun har aldrig hængt ved skolerne og forsøgt at sælge heroin til otteårige.

Hun solgte bare lidt hash her og der til sine venner og familie. Og hun tabte uden tvivl penge på det.

Hun lavede smykker og solgte endda også nogle af dem ind imellem.

En usikker tilværelse, men det lod ikke til, at usikkerheden gik hende alt for meget på.

Far var fortvivlet over Anna. Han kaldte hende uansvarlig. Og det var helt og aldeles mig, der, rimelig uretfærdigt, fik skylden for Annas ustabile liv. Far sagde, at jeg stak halen mellem benene (hans ordvalg) og stak af til London på et tidspunkt, hvor Anna var i en meget letpåvirkelig alder, og jeg havde givet hende ideen om, at det var totalt acceptabelt at opgive et godt job og i stedet arbejde som servitrice. Hvilken rollemodel var jeg ikke?

Far forsøgte desperat at forme Anna til at være en ansvarlig skatteborger. Det lykkedes ham at skaffe hende et job på kontoret i et byggefirma.

Der var tilsyneladende nogen, der skyldte ham en tjeneste.

Det må have været en meget stor tjeneste.

Det var en misforståelse at forsøge at tvinge Anna til at arbejde på et kontor. Som at forsøge at presse den runde klods ned i det firkantede hul. Eller tage sine sko forkert på. Ubehageligt, ubekvemt og uden tvivl dømt til at mislykkedes.

Det var en katastrofe.

Anna var ligesom en eksotisk blomst, vant til det tropiske klima, som pludselig blev kastet ud i et fugtigt, koldt land. Hvordan skulle hun kunne overleve? Hun kunne kun sygne hen og dø, hendes smukke, strålende blomsterblade ville visne og blive brune, den skrøbelige duft forsvinde.

Hendes talenter lå ikke ligefrem i administrativt arbejde. Hun var alt for fantasifuld og kreativ til at kunne underkaste sig et så ensformigt arbejde som at arkivere.

Og var for skæv til at gøre det korrekt.

En mandag morgen smed hendes chef, mr. Sheridan, en check på hendes skrivebord og sagde: „Send den her til Bill Prescott med et venlig hilsen-kort."

Heldigvis opsnappede hendes chef posten, før checken blev sendt af sted med det brev, Anna havde skrevet, hvori der stod: „Kære mr. Prescott, selvom vi aldrig har mødt hinanden, så er jeg sikker på, at De er et meget behageligt menneske. Alle bygningsarbejderne taler vældig pænt om Dem."

Mr. Sheridan forklarede Anna, at det ikke var nødvendigt at give nogen et kompliment, når man sendte et venlig hilsen-kort.

Hun glemte tiden, hver gang hun havde frokostpause, fordi hun havde fundet en svanerede i kanalen i nærheden af kontoret og brugte timevis på at betragte fuglene og kurre over æggene. (Ud over at rulle og ryge utallige joints, hvis man skal stole på rygterne).

Men den dag, hun foreslog at ændre bygningsarbejdernes arkiveringssystem, organisere dem efter deres astrologiske stjernetegn i stedet for efternavnet, bestemte kontorchefen, mr. Ballard, sig for, at han havde hørt nok.

Pigen måtte ud, uanset om den administrerende direktør skyldte Jack Walsh en tjeneste, eller han ikke skyldte Jack Walsh en tjeneste.

Selvom Anna protesterede og sagde, at hun kun havde sagt det for sjov (hun gjorde det uden tvivl værre for sig selv, da hun med et grin sagde: „Helt ærligt, hvordan skulle vi overhovedet kunne arkivere efter deres stjernetegn. Jeg mener, helt ærligt, vi kender ikke engang deres ascendent"), blev hendes grå fyreseddel udleveret med det samme. Anna stod endnu en gang uden fast arbejde.

Far var rasende og krænket af skam. „Hvad foregår der i hendes forbandede hoved?" buldrede han. „Ved du hvad, jeg vil næsten sværge på, at hun er på stoffer."

Helt ærligt, indimellem var der virkelig tidspunkter, hvor han var foruroligende naiv af en intelligent mand at være.

Annas eneste betydningsfulde kontakt med lønnet arbejde derudover var dengang, hun stadig gik i skole, og studievejlederen spurgte hende, hvad hun ville med sit liv. Anna fortalte hende, at hun gerne ville være ét med elementerne. Og kunne ikke forstå det, da hun blev sat i to ugers praktik på en virksomhed, der fremstillede materialet til indersiden af vandkedler.

Da hun først havde fået fastslået, at jeg ikke var et spiritistisk fænomen, bestemte hun sig på trods af sin skuffelse for at få det bedste ud af situationen.

„Gi'r du også mig et glas?" sagde hun og vinkede hen mod vinflasken, så det gjorde jeg, og vi satte os begge ved køkkenbordet.

Klokken var omkring fem om morgenen.

Det lod ikke til, at Anna syntes, at der var det fjerneste mærkeligt ved det sene tidspunkt eller mere præcist, det tidlige tidspunkt på døgnet.

„Skål," sagde hun og hævede sit glas mod mit.

„Ja, skål," sagde jeg hult. Jeg tømte glasset i én slurk. Anna så beundrende på mig.

„Så, hvad laver du her?" spurgte hun selskabeligt. „Jeg vidste ikke, at du skulle komme. Det er der ingen, der har fortal... eller jeg *tror* i al fald ikke, at der nogen, der har fortalt mig det," sagde hun lidt tvivlende. „Jeg har ikke været hjemme i en uges tid."

„Tja, Anna, det var lidt af en pludselig beslutning," sagde jeg og sukkede, idet jeg gearede op til den lange, smertefulde forklaring på mine tragiske omstændigheder.

Men før jeg nåede at sige noget, afbrød hun mig brat.

„Åh gud!" sagde hun og slog pludselig hænderne op foran munden.

„Hvad?" spurgte jeg og blev meget nervøs. Svævede flaskeåbneren i fri luft? Var der dukket en ånd op i vinduet?

„Du er ikke gravid længere!" udbrød hun.

Jeg smilte, på trods af mit humør.

„Nej, Anna, det er jeg ikke. Kan du regne ud, hvad der er sket?"

„Du har født?" spurgte hun langsomt.

„Ja," sagde jeg bekræftende og smilede stadig.

„Min gud!" skreg hun. „Er det ikke fantastisk!" Og slyngede armene om mig. „Er det en pige?"

„Ja," sagde jeg.

„Er hun her? Må jeg se hende?" spurgte Anna helt ophidset.

„Ja, hun er oppe på mit værelse. Men hun sover. Og hvis du ikke har noget imod det, så ville jeg foretrække ikke at vække hende. I al fald ikke før jeg har tømt den her flaske vin," sagde jeg dystert.

„Okay, fint nok," svarede hun og skænkede mig et glas vin mere, fra den ene alkofile til den anden. „Få det indenbords. Jeg går ud fra, at det er lang tid siden, du har måttet drikke alkohol. Ikke så sært du hælder det i dig."

„Ja, det er lang tid siden, jeg har kunnet tage mig en drink. Men det er nu ikke derfor, jeg er så desperat efter at blive fuld," sagde jeg til hende.

„Åh?" sagde hun forundret.

Så jeg fortalte hende om James.

Og hun var så blid, så medfølende, så ikkefordømmende og på sin egen forvirrede måde så klog, at jeg langsomt begyndte at få det lidt bedre. Føle mig en lille smule roligere. Ikke helt så træt. Lidt mere håbefuld.

Vinen må vel også hellere blive nævnt i underteksterne. Den spillede en lille, men ikke ubetydelig rolle i mit forbedrede humør. Men det skyldtes primært Anna.

Hun mumlede ting som: „Hvis det er sådan, det skal være, så er det sådan, det skal være," og „Der bliver taget hånd om os alle, også selvom det ikke føles sådan i øjeblikket," og „Der er en plan for os alle," og „Intet sker uden grund."

Hippiesnak. Men jeg fandt det meget beroligende.

Omkring klokken seks, da fuglene begyndte at synge, forlod vi køkkenet og efterlod bordet fyldt med glas, den helt og aldeles tomme vinflaske, proppen og flaskeåbneren, et overfyldt askebæger og indpakningen fra en pakke kiks (ja, Digestives. Mor købte stadig ikke Jaffa-kager til os), som Anna havde spist.

Far stod op en time senere for at lave morgenmad til sig selv og mor. Vi gik ud fra, at han ryddede op. Vi blev enige om, at han godt kunne lide at have noget at lave. Han havde behov for at føle, at der var behov for ham.

Vi stavrede langsomt op ad trappen med armene om hinanden, og jeg drattede om på sengen og følte mig søvnig og afslappet og rolig. Anna brugte et par minutter på at stirre forundret på Kate og insisterede så på at hente de to balloner (som hun havde tilegnet sig, sammen med vinen, til den fest, hun havde været til) og binde dem fast til Kates babylift. Så kyssede Anna mig godnat og listede ud af værelset. Jeg faldt med det samme i en dyb, drømmeløs søvn.

Kate vågnede omkring et kvarter senere og skreg på sin morgenmad. Jeg gav hende mad og vaklede tilbage i seng igen.

Ligesom jeg var ved at falde i søvn, hørte jeg far stå op. Et par minutter senere hørte jeg ham trampe op ad trappen, mens han råbte til mor: „Dine døtre er nogle fordrukne hvalpe!" (Vi var altid hendes døtre, når vi mistede vores arbejde, ikke gik i kirke, kom sent hjem og klædte os uanstændigt. Vi var hans døtre, når vi bestod vores eksaminer, fik vores diplomer, giftede os med revisorer og købte huse). „Drikker hele natten og ligger i sengen hele dagen! Er det måske meningen, at jeg skal rydde alt det rod i køkkenet op efter dem?"

Far havde åbenbart opdaget efterladenskaberne efter vores lille 'seance'.

Mor jamrede sig tankefuldt: „Åh nej, de har fundet sprutten igen. Jeg troede aldrig, de ville finde det ude under olietanken. Nu bliver jeg nødt til at finde et nyt gemmested."

Efter et stykke tid faldt der ro over gemytterne. Lige da jeg begyndte at håbe, at jeg trods alt kunne få mig en times søvn eller to, begyndte det at ringe på hoveddøren. Det var naturligvis ret foruroligende, for klokken var kun halv otte om morgenen. Jeg hørte far åbne døren og begynde at snakke med en mandsstemme. Jeg spidsede ører for at høre, hvad der skete. Kunne det måske være James? Jeg følte sådan en bølge af håb, at det næsten gjorde ondt.

Så hørte jeg far løbe op ad trappen og råbe til min mor: „Der står en galning ved vores hoveddør med en sko. Han vil vide, om vi ejer den. Hvad skal jeg gøre?"

Der var forvirret stilhed fra min mors side.

„Jeg kommer for sent på arbejde med alle de afbrydelser her til morgen, at du ved det," sagde far til hende, som om det var hendes skyld.

Jeg begyndte at græde af skuffelse. Det var ikke James ved hoveddøren. Jeg vidste lige præcis, hvem det var.

„Far," råbte jeg grådkvalt. „Faaaaaaaar!"

Han stak hovedet ind ad døren. „Morgen, lille skat," sagde han. „Jeg kommer lige om et øjeblik. Jeg laver en kop te til dig. Det er bare, fordi der står en galning nede ved døren, og jeg må hellere slippe af med ham først."

„Nej, far," sagde jeg til ham. „Det er ikke en galning. Han er taxachauffør. Væk Anna, jeg vil vædde på, at det er hendes sko."

„Nå, så hun har endelig gidet komme hjem, hva'?" råbte mor inde fra soveværelset.

Far gik hen til Annas værelse, mens han mumlede: „Jeg burde have vidst, at Anna var indblandet i det her."

Derpå blev Anna vækket. Og det viste sig, at manden ved hoveddøren var den taxachauffør, som havde kørt Anna hjem i de tidlige morgentimer. Da han var blevet færdig med sin vagt, havde han fundet skoen bag i bilen. Og nu kørte han rundt som Askepots prins til de unge kvinder, han havde kørt hjem i løbet af natten, for at finde den unge-kvinde med en fod, der passede til skoen. Anna var minsandten hans Askepot.

Anna takkede ham overstrømmende. Taxachaufføren kørte. Anna gik i seng igen. Far tog på arbejde. Jeg lukkede øjnene. Kate begyndte at græde.

Og det gjorde jeg også.

Kapitel seks

Vådt og forblæst og elendigt. I de første to uger, jeg var hjemme, regnede det hver dag. Det var åbenbart den vådeste februar i mands minde.

Hver nat vågnede jeg midt om natten til lyden af regndråberne, der slog og plaskede på vinduet, trommede og bankede på taget.

Vejret satte alle i et elendigt humør.

Heldigvis gik jeg under alle omstændigheder i selvmordstanker.

Faktisk satte vejret mig i lidt bedre humør. Det var ligesom skæbnens måde at rette op på, at mit liv var så elendigt, når alle andre mennesker var lykkelige, hvis du forstår, hvad jeg mener.

Anna og Helen tussede humørsyge rundt i huset, mens de stirrede længselsfuldt ud ad vinduerne og spekulerede på, om det nogensinde ville holde op.

Mor talte dystert om at bygge en ark.

Far forsøgte at spille golf, mens han stod i vand til knæene på en oversvømmet golfbane.

Jeg var den eneste, der ikke havde noget imod styrtregnen.

Det passede perfekt til mit humør.

Jeg var ligeglad med, at jeg ikke kunne gå ud.

Jeg ville have været glad, hvis jeg aldrig skulle bevæge mig uden for en dør igen.

Jeg tilbragte mange timer med at ligge på min seng og stirre på ingenting, mens Kate lå ved siden af mig i sin babylift, og regnen styrtede ned udenfor, fik ruderne til at dugge til og forvandlede haven til en sump.

Hvor morgen sprang mor ind på mit værelse og trak gardinerne til side til endnu en grå, sjasket dag og sagde: „Nå, hvad er dine planer for i dag?"

Jeg vidste godt, at hun bare forsøgte at rykke mig ud af min elendighed. Og jeg prøvede virkelig at være munter. Der var bare det ved det, at jeg var så træt hele tiden.

Så tilbød hun at lave morgenmad til mig, og lige så snart hun forlod mit værelse, slæbte jeg mig over til vinduet og trak gardinerne for.

Jeg forsømte ikke Kate. Helt ærligt. Det gjorde jeg virkelig ikke.

Eller måske gjorde jeg.

Til min evige skam var det mor, der tog hende med på babyklinikken. Mor kørte til supermarkedet og købte tonsvis af engangsbleer og modermælkserstatning og babysalve og talkum og flaskebørster og alt muligt andet, som Kate havde brug for.

For at være helt fair over for mig så overlod jeg ikke Kate fuldstændig til sig selv. Jeg tog mig faktisk af hende på mange måder. Jeg gav hende mad og skiftede hende og badede hende og bekymrede mig om hende. Sommetider legede jeg oven i købet med hende. Det var bare, som om jeg ikke kunne klare at gøre noget, der krævede, at jeg forlod huset.

Ikke fordi jeg ikke elskede hende. Jeg elskede hende højere end noget andet i universet. Der var ikke noget, jeg ikke ville have gjort for hende (bortset, som sagt, fra at forlade huset). Men det var, som om jeg ikke havde noget energi tilbage til mig selv.

Det var sådan en enorm anstrengelse at klæde mig på, at det aldrig lykkedes. De få gange, jeg rent faktisk stod ud af sengen, tog jeg en af fars golfsweatere ud over mors natkjole og iførte mig et par ragsokker. Jeg havde *planer* om at klæde mig ordentlig på. Men senere.

Lige så snart jeg havde givet Kate mad, sagde jeg.

Men bagefter var jeg så udmattet, at jeg blev nødt til at lægge mig lidt og læse et par linjer i en artikel i *Hello*. Det faktum, at jeg overhovedet overvejede at bo i et hus, hvori der var et *Hello*, siger noget om, hvor elendigt jeg havde det. Jeg kunne knap nok koncentrere mig om at læse. Jeg så på billederne af totalt obskure og mindre kendte kongelige, som var fotograferet i deres 'overdådige' hjem, og spekulerede på, om de var lykkelige.

Og hvordan mon det føltes.

Så tænkte jeg dovent, at folk umuligt kunne være lykkelige, hvis de boede i et hus med de rædselsfulde barokstole og ældgamle gobeliner og billeder. Eller var gift med Prins Hvemsomhelst, der var fed og skaldet og havde gebis og var mindst tolv gange ældre end den tidligere 'eksotiske danser', som han havde giftet sig med. Han nåede hende kun til taljen.

Efter at jeg havde ligget et stykke tid, var jeg måske nødt til at gå på toilettet. Jeg brugte omkring en halv time på at prøve at samle energi nok til at gå ud på badeværelset. Det var, som om jeg var lavet af bly.

Når jeg endelig var kommet ud på badeværelset, kunne jeg ikke klare andet end at vakle tilbage i seng igen.

Jeg lovede mig selv, at jeg bare skulle ligge ned i fem minutter, så ville jeg virkelig tage tøj på.

Men så var det tid til at give Kate mad igen.

Og derefter var jeg nødt til at lægge mig igen, bare i fem minutter...

På en eller anden måde nåede jeg aldrig længere.

Hvis bare de ville lade mig sove for altid, så ville jeg være okay. Det var sådan, jeg havde det. Men folk blev ved at forstyrre mig.

Jeg lå i sengen en eftermiddag (jeg ved ikke, hvorfor jeg siger én eftermiddag. Det var jo ikke, fordi det ikke skete med jævne mellemrum), da en neandertalagtig ung mand trådte ind på mit værelse med en hammer i hånden.

Min første tanke var, at jeg havde været lukket inde for længe og var begyndt at hallucinere.

Så brasede mor ind, åndeløs og ængstelig.

Det viste sig, at den unge mand var kommet for at sætte babyalarmen op i soveværelset og stuen. Nedenunder vogtede mor over ham som en høg, men da hun var gået hen for at tage telefonen, var han flygtet og nået helt op på mit værelse.

Mor styrtede over og tvang mig ud af sengen, som om det var midt om natten, og hun var en gruppe hemmelige politiagenter, der skulle føre mig væk og torturere mig. Jeg har stadig hendes fingeraftryk siddende på min arm. Gud altså, hun ville være dødbringende med en elstav.

Ser du, hun troede, at alarmmanden måske ville få urene tanker, hvis han skulle arbejde i min nærhed, så længe jeg stadig var iført min natkjole, så det var yderst afgørende at få mig flyttet så hurtigt som muligt.

Ud over problemerne med min placering i forhold til alarmmanden gav Helen mig aldrig et øjebliks fred. De fleste morgener stod hun i døråbningen ind til mit værelse og så på mig, mens jeg lå lammet på min seng, og brølede: „Din morgenmad er klar. Og den sidste ned ad trappen er en stor, fed, ildelugtende gris!"

Og samme øjeblik var hun væk igen og stormede ned ad trappen og ind i køkkenet, mens jeg slapt forsøgte at fortælle hende, at jeg allerede var en stor, fed, ildelugtende gris. Derfor var hendes udfordring uden betydning for mig.

Jeg var i hvert fald stor og fed, det var helt sikkert. Meget vandmelonagtig. Det havde jeg i det mindste været, da jeg ankom til Dublin. Jeg var ikke helt sikker nu, for jeg havde ikke set mig i et spejl eller prøvet noget af mit tøj siden den dag, jeg forlod min lejlighed i London.

Jeg var helt sikkert ildelugtende. Der var lige så stor chance for, at jeg besteg Mount Everest, som for, at jeg vaskede hår.

Jeg tog et bad indimellem, men kun fordi mor organiserede det hele. En kombination af overtalelse og tvang.

Hun fyldte badet med dampende og velduftende skumbad, så jeg kom til at lugte af kiwi og papaya. Hun lagde store, bløde håndklæder frem til mig på den opvarmede håndklædeholder. Hun sagde, at jeg kunne låne hendes lavendelbodylotion (uha, nej tak). Hun truede med at melde mig til myndighederne som uegnet mor. Hun sagde til mig, at Kate ville blive placeret i familiepleje.

Så jeg tog bad hver dag eller deromkring.

Modvilligt.

Men måske var jeg ikke nogen gris. Jeg kunne helt ærligt ikke huske sidste gang, jeg havde spist noget. Jeg var aldrig sulten. Tanken om at spise skræmte livet af mig. Jeg vidste, at jeg ikke kunne. Jeg følte mig stivnet. Som om min hals var snøret sammen, og jeg aldrig nogensinde ville kunne sluge noget igen.

Jeg kunne ikke fatte, at det skete for mig. For jeg havde altid haft en meget robust appetit. Da jeg var gravid, var den mere end robust, den var stålarmeret. Jeg brugte mine teenageår på desperat at bede til, at jeg fik spisevægring. Jeg var ikke enig i, at anorektikere var stakkels, syge, ulykkelige piger. Jeg syntes, de var så heldige med deres fremstående hofteben og slanke lår og æteriske udseende.

Jeg mistede aldrig appetitten, uanset hvad der skete. Eksamensnerver, jobsamtaler, bryllupsnervøsitet, madforgiftning – med undtagelse af døden var der ikke noget, der gjorde det mindste udslag i min lyst til at spise som en galophest. Hver gang jeg mødte en tynd person, som trallede: „Åh, hvor er jeg dog fjollet, jeg glemte ganske enkelt at spise noget," stirrede jeg på dem med slet skjult forvirring og bitterhed, mens jeg følte mig uglamourøs og tyk og bøvet. Heldige kællinger, tænkte jeg, hvordan kan man overhovedet glemme at spise? Jeg havde appetit – hvor var det dog en usmart og skamfuld ting at have.

For når verden ender, og vi har frigjort os fra vores jordiske bånd, og vi alle er i himlen, og tiden er ophørt med at eksistere, og vi er rene i ånden og har evigt liv, som vi vil tilbringe med at tænke på Den Almægtige, så vil jeg stadig have brug for en KitKat klokken elleve hver morgen.

Men jeg trøstede mig med tanken om, at disse magre mennesker nok løj som bare fanden. I virkeligheden var de sikkert sindssyge bulimikere, eller også tog de amfetaminer eller fik fedtsugninger hver weekend.

Og for første gang i mit liv var jeg ikke sulten. Jeg blev faktisk frastødt alene ved tanken om mad.

Jeg var ligeglad. Jeg fik overhovedet ingen glæde ud af det. Hvis jeg bare havde haft det sådan, da jeg var sytten. Jeg ville have troet, at jeg var en af de udvalgte få.

Men jeg var for træt og elendig til at tage mig af det.

Dagene slæbte sig af sted. Sommetider stod jeg ud af sengen og tog Kate med nedenunder for at se en australsk sæbeopera sammen med mor. Jeg drak en kop te sammen med hende, og så gik jeg op på mit værelse igen.

Helen blev ved med at genere mig. Tre dage efter at babyalarmen var blevet installeret, kom hun overdrevent listende ind på mit værelse. „Er den tændt?" mimede hun og pegede på alarmen.

„Hvad?" spurgte jeg arrigt og så op fra *Hello*. „Nej, selvfølgelig er den ikke tændt. Hvorfor helvede skulle den være det? Kate er her, og det er jeg også."

„Fint," sagde hun. „Fint, fint." Og så knækkede hun sammen af grin. Hun satte sig på sengen, rystende af latter, mens tårerne løb ned ad hendes kinder. Jeg sad og stirrede på hende med slet skjult mishag.

„Undskyld," sagde hun. „Øhm, okay, undskyld, undskyld."

„Hvad foregår der?" spurgte jeg, og Helen rettede sig op.

„Nu skal jeg vise dig det," lovede hun. „Men du må ikke sige noget."

Hun gik over til alarmen, slog den til og begyndte at sige ting ind i den med en syngende, melodisk stemme: „Anna," sang hun. „Åååååååhhhhh, Aaaaaaannnnaaaaaa."

Jeg stirrede fascineret på hende. „Hvad i alverden er det, du laver?" spurgte jeg.

„Hold kæft," hvæsede hun og slog alarmen fra. „Jeg giver Anna en overnaturlig oplevelse, fatter du det?"

„Hvad mener du?" spurgte jeg fuldstændig desorienteret.

„Tågehovedet Anna sidder i dagligstuen, og hun ved ikke noget om babyalarmen, så hun vil tro, at hun hører stemmer," forklarede Helen utålmodigt. „Okay? Gider du så holde kæft?"

Hun begyndte at synge og nynne igen. Hun sagde til Anna, at hun var hendes åndeguide, og at hun især skulle være rigtig sød over for sin søster, Helen, og alle mulige andre ting. Hun brugte en god halv time på at sidde på knæ på gulvet og jamre og hviske ind i alarmen.

I flere dage derefter gik Helen direkte op ad trappen og ind på mit værelse, hver gang der var nogen, der var alene inde i stuen, og derpå brugte hun flere timer på at fortælle vedkommende, at hun var deres underbevidsthed eller deres skytsengel eller sådan noget, og at de især skulle være søde over for deres søster/datter/ven (hak det korrekte af), Helen.

Hun blev ved med at gøre det i lang tid efter, at alle vidste, at den legemsløse stemme var Helen, og gladeligt ignorerede hende.

Det betød, at jeg ikke fik et øjebliks fred.

Skuffelsen var lige ved at tage livet af stakkels Anna.

Og regnen styrtede stadig ned. Kanalen løb over sine bredder. Vejene var ikke farbare. Biler blev efterladt i oversvømmede vejbaner. Jeg hørte om alle disse ting fra andre mennesker. Jeg forlod ikke huset.

Jeg tænkte på James hele tiden. Jeg drømte om ham. Dejlige drømme, hvor vi stadig var sammen. Og når jeg vågnede, havde jeg i et kort øjeblik glemt, hvor jeg var, og hvad der var sket. Jeg følte mig indhyllet af en vidunderlig, varm, blød, lykkelig følelse. Og så kom jeg i tanke om det. Det var som at blive sparket i maven.

Jeg havde ikke hørt fra ham. Overhovedet ingenting. Jeg havde faktisk troet, at han ville kontakte mig efter en uge eller sådan noget. Bare for at høre, hvordan jeg havde det, eller i det mindste hvordan Kate havde det. Jeg kunne ikke fatte, at han overhovedet ikke interesserede sig for Kate, uanset hvordan hans følelser var over for mig.

Det tristeste ved det hele var, at han ikke engang vidste, at hun hed Kate.

Jeg ringede til Judy, da jeg havde været i Dublin i omkring fem dage. Jeg spurgte hende, om James vidste, hvor jeg var, og holdt vejret. Mens jeg håbede og håbede, at hun ville sige, nej, det vidste han ikke. Det ville i det mindste forklare, hvorfor han ikke havde kontaktet mig. Men hun sagde desværre, at James godt vidste det. Og så spurgte jeg, selvom det var ved at ødelægge mig, om James stadig var sammen med Denise. Og endnu en gang sagde hun ja.

Jeg følte ikke, at jeg græd indvendigt, jeg følte, at jeg blødte indvendigt. Blødte ihjel.

Jeg takkede Judy, undskyldte endnu en gang for at have sat hende i sådan en akavet situation og lagde på. Mine hænder rystede, jeg svedte på panden, jeg følte mig syg helt ind i hjertet.

Der var tidspunkter, hvor jeg følte, at James virkelig ville komme tilbage før eller siden. At han elskede mig så meget, at han ikke bare kunne holde op med at elske mig fra den ene dag til den anden. Det var bare et spørgsmål om tid, før han dukkede op på vores dørtrin, forrykt af anger, ude af sig selv af skyldfølelse, og spurgte, om det var for sent at få sin kone og sit barn tilbage. I så tilfælde ville det måske være en ide at komme op af sengen, vaske mit hår og lægge makeup og iføre mig noget ordentligt tøj til ære for hans nærtforestående ankomst. Men så kom jeg i tanke om, hvilken Rasmus Modsat skæbnen er. Jo mere rædselsfuld jeg så ud, jo større var sandsynligheden for, at James ville dukke op ud af det blå.

Så jeg blev i natkjolen, golfsweateren og ragsokkerne. Jeg ville ikke have vidst, hvad læbestift var, om den så sprang op og bed mig.

Jeg tænkte ofte på at ringe til ham. Men det skete altid midt om natten. Jeg blev grebet af en forfærdelig panik over mit tabs uhyrlige størrelse. Men jeg havde ingen anelse om, hvordan jeg skulle kontakte ham. Jeg havde ikke kunnet ydmyge mig selv tilstrækkeligt til at bede Judy om telefonnummeret til den lejlighed, han boede i sammen med Denise. Jeg kunne have ringet til ham på hans arbejde i løbet af dagen, men angsten og behovet for at tale med ham overvældede mig aldrig rigtig i løbet af dagen. Det var jeg virkelig glad for. Hvad skulle det have gjort godt for at ringe til ham? Hvad skulle jeg sige til ham?

„Elsker du mig stadig ikke? Elsker du stadig Denise?" Hvortil han ville svare: „Nej til det første spørgsmål, ja til det andet. Tak for din forespørgsel. Farvel."

Tiden gik. Mine følelser begyndte langsomt, meget langsomt, at ændre sig. Ørkenlandskaber forandrer sig meget gradvist, idet små briser løfter sandkornene og flytter dem, sommetider en meter, andre gange flere kilometer, så når dagen er slut, og solen går ned, ser ørkenlandskabet fuldstændig anderledes ud end om morgenen, da solen steg op. De små forandringer i mig skete på samme måde.

Det var ikke så meget, at håbløshedens blytunge tyngde havde forladt mig. Men der var kommet noget andet i stedet. Mine damer og herrer, giv Ydmygelsen en varm velkomst.

Ja, jeg begyndte at føle mig ydmyget.

Jeg kan høre jer alle sammen sige: Hvorfor tog det dig så lang tid?

Nå men, ked af det, venner, jeg havde en ordentlig ophobning af Tab og Forladthed i min indbakke.

Først var der et lille stik af ydmygelse. En sær, lille følelse en dag, mens jeg spekulerede på, hvor lang tid Judy havde vidst besked med James og Denise. Følelsen udvidede sig som en ballon, indtil ydmygelse næsten var det eneste, jeg følte. Jeg blev tyndhudet af det. Min sjæl blev varm i kinderne af det.

Jeg spekulerede på, hvem der havde vidst besked med, at James havde en affære.

Havde alle mine venner kendt til det og snakket om det og kviet sig ved at fortælle mig det? Havde de sagt ting som: „Åh, vi kan ikke sige det til hende nu, ikke når hun er gravid."?

Så de medlidende på mig?

Takkede de Gud for, at de i det mindste kunne stole på deres ægtemænd eller kærester?

Sagde de til sig selv: „Hvis der er én ting, som Dave/Frank/William aldrig kunne finde på, så er det at være utro. Det kan godt være, at han ikke laver noget husarbejde/giver mig nok penge/aldrig vil snakke om vores problemer, men i det mindste ville han aldrig have en affære."?

Så de på mig og udstødte enorme suk af lettelse og sagde med en dårlig smag i munden: „Hvor jeg glad for, at det er hende og ikke mig."?

Jeg var så vred. Jeg havde lyst til at råbe ad verden. „I tager fejl! Jeg troede, at jeg kunne stole på min mand! Jeg troede, at han var alt for for-pulet *doven* til at være utro. Men han *var* utro. Og det kan William/Da-ve/Frank også være. Måske er de det allerede. Eller har været det, og nu er det slut. Måske bollede din mand med en anden, da han tog til Frankrig for at se rugby, nu hvor han alligevel var der. Det ved du ikke. Alt er muligt. Spørg ikke, hvem klokkerne ringer for. For lad mig sige det med det samme, de ringer for dig."

Hver gang jeg tænkte på Denise, krympede jeg mig. Hver gang jeg tænkte på, hvordan vi havde udvekslet høfligheder om vejret, og jeg gav hende komplimenter og fortalte hende, hvor godt hun så ud, og hvordan min graviditet gik, og tænkte, at hun var så sød og venlig, alt imens hun bollede med min mand og fik ham til at forelske sig i hende, ville jeg ønske, jeg kunne rejse tilbage i tiden og gribe mig selv i nakken og slæbe mig protesterende væk fra samtalen med Denise og sige til mig selv, som en mor til et uartigt barn: „Du skal ikke tale med det skrækkelige kvindemenneske."

Og så fik jeg lyst til at få fat på Denise og tæske hende sønder og sam-men.

Jeg var ganske forfærdet og pinligt berørt ved tanken om, at alle andre havde vidst besked med James og Denise, mens jeg selv var lykkeligt uvidende.

Jeg ville ikke have, at folk betragtede mig som et offer. Men jeg følte mig så patetisk. Så dum. Så dybt, dybt ydmyget.

Jeg begyndte at blive mere og mere vred på James.

Følelsen af Ydmygelse kom gradvist. Den luskede sig ind, og en dag vendte jeg mig om, og der stod den og grinede. „Hej," sagde den gemytligt, som om vi var gamle venner. „Kan du huske mig? Jeg behøver vel ikke præsentere min gamle ven, Jalousi?"

Jeg kan ikke fatte, at det tog mig tre uger at blive jaloux. Jeg har altid troet, at hvis en mand, jeg elskede, gik i seng med en anden, så ville jalousi være den første og mest overvældende følelse. Men den lå meget længere nede ad listen i dette særlige tilfælde, hvor den kom haltende efter Tab, Ensomhed, Håbløshed og Ydmygelse.

Jeg havde ikke tænkt så meget på James sammen med Denise. Mere på, at han ikke var sammen med mig. Mit tab frem for hendes vinding.

Det ændrede sig fra den ene dag til den anden.

Jeg var sammen med min mor en eftermiddag, da hun satte en video på. En film, som efter sigende var romantisk, men som i virkeligheden var en undskyldning for pornografi. Mor sad helt opslugt og tiskede energisk ad den. Jeg forsøgte at koncentrere mig om den og give Kate mad på samme tid. Jeg kunne ikke følge med i handlingen. „Hvem er det, han boller med nu? Er det kvinden fra elevatoren?"

„Nej, fjolle," sagde mor. „Det der er kvinden fra elevatorens *datter.*"

„Jamen, jeg troede, at han blev grebet i at gå i seng med kvinden fra elevatoren," sagde jeg forvirret.

„Det blev han også," forklarede mor venligt. „Men han er hende utro nu med hendes datter."

„Den stakkels kvinde fra elevatoren," sagde jeg trist.

Mor sendte mig et skarpt blik. Jeg kunne mærke hende forfærdet tænke: Åh gud, nej. Begynder hun nu at græde? Jeg vil vædde på, at hun ærgrede sig over, at hun ikke havde lejet et eller andet uskadeligt som *The Amityville Horror* eller *Motorsavsmassakren.*

Jeg så på de to mennesker på skærmen, der bollede og nød livet på bekostning af kvinden i elevatorens lykke. Pludselig kom jeg til at tænke på James og Denise i seng sammen.

De gør det, bare så du ved det, sagde en stemme i mit hoved.

De går i seng sammen. De boller. De glemmer sig selv i deres lidenskab. Hun rører ved ham. Hun sover ved siden af hans smukke krop og hans vidunderlige hud og silkebløde, sorte hår. Hun kan vågne op, mens han sover, og se på ham og hans lange, sorte øjenvipper, der kaster små skygger ned over hans ansigt.

Jeg tog mig selv i at spekulere på, hvordan de var sammen. Hvordan behandler han hende? Hvordan er han, når han er sammen med hende?

Skraber han blidt sine skægstubbe hen over hendes ansigt om morgenen, sådan som han plejede at gøre med mig og så grine af mit ramaskrig, så man kunne se hans regelmæssige tænder, som var meget hvide i hans kønne ansigt?

Falder hun i søvn med sit hoved på hans muskuløse brystkasse, med armen hen over hans mave, og hans mandige arm om hendes nakke, med den svage duft af Tuscany fra hans let solbrændte hud, sådan som jeg plejede?

Vækker han hende om morgenen ved at lade sine hænder løbe ned langs hendes lår, sådan som han plejede med mig, og tænder hende øjeblikkeligt, sådan som han gjorde med mig?

Tvinger han hende ned i sengen, mens han holder hendes arme over hovedet, fastlåser hendes ben med sine, mens han griner ned til hende, sådan som hun ligger der vidunderligt hjælpeløs, mens han presser sig langsomt op mod hende og driver hende til vanvid med begær, sådan som han gjorde med mig.

Kysser han hende med en isklump i munden og gør hendes mund kold, og hendes krop varm af begær, sådan som han gjorde med mig?

Bider han hende blidt i nakken og skuldrene og sender kuldegysninger af lyst ned gennem hele hendes krop, sådan som han gjorde med mig?

Når hun vågner om morgenen, er hendes første tanke så: Gud, hvor er han smuk, og han ligger her i sengen med mig. For det var altid min første tanke.

Jeg var ved at blive vanvittig af jalousi.

Jeg spekulerede på, om de gjorde det anderledes. Er hun anderledes end mig i sengen? Er hun bedre? Hvordan er hendes krop? Har hun en mindre røv, større bryster, fladere mave, længere ben? Er hun virkelig eventyrlysten, og driver hun ham til vanvid af lidenskab?

Jeg spekulerede på alle de ting, selvom jeg godt kendte Denise og kunne have svaret på de fleste af spørgsmålene (Mindre røv? Nej, Større bryster? Ja. Fladere mave? Sandsynligvis ikke. Længere ben? Svært at sige. Vi er nogenlunde lige høje).

Hun opførte sig ikke som en sexkilling. Hun havde altid virket så pæn og tja... *almindelig*, men inde i mit hoved var hun nu forvandlet til Den Skønne Helene eller Sharon Stone eller Madonna.

Jalousien rev og flåede i mig.

Det var ligesom at have en brændende kugle i brystet med pigge, der sendte grønne, giftige stråler ud i hele kroppen og kvalte mig, så jeg knap nok kunne trække vejret.

Mit hoved var fyldt med billeder af dem, som jeg forestillede mig dem i sengen.

Jeg kunne ikke bære tanken om, at han begærede hende. Det fyldte mig med en mægtig og impotent vrede. Og raseri. Jeg havde lyst til at slå dem begge to ihjel. Jeg havde lyst til at hulke hysterisk. Jeg følte mig grim af jalousi. Vansiret af det. Jeg følte, at jeg var forvredet og grøn i ansigtet af jalousi.

Det er sådan en grim følelse. Så fuldstændig meningsløs. Den har ingen steder at forsvinde hen.

Hvis man mister nogen eller noget, så føler man et tab, og efter et stykke tid fylder man det hul i sit liv, og efterhånden bliver tabet mindre og mindre, og til sidst forsvinder det. Der er en mening med smerten. Der er en grund til det og en retning.

Men der var ikke noget vundet ved at være jaloux. Jeg ville ikke have haft så meget imod det, hvis ikke det var, fordi det var mig selv, der helt og aldeles forårsagede jalousien. Det var min egen fantasi, der var årsag til smerten.

Det var det følelsesmæssige sidestykke til at tage et barberblad og skære mig i armen eller maven eller benet. Jalousi var selvskamfering. Det var lige så smertefuldt og lige så meningsløst.

Jeg følte ikke smerten, fordi der var sket mig noget, men fordi der ikke var sket mig noget. Hvorfor skulle noget, som foregik mellem to andre mennesker og ikke på nogen måde handlede om mig, gøre så ondt?

Ja, gu' fanden om jeg vidste det.

Jeg vidste bare, at det gjorde det.

Kapitel syv

I vores familie refereres der stadig til den tid, der fulgte, som Rædselsregi-
met. Helen hentyder fra tid til anden til det ved at sige ting som: „Kan
du huske dengang, du begyndte at opføre dig som Adolf Hitler, og vi alle
sammen hadede dig og ville ønske, at du tog tilbage til London?"

Der skete en rædselsfuld forandring i mig.

Det var, som om nogen havde trykket på en kontakt.

Jeg gik fra at føle mig trist og ensom og elendig til at føle eksplosiv
vrede og jalousi og et behov for at hævne mig over for Denise og James.
Jeg fantaserede om, at der tilstødte dem forfærdelige katastrofer.

Da jeg gennemlevede den fase, hvor jeg tilbragte tiden med at ligge på
min seng, ude af stand til at samle energi nok til at tale, fordi min sorg
var så stor, var jeg ikke grov over for andre. Jeg var vel egentlig lidt
kedelig og kunne ikke engang bruges til støvsugning og andre pligter, men
derudover kunne jeg ikke klandres for noget.

Men nu var jeg en galning på krigsstien. Der var så megen vrede og had
i mig, og den person, som det burde være gået ud over, dvs. James, var
her ikke. Så min familie, som var uskyldige tilskuere, der rent faktisk
forsøgte at hjælpe mig, endte i stedet med at blive råbt ad og fik døre
smækket i hovedet.

Lige da jeg vendte tilbage fra London, var der en vis værdighed over
min lidelse. Jeg følte mig lidt ligesom en victoriansk heltinde, som var
blevet svigtet i kærlighed, og som ikke havde noget andet valg end at
vende ansigtet ind mod væggen og omgivet af lugtesalte dø en smuk død
af sorg. Ligesom Michelle Pfeiffer i *Farlige forbindelser*.

Nu var jeg mere ligesom Christopher Walken i *Deerhunter*. Psykotisk.
Vanvittig. Til fare for mig selv og andre. Vandrede rundt i huset med et
sindssygt glimt i øjet. Rum, der genlød af samtale, blev stille, i samme
øjeblik jeg trådte ind. Mor og far holdt frygtsomt øje med mig. Anna og
Helen forlod rummet, når jeg dukkede op.

Jeg var ikke iført camouflagetøj, havde ikke noget ammunitionsbælte
slynget over skulderen og bar ikke rundt på et skrækkeligt automatvåben.
Jeg havde ikke smurt jord ud i ansigtet (selvom jeg set i bakspejlet sagtens

kunne have haft det. I denne forfærdelige periode gik badene fuldstændig fløjten). Men jeg følte mig lige så stærk, som hvis jeg havde haft alle disse ting, og jeg blev behandlet med lige så meget frygt.

Rædselsregimet startede den dag, jeg så den video sammen med mor. (Jeg skal nok undlade at gå i detaljer med, hvad der skete, jeg skammer mig sådan. Videobutikken indvilligede i ikke at anmelde mig. Det var fuldstændig rigtigt, hvad assistenten sagde. De udlejer bare videoerne. Det er på ingen måde en afspejling af deres personlige moral. Jeg var en lille smule overspændt på det tidspunkt).

Rædselsregimet fortsatte i flere krigshærgede dage. Hvad som helst kunne udløse et raserianfald i mig, men især romantiske serier på fjernsynet. Inde i mit hoved spillede der konstant en video af Denise og James i seng sammen. Hver gang jeg så andre forelskede par på fjernsynet, blev min hjerne overbelastet.

Heldigvis så jeg ikke nogen forelskede par i virkeligheden, ellers er jeg ikke sikker på, at jeg kunne gøres ansvarlig for mine gerninger. Mor og far opførte sig helt sikkert ikke som et forelsket par. Den mest romantiske ting, min far sagde til min mor i løbet af ugen, var: „Skal vi tage i Fryser Centrum torsdag aften?“

Der var en lind strøm af Helens unge bejlere i huset, men hun var led og lavede sjov med dem og deres hvalpeagtige tilbedelse. Og det frydede mig på en grum, kold måde. Og med hensyn til Anna, tja, det er en anden historie, som må fortælles en anden gang.

Jeg græd forfærdeligt meget i denne tid. Og bandede. Og smed med ting.

Som sagt var det sædvanligvis fjernsynet, som gjorde mig ked af det. Jeg kunne se en mand læne sig frem og kysse en kvinde, og straks strømmede jalousiens grønne flamme gennem mig, og jeg blev opfyldt af en ulidelig energi. Jeg kom til at tænke på James. Og jeg kom til at tænke på min James sammen med en anden kvinde. I et kort sekund var det bare en abstrakt tanke, som om han stadig var sammen med mig, og jeg var fjollet og forestillede mig 'det værst tænkelige'. Og så kom jeg i tanke om, at det *var* sket, og han *var* sammen med en anden kvinde. Og det gjorde lige ondt hver gang. Den tiende gang, det skete, var lige så forfærdelig og chokerende og kvalmefremkaldende som første gang.

Så måske kom jeg til at kaste en bog efter fjernsynet eller nogle sko mod væggen eller Kates sutteflaske mod vinduet. Hvad som helst, der var inden for rækkevidde eller bare i nærheden, blev kastet mod den nærmeste overflade. Så begyndte jeg at bande og svovle som en anden rejekælling, storkede ud af rummet og smækkede så hårdt med døren, at pudset sikkert dryssede ned fra loftet. Det blev så slemt, at hvis jeg kom trampende ind i stuen, når fjernsynet var tændt, så greb Anna eller Helen, eller hvem der nu sad der, ud efter fjernbetjeningen og skiftede lynhurtigt væk fra det, de sad og så, til noget ufarligt som Åben Universitets program om anvendt fysik eller en dokumentar om, hvordan køleskabe fungerer, eller en quiz, hvor alle deltagerne tydeligvis havde fået det hvide snit. (Et eksempel på deres dumhed: „Hvilken facon har Rundetårn?", „Øhm, er det firkantet?").

„Hvad ser I?" knurrede jeg ad dem.

„Øh, ehm... bare det her," svarede de nervøst og pegede på fjernsynet med flagrende hænder.

Så sad vi alle sammen tavse og lod, som om vi så det tilfældige program, fjernbetjeningen havde fundet til os, mens jeg udsendte håndgribeligt skræmmende signaler, og Anna eller Helen eller mor eller far sad helt stift, bange for at snakke, bange for at foreslå, at vi skiftede kanal, og ventede på, at der skulle gå tilstrækkelig lang tid, til at de kunne rejse sig og gå, så de kunne se resten af deres program på det lille fjernsyn inde på mors værelse.

Når de så rejste sig og begyndte at kante sig over mod døren, kastede jeg mig over dem og spurgte: „Hvor skal du hen? Du kan ikke engang klare at være i samme rum som mig, vel? Det er slemt nok, at min mand forlader mig, men tænk, at min egen familie behandler mig sådan."

Så stod det stakkels offer helt pinligt berørt og følte sig tvunget til at blive, selvom han eller hun helt sikkert havde mest lyst til at gå.

Og hadede mig for det.

„Jamen, så gå da," sagde jeg ondskabsfuldt til dem. „Smut."

Fordi jeg var så skræmmende, var der ingen, ikke engang Helen, der turde fortælle mig, at jeg opførte mig utrolig egoistisk og var en rigtig heks, for at sige det mildt. Jeg holdt hele familien som gidsler med mine vilde raserianfald og uforudsigelige humørsvingninger.

Kate var den eneste, jeg viste lidt respekt. Og selv det skete kun med mellemrum.

Engang hun begyndte at græde, råbte jeg skarpt til hende: „Hold kæft, Kate!" Og utroligt nok holdt hun øjeblikkeligt op. Den stilhed, der fulgte, forekom mig næsten at være lamslået. Lige meget hvor meget jeg har prøvet, har jeg ikke siden kunnet gentage det tonefald. Jeg har forsøgt mig med alle mulige betoninger, som „Hold *kæft*, Kate," eller „Hold kæft, *Kate*," eller „*Hold* kæft, Kate," men lige meget hjælper det. Hun bliver gladelig ved med at brøle, mens hun uden tvivl tænker: Ha! Du skræmte mig måske nok en enkelt gang, i omkring et nanosekund, men du kan være helt sikker på, at det ikke sker igen.

Jeg havde så meget energi. Min krop var ikke stor nok til at rumme al den energi, som strømmede igennem mig. Jeg gik fra ikke at have nogen energi overhovedet til at have alt for meget. Jeg havde ingen anelse om, hvad jeg skulle stille op med den. Jeg havde det, som om jeg skulle eksplodere. Eller blive vanvittig. Jeg var splittet, for jeg havde ikke lyst til at forlade huset, men jeg havde det, som om jeg kunne løbe to hundrede kilometer. Og at jeg ville blive sindssyg, hvis jeg ikke gjorde det. Jeg havde kræfter som ti mænd. I løbet af de rædselsfulde uger kunne jeg have vundet guldmedaljer ved Olympiaden i hvilken som helst sportsgren, du kan komme i tanke om.

Jeg havde det, som om jeg kunne løbe hurtigere, springe højere, kaste længere, løfte mere, slå hårdere end noget andet levende menneske.

Den første aften, jalousien viste sig, drak jeg en halv flaske vodka.

Jeg truede Anna til at låne mig femten pund og Helen til at gå ned i vinforretningen efter den.

Anna ville gladelig være gået ned i vinforretningen efter den.

Og Anna ville gladelig være kommet tilbage fra vinforretningen for min skyld.

Men spørgsmålet var hvornår.

Måske var hun først dukket op en uge senere med en eller anden uklar historie om, hvordan hun på vej derhen mødte nogle mennesker i en varevogn, som var på vej til Stonehenge, og at hun syntes, at det kunne være rart at slutte sig til dem. Eller at hun havde haft en mystisk ud-af-kroppen-oplevelse og havde mistet en uge.

Jeg kunne godt have fortalt hende, at der ikke var noget mystisk ved det. Hvis hun tog over til sin kæreste Shanes lejlighed og røg en masse pot, så var det almindeligvis det, der skete. Den korrekte betegnelse var en ud-af-hovedet-oplevelse, ikke en ud-af-kroppen-oplevelse.

Det var nu ikke let at overtale Helen. „Jeg drukner," knurrede hun, da vejret stadig var virkelig barsk.

„Nej, du gør ikke," forsikrede jeg hende ubarmhjertigt og sammenbidt med et tonefald, der antydede: „Men det vil overhovedet ikke være noget problem for mig at arrangere det."

„Det kommer til at koste dig," sagde hun og ændrede taktik.

„Hvor meget?"

„En femmer."

„Giv hende en femmer mere," befalede jeg Anna.

Penge skiftede hænder.

„Nu skylder du mig tyve," sagde Anna ængsteligt.

„Har jeg nogensinde undladt at tilbagebetale min gæld?" svarede jeg Anna koldt.

„Øh, nej," sagde den stakkels pige, alt for skræmt til at minde mig om, at jeg stadig skyldte hende penge for den flaske vin, som jeg havde 'lånt' af hende den første aften, jeg var hjemme.

„Og hvor skal du hen?" spurgte jeg bydende Helen.

„Ovenpå for at skifte til mine Speedos."

Da Helen meget senere vendte gennemblødt tilbage fra vinforretningen, brokkede hun sig højlydt og dryppede vand alle steder, da hun rakte mig en flaske vodka i en gennemblødt pose.

Jeg bad ikke om penge tilbage for de femten pund.

Det blev heller ikke tilbudt.

Da jeg endelig opdagede, at flasken allerede var blevet åbnet og omkring en fjerdedel af den forsvundet, var Helen for længst forsvundet. Såvel som hendes chancer for at overleve helt til sin nittenårs fødselsdag.

Min hævn ville være et forfærdeligt og skrækindjagende syn, når jeg først fik fingre i hende.

Jeg var ikke til at spøge med.

På trods af vodkaen kunne jeg stadig ikke sove. Jeg vandrede hvileløst rundt i huset, fra det ene rum til det andet, sent om natten, mens alle andre sov. Med flasken og et glas i hånden. Mens jeg ledte efter et sted, hvor jeg følte mig tryg. I håb om at finde et sted, hvor de forfærdelige billeder ville holde op med at strømme igennem hovedet på mig. Men min jalousi og mit had holdt mig vågen. Det blev ved med at stikke til mig, og jeg kunne ikke falde til ro nogen steder. Jeg kunne ikke finde fred.

I desperation tænkte jeg, at det måske ville hjælpe, hvis jeg prøvede at falde i søvn i en anden seng eller et andet værelse.

Jeg gik ind på Rachels gamle værelse. (Du ved, det værelse hvor du skal bo, når du kommer på din sulteuge). Jeg tændte lyset.

Der var den samme spøgelsesagtige fornemmelse inde på værelset, som der havde været inde på mit og Margarets værelse, lige da jeg vendte tilbage fra London. Fornemmelsen af, at ingen havde sovet der i lang tid. Selvom der stadig hang tøj i klædeskabet og plakater på væggene, og der stadig stod en tallerken under sengen.

Jeg fik øje på kondicyklen og romaskinen, som far købte for omkring ni år siden i et entusiastisk, men kortvarigt forsøg på at komme i form.

Der stod de på gulvet i Rachels værelse, dækket af støv og spindelvæv og så gammeldags og knirkende ud, et langt stykke fra vore dages kondicykler og romaskiner med deres computerprogrammer, videoskærme og elektroniske kalorietællere.

Jeg så kærligt på dem, forhistoriske som de var, og minderne kom vældende ind over mig.

Ophidselsen den dag, de blev leveret!

Mor var den eneste, der ikke var spændt på det. Hun sagde, at hun ikke kunne forstå, hvad al hurlumhejet drejede sig om.

Hun havde ikke brug for at opsøge smerte og lidelse. Hun havde allerede nok af det i sit liv, eftersom hun var gift med far og mor til os fem.

Vi andre var ude af os selv.

Vi stimlede sammen om dem og sagde „uuuuh" og „ååååh", da maskinerne i krom og metal blev læsset af og installeret i havestuen.

Vi havde alle store forhåbninger og store forventninger til dem. Der var naturligvis et stort pres på maskinerne, for vi troede, at vi ville få kroppe som Jamie Lee Curtis (hun var meget *in* dengang) ved den mindste kontakt med dem.

Far sagde også, at han ville have en krop som Jamie Lee Curtis. Mor talte ikke til ham i en uge.

I begyndelsen kæmpede og sloges vi alle sammen om at få lov til at bruge maskinerne.

De var i brug døgnet rundt som et samlebånd på en våbenfabrik under krigen.

Der var altid kø.

Og lad os bare sige, at folk ikke altid opførte sig pænt og respekterede køkulturen. Alle former for bestikkelse og åger fandt sted.

Mere end én gang blev der fældet en tåre, og mere end én gang blev der sagt hårde ord i de højspændte kampe om, hvis tur det var næste gang.

Vi elskede især cyklen. Margaret, Rachel og jeg var besat af størrelsen på vores bagdele og lår.

Der var ikke stor interesse for romaskinen, for vi var så unge, at det ikke var gået op for os, at folk får fede overarme.

Margaret og Rachel og jeg brugte størstedelen af vores teenageår med at stå med ryggen til et helfigursspejl og næsten brække ryggen i et forsøg på at dreje vores hoveder hele vejen rundt, uden at bevæge kroppen, for at se, hvordan vores bagdele så ud bagfra.

Mens vi ængsteligt spurgte hinanden: Hvordan ser min bagdel ud? Vildt stor eller bare halvstor?"

Vi spildte så meget tid med at pine os selv og bekymre os om størrelsen på vores bagdele.

Hvert eneste par cowboybukser, vi købte, blev vurderet ud fra dets halereducerende kvaliteter. Hver skjorte eller bluse eller jakke blev ligeledes takseret efter, hvor god den var til at dække førnævnte hale.

Vores besættelse af størrelsen på vores bagdele blev kun matchet af vores besættelse af, hvor små vores bryster var.

Det var så trist!

For vi var smukke.

Vi havde fine kroppe.

Og vi vidste det ikke.

Rachel plejede at sige, at hun ville ønske, at hun havde levet i gamle dage. Nærmere bestemt under den store hungerperiode. Engang sagde hun længselsfuldt til mig: „Prøv at forestille dig, hvor tynde vi ville være, hvis vi skulle leve af sten og græs i et par måneder."

Jeg ville have betalt mange penge for at have den krop i dag, som jeg havde dengang.

Det fik mig til forfærdet at tænke: Åh gud, vil der komme en dag, hvor du vil se tilbage på den krop, du har i dag, og ønske, at du stadig havde den?

Jeg måtte nok hellere begynde at sætte pris på mit udseende, uanset hvor grim jeg selv syntes, jeg var. For en dag ville jeg ønske, at jeg så sådan ud igen.

Selvom jeg umuligt kunne forestille mig nogensinde at blive så desperat.

Kondicyklens og romaskinens nyhedsværdi dalede naturligvis hurtigt. En kombination af uheld og skuffede forventninger.

Selvom Helen kun var ni, bestemte hun sig for, at hun alene vidste, hvordan romaskinen fungerede. Hun samlede os alle for at give os en demonstration. For at imponere os havde hun sat alt for meget vægt på og forsøgte derpå at løfte det uden at varme op først. Hun forstrakte øjeblikkeligt en muskel i brystet.

Og forårsagede en kolossal ballade.

De stakler, der led under Den Spanske Inkvisition, hylede og skreg ikke lige så meget som Helen.

Hun hævdede, at hun var blevet paralyseret ned langs hele den ene side, og det eneste, der lettede lidt på hendes symptomer, var enorme mængder chokolade og konstant opmærksomhed.

Helen var Helen i en meget tidlig alder.

Ifølge hende selv var smerten ulidelig. Hun bad dr. Blenheim om at gøre en ende på hendes lidelser. Vi andre syntes også, at hendes smerter var ulidelige, og var enige i, at hun virkelig burde få gjort en ende på sine lidelser.

Men dr. Blenheim sagde, at der var en lov, der forbød den slags ting.

Jeg mener, at han kaldte det mord eller manddrab eller sådan noget i den stil.

Far forsikrede ham om, at vi foretrak at kalde det medlidenhedsdrab.

Det vil altså sige medlidenhed med os andre.

Og desuden ville vi ikke indberette ham, men dr. Blenheim kunne stadig ikke overtales til at gøre det.

Da ingen af os andre kom til at ligne Jamie Lee Curtis det mindste på trods af alle vores anstrengelser, følte vi os lidt forrådte og skuffede og bestemte os for at give cyklen igen ved at ignorere den.

Efter et stykke tid holdt far også op med at lade, som om han brugte maskinerne. Han mumlede noget utydeligt om at have læst en artikel i *Cosmopolitan* om, at for meget træning kunne være lige så skadelig som overhovedet ingen træning.

Jeg havde selv læst den pågældende artikel. Den handlede rent faktisk om tvangsbetonet træning, om virkeligt syge mennesker, som på ingen måde lignede far.

Men for fars vedkommende havde han en bombesikker undskyldning. Det var fuldstændig retfærdiggjort, at han lod kondicyklen og romaskinen være.

Han brugte *Cosmopolitan* som forsvar, hver gang mor himlede op om, hvor meget maskinerne havde kostet, og at hun aldrig havde ønsket, at han skulle købe dem, og hvordan hun havde forudsagt, at det her var lige præcis, hvad der ville ske osv.

De to maskiner blev kasseret og overladt til at samle støv sammen med de lyserøde benvarmere og de lyserøde og blåflettede svedebånd, som vi købte, så vi kunne se godt ud på maskinerne.

Margaret og jeg havde faktisk købt et par lyserøde benvarmere og et svedebånd til far. Han tog dem på en gang for at glæde os. Jeg tror faktisk stadig, der findes et foto af det et sted.

Derfor blev jeg meget overrasket, da jeg næsten snublede over cyklen og romaskinen inde på Rachels værelse.

Jeg havde ikke set dem i årevis. Jeg troede, at de for længst var blevet forvist til Sibirien, det vil sige garagen, sammen med SpaceHopperen, stylter, rulleskøjter, skateboards, Kerplunk!-spillet, Trivial Pursuit, stangtennis, squashketsjere, skralderne, bmx-cykler, Lær Dig Selv Spansk-kassettebåndene, minibridgespillet, glasfiberkanoen og de tusindvis af andre stykker legetøj og adspredelser, som havde nydt en kort, men enorm popularitet, for ikke at snakke om at have forårsaget utallige skænderier i vores familie, før de faldt i unåde, og deres tiltrækningskraft forsvandt, og de blev forvist til det ydre rum for at leve sammen med kullet og græsslåmaskinen og skruetrækkerne.

Jeg blev meget glad for at se dem.

Om end lidt overrasket.

De var ligesom gamle venner, jeg ikke havde set i årevis, som jeg var stødt på et totalt uventet sted.

I bakspejlet kan jeg nu se, at det, jeg i virkeligheden havde brug for, var en boksebold. Så jeg kunne arbejde noget af den forfærdelige vrede af, som jeg følte mod James og Denise.

Men i mangel af boksebold og på grund af det faktum, at den daværende lovgivning forbød mig at bruge Helens hoved, var synet af cyklen og romaskinen som sendt fra Gud.

Det gik op for mig, at en lille smule fysisk udfoldelse måske var den eneste ting, som kunne forhindre mig i at blive fuldstændig vanvittig og eksplodere af jalousi og vrede.

Enten det eller enorme mængder alkohol.

Så jeg stillede min flaske og mit glas på Rachels toiletbord og kravlede op på cyklen, idet jeg skubbede natkjolen ind under mig. Ja, jeg var stadig iført en af mors natkjoler. Ikke den samme natkjole, som jeg tog på den første nat, jeg var hjemme. Så slemt var det alligevel ikke blevet. Jeg var ikke sunket helt så langt ned. Men det var helt sikkert en natkjole fra samme bunke.

Jeg følte mig lidt dum (men alligevel ikke så dum, jeg havde trods alt fået en halv flaske vodka indenbords), da jeg begyndte at cykle. Og mens resten af huset sov, cyklede og svedte jeg. Derpå roede og svedte jeg i et stykke tid. Så satte jeg mig op på cyklen igen og cyklede og svedte lidt mere.

Mens James snorksov fredfyldt et sted i London med armen beskyttende om Denise, cyklede jeg som en gal i et soveværelse, hvor der stadig hang plakater af Don Johnson på væggene, mens varme, vrede tårer løb ned ad mit pæonrøde ansigt.

Jeg kunne ikke lade være med at have ondt af mig selv over den bidende ironi.

Hver gang jeg forestillede mig de to i seng sammen, cyklede jeg endnu hurtigere, som om jeg kunne slippe for smerten, hvis jeg cyklede hurtigt nok.

Hver gang jeg tænkte på, at hun rørte ved hans smukke, nøgne krop, fik jeg endnu et skud kvalmende energi, og jeg pressede min krop endnu hårdere.

Jeg var bange for, at jeg ville slå nogen ihjel, hvis jeg holdt op med at cykle.

Jeg havde ikke trænet i månedsvis, havde ikke lavet noget fysisk anstrengende i hundrede år (bortset fra at føde et barn), men jeg blev hverken træt eller forpustet.

Jo mere jo pressede mig selv, jo lettere blev det.

Jeg havde det, som om mine lårmuskler var lavet af stål (det var de helt sikkert ikke, det kan jeg godt fortælle dig).

Pedalerne susede rundt. Jeg havde det, som om mine ben var blevet smurt, så let arbejdede de. Det var, som om nogen havde smurt mine led.

Jeg cyklede hurtigere og hurtigere, indtil den stramme, hårde knude i brystet begyndte at løsne sig, og jeg blev en smule roligere.

Jeg kunne næsten trække vejret normalt.

Da jeg til sidst kravlede ned fra cyklen, var styret vådt af sved, min natkjole klæbede til kroppen, og jeg følte mig næsten opstemt.

Jeg gik ind på mit værelse og lagde mig ned.

Kate fik øje på mit højrøde ansigt og min gennemblødte natkjole, men det lod ikke til at interessere hende.

Jeg lagde mit brændende ansigt på den kølige pude og vidste, at jeg ville kunne sove nu.

Jeg vågnede meget tidligt næste morgen. Jeg vågnede endda før Kate. Faktisk var der byttet om på rollerne, og det var Kate, der vågnede til lyden af min gråd.

Så kan du bare se, hvordan det føles, tænkte jeg hulkende. Er det måske en måde at starte dagen på?

Jalousiens og vredens spøgelser vendte tilbage igen.

Mens jeg sov, havde de stået bøjet over mig og set ned på mig. „Skal vi vække hende nu?" rådførte den ene sig med den anden.

„Okay," sagde Jalousi. „Vil du gøre det?"

„Åh nej, hvorfor gør du det ikke?" sagde Vrede høfligt.

„Med fornøjelse," sagde Jalousi elskværdigt. Og greb mig derpå hårdt i skulderen og ruskede mig, til jeg vågnede.

Jeg vågnede med det forfærdelige billede af James i seng med Denise på nethinden.

Den bitre vrede var tilbage og strømmede igennem mig som gift.

Så mens jeg gav Kate mad, drak jeg resten af vodkaen, og så gik jeg op på Rachels værelse og satte mig op på kondicyklen igen.

Hvis der var nogen retfærdighed til i denne verden, ville jeg have været så stiv som et bræt efter mine anstrengelser aftenen før. Men hvis der var en ting, den forløbne måned havde lært mig, så var det, at det var der ikke.

Altså, retfærdighed.

Så jeg var ikke stiv som et bræt.

Jeg tilbragte den næste uges tid på at blive ædt op indefra af vrede og jalousi. Jeg hadede James og Denise. Jeg terroriserede min familie uden overhovedet at indse, at jeg gjorde det. Og når det blev for meget for mig, kravlede jeg op på cyklen og forsøgte at cykle noget af den forfærdelige vrede væk. Jeg drak også alt for meget.

Jeg skyldte Anna en formue.

Helen krævede ågerpriser for at gå til vinforretningen for mig.

Og spørgsmålet om udbud og efterspørgsel gjorde, at jeg ikke havde andet valg end at betale hende.

Jeg var en køber på sælgers marked.

Hun havde, så at sige, en klemme på mig.

Jeg kunne enten betale hende eller selv hente det.

Og jeg kunne endnu ikke klare at forlade huset.

Derfor betalte jeg hende.

Eller det vil sige, det gjorde Anna, for jeg havde ikke selv nogen kontanter.

Jeg havde alle intentioner om at betale Anna tilbage, når tid var. Jeg var ikke særlig bekymret over den effekt, jeg havde på Annas kontantbeholdning.

Men det burde jeg have været.

Jeg mener, hun var trods alt på bistand.

Hun havde endda et mellem- til sværvægtertungt stofforbrug, hun også skulle opretholde.

Men jeg tænkte kun på mig selv.

Jeg var mere eller mindre fuld hele tiden. Jeg troede, at jeg kunne dulme smerten og vreden ved at blive fuld. Men det hjalp ikke. Jeg følte mig bare fortabt og forvirret. Og når jeg så var ædru i de få minutter, det tog mig at drikke min næste drink, og før effekten ramte, følte jeg mig forfærdelig deprimeret. Virkelig, virkelig elendig til mode.

Jeg troede aldrig, at jeg skulle høre mig selv sige det, men alkohol er virkelig ikke svaret.

Stoffer, måske.

Men ikke alkohol.

Det var først, da jeg ved et tilfælde overhørte en samtale mellem mor, Helen og Anna, at det gik op for mig, hvor rædselsfuldt jeg opførte mig.

Jeg skulle lige til at gå ud i køkkenet, da min sweater (okay, *fars* sweater) hang fast i håndtaget på skabet i gangen.

Mens jeg forsøgte at rive mig løs, hørte jeg Helen sige noget ude i køkkenet.

„Hun er sådan en kælling," beklagede Helen sig. „Vi er bange for at se noget på fjernsynet, hvor folk kysser hinanden eller noget, i tilfælde af at hun flipper ud."

Jeg spekulerede på, hvem de mon snakkede om, men var klar til at tilslutte mig den systematiske nedrakning, uanset hvem den uheldige person var. Så ond og bitter var jeg.

„Ja," sagde Anna og sluttede sig til samtalen. „Jeg mener, i går da vi sad og så fjernsyn, kylede hun den vase, jeg lavede til jer til jul, over mod døren, bare fordi Sheila fortalte Scott, at hun elskede ham."

„Gjorde hun?" spurgte mor groft krænket.

Med et chok gik det op for mig, at det var mig, de snakkede om. Det måtte være mig. Det var mig, der havde kylet den rædselsfulde vase mod døren.

For fanden, hvad bildte de sig ind!

Jeg stod helt stille ved døren og forsatte med at lytte som den rædsels-fulde person, jeg var blevet.

„Jeg kan næsten ikke fatte det," fortsatte mor og lød, som om hun var rystet i sin grundvold. „Og hvad sagde Scott til det?"

„Åh mor, kan du ikke bare glemme *Down Drongo Way* i fem minutter," sagde Helen og lød, som om hun var lige ved at græde af frustration. „Det her er alvorligt. Claire opfører sig som et monster."

Nå ja, det gør jeg måske, men jeg har lært det hele af dig, min ven, tænkte jeg syrligt.

„Det er, som om hun er besat!" fortsatte Helen.

„Tror du måske, at hun er det?" spurgte Anna helt ophidset, åbenbart klar til at hive sin Filofax frem og give dem navnet på en god eksorcist. („Jeg har hørt, at han er fantastisk. Alle mine venner bruger ham").

„Hør her, piger," sagde mor blidt. „Hun har været igennem en for-færdelig masse."

Ja for fanden, det har jeg, samtykkede jeg stille, mens jeg stod helt stiv op ad døren.

„Så hav lidt medfølelse. Prøv at udvise lidt tålmodighed. I kan ikke forestille jer, hvor forfærdeligt det må have været."

Nej, det kan I i hvert fald ikke, nikkede jeg samstemmende.

Stilhed fulgte.

Godt, tænkte jeg, nu skammer de sig.

„I går aftes smadrede hun dit Aynsley-askebæger," mumlede Helen.

„Hvad gjorde hun?!" sagde mor skarpt.

„Ja, hun gjorde," bekræftede Anna.

„Godt," sagde mor beslutsomt. „Nu er hun gået for vidt."

„Ha!" sagde Helen triumferende og talte åbenbart til Anna. „Sagde jeg ikke, at mor hadede den der latterlige vase, du har lavet? Jeg vidste bare, at hun lod, som om hun godt kunne lide den. Hvorfor skulle hun ellers være ligeglad med, at Claire smadrede den, men blive vred over sit Aynsley-askebæger?"

På tide, at jeg smutter, tænkte jeg.

Jeg gik stille ovenpå igen og var temmelig rystet.

Der var kommet en sær følelse over mig.

Jeg slog den senere op i min følelseshåndbog og identificerede den.

Der kunne ikke være nogen tvivl om det.

Det var helt sikkert Skam.

Senere samme aften, mens jeg lå på min seng og drak cider, fik jeg besøg af min far.

Jeg havde regnet med det.

Det skete, hver gang jeg ikke havde opført mig ordentligt, da jeg var yngre. Mor opdagede fejltrinnet eller ugerningen eller forseelsen, eller hvad det nu var.

Så hev hun det tunge skyts frem ved at sige det til min far.

Han bankede stille på, stak sit hoved ind gennem døren, han så helt klart fåret ud.

Det var lang tid siden, han sidst havde måttet gøre det her. Ingen tvivl om, at mor stod bag ham ude på reposen med en elstav, mens hun hvæsede: „Gå derind, og sig det til hende. Få hende til at føle noget gudfrygtighed. Hun vil ikke høre på mig. Hun er bange for dig."

„Hej, Claire, må jeg komme ind?" spurgte han.

„Sæt dig ned," sagde jeg, pegede på sengen og proppede hurtigt den halvtomme flaske ekstrastærk cider ned i skuffen på mit natbord.

„Hej, mit yndlingsbarnebarn," sagde han til Kate.

Jeg hørte ikke hendes svar.

„Nå!" sagde han og forsøgte at være munter.

„Nå!" samtykkede jeg tørt. Jeg gad ikke gøre det let for ham.

Der var kaos inde i mit hoved. En kombination af skam, forfærdelse, flovhed over min barnlige opførsel, forsvarsberedthed, fordi jeg skulle skældes ud, vrede over at blive behandlet som et barn og samtidig erkendelse af, at det var på tide, at jeg holdt op med at opføre mig som en egoistisk kælling.

Far satte sig tungt på sengen og kvaste en tom øldåse, som han ikke havde opdaget lå på sengetæppet.

Han tog den frem og holdt den sørgmodigt op foran mig.

„Hvad er det her?" spurgte han.

Jeg havde lyst til at spørge ham, hvad han syntes, det lignede, og følte mig skyldbevidst og femten år igen.

„Det er en øldåse, far," mumlede jeg.

„Prøv at forestille dig, hvordan din mor har det med det her," sagde han og gik efter skyldfølelsen. „At du sådan ligger alene i sengen og drikker øl hele dagen."

Det er ingenting, tænkte jeg forfærdet og bad til Gud om, at han ikke pludselig kastede sig ned på gulvet og fandt de to tomme vodkaflasker under sengen.

Jeg blev overvældet af panik og skamfølelse. Jeg kunne næsten ikke vente på, at han gik. Den stakkels mand vidste jo ikke halvdelen. Jeg blev nødt til at skaffe mig af med de to flasker, før han støvsugede på fredag. Det var uundgåeligt, at han faldt over dem på det tidspunkt.

Men på den anden side, måske ikke.

'Overfladisk' var kodeordet med hensyn til hans støvsugning.

Ikke noget med at flytte på tingene, som stolene, og gøre rent inde under dem.

Ikke engang bøger eller sko, hvis jeg skal være ærlig.

Eller papirlommetørklæder og sikkerhedsnåle, hvis jeg skal være hudløst ærlig.

Han kom fra 'Hvorfor gøre rent under det, når man kan gøre rent udenom?'-skolen.

Ude af fars øje, ude af fars sind.

Hvad øjet ikke så, havde støvsugeren ikke ondt af, sådan var det.

Så måske kunne de tomme vodkaflasker slumre fredfyldt under sengen og forblive der uforstyrrede og uopdagede i årtier.

Ikke desto mindre bestemte jeg mig for, at jeg ville smide dem ud hurtigst muligt.

Jeg skammede mig forfærdeligt over min opførsel. Jeg var egoistisk og uansvarlig.

„Du opfører dig egoistisk og uansvarligt," sagde far.

„Det ved jeg godt," mumlede jeg.

Hvilken mor var jeg for Kate?

„Hvilken mor er du for Kate?" spurgte han.

„En elendig en," mumlede jeg.

Det stakkels barn, tænkte jeg, som om det ikke er slemt nok, at hendes far har forladt hende.

„Det stakkels barn," sagde far. „Som om det ikke er slemt nok, at hendes far har forladt hende."

Jeg ville virkelig ønske, at det her mentale ekko ville holde op.

„Alkohol drukner aldrig sorgerne," sukkede far. „Det lærer dem bare, hvordan man svømmer."

Man skulle måske tro, at det var en meget dyb og sand ting, far lige havde sagt.

Det gjorde jeg.

De første otte hundrede gange, jeg hørte det.

Men nu genkendte jeg det som det, det i virkeligheden var. Den første sætning i første afsnit af fars 'Alkoholens onder'-dundertale.

Jeg havde hørt den så mange gange i mine teenageår, at jeg bogstavelig talt kunne den udenad.

Det er komplet skørt, tænkte jeg.

„Det er komplet skørt," sagde far trist.

Og guderne skal vide, at jeg ikke ønsker at ende som tante Julia.

„Og guderne skal vide, at du ikke ville ønske at ende ligesom tante Julia," sagde far træt.

Stakkels far, tante Julia var hans yngste søster, og det var ham, der måtte stå model til de fleste af hendes alkoholrelaterede kriser.

Hver gang hun mistede sit job, fordi hun var fuld på arbejde, var det første, hun gjorde, at ringe til far.

Da hun blev kørt ned af en cyklist, fordi hun vandrede fuld rundt på vejen sent om natten, hvem ringede politiet til?

Rigtigt.

Far.

Det er penge ud ad vinduet, tænkte jeg.

„Det er penge ud ad vinduet," sagde far tungsindigt.

Penge, jeg ikke har.

„Penge, du ikke har," fortsatte han.

Det nedbryder mit helbred.

„Det nedbryder dit helbred," oplyste han mig om.

Det ødelægger mit udseende.

„Og det løser ikke noget," sluttede han.

Forkert! Han havde glemt at fortælle mig, at det ville ødelægge mit udseende. Jeg måtte hellere minde ham om det.

„Og det vil ødelægge mit udseende," mindede jeg ham stille om.

„Åh ja," sagde han skyndsomt. „Og det vil ødelægge dit udseende."

„Far, jeg er ked af det," sagde jeg til ham. „Jeg ved godt, at jeg har været fuldstændigt forfærdelig over for alle og en bekymring for jer, men jeg skal nok holde op. Det lover jeg."

„God pige," sagde han og sendte mig et lille smil.

Jeg havde det, som om jeg var omkring tre og et halvt år gammel igen.

„Jeg ved, at det ikke kan være let for dig," sagde han.

„Det er stadig ikke nogen undskyldning for at opføre sig som en led kælling," indrømmede jeg.

Vi sad tavse i et par minutter.

De eneste lyde kom fra Kate, der snorkede lykkeligt – måske var hun lige så glad som de andre for, at jeg havde fået mig en opsang – og mig, der snøftende holdt tårerne tilbage.

„Så lader du fremover pigerne se det i fjernsynet, de vil?" forhørte far sig.

„Selvfølgelig," snøftede jeg.

„Og du kaster ikke med flere ting?"

„Jeg kaster ikke med flere ting."

„Du er altså en god pige." Han smilede skævt til mig. „Uanset hvad din mor og dine søstre siger."

Kapitel otte

Aftenen før, da far gav mig den opsang, kyssede han mig – kejtet, vel at mærke – men det var stadig et kys, og uden at se mig i øjnene sagde han, at han elskede mig.

Så ruskede han blidt i Kates lille lyserøde fod og forlod værelset.

Jeg lagde mig på sengen i lang tid og tænkte over, hvad han havde sagt. Og hvad jeg havde overhørt min mor og mine søstre sige tidligere på dagen.

Og der skete en eller anden forandring i mig.

En form for fred trængte ind i min sjæl.

Livet går videre.

Selv mit liv.

Jeg havde brugt den sidste måned på at løsrive mig fra livet på min egen bekostning. Det umådeholdne soveri, drikkeriet, træningen, de manglende bade. Det var alt sammen måder at holde livet stangen på.

For det var for forfærdeligt at leve uden James og med afvisningen.

Jeg ønskede ikke mit liv.

I hvert fald ikke den her version af det.

Så jeg havde bestemt mig for at klare mig helt og aldeles uden et liv.

Men Livet kan ikke holdes nede, og uanset hvor meget jeg forsøgte at lade, som om det ikke fandtes, blev det ved med at stikke hovedet gennem hullerne i mit forsvar for at få mig med ud at lege.

„Åh, *der* er du," sagde det muntert og hoppede op og ned som en anden gummibold, mens jeg lå alene på min seng og drak vodka med appelsinjuice, med det allestedsnærværende *Hello* ved min side. „Jeg har ledt efter dig overalt. Hallo, det der ser ikke særlig sjovt ud. Kom med mig, og så finder vi nogle andre mennesker og snakker med dem og får os et godt grin."

„Åh, skrid, og lad mig være i fred," svarede jeg. „Jeg har det fint sådan her. Jeg har ikke lyst til at snakke med andre. Men nu hvor jeg alligevel snakker med dig, gider du så tage en flaske Smirnoff med, når du alligevel går forbi vinforretningen."

Men efter fars dundertale indså jeg, at jeg blev nødt til at begynde at leve livet igen.

Jeg måtte holde op med kun at tænke på mig selv.

Det blev jeg nødt til.

Og det skulle jeg nok klare.

Jeg elskede stadig James meget højt. Jeg ville stadig have ham tilbage. Mit hjerte var stadig knust. Jeg savnede ham stadig som en del af mig selv. Jeg ville sikkert stadig græde mig i søvn hver aften i hele næste århundrede.

Men jeg var ikke længere invalideret af mit tab.

Jeg havde fået et slag over anklerne af det cricketbat, som var James' utroskab og svigt. Det havde væltet mig om på jorden, hvor jeg lå og gispede af smerte ude af stand til at rejse mig.

Men jeg var bare forslået.

Slemt, vel at mærke.

Men i modsætning til mit første indtryk var der ikke noget, der var brækket. Nu var jeg i færd med at stable mig smerteligt på benene for at se, om jeg stadig kunne gå.

Og selvom jeg haltede slemt, opdagede jeg til min store fryd, at det kunne jeg.

Jeg siger ikke, at jeg ikke var jaloux. Eller vred.

For det var jeg.

Men det var ikke så slemt. Følelsen var ikke så stor længere. Var ikke lige så stærk. Var ikke helt så forfærdelig.

Sagt på en anden måde: Jeg ville stadig ikke sige nej til en chance for at lange Denise en lige højre eller give James et blåt øje, men jeg havde ikke længere fantasier om at snige mig ind i deres hemmelige elskovsrede og hælde en enorm spand kogende olie ud over deres sovende kroppe.

Tro mig, det gik fremad.

Mentalt forslået og nedbøjet, men ikke helt *så* nedbøjet, bestemte jeg mig derfor at kaste mig ud i livet igen med så små armbevægelser som muligt.

Idet jeg faldt i søvn, lå jeg og lavede en liste over alle de lyse sider.

Det vil sige, det er ikke helt sandt. Jeg lavede ikke ligefrem en liste. Jeg sagde ikke til mig selv: „Nu har du fem lyse sider, og så kan du trygt falde i søvn."

Men jeg lå og tænkte på de gode ting i mit liv. Og det var et radikalt og betydningsfuldt farvel til den måde, hvorpå jeg havde tænkt på tingene de sidste par måneder.

Jeg havde en dejlig datter.

Jeg havde en kærlig familie. Det vil sige, jeg var sikker på, at de ville være kærlige igen, lige så snart jeg holdt op med at opføre mig som antikrist.

Jeg var stadig nogenlunde ung.

Jeg havde et sted at bo.

Jeg havde et job, jeg skulle tilbage til om fem måneder.

Jeg havde et godt helbred. (Bizart – jeg havde aldrig troet, at jeg skulle høre mig selv sige det på den her side af de halvfems).

Og mest af alt, og jeg havde ingen anelse om, hvor det kom fra, men jeg var håbefuld.

Jeg sov som en baby.

Det gjorde jeg faktisk overhovedet ikke.

Vågnede jeg måske hver anden time, brølende som et tog, og krævede at få mad eller blive skiftet? Nej, det gjorde jeg ikke.

Men jeg sov meget fredfyldt.

Og det var nok til at komme videre.

Jeg ville elske at kunne fortælle, at regnen var ophørt, og skyerne jaget på flugt, da jeg vågnede næste morgen, og solen var kommet frem til en splinterny dag fra en skyfri himmel.

En solskinsdag, der afspejlede mit solskinshumør, om du vil.

De sorte regnskyer var forsvundet, ligesom mine sorte regnskyer.

Jeg tror endda, der er en sang om det.

Det virkelige liv er imidlertid ikke sådan.

Det småregnede stadig.

Men hvad fanden.

Jeg vågnede som sædvanlig omkring daggry og gav Kate mad.

Jeg mærkede forsigtigt efter med hensyn til mine følelser, sådan som man med tungen mærker på gummerne rundt om en dårlig tand. Og jeg var henrykt over at opdage, at mit humør ikke havde forandret sig i forhold til den foregående aften. Jeg følte mig stadig levende og håbefuld.

Det var ganske vidunderligt.

Jeg faldt i søvn og vågnede igen omkring klokken elleve. Der var et værre postyr i badeværelset. Helen havde tilsyneladende opdaget en knude i brystet og lavede en scene. Mor kom løbende op ad trappen, og efter en konsultation hørte jeg hende sige vredt til Helen: „Helen, det er ikke en knude i dit bryst, det *er* dit bryst."

Mor trampede ned ad trappen igen, mens hun mumlede for sig selv: „Skræmmer livet af mig, giver mig et føl på tværs på den måde... jeg slår hende ihjel."

Helen klædte sig på og tog af sted til universitetet.

Og jeg tog et brusebad.

Jeg vaskede endda mit hår.

Og så ryddede jeg op på mit værelse.

Jeg fiskede de to tomme vodkaflasker frem under sengen. Og samlede de tomme dåser ekstra stærk cider og kartonerne med appelsinjuice op og smed dem i en plastpose til affald.

Så samlede jeg alle de glas sammen, som jeg havde brugt de sidste par uger, og stillede dem op på række og geled, klar til at blive taget med ned til opvaskemaskinen. Jeg samlede glasskårene op fra et glas, jeg havde kylet mod væggen og smadret en særligt ulykkelig og fordrukken aften, og pakkede skårene ind i gamle aviser.

Mest symbolsk af alt, så smed jeg alle de eksemplarer af *Hello* ud, som var inde på værelset.

Flere hundrede 'overdådige' hjem blev forvist til skraldespanden i en fejende bevægelse.

Jeg følte mig ren og udrenset.

Jeg havde ikke længere lyst til at læse sladderblade. Jeg satte mig selv på en streng diæt af *Times*, *The Economist* og *The Financial Times* fra nu af.

Og indimellem ville jeg kaste et enkelt blik i det eksemplar af *Marie Claire*, som far købte hver måned. Det hed sig, at det var til Helen og Anna, men han købte det i virkeligheden til sig selv.

Han elskede det. Selvom han afviste det som kvindagtigt ævl. Vi snublede ganske ofte over ham, mens han smuglæste i det. Og forsømte sine pligter i hjemmet, burde jeg måske tilføje.

Man kunne ofte finde ham opslugt af en eller anden artikel om kvindelig omskæring eller tvangsbetonet seksualadfærd eller den bedste metode at fjerne hår fra benene på, mens tæpperne forblev ustøvsugede.

Efter at have overvejet det i en måneds tid besluttede jeg mig for endelig at tage tøj på.

Vil du tro det; da jeg tog det par af James' cowboybukser på, som jeg havde haft på i flyet fra London, passede de mig ikke længere.

Det, jeg mener, er, at de var for *store*.

Det er, hvad der sker, når man lever på en diæt bestående af vodka og appelsinjuice en hel måned.

(Prøv ikke dette derhjemme).

Så jeg gik ind på Helens værelse for at plyndre hendes skab.

For hun skyldte mig helt sikkert en tjeneste.

I løbet af de sidste to uger havde hun suget alt ud af mig med sine ågerkrav for at gå til vinforretningen for mig.

Lige meget hvor meget jeg holdt af Anna, gad jeg ikke have en af hendes lange, uformelige kjoler med klokker og spejle og frynser på.

Inde på Helens værelse, hængende over hendes stol ved siden af en enorm bunke jomfruelige, totalt uberørte, meget dyre lærebøger, fandt jeg et par dejlige gamacher.

Meget flatterende. De fik mine ben til at se lange og slanke ud.

Glem flatterende.

De var ganske enkelt mirakuløse.

Hvis den mand, som havde lavet dem, nogensinde skulle ønske at blive kanoniseret, så ville jeg mene, at han har rimeligt gode chancer.

Inde i hendes klædeskab fandt jeg en smuk, blå silkeskjorte.

Og tro det eller ej. Den var også meget flatterende. Den fik min hud til at være meget klar og mine øjne til at se meget blå ud.

Jeg så mig selv i spejlet og fik et chok.

Hej, jeg kender hende, tænkte jeg. Det er mig. Jeg er tilbage.

For første gang i måneder så mit spejlbillede normalt ud. Jeg lignede ikke en vandmelon med ben, for jeg var hverken enorm og gravid eller lige så fed som en anden klovn længere. Og jeg lignede heller ikke en eller anden, der var stukket af fra et sindssygehospital, med uredt hår, en enorm natkjole og et sindsforvirret udtryk i ansigtet.

Det var bare mig, sådan som jeg huskede mig selv.

Selvom jeg hadede den, hældte jeg Helens Obsesssion ud over mig, og efter at have sikret mig, at der ikke var mere af hendes, som jeg kunne bruge, gik jeg tilbage til mit værelse.

Jeg lagde endda makeup. Bare en lille smule.

Jeg ville ikke have, at mor skulle ringe til politiet, fordi der var trængt en fremmed kvinde ind på enemærkerne.

Så lænede jeg mig ind over Kates lift og præsenterede det nye jeg (eller rettere det gamle jeg) for hende.

Hun stak i et hyl, før jeg kunne nå at undskylde, at jeg havde set så forfærdelig ud den første tid af hendes liv.

Hun havde åbenbart ingen anelse om, hvem jeg var.

Jeg hverken lignede eller lugtede som den person, hun var vant til.

Jeg tyssede på hende og fik hende til at falde til ro. Jeg forklarede hende, at det her faktisk var mit rigtige jeg, og at den anden kvinde, som havde passet hende den sidste måneds tid, var en ondsindet kopi af hendes mor.

Det lod til, at hun godtog det som en nogenlunde fornuftig forklaring.

Og så gik jeg nedenunder til mor, som sad og så fjernsyn.

„Hej, mor," sagde jeg, idet jeg kom ind i dagligstuen.

„Hej, skat," sagde hun og kastede et hurtigt blik op fra *Home and Away*.

Så vendte hun sig så lynhurtigt om for at se på mig igen, at hun nærmest fik piskesmæld af det.

„Claire!" udbrød hun. „Du er oppe! Du har tøj på! Hvor ser du smuk ud. Hvor er det fantastisk!" Hun rejste sig fra sofaen og kom over og gav mig et kæmpe knus. Hun så så glad ud.

Jeg krammede igen, og så stod vi der som to idioter og grinede med tårer i øjnene.

„Jeg tror, jeg er kommet over det," sagde jeg til hende med dirrende stemme. „Jeg tror i hvert fald, at jeg er ved at komme over det. Jeg er ked af, at jeg har været sådan en led kælling. Undskyld, jeg har givet jer så mange bekymringer."

„Du ved godt, at du ikke behøver at undskylde," sagde hun blidt, mens hun stadig holdt mig i sine arme og så mig smilende i øjnene. „Vi ved godt, at det har været forfærdeligt for dig. Vi vil bare have, at du skal være lykkelig."

„Tak, mor," hviskede jeg.

„Nå, hvad skal du så lave i dag?" spurgte hun muntert.

„Tja, jeg tror, at jeg vil se den der færdig sammen med dig," sagde jeg og pegede på fjernsynet. „Og så har jeg tænkt mig at lave mad til os alle sammen i aften."

„Det er vel nok sødt af dig, Claire," sagde mor lidt tvivlrådigt. „Men vi ved alle sammen godt, hvordan mikroovnen fungerer."

„Nej, nej," protesterede jeg. „Jeg mener, jeg har faktisk tænkt mig at lave et rigtigt måltid til jer alle sammen. På den måde, du ved, hvor man går ned i supermarkedet og køber friske ingredienser og laver noget fra bunden af."

„Åh, er det sandt?" sagde mor og fik et fjernt blik i øjnene. „Det er lang tid siden, der er blevet lavet rigtig mad i det køkken."

Hun sagde det på samme måde som en vis, gammel kone i et eventyr kunne have sagt det: „Åh, det er mangt et langt og ulykkeligt år siden, en høj, stærk, ung mand fra McQuilty-klanen har brudt brød under det samme tag som en ung mand fra McBrandawn-klanen, uden at vi hørte braget af stål mod stål og gaderne flød over af tapre, unge krigeres blod" – eller noget i den stil.

Det lå mig lige på tungen at sige, at der aldrig *nogensinde* var blevet lavet et rigtigt måltid i det køkken, i hvert fald ikke mens det havde været Walsh-klanens fædrene hjem, og mens mor stod ved roret på næringsskibet, men jeg stoppede mig selv i at sige det lige i rette øjeblik.

„Det er ikke noget problem, mor," sagde jeg. „Jeg laver bare noget pasta eller sådan noget."

„Pasta," stønnede hun, stadig med det fjerne blik i øjnene, som om hun genkaldte sig et andet liv, en anden tid, en anden verden. „Ja," nikkede hun, mens en form for genkendelse viste sig i hendes blik. „Ja, jeg kan godt huske pasta." (Hun brugte stadig den stemme, hvor man forventede, at hun sagde 'eder' i stedet for 'du').

Gud i himlen, tænkte jeg bekymret. Er hun blevet så traumatiseret af sin tidligere kontakt med madlavning, at det her forslag får hende til at bryde fuldstændig sammen?

„Så det er okay, hvis jeg låner bilen og kører ned i supermarkedet for at købe lidt ind?" spurgte jeg hende og var lidt nervøs ved tanken.

"Hvis du skal," sagde hun resigneret. "Hvis du absolut skal."

"Kan jeg låne nogle penge? Jeg har kun engelske pund," spurgte jeg hende.

"De tager imod kreditkort," svarede hun hurtigt. Den flygtige omtale af penge fik hende til brat at vende tilbage fra den fjerne verden, hun havde besøgt de sidste par minutter.

Det er ikke, fordi hun er nærig, forstår du. Langtfra. Men man passer på pengene, når man i årevis har skullet brødføde fem børn og to voksne på et stramt budget. Det er en svær vane at bryde, hvis man først er blevet påpasselig med sine penge.

Det siger man i hvert fald.

Jeg havde faktisk ikke rigtig nogen erfaring med det.

Hun gav mig bilnøglerne, og vi satte Kate i liften på bagsædet.

Mor stod på dørtrinnet og vinkede farvel til mig, som om jeg tog af sted for evigt og ikke bare ned ad vejen til Superquinn.

Men det var lidt af et eventyr. Jeg havde ikke forladt huset i ugevis. Det var tegn på, at jeg var i bedring.

"Hav en god tur," sagde hun. "Og husk nu, hvis du ombestemmer dig med hensyn til madlavningen, så bare tag det roligt. Det er ikke, fordi du svigter nogen af os. Vi kan spise det sædvanlige. Det er der ingen, der har noget imod."

Idet jeg kørte væk, spekulerede jeg på, hvorfor det føltes, som om hun overhovedet ikke havde lyst til, at jeg skulle lave mad.

Jeg havde en virkelig dejlig tur til supermarkedet, hvor jeg slentrede ned gennem gangene med indkøbsvognen foran mig og Kate i en sele på maven. Mens jeg købte ind til mig og mit barn og legede den lykkelige familie, også selvom det var en enlig forælder-familie.

Jeg købte tyve ton Pampers mere til Kate. Mor og far havde været så søde at købe alle babytingene, mens jeg havde ligget på langs enten af sorg eller alkohol. Men nu var det på tide, at jeg tog et ansvar. Fremover ville jeg være den, der tog mig af Kate.

Jeg kastede alle mulige former for pjattet og eksotisk mad ned i vognen. Galiameloner? Ja, dem snupper jeg et par stykker af. En æske hjemmelavede, friske flødechokolader. Hvorfor ikke? En pose glamourøse blandede salater til ågerpris? Ja, selvfølgelig.

Jeg havde det skønt.

Skide være med udgifterne. For jeg betalte med mit kreditkort.

Og hvor blev regningen sendt til?

Det er korrekt. Min lejlighed i London.

Så hvem fik lov til at betale den?

Korrekt igen.

James.

Jeg smilede til andre unge og ikke-helt-så-unge mødre, som også var ude at købe ind.

Jeg må have lignet en af dem. En ung kvinde med en nyfødt baby. Uden nogen som helst bekymringer andet end risikoen for måske ikke at få en uafbrudt nattesøvn det næste årti. Der var ikke noget, der antydede, at min mand havde forladt mig.

Jeg bar ikke længere rundt på min ydmygelse som et våben.

Jeg hadede ikke længere alle andre for deres perfekte liv. Jeg hadede ikke alle andre kvinder i verden, hvis mænd ikke havde forladt dem.

Hvorfra skulle jeg vide, om den kvinde, som jeg havde smilet til hen over avokadoerne, var salig og lykkelig?

Hvorfra skulle jeg vide, om den kvinde, som jeg kom til at puffe til, da jeg tog en flaske dressing med honning og sennep ned fra hylden, var fuldstændig fri for bekymringer?

Alle havde deres egne bekymringer.

Der var ingen, der var fuldstændig lykkelig.

Guderne havde ikke udpeget mig alene til at skulle bære på al elendigheden.

Jeg var bare en almindelig kvinde med almindelige problemer, der var ude at købe ind blandt andre almindelige kvinder.

Jeg gik forbi vinafdelingen, og jeg kastede et blik på rækker og atter rækker af vodkaflasker, der glimtede og skinnede i det sølvfarvede lys, der spejlede sig i dem. Det var næsten, som om jeg kunne høre dem kalde: „Hej, Claire, herovre! Tag mig, tag mig! Må vi komme med dig hjem?" Jeg drejede instinktivt min vogn i den retning.

Og drejede den så væk igen.

Husk tante Julia, påmindede jeg strengt mig selv.

Far havde ret. Det var ikke noget liv at ligge fuld i sengen. Det løste ingenting.

Med et forfærdeligt chok gik det op for mig, at jeg måske langt om længe var blevet voksen.

Jeg var *enig* i fars 'Alkoholens onder'-dundertale i stedet for at fnise og fnyse ad den.

Jeg var selvfølgelig blevet advaret om, at denne dag ville komme, men jeg var stadig fuldstændig uforberedt på det.

Hvis ikke jeg passede på, var det næste skridt, at jeg kneb øjnene sammen, når *Top of the Pops* var i fjernsynet, og sagde: „Er det en dreng eller en pige?" om sangeren. Eller: „Hvorfor kan de ikke længere skrive sange, man kan synge med på? For det der, det er ikke sang, det er bare larm."

Jeg kørte lettere rystet forbi gangen med frosne desserter.

Da jeg var gravid, plejede jeg at spise tonsvis af frossen chokolademousse. James plejede faktisk at være virkelig irriteret over det.

Så jeg tænkte, at jeg ville købe mig en til minde om de gode, gamle dage. I ren og skær trods.

Jeg løftede Kate op for at vise hende de mange bøtter med chokolademousse.

„Mød familien," sagde jeg.

Jeg tog en bøtte og holdt den op for hende, så hun kunne se den.

„Kan du se den?" sagde jeg. „Uden dem er det ikke sikkert, at du havde været her." Hun så på den med sine runde, blå øjne og rakte sin fede, lille arm ud for at røre kondensvandet på låget. Der var helt åbenlyst noget i hendes blod, der kaldte på chokolademoussen, noget, der var lige så gammelt som menneskeheden selv, og hun genkendte noget, som havde været hendes mors ven i nøden.

Jeg gik hen og betalte og morede mig rigtig meget over den astronomiske sum, som James ville blive fratrukket på kreditkortet.

Så tog vi hjem.

På vej hjem stoppede vi ved banken og vekslede mine engelske pund til almindelige pund. Lige så snart Anna kom hjem, ville jeg give hende hver en penny tilbage, som jeg skyldte hende. Så kunne hun i det mindste betale sin pusher. Og dermed blive ved med at have et intakt sæt knæskaller.

Kapitel ni

Jeg måtte ringe på, da jeg kom hjem igen, for jeg var gået uden nøgler. Det var mor, der åbnede.

„Så er jeg hjemme," sagde jeg til hende. „Vi har haft det rigtig sjovt, ikke, Katie?"

Mor holdt øje med mig, mens jeg slæbte den ene plastpose efter den anden ud i køkkenet.

Hun vimsede rundt om mig, mens jeg pakkede indkøbene ud på køkkenbordet.

„Fik du alt, hvad du skal bruge?" spurgte hun skælvende.

„Det hele!" bekræftede jeg entusiastisk.

„Så du har stadig tænkt dig at lave aftensmad til dem?" sagde hun og lød, som om hun var ved at bryde grædende sammen.

„Ja, mor," sagde jeg. „Hvorfor er du ked af det?"

„Jeg ville virkelig ønske, at du ville lade være," sagde hun ængsteligt. „Du giver dem griller, ved du. Bagefter vil de forvente et ordentligt måltid mad hver aften. Og hvem tror du skal lave det? Ikke dig, det er helt sikkert. For på det tidspunkt er du drønet tilbage til London, og det er mig, der skal høre på deres klynken."

Stakkels mor, tænkte jeg. Måske var jeg ufølsom sådan at fremvise al min kogekunst i hendes køkken.

Hun holdt inde, mens jeg muntert lagde noget frisk pasta ind på hylden i køleskabet. „Hører du efter?" Hun hævede stemmen, da hendes udsyn blev blokeret af køleskabsdøren.

„De er fuldt ud tilfredse med tingene fra mikroovnen," fortsatte hun. „Har du nogensinde hørt udtrykket: 'Hvis det ikke er i stykker, så lad være at ordne det'? – Og hvad er det der?" spurgte hun og prikkede mistænksomt til en cellofanpose med friske basilikumblade.

„Det er basilikum, mor," sagde jeg og fejede forbi hende for at lægge nogle pinjekerner ind i skabet.

„Og hvad skal det gøre godt for?" spurgte hun, mens hun stirrede på det, som om det var radioaktivt.

„Det er et krydderi, mor," svarede jeg tålmodigt. Stakkels mor. Det gik op for mig, hvor usikker og truet hun følte sig.

„Nå, men det kan ikke være noget særlig godt krydderi, når de ikke engang har puttet det i et glas," erklærede hun triumferende.

Det kan godt være, at hun føler sig usikker og truet, tænkte jeg bistert, men hun må hellere lige passe på med, hvad hun siger.

Og fortrød det med det samme. Jeg følte mig jo, hvad fanden, næsten lykkelig. Der var ingen grund til at være led. Ikke nogen grund til at blive vred.

„Bare rolig, mor," sagde jeg undskyldende til hende. „Det er ikke, fordi jeg laver noget særligt. De kan sikkert ikke engang kende forskel på det her og de frosne ting."

„I dag kan du måske lade være at lave det helt så lækkert, som du plejer?" sagde hun indsmigrende.

„Det kan jeg måske," samtykkede jeg venligt.

Jeg begyndte at åbne og lukke skabe på jagt efter redskaber til at lave pestosaucen med.

Det stod snart klart for mig, at på trods af køle/fryseskabet og mikro-ovnen så var køkkenet på alle andre planer Køkkenet, Som Tiden Glemte.

Det var, som om jeg var gået igennem et skummelt Alice-agtigt spejl eller en vanvittig, pludselig oversvømmelse havde skyllet mig ind i en forsvunden dal, som var fuldstændig uberørt af verden udenfor.

I et af skabene var der en enorm, tung beige keramikskål med cirka en centimeter tykt lag støv på. Det var højst sandsynligt en bryllupsgave til mor tredive år tidligere. Og den så ud, som om den endnu ikke var taget i brug.

Der var en charmerende artefakt; en håndpisker, der måtte have været fra omkring bronzealderen eller tidligere endnu. I betragtning af dens høje alder var den i imponerende god stand.

Der var oven i købet en kogebog, som var trykt i 1952, med opskrifter, som inkluderede æggepulver på listen over ingredienser, og falmede, sepiafarvede billeder af overpyntede, victorianske sandwich.

Helt klart forhistorisk.

Det ville ikke have overrasket mig det mindste, hvis et par dinosaurer var sjosket ind gennem køkkendøren, havde snuppet sig et stykke brød med smør og et glas mælk, mens de stod ved køkkendisken, hvorpå de stillede deres tallerken og glas i opvaskemaskinen, nikkede høfligt til mig og sjoskede ud igen.

Jeg følte et stik af smerte over tabet af mit velforsynede køkken i London. Min blender, min foodprocessor, som kunne gøre alt undtagen at fortælle vitser, min saftpresser, ikke bare en af dem til citrusfrugter, men en rigtig saftpresser. Jeg kunne helt sikkert godt have brugt dem nu.

„Har du overhovedet ikke noget, som jeg kan bruge til at hakke med?" spurgte jeg forbitret mor.

„Øh," sagde hun tvivlrådig. „Hvad med den her? Kan du bruge den til noget?" sagde hun ængsteligt og rakte mig en æggedeler, der stadig ikke var pakket ud af æsken.

„Tak, mor, men nej," sukkede jeg. „Hvad skal jeg bruge til at hakke basilikummen med?"

„Før i tiden har jeg altid syntes, at sådan en her duede ganske godt," sagde mor lettere sarkastisk, åbenbart temmelig træt af mine fordringsfulde krumspring. „Det hedder en kniv. Hvis vi ringer rundt, er jeg er sikker på, at vi kan finde en butik i Dublin, der fører dem."

Jeg krøb til korset, tog kniven og begyndte at hakke basilikummen.

„Hvad er det helt præcist, du laver?" spurgte mor, som sad og betragtede mig og så halvt hadefuld, halvt fascineret ud, som om hun ikke fattede, at der foregik noget så aparte som madlavning i hendes køkken.

„En sovs til pastaen," sagde jeg til hende, mens jeg hakkede. „Det hedder pesto."

Hun sad stille og så på mig, mens jeg arbejdede.

„Hvad er der i den?" spurgte hun lidt efter og hadede åbenlyst det faktum, at hun overhovedet måtte spørge.

„Basilikum, olivenolie, pinjekerner, parmesanost og hvidløg," sagde jeg roligt og nøgternt til hende.

Jeg ville ikke gøre hende panikslagen.

„Åh ja," mumlede hun og nikkede vist, som om hun stødte på disse ingredienser hver eneste dag.

„Allerførst hakker jeg basilikummen meget fint," fortalte jeg hende på samme måde, som en kirurg forklarer patienten, hvordan han vil udføre en triple-bypass.

Blidt, grundigt, så det bliver fuldstændigt afmystificeret.

(„Først brækker jeg dit brystben op.").

„Så tilføjer jeg olivenolien," fortsatte jeg.

(„Så åbner jeg dine ribben.").

„Så knuser jeg pinjekernerne, fra denne her pose," sagde jeg til hende og knitrede med posen.

(„Så tager jeg nogle blodårer fra dit ben – du kan se det på dette skema.").

„Til sidst tilføjer jeg knust hvidløg og parmesanost," sagde jeg. „Ganske enkelt!"

(„Så syer vi dig sammen igen, og om en måneds tid går du tre en halv kilometer om dagen uden problemer!").

Det lod til, at mor indoptog al denne information i sit eget tempo. Jeg må sige, at jeg var stolt af hende.

„Nå, men pas lidt på med hvidløget," sagde hun til mig. „Det er svært nok at få Anna til at komme hjem i øjeblikket. Jeg vil ikke have, at den stakkels, lille vampyr tror, at vi er efter hende."

„Anna er ikke en vampyr," sagde jeg grinende.

„Hvor ved du det fra?" spurgte mor. „Det meste af tiden ligner hun da én med alt det hår og de der forfærdelige, lange, lilla kjoler og den vanvittige makeup. Kan du ikke snakke lidt med hende og få hende til at gøre lidt ud af sig selv?"

„Jamen, hun ser ud som den, hun er," sagde jeg til mor, idet jeg hældte den hakkede basilikum op i en kasserolle. „Det er Anna. Hun ville ikke være Anna, hvis hun så anderledes ud."

„Det ved jeg godt," sukkede mor. „Men altså hendes stil. Jeg er overbevist om, at naboerne tror, at vi ikke tager os ordentligt af det stakkels barn. Hun ligner en sigøjner. Og de støvler! Jeg har lyst til at smide dem ud!"

„Åh nej, mor, lad være med det," sagde jeg ængsteligt og tænkte, at Anna ville være knust uden sine Doc Martens, som hun så kærligt havde malet med solopgange og blomster.

Jeg må indrømme, at jeg også blev lettere nervøs ved tanken om, hvis sko Anna ville tage på, hvis hendes egne blev smidt ud.

Jeg var bange for, at det var mine.

„Det må vi vente og se," truede mor dystert. „Hvad laver du så nu?"

„Jeg hælder olivenolien i," sagde jeg.

„Hvorfor købte du olie?" spurgte hun, mens hun helt åbenlyst tænkte, at hendes døtre var en værre flok idioter. „Der står en flaske af den olie, som jeg plejer at bruge til at lave pomfritter med. Du kunne have brugt den og sparet nogle penge."

„Øh… tak. Så ved jeg det til næste gang," sagde jeg.

Der var virkelig ingen mening i at forsøge at forklare hende forskellen mellem koldpresset ekstra-ekstra jomfruolivenolie fra Toscana og genbrugt blandingsolie, hvor der svømmede små sorte, forbrændte stykker pomfrit rundt.

Det kan godt være, at jeg er unødvendigt snobbet med hensyn til mad, men for fanden, man kan altså også gå for langt i den anden retning.

„Okay!" sagde jeg. „Til mit næste trick vil jeg, uden sikkerhedsnet, rive parmesanosten."

Jeg tog osten ud af køleskabet, hvor den åbenlyst terroriserede alt det andet, der var derinde. Pakkerne med skiveskåren ost lå og pressede sig op mod køleskabets bagerste væg, skræmt fra vid og sans over denne eksotiske fremmede.

Det var nu lettere sagt end gjort at rive osten.

Jeg ledte overalt, men der var ikke noget rivejern nogen steder.

Til sidst fandt jeg et rivejern af en slags. Det hørte knap nok ind under betegnelsen 'rivejern'. Det var ikke et af de runde, der i det mindste står selv, for ikke at tale om et elektrisk rivejern. Det var bare et lille stykke metal med huller.

Og man skulle være mere end almindeligt fingernem for at kunne manøvrere med osten og samtidig rive den på den der himstregims.

Mine hænder blev ved med at smutte, og jeg kom flere gange til at rive en stor portion af mine knoer sammen med osten.

Mor tiskede, mens jeg bandede og svovlede, og så begyndte hun at sniffe forfærdet, da den karakteristiske lugt af parmesanost spredte sig i køkkenet.

Der lød en masse ståhej i gangen. Lyden af stemmer og latter. Mor kastede et blik på uret, der hang på væggen.

Det gjorde hun, på trods af at urets visere havde stået på ti minutter i fire lige siden forrige jul.

„De er hjemme," sagde hun.

De fleste aftener hentede far Helen fra universitetet, så de kom hjem samtidig. Det gjorde han på trods af det faktum, at han blev nødt til at køre en omvej på omkring femogtyve kilometer.

Helen brasede igennem døren og var helt utrolig smuk. Faktisk var hun smukkere end normalt, hvis det var muligt. Hun havde en form for stråleglans over sig. Selvom hun bare havde cowboybukser og en sweater på, så hun vidunderlig ud. Hendes hår var langt og silkeblødt, hendes hud klar, hendes øjne strålede, hendes perfekte mund smilede et perfekt, lille smil.

„Hej, alle sammen, så er vi hjemme," erklærede hun. „Hej, hvad er det for en rædselsfuld stank? Puha! Er der nogen, der har brækket sig?"

Vi kunne høre lyden af folk, der snakkede i gangen. Far snakkede med en anden mand.

Vi havde åbenbart fået selskab.

Mit hjerte lavede en lille saltomortale. Jeg var stadig ikke holdt op med at håbe på, at James ville dukke uanmeldt op på vores dørtrin. Det var imidlertid mere sandsynligt, at mandsstemmen tilhørte en af Helens venner.

Det ville nu være mere præcist at kalde dem slaver.

Jeg følte stadig et stik af skuffelse, selvom jeg vidste, at det var tåbeligt at tro, at James ville dukke op ud af det blå, da Helen sagde: „Åh, jeg tog en ven med hjem. Far viser ham, hvor han kan hænge frakken."

Så kiggede hun på mig. „Hallo!" råbte hun. „Hvad laver du i mit tøj? Tag det af. Nu!"

„Undskyld, Helen," stammede jeg. „Men jeg havde ikke noget andet. Jeg køber noget nyt, og så kan du låne det hele."

„Det kan du eddermanme bande på," sagde hun dystert.

Gudskelov! Hun måtte være i godt humør.

„Hvad er det for en fyr, du har taget med hjem?" spurgte mor.

„Han hedder Adam," sagde Helen. „Og I skal være søde ved ham, for han skal skrive min opgave."

Mor og jeg forsøgte at lægge vores ansigter i de rette imødekommende og medfølende folder. Endnu en stakkels dreng var faldet for Helen. Hans liv var så godt som slut. Hele hans fremtid var besudlet og ødelagt.

Alt, hvad han havde foran sig fra nu af, var en elendig og fortvivlet eksistens, som han ville tilbringe med at længes efter den skønne Helen.

Mor og jeg udvekslede blikke. Som et lam på vej til slagteren, tænkte vi begge.

Jeg begyndte at rive osten og mine knoer igen.

„Det er mor," sagde Helens stemme, der åbenbart præsenterede den fordømte Adam for mor.

(Jeg havde lyst til at sige til ham: „Flygt! Flygt for dit liv! Red dig selv, Adam, mens du stadig kan!").

„Og det er Claire derovre," fortsatte Helen. „Du ved, hende jeg fortalte dig om. Hende med babyen."

Tak for det, Helen, din lille ko, tænkte jeg, tak for at fremstille mit liv som et eller andet dødssygt storby-køkkenvask-drama.

Jeg vendte mig om, klar til at smile venligt til Adam og række ham min blodige, parmesanstinkende hånd.

Og fik lidt af et chok.

Dette var ikke en af Helens sædvanlige, uerfarne ynglinge.

Ham her var en rigtig mand.

En ung en, det måtte jeg indrømme.

Men unægtelig en mand.

Over en toogfirs høj og meget sexet.

Lange ben. Muskuløse arme. Blå øjne. Pluskæbe. Stort smil.

Hvis vi havde haft et testosteronometer hængende på køkkenvæggen, ville kviksølvet være røget gennem taget.

Jeg vendte mig om lige i tide til at se ham give mor hendes livs fasteste håndtryk.

Så rettede han sin opmærksomhed mod mig. Ud ad øjenkrogen kunne jeg se mor ryste sin knuste hånd og med et stjålent blik undersøge sin vielsesring for at se, om den var blevet mast ud af facon ved det kraftige håndtryk.

„Øh, hej," sagde jeg og følte mig forfjamsket og forvirret. Det var lang tid siden, jeg havde mødt så stærk en koncentration af mandighed.

„Hyggeligt at møde dig," sagde han og smilede til mig, mens han holdt min ødelagte hånd lige så blidt i sin store hånd.

Åh gud, tænkte jeg og følte mig lidt overvældet. Man ved, at man er ved at blive gammel, når man begynder at lægge mærke til, hvor unge alle de lækre mænd ser ud til at være.

Jeg kunne høre Helens stemme, men det lød, som om den kom langvejsfra. Den blev overdøvet af den brølende lyd af alt blodet i min krop, der styrtede op til ansigtet og fik mig til at rødme på en måde, som jeg ikke havde rødmet, siden jeg var femten.

„Helt ærligt," sagde hun. „Her er en virkelig rædselsfuld stank af bræk."

„Det er ikke bræk," sagde mor bedrevidende. „Det er lugten af Palmerstown-osten. Altså til prestosaucen."

Kapitel ti

Middagen var lidt af en sær affære, for vi var alle sammen temmelig over-rumplede over Adam.

Der var altid horder af mænd (selvom det er mere præcist at kalde dem drenge), der var forelskede i Helen. Der gik ikke en dag, uden at telefonen ringede, og en eller anden stammende yngling var i røret og spurgte om muligheden for at invitere Helen ud.

Der var en konstant strøm af mandlige gæster i huset. Deres middagsin-vitation faldt som regel sammen med, at Helens stereoanlæg var brudt sammen, eller hun ville have malet sit værelse, eller hun, som i dette tilfælde, havde behov for at få skrevet en opgave og ikke havde nogen intentioner om at gøre det selv.

Den lovede middag materialiserede sig sjældent, når opgaven var udført.

Men ingen af dem havde været ligesom Adam.

De var som regel mere ligesom Jim.

Stakkels Jim, som vi alle kaldte ham.

Han var en ranglet, tynd fyr, som gik rundt i sort tøj året rundt. Selv når sommeren var på sit højeste, var han iført en alt for stor, sort overfrakke og store, sorte støvler. Han farvede sit lange hår sort og så aldrig folk direkte i øjnene. Han sagde ikke så meget, og når han gjorde, var det som regel for at diskutere selvmordsmetoder. Eller forsangere i ukendte bands, som havde begået selvmord.

Engang sagde han „Hej" til mig og sendte mig et sødt, lille smil, og jeg troede, at jeg havde taget fejl af ham, men jeg fandt senere ud af, at han var døddrukken på det tidspunkt.

Han slæbte altid et udslidt eksemplar af *Frygt og lede i Las Vegas* eller *American Psycho* rundt i en forreven lomme i sin sorte overfrakke. Han ville gerne være med i et band og begå selvmord, når han blev atten.

Han måtte have rykket sin selvmordsdeadline, for han fyldte atten forrige jul, og jeg havde endnu ikke hørt noget om, at han var død, og det er jeg sikker på, at jeg ville have hørt.

Helen hadede ham dybt og inderligt.

Han ringede konstant til hende, og hver gang var det mor, der snakkede med ham i telefonen og løj som en sindssyg om, hvor Helen befandt sig. Hun kunne sige ting som: „Nej, Helen er blevet væk, højst sandsynligt fuld," mens Helen stod i entreen, så på mor og vinkede panisk med armene, mens hun mimede: „Sig til ham, at jeg er død."

Når mor lagde røret på, råbte hun efter Helen.

„Jeg vil ikke længere lyve for din skyld. Jeg vil ikke sætte min udødelige sjæl på spil. Hvorfor vil du ikke snakke med ham? Han er en sød fyr."

„Han er et røvhul," svarede Helen.

„Han er bare genert," sagde mor til hans forsvar.

„Han er et røvhul," fastholdt Helen, højere denne gang.

Ved store lejligheder som valentinsdag eller Helens fødselsdag ankom der mindst én buket sorte roser fra ham. Håndlavede kort kom med posten med meget udpenslede billeder af smadrede hjerter og blod eller en enkelt rød tåre. Forfærdeligt symbolsk.

Der var engang, hvor man ikke kunne gå ud i køkkenet, uden at Jim sad der, stadig iført sin lange, sorte frakke, og snakkede med mor. Mor var hans bedste ven. Hans eneste allierede i hans mission for at vinde Helens hjerte.

De fleste af Helens bejlere tilbragte langt mere tid sammen med mor, end de nogensinde gjorde sammen med Helen.

Far hadede ham. Om muligt endnu mere end Helen gjorde.

Jeg tror, han var skuffet over Jim.

Far hungrede så meget efter mandligt selskab, at han havde håbet på at kunne dyrke lidt mandesnak med Jim, nu hvor Jim alligevel var en mere eller mindre konstant tilstedeværelse i køkkenet på lige fod med vaskema-skinen og brødkassen.

En aften kom han hjem fra arbejde og fandt som sædvanlig Jim sid-dende i køkkenet sammen med mor. I samme øjeblik Helen hørte, at Jim var på området, gik hun direkte op på sit værelse. Far satte sig i køkkenet og forsøgte at tale med Jim.

Han sagde: „Fik du set kampen?"

Jim så fuldstændig tomt på far. Det lod til, at den eneste kamp, Jim vidste noget om, var en selvmorders eller en pyromans.

Så det var enden på det.

Nu mente far også, at Jim var det rene tidsspilde.

Han sagde, at Jim burde gøre alvor af det og holde op med bare at snakke om at begå selvmord, men se at komme i sving.

Mor sagde, at Jim virkelig var en sød, lille fyr, når man først havde lært ham at kende.

Og at det var en synd at opfordre andre til at tage deres eget liv.

Det føltes, som om Jim altid var der. Hver gang jeg kom hjem fra

London, var det, som om han hang ind over køkkenbordet med en lille, sort sky svævende over hovedet og bar rundt på sin tragiske udstråling, som om det var en attachemappe.

Men jeg sagde altid „Hej, Jim," til ham. Jeg var i det mindste høflig.

Også selvom han ignorerede mig totalt.

Så gik det op for mig, hvorfor han ignorerede mig.

Den anden dag jeg var hjemme fra London, ringede det på døren, og jeg gik ned og åbnede, og udenfor stod en tot hår iført en lang, sort frakke.

Jeg var ikke sikker på, om han var kommet for at besøge mor eller Helen, men mor var ikke hjemme, så jeg kaldte på Helen.

„Helen, Jim er her."

Helen kom ned ad trappen og så forvirret ud.

„Åh, hej, Conor," sagde hun til den triste yngling i døren.

Hun vendte sig om mod mig.

„Hvor er Jim?" spurgte hun.

„Øhm… her… er han ikke?" sagde jeg overrasket og pegede på fyren i den lange, sorte overfrakke.

„Det er ikke Jim, det er Conor. Jeg har ikke set Jim i et års tid. Du må hellere komme indenfor, Conor," sagde hun uhøfligt. „Åh, og det er for øvrigt min søster, Claire. Hun er flyttet hjem fra London, fordi hendes mand har forladt hende.

Godt gået, Claire," hvæsede hun ad mig, idet hun puffede Conor ind i dagligstuen. „Jeg har forsøgt at undgå ham den sidste måned."

Hun vil uden tvivl brænde i helvede.

Det forklarede i det mindste, hvorfor Jim ignorerede mig, hver gang jeg sagde: „Hej, Jim."

For det var overhovedet ikke Jim.

Men det lignede Jim.

Så hver gang jeg så Jim, sagde jeg: „Hej, Conor."

Men jeg tog åbenbart stadig fejl.

Hans navn var William.

Men han lignede Jim og Conor på en prik.

Men Adam var en helt anden historie end Jim og hans kloner.

Køn, intelligent(agtig), præsentabel… du ved, *normal!* Han var i besiddelse af et par sociale færdigheder, så ikke ud, som om han ville blive til støv, hvis han blev ramt af direkte sollys, og han kunne mere end bare stirre stivøjet på Helen og savle.

Efter at han havde givet os alle sammen hånden, sagde han høfligt til mor: „Skal jeg hjælpe med at dække bord?"

Mor blev meget overrasket. Ikke bare over tilbuddet om hjælp. Som i sig selv var meget bemærkelsesværdigt.

Men over forslaget om overhovedet at dække bord.

Ser du, hjemme hos os er det alles kamp mod alle ved middagstid, og man spiser foran fjernsynet og ser *Neighbours* i stedet for at sidde ved køkkenbordet.

„Øhm, nej tak, Adam, det er i orden. Det gør jeg."

Og det gjorde hun så, lettere åndsfraværende.

„Vi skal have noget rigtig lækkert i aften," sagde hun piget til Adam. Helt ærligt, det var bare så pinligt. En voksen kvinde, og hun opførte sig som en forelsket teenager. „Claire har lavet aftensmad til os."

„Ja, jeg har hørt, at Claire er god til at lave mad," sagde han, smilede til mig og gjorde mig behageligt forvirret. Han burde virkelig ikke smile sådan til mig, når jeg hældte vandet fra pastaen, tænkte jeg, mens jeg skyllede min skoldede hånd.

Jeg spekulerede på, hvem der havde fortalt ham, at jeg var god til at lave mad, for jeg var ret sikker på, at det ikke var Helen.

Måske smigrede han mig bare.

Men, hallo, hvad er der galt med det?

„Okay, mine damer og herrer, vær søde at sætte jer, og forbered jer på denne aftens hovednummer!" råbte jeg og indikerede, at maden var færdig.

Adam grinede.

Jeg blev ynkeligt glad for det.

Der var en almindelig skramlen og skraben med stolene, da alle satte sig ned.

Adam så fuldstændig malplaceret ud, som han sad ved bordet og fik stolen til at virke lillebitte og selv så latterlig pluskæbet og smuk ud.

Det var lidt ligesom at have Superman i sit køkken, eller at Mel Gibson lige kom forbi til en kop te.

Jeg tog hatten af for Helen, hun havde virkelig valgt en perle denne gang.

Adams sunde, kønne udseende var en velkommen forandring fra William/Conor/Jims udmagrede elendighed.

Om et par år ville han være fuldstændig overvældende.

Jeg stillede den salat, som jeg havde lavet, midt på bordet. Så anrettede jeg pastaen og pestoen på tallerknerne og stillede det over til de spisende.

Madens ankomst satte mor, far og Helen lidt i forlegenhed. Det faktum, at det var hjemmelavet, gjorde far og Helen mistænksomme.

Helt berettiget.

Guderne skal vide, at de havde alle mulige grunde til at være mistænksomme efter alle de foregående års lidelser. Det mindede vel alt for meget om mors katastrofer.

Mor var naturligvis kun glad for at kunne anspore til balladen. Hvis hun opfordrede dem til blankt at nægte at spise det, ville det betyde, at jeg ikke ville lave mere mad, og alt kunne vende tilbage til den gamle orden, og dermed ville hun slippe for flere problemer.

Da tallerknen blev sat foran Helen, lavede hun bræklyde. „Aaaaadd-rrrrrkkkkkk!" sagde hun og stirrede på tallerknen med væmmelse i blikket. „Hvad *helvede* er det der?"

„Det er bare pasta med sovs," sagde jeg roligt.

„*Sovs?*" hylede hun. „Den er jo *grøn*."

„Ja," sagde jeg bekræftende uden et sekund at benægte, at sovsen var grøn. „Den er grøn. Sovs kan godt være grøn, at du ved det."

Så kom Adam og reddede mig. Han skovlede det ind i hovedet med stor fornøjelse.

Han var vel en af disse fattige studerende, som kan leve uden rigtig mad i flere måneder, og som derfor spiser hvad som helst.

Men han opførte sig, som om han nød det. Og det var godt nok for mig.

„Det er virkelig godt, det her," sagde han og afbrød på charmerende vis Helens show. „Du skulle virkelig prøve det, Helen."

Helen gloede på ham. „Jeg rører det ikke. Det ser vildt ulækkert ud."

Far, mor og Helen stirrede på Adam med tilbageholdt åndedræt, mens han slugte en mundfuld mad, deres ansigter stivnede af rædsel, mens de åbenbart ventede på, at han skulle falde død om.

Da han stadig var i live efter cirka fem minutter og ikke lå og rullede rundt på gulvet som et af Borgia-familiens giftofre, mens han skreg, at vi skulle gøre en ende på hans lidelser, gjorde far også et forsøg.

Nå, jeg ville elske at fortælle dig, at mine familiemedlemmer en efter en greb en gaffel, og at de alle på trods af deres tidligere modstand, blev vilde med min mad. Og så gav vi alle sammen hinanden et knus, og med skæve smil og selvironisk hovedrysten indrømmede vi hurtigt, at vi havde taget fejl. Lidt ligesom en amerikansk tv-serie.

Men det kan jeg ikke.

Helen nægtede stadig, med voldsomme kuldegysninger og forvredent ansigt, overhovedet at røre maden, på trods af at smukke Adam roste den.

Hun lavede en toast til sig selv.

Deja-vu eller hvad?

Far spiste en lille smule og erklærede derpå, at det uden tvivl var dejligt, men han havde en simpel smag. At han umuligt kunne værdsætte så eksotisk og sofistikeret mad. Som han sagde: „Jeg er en simpel mand. Jeg smagte først en citronmarengstærte, da jeg femogtredive."

Mor spiste en lille smule, men med martyriet malet i ansigtet. Hun gjorde det meget klart, at det var en synd at lade god mad gå til spilde.

Selv forfærdelig mad.

Derfor spiste hun det. Hendes holdning var åbenbart, at vi var sat på denne jord for at lide, og denne middag var en form for straf, hun var blevet tildelt. Men hvis valget stod mellem at bestige Croagh Patrick med brækket ben eller at spise pastaen op, så måtte hun hellere begynde at snøre sine vandrestøvler.

Samtidig havde hun svært ved at undertrykke sin fryd over, at far og Helen nægtede at spise det.

Indimellem fik vi øjenkontakt, og det var helt tydeligt lidt af en kamp for hende at opretholde sit pokeransigt.

Selvom hun hellere ville dø end indrømme det, så frydede hun sig.

Så kom Anna hjem.

Hun vandrede ud i køkkenet og så meget køn ud på en eksotisk måde, med lange tørklæder og en lang, broderet, gennemsigtig nederdel og farverige smykker. Hun havde åbenbart mødt Adam før.

„Åh hej, Adam," sagde hun åndeløst, åbenlyst fornøjet, rødmende af glæde.

Får han altid alle kvinder, han kommer i kontakt med, til at rødme? tænkte jeg.

Eller var det bare min familie?

Jeg regnede ikke med det.

Hvilket håb kunne der være for så ung en mand, der havde så intens en effekt på kvinder? Han kunne kun vokse op og blive et totalt og inderligt røvhul.

Der forventede, at kvinder græd, besvimede, skreg og forelskede sig i ham på stribe.

Han var alt for køn til sit eget bedste.

Det ville ikke være af vejen med en enkelt vansiring eller to.

Spar på fejlene, og ødelæg manden.

„Hej Anna." Han smilede til hende. „Hyggeligt at møde dig igen."

„Øh ja," mumlede hun, rødmede endnu mere og væltede en kop. På nuværende tidspunkt var indersiden af hendes øjenlåg sikkert højrøde.

Jeg følte med hende. Jeg havde helt sikkert ikke et eneste intakt blodkar tilbage i mit ansigt efter min Adam-fremkaldte rødmen før. Hver eneste pore i mit ansigt var sprunget op som bobler, der kom op til overfladen i et glas champagne.

Samtalen ved middagsbordet var ikke ligefrem ophidsende. Helen, som i forvejen ikke var den bedste værtinde (medmindre vi taler om den værtinde, der var bedst til at være uforskammet), havde taget et blad (det var faktisk et eksemplar af *Hello* – jeg spekulerede på, hvordan det var sluppet gennem nettet) og sad og læste under middagen.

„Helen, læg dit blad," sagde far skarpt til hende, åbenlyst pinligt berørt.

„Hold kæft, far," sagde Helen med monoton stemme uden overhovedet at se op.

Men indimellem så hun op på Adam og sendte ham et ondt, lille smil. Så stirrede Adam fuldstændig fortryllet på hende og smilede efter at have set hende i øjnene et lille stykke tid.

Man kunne tage og føle på den seksuelle spænding i luften.

Det virkede, som om Anna, der i forvejen ikke var den skarpeste kniv i skuffen, var fuldstændig lamslået over Adam, så stor var hendes beundring.

Hver gang han stillede hende et spørgsmål, smilede hun dumt og fnisede, hang med hovedet og opførte sig, som om hun var landsbyidioten.

For at være helt ærlig var det ret irriterende.

Han var kun en mand og oven i købet en meget ung mand, for himlens skyld. Ikke en eller anden gudeskikkelse.

Mor og far skubbede nervøst deres mad rundt på tallerknen. De sagde heller ikke særlig meget.

Far gjorde et kort forsøg på at snakke med Adam.

„Rugby?" mumlede han, som om han var med i et hemmeligt selskab og forsøgte at finde ud af, om Adam også var medlem.

„Undskyld?" sagde Adam og så spørgende på far, mens han desperat forsøgte at regne ud, hvad han prøvede at sige til ham.

„Rugby? Forsvarsspiller måske?"

„Øhm, eh, undskyld, men hvad mener De?"

„Rugby? Spiller du?" Far besluttede sig for at lægge kortene på bordet. „Nej."

„Åh." Far sukkede som en ballon, som luften gik ud af.

„Men jeg kan godt lide at se det," sagde Adam modigt.

„Åh pyt!" sagde far, vendte ham bogstavelig talt ryggen og viste sin skuffelse med en afvisende vinken.

Jeg går ud fra, at det var enden på det flygtige venskab.

Af en eller anden grund følte jeg, at det var mit ansvar at snakke med vores gæst. Måske var det, fordi jeg havde vænnet mig til at være i civiliseret selskab, hvor gæster bliver behandlet som gæster. Hvor man ikke, når man har inviteret til middag, smider gæsten ind blandt en helt flok fremmede og så totalt ignorerer vedkommende.

114

Jeg har sikkert sagt det tusind gange, men jeg fattede ikke, hvordan Helen slap af sted med at opføre sig, som hun gjorde.

„Så du går på Helens hold på universitetet?" spurgte jeg ham med falsk munterhed i et desperat forsøg på at sparke en form for samtale i gang.

„Ja," svarede han. „Jeg går på hendes antropologihold."

Det var så enden på den samtale.

Han blev ved med at spise.

Han var stadig i live.

Far var stadig forundret.

Det var en fornøjelse at betragte Adam. Der var noget så inderligt sundt over ham. Han havde en enorm appetit, og han var så taknemmelig. „Det her er virkelig godt," sagde han og smilede til mig. „Er det muligt at få mere?"

„Selvfølgelig," sagde mor koket og væltede næsten stolen i sin iver efter at servere for ham. „Nu skal jeg hente det til dig. Vil du have et glas mælk mere?"

„Mange tak, mrs. Walsh," sagde han høfligt.

Han var så sød. Og det siger jeg ikke kun, fordi han var den eneste, der spiste den mad, jeg havde lavet.

Han var så drenget på en mandig måde.

Eller måske var han mandig på en drenget måde.

Uanset hvad, så var det meget tiltrækkende.

Men selvom han så foruroligende godt ud, følte jeg mig meget afslappet sammen med ham, for jeg vidste, at han ikke kunne være mere end atten år eller deromkring. Selvom han så ud og opførte sig som en langt mere moden person.

For at være helt ærlig så var jeg næsten en lille smule misundelig på Helen, der havde scoret sådan et hug.

Jeg kunne svagt huske, hvordan det var at være ung og forelsket.

Men jeg sagde til mig selv, at jeg ikke skulle være fjollet. Jeg skulle nok få ordnet tingene med James. Og hvis ikke, mødte jeg nok en anden, der var lige så sød.

(Sød? tænkte jeg panikslagen. Sagde jeg lige sød? Det var næppe det rette ord at bruge om James lige i øjeblikket).

Men helten Adam reddede samtalen.

Mor spurgte ham, hvor han boede.

Det er del af en rutinemæssig forespørgsel, og det var det første spørgsmål i et sæt på to, som mor troligt stillede alle mandlige gæster.

Det andet spørgsmål drejede sig om, hvad hans far arbejdede med.

Og dermed nogenlunde fastsætte familiens formue i tilfælde af, at Helen besluttede sig at gifte sig ind i den. Så mor ville have en nogenlunde ide om, hvor meget det var forventet, at hun brugte på 'brudens mor'-kjolen.

Men det lykkedes Adam at komme mor i forkøbet og undgå at blive bedt om at fremlægge sin fars seneste lønseddel ved at underholde os alle med bidder af sin livshistorie.

Han kom åbenbart fra Amerika. Begge hans forældre var for nylig vendt tilbage til New York, så han boede i en lejlighed i Rathmines.

Selvom hans forældre var irske, og han havde boet i Irland, siden han var tolv, lignede han stadig en amerikaner.

Det må være noget, de putter i luften i Amerika. Fluor eller sådan noget, som fik dem til at vokse sig så store og stærke.

Det var helt sikkert et slag i ansigtet på fortalerne for arv frem for miljø.

Hvis han havde tilbragt sine første tolv år i Dublin i stedet for New York, ville han kun have været en meter og fireogtres i stedet for en meter og syvogfirs. Hans hud ville have været hvid og fregnet i stedet for svagt olivenfarvet. Hans hår havde været tyndt og leverpostejfarvet i stedet for glat og sort. Hans kæbe havde været svag og ubetydelig i stedet for en pluskæbe af granit.

Det var åbenbart, hvad der kom ud af en livsstil, hvor man spiste pastrami på grovbrød, bagels med flødeost og laks, drak sodavand og øl, så baseball på tv og kaldte marmelade for 'jelly', og 'frugtgrød' for 'jello', kaldte franske kartofler for 'chips', og pomfritter for 'fries', kaldte folk for 'Mac', selv når de ikke hed det, og havde skodder og verandaer på huset.

Adam underholdt os alle sammen med historier om, hvordan det havde været at flytte fra New York til Dublin. Og hvordan de lokale børn havde taget imod ham ved at kalde ham en 'fascistisk, imperialistisk yankee', havde opført sig, som om han var personligt ansvarlig for USA's invasion af Grenada, og gennembanket ham, fordi han kaldte tomater for 'tom-may-toes' og sin mor for 'Mom' i stedet for 'Mammy'.

Han fortalte om, hvordan de lokale børn gjorde nar af ham over hans amerikanismer. Som stakkels Adam sagde: „Jeg vidste ikke, at jeg sagde tingene på den forkerte måde."

De andre drenge havde åbenbart sagt ting som:

„Hej, Micko, hvornår stillede de affaldet ud på fortovet?"

„Ti i elleve, Johnny, eller måske var den tyve i otte."

Stikord til brølende latter.

Og hver gang han forsøgte at forsvare sig ved at banke nogle af de lokale børn, blev han kaldt en bølle, fordi han var så meget større end de andre drenge.

Vi nikkede alle sammen medfølende, mens vi sad med albuerne på køkkenbordet og stirrede på Adam med tilbageholdt åndedræt og følte med den stakkels, ensomme tolvårige dreng, som ikke kunne gøre noget rigtigt. Man kunne have hørt en nål falde til jorden. Pludselig havde stemningen ændret sig fra at være let og munter til at være mere alvorlig.

Selv far så ud, som om han var ved at briste i gråd.

Han tænkte åbenbart: Det kan godt være, at han ikke spiller rugby, men derfor behøver de ikke behandle drengen sådan.

Så rettede Adam hele sin opmærksomhed mod mig.

Han drejede sig rundt i sin stol og fastholdt mig med sit intense blik.

På en mærkelig måde fik han mig til at føle, at jeg var den eneste person i rummet.

Han var så ivrig og entusiastisk. Som en lille hundehvalp. Eller rettere som en enorm hundehvalp.

Det var, som om han overhovedet ikke rummede nogen kynisme.

Så det er sådan her, det føles at være ung, tænkte jeg.

„Nå, Claire, fortæl mig om dit job," sagde han. „Helen siger, at du har et virkelig betydningsfuldt job med at arbejde for en nødhjælpsorganisation."

Jeg blomstrede under varmen fra hans interesse, som en blomst i solen, og skulle lige til at fortælle ham om det.

Men før jeg nåede at sige noget, afbrød Helen mig. „Jeg sagde ikke, at det var betydningsfuldt," sagde hun surt. „Jeg sagde bare, at det var et job. Og bortset fra det, så blev hun nødt til at droppe det, da hun fik et barn."

„Åh ja, babyen. Må jeg se hende?"

„Selvfølgelig," sagde jeg begejstret, mens jeg spekulerede på, hvorfor Helen var så led.

Hvorfor hun var endnu mere led end normalt, mener jeg.

„Kate sover lige i øjeblikket, men hun vågner om en halv times tid, så kan du se hende."

„Fedt," sagde han og så på mig.

Helt ærligt, han var vidunderlig. Hans øjne var ligesom havblå. Og han havde den smukkeste krop.

Dette tænkte jeg alt sammen ud fra en fuldstændig objektiv synsvinkel.

Han er min søsters kæreste, så det er okay for mig at beundre hans skønhed ud fra et æstetisk synspunkt.

Jeg følte mig lidt som en klog, gammel kone, der beundrede de kønne unge mænd, indså, hvor kønne og fantastiske de var, mens jeg samtidig anerkendte, at de dage, hvor jeg pjankede med dem, for længst var forbi.

Han var så høj, og han så sexet ud, selvom han bare havde et par slidte cowboybukser og en grå sweatshirt på.

Til dessert satte jeg chokolademoussen frem, som blev modtaget med langt mere entusiasme end selve middagen. Den slåskamp, der brød ud mellem Anna, Helen og far over den største portion, var intet mindre end skammelig, og så mens vi havde gæster.

Men Adam grinede bare godmodigt.

Lidt efter tog jeg ham med op for at se Kate.

Vi listede ind på værelset.

„Må jeg holde hende?" sagde han ærbødigt.

„Selvfølgelig," sagde jeg og smilede, meget rørt over hans ærefrygt.

Jeg syntes, det var noget af det sødeste, jeg nogensinde havde set, at sådan en stor, stærk mand gerne ville se min baby.

Lidt ligesom når en kæmpestor, kraftig lastbilchauffør begyndte at græde over country og western-sange. Selvmodsigende og rørende.

Jeg rakte ham forsigtigt Kate, og han tog hende og holdt hende varsomt.

Hun vågnede ikke engang.

Idiot!

Hvad var det for en datter, jeg havde fået?

Her blev hun for første gang holdt i en smuk mands arme, og så sov hun hele tiden.

Det var sådan et smukt billede. Den enorme unge mand, der holdt den perfekte, lille baby.

„Hvilken farve øjne har hun?" spurgte han.

„Blå," sagde jeg. „Men alle babyer har blå øjne i begyndelsen. Så skifter de som regel farve."

Han blev ved med at stirre på hende med et forundret udtryk i ansigtet.

„Du ved, hvis du og jeg fik et barn, så ville det helt sikkert få blå øjne," sagde han grublende, og det lød næsten, som om han talte med sig selv.

Det gav et sæt i mig.

Jeg kunne næsten ikke tro mine egne ører!

Flirtede han med mig?

Jeg følte en bølge af vrede vælde op indvendigt.

Jeg havde troet, at han var så uskyldig og naiv. En sød ung mand.

Hvad *bildte* han sig ind?

Ikke alene var jeg gammel nok til at være hans mor. Okay, så næsten. Men han var her sammen med min *søster* og gav et godt indtryk som hendes kæreste.

Havde han ingen respekt?

Ingen anstændighed?

Men jeg tog fejl. Jeg så på ham, og et kort øjeblik så vi hinanden ind i øjnene. Jeg kunne se, at han faktisk var dødeligt forlegen.

Han vidste helt klart, at han havde lavet et faux pas.

Han så ung og bange ud.

Som en uartig lille dreng.

Værelset var fuldt af spænding og forlegenhed.

„Nå, jeg må hellere smutte ned til Helen og opgaven," sagde han hurtigt, idet han bogstavelig talt kylede Kate tilbage i retning af liften og skyndte sig ud af værelset uden at se sig tilbage.

Jeg sad på sengen og følte mig lidt sært tilpas.

Var jeg tåbelig, fordi jeg havde overreageret?

Var jeg trist til mode over, at min kynisme havde fået mig til med det samme at drage den forkerte konklusion?

Var jeg... Gud forbyde det... *skuffet?*

Du har været væk fra mænd i for lang tid, sagde jeg strengt til mig selv. Du må hellere komme ud på markedet igen. Så du ikke automatisk drager nogle helt latterlige konklusioner, næste gang du møder en tiltrækkende mand.

Men samtidig må jeg indrømme, at min forfængelighed var lettere såret over hans reaktion ved tanken om, at vi fik et barn. Han behøvede ikke at se helt så forfærdet ud.

Gud, hvor var det bare typisk.

Traditionen tro var jeg i løbet af cirka tredive sekunder gået fra at være rasende over, at han måske var vild med mig, til at være rasende over, at han måske ikke var vild med mig.

Men rationel opførsel havde heller aldrig været min stærke side.

Jeg mener, det kunne da godt være, at jeg var en 'ældre kvinde', men jeg var ikke ligefrem en gammel heks. Der var faktisk masser af mænd, der var tiltrukket af mig, skal jeg sige dig.

Eller altså, jeg var overbevist om, at der fandtes nogen et sted, der var det. Der var tre milliarder mennesker på denne planet. Jeg er sikker på, at jeg ud af den bunke godt kunne have rystet et par stakler frem, som syntes om mit udseende.

Hvad bildte fyren sig ind? Bare fordi han tilfældigvis var ekstremt lækker, gav det ham ikke ret til at få mig til at føle mig gammel og grim.

Det kan godt være, at jeg ikke var lige så smuk som Helen.

Jeg var faktisk overhovedet ikke nær så smuk som Helen.

Men jeg var et sødt menneske.

Ikke fordi der nogensinde er nogen, der har forelsket sig i en, fordi vedkommende var et sødt menneske.

Hvis det var tilfældet, så ville de sværme om Moder Teresa som fluer om en hundelort.

Men alligevel.

Jeg gav Kate mad og lagde hende i seng igen.

Så gik jeg nedenunder til mor.

Jeg gik forbi Helens værelse på vej ned, og døren var godt og grundigt lukket.

De to havde åbenbart forskanset sig derinde.

Opgave, minsandten!

Det kan godt være, at mor og far hoppede på den historie, men jeg havde brugt den tilstrækkeligt mange gange til at vide, hvad det i virkeligheden betød.

På den anden side, hvis de bollede, så gjorde de det meget stille.

Ikke fordi jeg lyttede ved døren, naturligvis.

Og slet ikke fordi det havde noget som helst i hele den vide verden at gøre med mig.

Helen kunne bolle med hvem, hun ville.

Og det kunne Adam minsandten også.

Som sagt, det havde overhovedet ikke noget med mig at gøre.

Jeg så meget sammenbidt fjernsyn sammen med mor.

Langt senere hørte vi Helen og Adam ude i køkkenet.

Så hørte vi hende sige farvel til ham.

Han stak hovedet ind ad døren og takkede os for den dejlige middag og sagde, at han håbede at se os snart igen.

Mor og jeg smilede farvel til ham.

„Sikke en høflig fyr," sagde mor tilfreds.

Jeg svarede hende ikke. Jeg tænkte på, at han ikke så særligt forpjusket ud i betragtning af, at han lige havde ligget og bollet. Og spekulerede på, hvorfor jeg tog mig af det.

Kapitel elleve

Efter at Adam var gået, og Helen havde sendt ham ud i den våde og vilde martsnat, så han kunne kæmpe sig hjem til Rathmines, lukkede hun hoveddøren bag ham, kom ind i tv-stuen og satte sig sammen med mor og mig.

„Han virkede som en dejlig fyr," sagde mor bifaldende.

„Gjorde han?" sagde Helen fjernt.

„*Dejlig*," sagde mor med eftertryk.

„Åh, lad nu være med det der, du altid gør," snappede Helen irriteret.

Der var en lille, akavet pause.

Så sagde jeg noget.

„Hvor gammel er Adam?" spurgte jeg henkastet Helen.

„Hvorfor?" spurgte hun uden at se væk fra fjernsynsskærmen. „Er du vild med ham?"

„Nej," protesterede jeg og rødmede.

„Er det rigtigt?" sagde hun. „Det er alle andre ellers. Alle på universitetet er vilde med ham. Mor er vild med ham."

Mor virkede lidt overrumplet og så ud, som om hun skulle til at forsvare sig selv på det kraftigste. Men før hun nåede at sige noget, fortsatte Helen:

„Og du så ud, som om du var vild med ham. Sådan som du fnisede og smilede til ham. Du er værre end Anna. Det var bare så pinligt."

„Jeg var *høflig*," insisterede jeg.

Jeg var virkelig irriteret.

Og pinligt berørt.

„Du var ikke høflig," sagde hun monotont, mens hun stadig så på fjernsynet. „Du var vild med ham."

„Helen, for himlens skyld, synes du, at jeg skulle have ignoreret ham og ikke sagt et ord til ham?" spurgte jeg hende vredt.

„Nej," sagde hun køligt. „Men du behøvede ikke at være så åbenlyst vild med ham."

„Helen, jeg er en gift kvinde," sagde jeg og hævede stemmen. „Selvfølgelig var jeg ikke vild med ham. Desuden er han meget yngre end mig."

„Ha!" råbte hun ad mig. „Så du er vild med ham. Du er bare bange for, at han er for ung. Nå, men bare tag det roligt, for professor Stauton er gift, og hun er vild med ham. Hun blev fuld og sad og græd ned i sin øl i baren og sagde, at hun ville forlade sin mand og alt muligt. Vi var ved at brække os af grin. Og hun er *ældgammel*. Ældre end dig!"

Dermed sprang Helen op, løb ud af rummet og smækkede døren bag sig med et brag. Som uden tvivl fik de sidste tagsten til at løsne sig.

„Åh gud!" sukkede mor træt. „Det er som en forpulet stafet herhjemme. Ikke så snart er den ene datter holdt op med at opføre sig som antikrist, før den næste begynder. Hvordan er I alle sammen blevet så temperamentsfulde? I opfører jer som et kobbel italienere."

„Hvad er der *galt* med hende?" spurgte jeg mor. „Hvorfor er hun så nærtagende med Adam?"

„Åh, hun er vel forelsket i ham," sagde mor vagt. „Eller hun tror i al fald, at hun er det."

„Hvad?" spurgte jeg forfærdet. „Helen forelsket? Er du blevet vanvittig? Den eneste person, Helen er forelsket i, er hende selv."

„Det er en meget ukærlig ting at sige om din søster," sagde mor og så tankefuldt på mig.

„Nå, men jeg mener det ikke ukærligt," forklarede jeg hastigt. „Jeg mener bare, at folk altid er forelskede i hende. Det er aldrig den anden vej rundt."

„En gang skal jo være den første," sagde mor vist.

Vi sad helt stille.

Mor brød stilheden:

„Bortset fra det, så har hun ret."

„Med hensyn til hvad?" spurgte jeg og spekulerede på, hvad hun nu snakkede om.

„Du *var* vild med ham."

„Jeg var *ikke* vild med ham," sagde jeg indigneret.

Mor vendte sig om mod mig med hævede øjenbryn og et bedrevidende udtryk i ansigtet.

„Lad være at være dum," sagde hun hånligt. „Han var *dødlækker!* Jeg var selv vild med ham. Hvis jeg var tyve år yngre, ville jeg selv være rendt efter ham."

Jeg sagde ikke noget.

Jeg følte mig lidt rundt på gulvet.

„Og desuden," fortsatte mor, „var han vild med dig. Det er ikke så sært, at Helen er ude af den."

„Sikke noget ævl!" protesterede jeg højlydt.

„Det er det ikke," sagde mor roligt. „Det var åbenlyst, at han var vild med dig. På den anden side troede jeg nu også, at han var vild med mig," fortsatte hun tvivlende. „Måske er han bare en af den slags mænd, der får alle kvinder til at føle sig smukke."

Nu følte jeg mig minsandten meget forvirret.

„Jamen, mor." Jeg forsøgte at forklare. „Jeg er gift med James, og jeg elsker ham, og jeg vil gerne redde mit ægteskab."

„Det ved jeg godt," sagde hun. „Men måske er en lille affære, lige hvad du har brug for. For at få din selvtillid tilbage. Og for at få dine følelser for James sat lidt i perspektiv."

Jeg stirrede forfærdet på min mor. Hvad snakkede hun om?

Det var min *mor*, for himlens skyld. Hvad i alverden tænkte hun på, sådan at opmuntre mig til at have en affære, jeg som var en gift kvinde? Og lige netop med min yngre søsters kæreste.

„Mor!" sagde jeg. „Tag dig sammen. Du gør mig bange. Jeg mener, det er et stykke tid siden, jeg var atten. Jeg synes ikke længere, at den bedste måde at komme sig over en mand på er ved at ligge under en anden!"

For sent indså jeg, hvad jeg havde sagt.

Jeg kunne have bidt tungen af mig selv.

Mor klemte øjnene sammen og så på mig.

„Jeg ved ikke, hvor du har hørt sådan et vulgært udtryk," hvæsede hun. „Men det var i hvert fald ikke i dette hus. Er det sådan, man snakker i London?"

„Undskyld, mor," mumlede jeg og følte mig forfærdet og skamfuld, men i det mindste på velkendt territorium igen.

Jeg sad på sofaen ved siden af hende og havde det forfærdeligt.

Hvordan kunne jeg være så grov?

Eller rettere sagt, hvordan kunne jeg være så grov inden for mors hørevidde?

Snak om at være dum.

„Nå," sagde hun lidt efter i en mere forsonlig tone. „Så snakker vi ikke mere om den sag."

„Okay," sagde jeg lettet.

Gudskelov! Jeg havde været lige ved at pakke mine tasker og flytte tilbage til London.

„Bortset fra det," sagde hun. „Så er han fireogtyve."

„Hvor ved du det fra?" spurgte jeg forbavset.

„Aha," sagde hun, blinkede til mig og rørte ved sin næse. „Jeg har mine kilder."

„Du mener, du spurgte ham," sagde jeg. Jeg kendte min mor ind og ud.

„Det kan godt være," sagde hun koket uden at afsløre noget.

„Så du kan nok forstå," fortsatte hun, „at han overhovedet ikke er for ung til dig."

„*Mor*," hylede jeg lidelsesfuldt. „Hvad handler det her om? Desuden er jeg næsten tredive, og han er kun fireogtyve. Så han er stadig alt for ung til mig."

„Sludder," sagde mor kvikt. „De gør det alle sammen. Bare se på Britt Ekland, som altid bliver fotograferet med ham fyren, der er ung nok til at være hendes barnebarn. På den anden side, måske er han hendes barnebarn. Og hende den anden tøjte, hende som går rundt uden tøj på, hvad er det nu, hun hedder?"

„Madonna?" sagde jeg forsigtigt.

„Nej, nej, ikke hende. Du kender hende godt. Hun har en tatovering på ryggen."

„Åh, du mener Cher," sagde jeg til hende.

„Ja, hende," sagde mor. „Jeg mener, hun må mindst være på min alder, og se, hvordan hun opfører sig. Ingen af dem er en dag over seksten. Ike må vist have været den sidste mand, hun var sammen med, som var ældre end hende."

„Ike?" spurgte jeg, mens mit hoved summede.

„Ja, Ike. Hendes mand," sagde mor utålmodigt.

„Nej, mor. Jeg tror ikke, Cher var gift med Ike. Cher var gift med Sonny. Ike var gift med Tina," sagde jeg til hende.

„Hvem er Tina?" spurgte hun og lød lettere desorienteret.

„Tina Turner," forklarede jeg stille.

„Hvad har hun at gøre med noget som helst?" sagde mor krænket og så på mig, som om jeg var blevet komplet vanvittig.

„Overhovedet ikke noget," sukkede jeg og følte, at jeg var ved at miste ethvert greb om samtalen. „Det var bare, fordi du sagde, at Cher og Ike… Åh, det er lige meget. Bare glem det."

Mor mumlede mopset til sig selv, at hun ikke skulle glemme noget som helst. For det var mig, der havde inddraget Tina Turner i samtalen.

„Lad være at være vred, mor," sagde jeg forsonende. „Jeg har fattet det. Jeg forstår godt, at du siger, at Adam ikke er for ung til mig."

Jeg kastede et ængsteligt blik hen mod døren, i samme øjeblik jeg havde sagt det. Jeg forventede halvt om halvt, at Helen kom brasende ind gennem døren og råbte: „Jeg vidste bare, at du var vild med ham, din ækle, gamle pensionist."

Hvorpå hun forsøgte at kvæle mig.

Det gjorde hun ikke. Men frygten blev hængende.

„Men desuden," fortsatte jeg, „bortset fra spørgsmålet om alder glemmer du så ikke et par andre vigtige ting? Som for eksempel det lille faktum, at Adam er Helens kæreste?"

„Aha!" sagde hun, løftede sin pegefinger og forvandlede sig til en klog, gammel kone. Det var lige før, hun tog et sort tørklæde om hovedet og begyndte at skele. „Men er han nu også det?"

„Ja, hvorfor var han her ellers?" spurgte jeg, fornuftigt nok efter min mening.

„For at hjælpe hende med at skrive en opgave," sagde mor.

„Og hvorfor skulle han gøre det, hvis ikke han er hendes kæreste? Eller i det mindste gør sig rigtig umage for at blive det?" spurgte jeg og mente igen, at det var rimelig fornuftigt.

„Fordi han er et sødt menneske?" sagde mor.

Men hun lød lidt tvivlende.

„Desuden," sagde jeg, „var det åbenlyst, at han var virkelig vild med hende."

„Var det?" spurgte hun og lød rigtig overrasket.

„Ja," sagde jeg med eftertryk.

„Men selv hvis han er hendes kæreste, så vil han ikke være det ret længe," forudsagde mor.

„Hvorfor siger du det?" spurgte jeg og spekulerede på, hvilke andre informationer hun havde fået lokket ud af smukke Adam.

„På grund af Helens måde at være på," sagde mor.

„Åh," sagde jeg skuffet. Så hun havde ikke flere guldkorn fra Adam.

„Helen vil bare have, at han skal falde for hende. Så vil hun få ham til at lide et lille stykke tid. Og så skiller hun sig af med ham," sagde mor. „Sådan har hun altid været. Selv som barn. I flere måneder før jul kunne hun plage os om en dukke eller en cykel. Og vi ville knap nok have spist kalkunen op, før hun havde ødelagt hver eneste ting, julemanden havde haft med til hende. Hun var ikke tilfreds, før hun havde ødelagt det hele. Dukkernes hoveder og ben og cykelkæder og sadler var spredt ud over det hele. Man kunne være faldet over det og have brækket nakken."

„Det er ikke en særlig pæn ting at sige om Helen," sagde jeg som et ekko af, hvad mor havde sagt til mig tidligere.

„Måske ikke," sagde mor med et suk. „Men det er sandt. Jeg elsker hende, og hun er faktisk en god pige. Hun skal bare blive lidt mere moden. Meget mere, faktisk."

„Jamen, du sagde, at Helen måske var rigtigt forelsket i Adam," sagde jeg.

„Jeg sagde, at Helen nok *troede*, at hun er forelsket i Adam. Det er en helt anden sag," sagde hun.

„Hvis hun er forelsket i ham, og hvis du spørger mig, så er hun alt for umoden til at kunne forelske sig," fortsatte mor, „så tager hun ikke skade af at møde lidt modstand her i livet. Tingene er gået alt for let for hende. Lidt hjertesorg kan gøre meget. Jeg mener, se, hvor godt det har været for dig. Det giver en vis ydmyghed."

„Så du synes altså, at jeg skal have en affære med Helens kæreste for at få min selvtillid igen og gøre Helen lidt ydmyg?" sagde jeg og troede endelig, at jeg havde fattet, hvad mor sagde til mig.

„Gode gud," sagde mor irriteret. „Du får mig til at lyde som en af dem i *Dollars*. Som leger Gud med folks liv og alt sådan noget. Det lyder meget koldblodigt, når du siger det på den måde."

„Jeg siger ikke ligefrem, at jeg vil have, at der skal ske noget," fortsatte hun. „Men jeg tror virkelig, at Adam var meget tiltrukket af dig. Og hvis han er det, og hvis der skulle ske noget, og hvis du overlever Helens mordforsøg – hold op, der er rigtig mange hvis'er her, hva'? – så skulle du måske bare lade det ske, som vil ske."

„Åh mor," sukkede jeg. „Nu har du gjort mig virkelig forvirret."

„Det er jeg ked af, lille skat," sagde hun. „Måske har jeg taget helt fejl. Måske er han slet ikke vild med dig."

Det kommer selvfølgelig ikke som nogen overraskelse, at jeg heller ikke syntes om, at hun sagde netop det.

Jeg har fået nok, tænkte jeg.

„Nå, jeg smutter i seng," sagde jeg.

„Sov godt," sagde mor og klemte min hånd. „Jeg kommer op og giver Kate et godnatkys."

Og så gik jeg.

Jeg gik op på mit værelse og gjorde mig klar til at gå i seng. Min natkjole var åbenbart meget fornærmet på mig. Den syntes ikke om at blive ignoreret og efterladt herhjemme, mens jeg iførte mig Helens gamacher og skjorte og tog i indkøbscenteret. Jeg fik virkelig skældud.

Jeg var din ven, sagde den til mig. Jeg hjalp dig gennem hårde tider. Du er upålidelig og vil kun være venner, når du har brug for det. I samme øjeblik det går lidt godt, og du begynder at føle dig lidt mere normal, så skrotter du mig bare, smider mig ud.

Åh, hold dog kæft, tænkte jeg, eller også tager jeg dig aldrig på igen. Så kan du virkelig få noget at brokke dig over.

Jeg havde vigtigere ting at tænke på end misfornøjede natkjoler og deres beklagelser.

Idet jeg lagde mig ned, gik det op for mig, at jeg faktisk ikke havde tænkt på James i cirka tre timer.

Det var et fantastisk mirakel.

Alt i alt havde det været en ganske usædvanlig dag.

Kapitel tolv

Den næste dag begyndte med et strålende koldt og blæsende daggry.

Det ved jeg, for jeg var vågen ved daggry.

Det var en typisk martsdag.

Det var endelig holdt op med at regne.

Men der ligger overhovedet ingen symbolik i det faktum.

Lad os se det i øjnene, regnen må jo for fanden holde op på et tidspunkt.

Efter at Kate havde fået sin flaske, sad jeg på sengen og bøvsede hende af. Det var hurtigt ved at gå op for mig, at selvom jeg havde været heldig nok til at slæbe mig ud af denne dynd af elendighed, så bragte den nyfundne frihed visse ansvar med sig.

Det havde været en rigtig god dag i går.

Virkelig sjovt.

Men, og tanken kom uanmeldt, livet er mere end bare sjov.

Den lille mand inde i mit hoved med skiltet, hvor der normalt står „Enden er nær", proklamerede i dag „Livet er mere end bare sjov".

Han arbejder som min Samvittighed.

Jeg hader ham.

Det elendige røvhul.

Han dukker altid op med sit skilt og ødelægger tingene for mig, især når jeg er ude at shoppe, og proklamerer vigtige ting som „Du Har Allerede Fire Par Støvler" og „Hvordan Kan Du Retfærdiggøre At Bruge Tolv Pund På En Læbestift?"

Han kunne ødelægge en shoppingtur fuldstændig. Enten ville jeg ikke købe den omtalte ting. „Undskyld," ville jeg stamme, og butiksassistenten ville holde inde med at putte skoene ned i æsken og sende mig et dræberblik. „Jeg har ombestemt mig."

Eller også ville jeg købe dem, men have så dårlig samvittighed over det, at al fornøjelsen var forsvundet.

I dag mindede den elendige gamle lyseslukker mig om, at jeg skulle gøre meget mere med mit liv end bare at svanse rundt i et supermarked og præsentere Kate for bøtter med frossen chokolademousse. Hvad var det for nogle værdier, jeg gav hende?

Eller lave middag til min familie. Eller blive besynderligt vild med min søsters kæreste.

Jeg gik over til vinduet med Kate i armene, og vi stod og så ned på haven, som Michael så kærligt undlod at passe.

Jeg følte mig lidt ligesom en mand, som står foran en henrettelsespeloton.

Lidt tænksom.

Det var på tide, at jeg tog mig sammen.

På tide at blive voksen og tage ansvar.

Noget, jeg aldrig har været særlig god til.

Ved det første tegn på problemer i mit liv løber Ansvar direkte ud på min hjernes badeværelse, låser døren og nægter at komme ud. Lige meget hvor meget Pligt forsøger at overtale ham og lokke ham ud derfra. Han forbliver derinde, barrikaderet bag døren, foroverbøjet på gulvet, indtil chokket og dramaet er overstået.

Der var forskellige ting, jeg blev nødt til at tage mig af.

Forfærdelige ting.

Der handlede om penge og forældremyndighed og vores ægteskabelige hjem.

Jeg sværger ved Gud, det var forfærdelig smertefuldt. Min hjerne krympede sig, hver gang jeg overvejede en af tingene.

Det var første gang, siden jeg havde set James' ryg, da han gik ud af hospitalsstuen, at jeg havde overvejet de praktiske ting, som en skilsmisse indebar.

Som for eksempel: Skulle James og jeg mødes og diskutere mulighederne for salg af vores lejlighed?

Skulle vi dele vores ejendele ligeligt mellem os?

Det ville være ekstremt fornøjeligt.

Skulle vi for eksempel slæbe vores sofaarrangement ud midt i stuen, save sofaen midt over og tage en halvdel hver med fyld og skumgummi stikkende ud, plus en dertilhørende lænestol?

Du ved, den slags ting.

Jeg vidste helt ærligt ikke, hvordan vi skulle kunne dele de fleste af vores ting. For de tilhørte ikke mig, og de tilhørte ikke James. De tilhørte den flygtige enhed 'os'. Som var så meget mere end summen af dets dele.

Hvor ville jeg dog ønske, at jeg kunne finde det forsvundne 'os'.

Hvis bare jeg kunne opspore det og lokke det tilbage med løfter om alle disse vidunderlige ejendele. Som en eller anden forfærdelig tredjerangs quiz-show-vært.

Se det vidunderlige fjernsyn.

Det er dit. Bliver du så?

Kig lige nærmere på det fine, nye køkken.

Er det ikke smukt? Det kan blive dit, hvis du bare kommer tilbage.

Selvom jeg egentlig ikke tror, at man ville få et nyt køkken i en tredjerangs tv-quiz.

Man var heldig, hvis man fik til busbilletten hjem.

Men jeg ville ønske, at det var så let at skaffe Claire og James' 'os' tilbage.

Eller hvis alt, hvad jeg skulle gøre, var at sætte en annonce i aftennyhederne, hvor der stod noget i stil med: „Vil James og Claires 'os', som sidst er set i Kerryregionen (for eksempel), venligst henvende sig til politiet i Dublin, hvor der ligger en besked?"

Men det så ud til, at 'os' ikke bare var forsvundet. Det var dødt. James havde slået det ihjel.

Og det døde uden at have skrevet testamente.

I princippet ville staten arve alle de ejendele, der tilhørte 'os'.

I virkeligheden ville der naturligvis ikke ske noget så latterligt og surrealistisk.

Gider du række mig saven, så er du sød.

Ser du, jeg troede fuldt og fast på, at der kun var én måde at forholde sig til ubehagelige situationer på – og hvis min nuværende situation ikke var ubehagelig, så ved jeg ikke hvad. Og det var at tage en dyb indånding, stå ansigt til ansigt med den, se den ind i øjnene, nidstirre den og vise den, hvem der bestemte.

Gribe fat om ondets rod, så at sige.

Sluge den bitre pille, om du vil.

Hvis nogen spurgte mig om råd med hensyn til, hvordan de skulle forholde sig til noget, de frygtede, så var det lige præcis det, jeg ville fortælle dem, at de skulle gøre.

Det er noget, jeg tror fuldt og fast på.

Og det kan måske være, at jeg en dag følger mit eget råd og rent faktisk gør det.

Ser du, selvom jeg virkelig mente, at det var den bedste måde at håndtere væmmelige situationer på, så havde jeg aldrig selv mod til at gøre det.

Jeg var verdensmester i at undgå ubehagelige opgaver.

Jeg kunne have stillet op for Irland i disciplinen langdragstrækning.

Kaptajn Claire Webster, født Walsh, Anfører for Langdragsholdet, klar, parat, start!

Mit motto var: 'Udsæt altid til i morgen, hvad du burde have gjort i dag. Og hvis det er muligt at vente til næste uge, så meget desto bedre.'

Et fint, fyndigt lille motto, som virkelig ramte sagens kerne, mente jeg.

For at opsummere min holdning så lad mig sige det sådan, at jeg aldrig nogensinde i hele mit liv har vasket op samme aften, som jeg har holdt middagsselskab.

Jeg lovede altid mig selv, at jeg ville gøre det.

Det er rædselsfuldt at vågne op med tømmermænd til beskidte tallerkner og et køkken, der ligner en slagmark.

Men du ved, hvordan det er.

Slutningen på aftenen kom, og bordet var dækket af halvfulde tallerkner med indbagt Alaska-laks, som jeg mere eller mindre havde overladt til sig selv.

Nu må jeg have lov at sige til mit forsvar, at indtil dette tidspunkt er jeg normalt en udsøgt værtinde, som danser rundt og varter mine gæster op og ligger i fast rutefart med tallerkner, fade og bestik til og fra køkkenet, som om jeg er på et transportbånd.

Men min fornemmelse for værtindeværdigheden mindskes i direkte proportion med, hvor mange glas vin jeg har drukket.

Så når det er tid til dessert og kaffe, er jeg som regel alt for afslappet (okay så, alt for fuld, hvis du insisterer på at kalde en spade for en spade) og føler ikke længere nogen trang til at rydde af bordet.

Hvis bordet var kollapset under vægten af den ikkeafryddede service, så ville jeg bare have grinet.

Hvis mine gæster gerne ville have et rent bord, er jeg bange for, at de måtte klare det selv.

De vidste, hvor køkkenet lå.

Hvad ventede de på? En guldrandet invitation?

Midt på bordet stod der altid en fuldstændig uberørt skål frugt.

Jeg mener, hvad er problemet? Frugt er dejligt.

Jeg købte *altid* frugt, og der var aldrig nogen, der spiste det. Judy kaldte det for protestant-dessert. Mine venner sagde, at det var slemt nok, at jeg fornærmede dem ved at tilbyde dem en banan eller appelsin til dessert. Deres ide om en ordentlig dessert, nej, vent, deres *eneste* ide om en dessert var noget, der var ved at eksplodere af flerumættede fedtsyrer og sukker og flødeskum og alkohol og æggehvider og kolesterol.

Den slags desserter, hvor ens arterier bliver et par centimeter smallere bare ved synet.

Jeg var overbevist om, at de havde udviklet sådanne holdninger i deres underprivilegerede barndom.

De var sikkert blevet tvunget til at spise frugtgrød med vaniljecreme efter alle middagsmåltider i cirka tyve år.

Guderne skal vide, at jeg følte med dem. Jeg havde også været i frugt- grødshelvedet.

Men at forvente, at de selv skrællede og spiste den førnævnte frugt med kniv og gaffel, svarede til at bede dem om at forsvinde fra mit hjem og aldrig vise sig igen.

Så resultatet var, at jeg altid købte frugt, og mine gæster aldrig spiste den. Hvis du kan følge mig.

Man kunne alligevel aldrig se hen over bordet på grund af de tusindvis af glas, flere af dem væltede, og deres indhold, hvad enten det var hvidvin, gin og tonic, irsk kaffe eller Baileys, bredte sig hurtigt og blandede sig og blev venner med hinanden ude på dugen, hvor de dannede små søer rundt om de små øer af Saxasalt, som en eller anden samvittighedsfuld idiot (som regel James) havde smidt ud for at forhindre, at ødelæggelserne forårsaget af de vilde horder af spildt rødvin skulle brede sig.

Jeg ville være i gang med min toogtyvende sambucca og sidde og vippe på min stol på de to bagerste ben eller sidde på James' knæ og fortælle alle, som ville høre det, hvor meget jeg elskede ham.

Jeg var skamløs.

Jeg var mildest talt ikke ædru, men jeg var ét med universet. Og på en eller anden måde var jeg altid for mæt og afslappet til at tænke på at gøre rent.

„Det er overhovedet ikke noget problem," snøvlede jeg og verfede storladent samtlige fordrukne tilbud om hjælp væk og sendte asken fra min cigaret flyvende over i flødekanden eller ned ad James' hvide skjorte. (Jeg begyndte som regel at ryge på det her tidspunkt af aftenen, selvom jeg ikke røg længere). „Det tager mig højst ti minutter i morgen tidlig."

Det mest sørgelige var, at jeg næsten selv troede på det, mens jeg sagde det.

Dum som jeg var, holdt jeg aldrig op med at håbe på, at opvaskeenglene ville komme midt om natten som den hvide tornado derude. Bare behold det nye par sko. Og pengene under hovedpuden. Bare I vasker mit gulv.

Hver morgen efter et selskab stavrede jeg ned, og jeg stoppede et kort øjeblik med hånden på dørhåndtaget ind til køkkenet med en vidunderlig, varm fantasi om, at jeg slog døren op og så, at køkkenet var strålende rent, solen glimtede i de polerede overflader, og at alle kopperne og tal- lerknerne og skålene og potter og pander var skuret rene og stillet væk (i de rigtige skabe. Jeg ville have, at opvaskeenglene skulle være kloge så- vel som hårdtarbejdende).

I stedet for, idet jeg forsigtigt trippede gennem efterladenskaberne, var det meget svært for mig at finde bare ét helt glas til et par tiltrængte Treo, for ikke at tale om et rent glas.

Og nu vi er i gang med emnet middagsselskaber, så vil jeg gerne lige have svar på et par spørgsmål:

Hvorfor er der altid én af gæsterne, der hiver etiketterne af alle vinflaskerne, så når man kommer ned om morgenen, er bordet dækket af små, irriterende, fedtede papirstumper, der klistrer fast til alting?

Hvorfor bruger jeg altid smørasietten som askebæger?

Hvorfor er der altid mindst én person, der, rimeligt sent på aftenen, det må jeg indrømme, siger: „Hvordan mon Dubonnet og Guinness smager sammen?" eller „Hvad vil der ske, hvis jeg sætter ild til min Jack Daniels?"

Hvorpå vedkommende forsøger at finde ud af det.

Bare så I ved det, får Guinness Dubonnet til at stivne på den klammeste måde, og Jack Daniels flammer op som en kuwaitisk oliekilde, som selv Red Adair ville have svært ved at styre, og får loftsmalingen i spisestuen til at svide og lave blærer.

Så ved du det.

Jeg vil virkelig fraråde dig det.

Men hvis du absolut skal afprøve det, så prøv at undgå at gøre det i dit eget hjem.

Lad en anden stakkels idiot tage stigen og støvekluden og malerrullen og penslerne frem.

For at være helt fair over for James – men hvorfor skulle jeg egentlig det, det røvhul? – var han altid vældig god til husarbejde og især med hensyn til rengøring efter de førnævnte middagsselskaber. Han blev aldrig lige så fuld som mig, så han var i det mindste i fin form til at flytte resterne af slagmarken fra spisebordet ud i køkkenet, således at ét rum i det mindste var nogenlunde præsentabelt om morgenen. Bortset selvfølgelig fra Jack Daniels-brændemærkerne i loftet. Men dem vidste jeg i det mindste, at jeg kunne male over.

Igen.

Jeg havde noget maling tilovers fra det sidste middagsselskab.

Og så var der de uundgåelige folk med tømmermænd, der befandt sig i ubarberet og sjusket tilstand (og det gjaldt også kvinderne) på sofaen i dagligstuen. Det var faktisk næsten sværere at slippe af med dem end de omtalte brændemærker i loftet. Eller cigaretmærkerne i gulvtæppet.

Så lå de der den halve dag og stønnede og krævede te og hovedpinepiller og sagde, at de ville brække sig, hvis de bevægede sig.

Nå, der gjorde jeg det jo igen.

Trak i langdrag, altså.

Jeg gjorde alt, hvad jeg kunne, for at undgå at gøre det, jeg skulle.

Det at få mig til at tænke på de praktiske ting, der havde med at gøre, at jeg ikke længere var sammen med James, var som at forsøge at få mig til at se direkte på solen en rigtig strålende solskinsdag.

Begge dele var svære at gøre.

Og begge dele fik mine øjne til at løbe i vand.

Jeg var nødt til at tænke over spørgsmålet om forældremyndighed over Kate. Selvom jeg ikke vidste, om det var et problem. James havde ikke udvist den mindste interesse i hende. Og det var trods alt ham (Buuuh, dumme mand), der var horekarlen. Derfor forventede jeg, når nu det var ham, der havde gjort noget galt og alting, at jeg automatisk ville få forældremyndigheden.

Men i stedet for at triumfere følte jeg mig ikke engang lettet.

Det var ikke nogen sejr.

Jeg ville have, at James skulle tage sig af vores barn.

Jeg ville have, at mit barn skulle have en far.

Jeg ville langt have fortrukket, at James slæbte mig i retten, og vi hengav os til bitre verbale slagsmål, og han bagvaskede mig ved at kalde mig en lebbe eller en kvinde med dårlig moral (jeg er bange for, at det ikke kunne kaldes bagvaskelse i dette tilfælde) eller hvad som helst. For hvis han forsøgte at få forældremyndigheden over Kate ved at sværte mit navn til, så holdt han i det mindste af hende.

Jeg knugede Kate ind til mig. Jeg følte mig så skyldig. For på en eller anden måde, et eller andet sted, uden at jeg overhovedet vidste det, havde jeg kludret i det, og på grund af det måtte stakkels Kate, den uskyldige, lille tilskuer, klare sig uden sin far.

Jeg kunne bare ikke forstå James.

Var han overhovedet ikke nysgerrig med hensyn til Kate?

Jeg kunne slet ikke få det til at hænge sammen.

Var det, fordi Kate var en pige?

Hvis det havde været en dreng, ville James så have forsøgt at få tingene til at fungere sammen med mig?

Hvor skulle jeg vide det fra?

Jeg forsøgte bare at få mening i en meningsløs situation.

Og hvad med vores lejlighed?

Vi havde købt den sammen, og den stod i vores begges navne. Så hvad skulle vi gøre?

Sælge den og dele overskuddet?

Skulle jeg købe hans halvdel og bo der sammen med Kate?

Skulle jeg sælge min halvdel til James og lade ham bo der sammen med Denise?

Under ingen omstændigheder!

Hvad end der skete, så havde jeg ikke tænkt mig at lade James bo sammen med en anden kvinde i det hjem, jeg havde skabt.

Jeg ville hellere brænde stedet ned til grunden først.

Okay, så måske ikke ned til grunden. Jeg havde ikke noget udestående med de mennesker, som boede på de to etager under os. Hvorfor skulle de miste deres hjem, bare fordi min mand lod sin tøjte, sin hore, flytte ind i familiehjemmet?

Men jeg ville helt sikkert brænde lejligheden ned til gulvet. Gillian og Ken, de mennesker, som boede lige under os, måtte altså bære over med en enkelt flamme eller to, der slikkede hen ad deres loft.

Over mit lig.

Ved du hvad? Hver gang jeg hørte nogen lidenskabeligt sige sådan, tænkte jeg altid bare, at de opførte sig sådan rigtig sydlandsk og varmblodigt. De spillede bare for galleriet og overreagerede.

Jeg vidste, at jeg selv havde sagt det tusindvis af gange, men jeg havde aldrig rigtig ment det før nu. Men jeg mente det, jeg mente det virkelig.

Det ville blive over mit lig, at han flyttede sammen med Denise i mit hjem.

Hvad med penge? Hvordan i alverden skulle jeg forsørge både Kate og mig med min løn?

Jeg vidste knap nok, hvor meget jeg tjente.

Andet end at det ikke var noget sammenlignet med, hvad James tjente.

Det havde været hans løn, der havde holdt os oven vande, efter at vi var blevet gift.

Så nu skulle jeg altså til at være fattig.

Jeg havde det, som om jeg var gået ud på en balkon og pludselig, til min store rædsel, havde indset, at der ikke var fast grund under fødderne på mig. Bare massevis af uendeligt tomrum at falde igennem.

Bare tanken om ikke at have nogen penge var skræmmende.

Jeg følte det, som om jeg var ingenting.

At jeg bare var en kvinde uden ansigt, der svævede rundt i et fjendtligt univers uden noget som helst til at forankre mig.

Selvom jeg hader at indrømme det, så følte jeg mig som et mindreværdigt menneske uden min mand og hans kæmpestore månedsløn.

Jeg hadede mig selv for at være så usikker og så afhængig. Jeg burde have været en stærk, fræk, uafhængig, halvfemserkvinde. Den slags kvinder, som har markante holdninger, som går i biografen alene, og som tænker på miljøet, kan skifte en sikring, går til aromaterapi-behandlinger, har en urtehave, taler flydende italiensk og får behandlinger i en vægtløshedstank en gang om ugen og ikke har brug for en mand til at styrke hendes skrøbelige selvfølelse.

Men faktum er, at det var jeg ikke.

Jeg ville gerne have været det.

Og måske ville jeg også blive det en dag.

Det så ikke ud til, at jeg havde meget valg.

Jeg stod vist over for et fait accompli.

Men på det tidspunkt lignede jeg mere en husmor fra halvtredserne.

Jeg var fuldt ud tilfreds med at være hjemmegående husmor, mens min mand var ude og tjene pengene.

Hvis manden var villig til at dele pligterne i hjemmet såvel som at tjene den største del af pengene, så var det så meget desto bedre.

Jeg ville nok både blæse og have mel i munden.

Men på den anden side, hvad skulle man ellers gøre med mel i munden? Sluge det?

Bruge det som tætningsmateriale på utætte vinduer?

Bruge det som talkum?

Det er nok nogenlunde et af de dummeste ordsprog, jeg kender.

Hvordan skulle James og jeg dele pengene på vores fælles bankkonto? Det ville være ligesom at forsøge at skille siamesiske tvillinger ad. Dem, der hang sammen i alle de vitale organer. Hovedet og lungerne og leveren. Det ville være umuligt.

Jeg var lige ved at opgive alle krav på pengene for at blive sparet for det uundgåelige mundhuggeri. Det eneste, der hindrede mig i at afskrive min del af pengene på bankkontoen, var tanken om, at James brugte dem på Denise. Købte blomster og teaterbilletter og lækkert undertøj til hende. Ked af det, men jeg kunne altså ikke se nogen grund til, at jeg skulle lade mine penge finansiere den plan. Jeg var principielt imod den.

Det var moralsk forkert.

Desuden havde jeg set et par rigtig pæne sko i går i indkøbscenteret, og dem ville jeg gerne have.

Jeg kan ikke beskrive den følelse af umiddelbar genkendelse, som vældede op mellem os. Det øjeblik jeg fik øje på dem, havde jeg det, som om jeg allerede ejede dem. Jeg kunne kun gå ud fra, at vi havde været sammen i et tidligere liv. At det var mine sko, dengang jeg var tjenestepige i middelalderens England, eller da jeg var prinsesse i oldtidens Ægypten. Eller måske de havde været tjenestepigen eller prinsessen, og jeg havde været skoene. Hvor skulle jeg vide det fra? Uanset hvad, vidste jeg, at det var meningen, vi skulle være sammen.

Og jeg havde ikke nogen direkte adgang til andre midler. Derfor blev jeg nødt til at gøre krav på mine penge i England.

Uanset hvor smudsigt og ubehageligt det ville blive.

Mit hoved summede ved tanken.

Ligesom det havde summet aftenen før, da mor begyndte sin Cher og Ike-diskussion.

Da jeg for tre år siden giftede mig med James, regnede jeg ikke med, at vores ægteskab skulle ende på denne måde.

At noget, som begyndte med at være så sjovt og så fuldt af håb og spænding, kunne ende med knuste hjerter og juridiske tovtrækkerier.

At jeg skulle beskæftige mig med så mange klicheer.

Skændes om penge og ejendele.

Jeg havde altid troet, at James og jeg ville være anderledes. Selvom vi var gift, var der for fanden ingen grund til, at vi skulle opføre os sådan.

Sjov og kærlighed og lidenskab ville altid være det vigtigste for os.

Jeg havde svoret, at den dag aldrig ville komme, hvor jeg trådte ind i et rum og sagde til James, uden overhovedet at se på ham: „Kaklerne i badeværelset er løse. Du må hellere lige se på dem."

Eller sende ham det flygtigste blik og sige: „Jeg håber ikke, du har tænkt dig at tage den sweater på til middag hos Reynolds."

På samme måde som jeg havde svoret ikke at blive den type kvinde, som åd sig hele vejen rundt om bordet og spiste resterne af sine børns aftensmad.

Eller den type kvinde, som tiltalte sin mand direkte som 'farmand'. Ikke på 'Nej, skat, lad barberkniven ligge, det er farmands'-måden. Selvom jeg heller ikke er særlig vild med det.

Men på 'Gider du hente fløden, farmand?'-måden. Som om man selv og ens mand var ophørt med at betyde noget for hinanden som individer. At man ikke længere eksisterede som personer. Nu var man ikke andet end forældre til børn. Ens elskede var ikke længere ens elskede. Han var ganske enkelt den anden forælder til ens børn.

Jeg havde lovet mig selv, at jeg aldrig ville blive til alles mor.

Fine kvinder og sådan, som de i øvrigt var.

Jeg var forundret over, hvor arrogant jeg havde været.

Og hvor naiv.

Hvad i alverden fik mig til at tro, at jeg ville være anderledes?

Havde jeg ikke vidst, at tusinder af kvinder før mig havde lavet en pagt med sig selv om aldrig at lade magien i deres ægteskab forsvinde.

På samme måde som de indædt havde lovet sig selv, at de aldrig ville lade deres grå hår vokse ud, aldrig ville lade deres bryster hænge, aldrig ville få rynker.

Men det skete alligevel.

Deres vilje var ikke stærk nok til at bekæmpe det uundgåelige, til at vende tidens bølger.

Og det var min heller ikke.

Jeg lagde Kate i seng igen, mens jeg gik ud for at tage et bad. Jeg var åbenbart virkelig ved at vænne mig til det her med at leve alene, tænkte jeg stolt ved mig selv.

„Renlighed," sagde jeg til Kate og følte mig meget selvretfærdig, følte, at jeg var en god mor, „kommer lige efter gudfrygtighed."

„Og jeg skal nok fortælle dig, hvad gudfrygtighed er, når du er blevet lidt ældre."

I bruseren kunne jeg ikke holde op med at tænke på James. Ikke på en ondsindet eller bitter måde. Jeg huskede bare, hvor fantastisk det havde været. Selvom han havde såret mig sådan, som jeg aldrig havde troet, at han ville såre mig, kunne jeg ikke glemme, hvor vidunderligt det havde været sammen med ham.

Lige da James og jeg havde mødt hinanden, og vi gik ud med andre mennesker, sad jeg ofte og så på ham igennem lokalet, mens han snakkede med andre mennesker. Jeg tænkte altid for mig selv, at han virkelig så sexet og dejlig ud. Især når han var meget alvorlig og revisoragtig. Det fik mig altid til at smile. Han så ud, som om der overhovedet ikke var noget sjov ved ham.

Men jeg vidste, hvordan han var inderst inde, kan jeg godt fortælle dig.

Jeg blev så ophidset over at vide, at når festen eller aftenen var slut, så kom min mand med mig hjem. Jeg ville have, at det altid skulle være sådan.

Jeg havde set nok gifte kvinder, som blev fede og utiltrækkende og talte til deres mænd, som om de var tyende. Og det gjorde mig rigtig trist.

Hvorfor skulle man være gift, hvis magien var væk? Hvis det eneste, man kunne være fælles om, var, hvor nedslidt ens hjem var, og det, der skulle repareres. Eller hvor dårligt ens børn klarede sig i skolen?

Så kunne man lige så godt være gift med et Black and Decker-bor. Eller en lærebog om børnepsykologi.

Nå, men jeg kunne stadig ikke få det til at give mening.

Jeg elskede ham.

Jeg ville gerne have det til at fungere.

Jeg havde gjort mig meget umage for at gøre tingene smukke.

Det var faktisk overhovedet ikke sandt.

Jeg behøvede ikke at gøre mig særlig umage for, at tingene var smukke. Det var de bare uden problemer.

Eller det troede jeg, de var.

Jeg troede, at enhver søgen efter Den Rette var slut for vores begges vedkommende. Jeg havde mødt en mand, som elskede mig betingelsesløst. Højere end den betingelsesløse kærlighed, min mor nærede til mig, for der var desværre knyttet visse betingelser til den betingelsesløse kærlighed.

Han fik mig til at grine på samme måde, som mine søstre eller veninder kunne få mig til at grine. Men det var endnu bedre, for jeg vågnede som regel ikke op i samme seng som mine søstre eller veninder.

Så der var langt flere muligheder for at grine sammen med James, og endda på meget dejligere steder.

Og vel egentlig også om endnu bedre ting.

Du ved, jeg troede, at hvis der var nogen, der skulle have en affære, så ville det være mig.

Ikke fordi jeg troede, at jeg *ville* have en affære, hvis du forstår, hvad jeg mener.

Men det var mig, der var den højrøstede og støjende, som alle syntes var rigtig sjov.

Almindeligvis blev James betragtet som den fornuftige og pålidelige.

Stille, hvilende i sig selv, klippefast.

Det er problemet med mænd, som går i jakkesæt og med læsebriller, og som alvorligt fastholder dit blik og siger ting som: „I en periode med lav inflation er fastforrentede kreditforeningslån det sikreste" eller „Jeg ville sælge din aktiebeholdning og købe statsobligationer i stedet" eller noget i den stil.

Så man bliver narret til at tro, at de er lige så kedelige som opvaskevand og så sikre som huse.

Det var vel lige akkurat det, jeg havde gjort med James.

Jeg følte, at jeg kunne gøre hvad som helst, lige hvad jeg havde lyst til, og han ville bare smile overbærende til mig.

Han morede sig over mig.

Nej, ikke morede sig. Det lyder lidt nedladende og foragteligt.

Men han syntes helt klart, at jeg var underholdende.

Han syntes virkelig, at jeg var fantastisk.

Og jeg følte mig på den anden side meget tryg og sikker og beskyttet sammen med James.

Bare det faktum, at jeg vidste, at jeg kunne blamere mig, og James stadig ville elske mig, gjorde, at jeg *ikke* blamerede mig.

Jeg drak mig ikke fuld særlig ofte længere.

Men selv de gange jeg gjorde, og jeg vågnede næste morgen med dundrende hovedpine og krummede tæer ved tanken om de små bidder, jeg kunne huske fra aftenen før, så var han sød.

Han grinede kærligt og hentede vand til mig og lænede sig ind over mig og kyssede mig på min dunkende pande, mens jeg lå som et lig i sengen, og sagde trøstende ting som: „Nej, skat, du var ikke møgirriterende. Du var virkelig sjov", og „Nej, skat, du var ikke hoven. Du fik os alle sammen til at skrige af grin", og „Din taske skal nok dukke op. Den ligger sikkert under nogle frakker hjemme hos Lisa. Jeg ringer til hende nu", og „*Selvfølgelig* kan du se de mennesker i øjnene igen. Jeg mener, vi var *alle* sammen hammerstive. Du var på ingen måde den, der var mest fuld".

Ved én virkelig forfærdelig lejlighed – den værste 'morgen derpå' til dato – tror jeg, man kunne skære igennem løfterne om aldrig at drikke igen, så tyk var luften af dem, det kan jeg godt fortælle dig – „Skynd dig, skat, din retssag er klokken halv ti. Du må ikke komme for sent, for advokaten sagde, at dommeren er et rigtigt røvhul".

Hør nu, vent et øjeblik. Lad mig lige forklare. Hør, hvad jeg siger.

Ja, jeg blev arresteret en aften, men det var ikke, fordi jeg havde gjort noget ulovligt. Jeg var ganske enkelt på det forkerte sted på det forkerte tidspunkt. Jeg var tilfældigvis på en bar, som ikke havde alkoholbevilling. Jeg havde ingen anelse om, at ejerne gjorde noget ulovligt.

Bortset fra den pris, de tog for vinen.

Og de jakker, som udsmiderne havde på.

Jakkerne alene burde give ti år i isolation.

Jeg ved ikke, hvordan det lykkedes mig at blive indblandet i alt det. Det eneste, jeg ved med sikkerhed, er, at alkohol blev indtaget, og humøret var højt.

Da politifolkene kom ind på baren, og alle folk begyndte at gemme deres drinks under bordene, syntes Judy og Laura og jeg, at det var rigtig skægt.

„Ligesom forbudstiden," blev vi grinende enige om.

Jeg bestemte mig for, at jeg ville fortælle nogle af politifolkene min yndlingsvittighed, og den lyder sådan her: Hvor mange politimænd skal der til for at skrue en elpære i? Svaret er naturligvis: Ingen. Den faldt ned ad trappen.

En af politimændene blev meget stødt over det og sagde til mig, at hvis jeg ikke opførte mig ordentligt, ville han arrestere mig.

„Så arrester mig," sagde jeg og smilede frækt op til ham, mens jeg rakte mine håndled frem, så han kunne sætte håndjern om dem. Jeg var åbenbart ikke kommet overens med det faktum, at det var rigtige politifolk og ikke bare strippogrammer.

Så ingen var mere overrasket end mig, da politimanden gjorde lige netop det.

Jeg indså selvfølgelig, at han bare gjorde sin pligt.

Jeg bar ikke nag. Jeg var ikke bitter.

Røvhul.

Jeg må indrømme, at jeg var meget, meget overrasket.

Jeg forsøgte at fortælle ham, at jeg bare var en almindelig middelklasse-pige fra forstæderne. At det oven i købet var lykkedes mig at få en mand til at gifte sig med mig, og at han var revisor. Jeg fortalte ham alt dette for at lade ham vide, at vi var på samme side. Gjorde vrang til ret og bekæmpede uretfærdighed og alt det der.

Ved at arrestere mig ville han lave uorden i folks stereotype billede af en fuld person, der lavede gadeuorden.

Så af sted i politibilen, mens jeg tårevædet så ud ad vinduet efter Laura og Judy.

„Ring til James," mimede jeg til dem, idet jeg kørte væk.

Jeg vidste, at han ville vide, hvad der skulle gøres.

Og det gjorde han.

Han betalte min kaution og skaffede mig en advokat.

Jeg tror ikke, at jeg nogensinde i hele mit liv har været så bange.

Jeg var overbevist om, at en tilståelse ville blive banket ud af mig, og at jeg ville blive kastet i fængsel med utallige livstidsdomme, og at jeg aldrig ville se James eller mine venner eller familie igen.

Jeg kommer aldrig til at se den blå himmel igen, bortset fra i gården, tænkte jeg og havde intenst ondt af mig selv. Jeg kommer aldrig til at have pænt tøj på igen. Jeg er nødt til at iføre mig de der rædselsfulde fængsels-dragter.

Jeg var nødt til at blive lesbisk. Jeg måtte blive kæreste med Missus Big, så hun kunne beskytte mig mod alle de andre piger og deres colaflasker.

Jeg havde allerede en uddannelse, og det betød ikke en skid.

Jeg blev nødt til at begynde at ryge igen.

Jeg var ikke god til at tale med australsk accent.

Jeg var fortvivlet.

Så da James dukkede op på politistationen og fik mig ud, eller 'befriede mig', som jeg foretrækker at kalde det, kunne jeg næsten ikke fatte, at der ikke var nogen fjernsynskameraer og vilde folkemængder med bannere udenfor.

Der kom kun endnu en politibil, der hvinende bremsede op og skrabede kantstenen. Omkring fem fulderikker væltede ud.

James kørte mig hjem.

Han fik navnet på advokaten fra en ven og ringede til ham.

Han vækkede mig om morgenen, da jeg ikke kunne åbne øjnene på grund af bange anelser.

Han tørrede min læbestift af og fortalte mig, at det nok ville være bedst for min sag, hvis jeg ikke lignede en festabe.

Af samme grund fik han mig til at tage en lang nederdel og en højhalset bluse på.

Han sad i retssalen og holdt mig i hånden, mens jeg ventede på, at det skulle blive min tur.

Han nynnede små melodier for mig, mens jeg sad helt hvid i ansigtet, med kvalme af chok og tømmermænd.

Jeg syntes, at de melodier, han nynnede, var meget beroligende.

Indtil jeg opfangede et par af ordene.

Noget om at hugge sten og et hold straffefanger.

Jeg vendte mig om og stirrede tårevædet på ham, klar til at bede ham om at skride og tage hjem, hvis han synes, at min vanskelige situation var så morsom.

Men vi fik øjenkontakt.

Og jeg kunne bare ikke lade være.

Jeg begyndte at grine.

Han havde ret.

Hele situationen var så latterlig, at der ikke var nogen grund til *ikke* at grine af det.

Vi sad og fnisede som to skolebørn.

Dommeren sendte os et bistert blik.

„Så røg der ti år mere på din dom," gryntede James, og vi kollapsede igen.

Jeg slap med en bøde på halvtreds pund, som James betalte.

„Næste gang betaler du den selv," sagde han grinende til mig.

Jeg kunne næsten ikke fatte hans holdning til det. Jeg ville have været forfærdet, hvis der var nogen, der vækkede mig klokken to om natten for at fortælle mig, at James var blevet arresteret. Jeg ville helt sikkert ikke have fundet situationen lige så morsom, som han gjorde.

Jeg ville have spurgt mig selv godt og grundigt, hvad det var for en mand, jeg havde giftet mig med.

Jeg ville ikke have været overbærende og bakket ham op og tilgivet ham så fuldstændigt, som James tilgav mig.

Han tilgav mig faktisk ikke engang, for han opførte sig ikke et sekund, som om jeg havde gjort noget galt.

Næste gang jeg blev arresteret, ville der ikke være nogen til at holde mig i hånden i retssalen og få mig til at grine.

For ikke at tale om at betale den forpulede bøde.

Sommetider var han bare så sød. Når jeg vågnede midt om natten af bekymringer, var han vidunderlig.

„Hvad er der galt, skat?" spurgte han.

„Ingenting," ville jeg svare, ude af stand til at sætte ord på den forfærdelige, navnløse, fritsvævende rædsel.

„Kan du ikke sove?"

„Nej."

„Skal jeg kede dig i søvn?"

„Ja tak."

Hvorefter James lullede mig i søvn med sin beroligende stemme, der forklarede mig om skattelettelse for nødhjælpsorganisationer eller de nye skatteregulativer, som EU havde fastsat.

Jeg slukkede for bruseren og tørrede mig.

Jeg må hellere ringe til ham, sagde jeg til mig selv.

Jeg gik tilbage til mit værelse og begyndte at tage tøj på.

„Ring til ham," befalede jeg strengt mig selv.

„Når jeg har givet Kate mad," svarede jeg vagt og usikkert.

„Ring til ham!" sagde jeg til mig selv igen.

„Vil du have, at barnet skal *sulte?*" spurgte jeg og forsøgte at lyde forarget. „Jeg ringer til ham, når jeg har givet hende mad."

„Nej, du gør ej. Ring til ham NU!"

Jeg spillede det gamle spil igen.

Trak tiden ud, undlod at tage ansvar, stak af fra de ubehagelige situationer.

Men jeg var så bange.

Jeg *vidste,* at jeg blev nødt til at tale med James om penge og lejligheden og alt det. Det var ikke, fordi jeg benægtede det. Ikke et sekund. Men jeg følte, at de her ting ville blive virkelige, i det øjeblik jeg rent faktisk talte med ham om det.

Og hvis de var virkelige, betød det, at mit ægteskab var slut.

Det ville jeg ikke have, at det skulle være.

„Åh gud," sukkede jeg.

Jeg så på Kate, der lå i sin seng, blød og buttet og velduftende i sin lille lyserøde sparkedragt.

Og jeg vidste, at jeg blev nødt til at ringe til James.

Jeg kunne være en kujonagtig kylling på egne vegne, lige så meget jeg havde lyst til, men jeg skyldte mit smukke barn at få styr på hendes fremtid.

„Okay," sagde jeg resigneret og så på hende. „Du vrider armen om på mig. Jeg ringer til ham."

Jeg gik ind på mors værelse for at bruge telefonen derinde.

Jeg tastede nummeret til James' kontor i London, og jeg begyndte at blive svimmel.

Spændt og bange på samme tid.

Om få øjeblikke ville jeg høre hans stemme.

Jeg kunne ikke vente.

Jeg følte mig varm og dirrende af spænding.

Jeg skulle tale med ham, med min James, min bedste ven.

Bortset selvfølgelig fra, at det var han ikke længere, vel?

Men sommetider glemte jeg det. Bare i et øjeblik.

Det begyndte at være svært at trække vejret. Det var, som om luften ikke kom hele vejen ned.

Så var der forbindelse, og telefonen begyndte at ringe.

Der løb en gysen igennem mig, og jeg troede, at jeg skulle kaste op.

Receptionisten svarede.

„Øh, kan jeg komme til at tale med mr. James Webster, tak?" spurgte jeg med dirrende stemme. Mine læber føltes, som om jeg havde fået en sprøjte, der gjorde dem følelsesløse.

Der lød et par klik på linjen.

Om et øjeblik skulle jeg snakke med ham.

Jeg holdt vejret.

Det var jo alligevel ikke, fordi min hidtidige vejrtrækning havde gjort det særlig godt.

Endnu et klik.

Og receptionisten var tilbage.

„Jeg er ked af det, mr. Webster er her ikke i denne uge. Er der en anden, der kan hjælpe?"

Skuffelsen var så forfærdelig, at jeg næsten ikke kunne fremstamme: „Nej, det er fint, tak."

Jeg lagde på.

Jeg blev siddende på mors seng.

Jeg vidste ikke helt, hvad jeg skulle gøre.

Det havde været en kæmpe overvindelse at ringe til ham. Det var sådan en svær ting at gøre. Jeg havde oven i købet, imod min vilje, været spændt på at skulle tale med ham. Og så var han der ikke engang.

Hvor skuffende.

Litervis af adrenalin pumpede rundt i min krop og fik sveden til at bryde frem på panden, gjorde mine hænder fugtige og dirrende, gjorde mig svimmel, og jeg vidste ganske enkelt ikke, hvad jeg skulle stille op med det.

Så slog det mig. Hvor *var* James?

Åh, vær sød ikke at sige, at han er taget på ferie.

På *ferie?*

Hvordan kunne han tage på ferie, når hans ægteskab var ved at falde fra hinanden? Var faldet fra hinanden, for at være helt præcis?

Måske er han på kursus, tænkte jeg desperat.

Jeg overvejede halvt om halvt at ringe op til receptionisten igen og spørge hende, hvor James var.

Men jeg bremsede mig selv. Jeg havde ikke tænkt mig at smide den lillebitte smule stolthed, jeg havde tilbage, over styr.

Måske er han syg, tænkte jeg. Måske har han influenza.

Jeg ville helt sikkert have elsket nyheden om, at han var håbløst syg af kræft.

Hvad som helst, bare han ikke var taget på ferie.

Tanken om, at han havde et liv uden mig, tanken om, at han rent faktisk *nød* det liv, var dybt ubehagelig.

På den ene side vidste jeg selvfølgelig godt, at han havde et liv uden mig. Jeg mener, alle beviserne var der. Han boede sammen med en anden kvinde, han havde ikke kontaktet mig, ikke engang for at spørge til Kate. Men jeg var stadig ikke holdt op med at håbe på, at han måske længtes efter mig og savnede mig forfærdeligt, og at han i sidste ende ville komme tilbage.

Men hvis han var taget på ferie, var det ikke tilfældet.

Han har ingen bekymringer, tænkte jeg, og min fantasi gik amok. Han og hans tøjte er sikkert taget til et eller andet eksotisk sted, hvor han drikker Pina Colada af hendes sko. Hans liv summer af lyden af champagnepropper, der springer, og fyrværkeri, der eksploderer, omgivet af musik og glade mennesker i festhatte og guirlander, der hujende danser conga forbi ham.

Mens jeg sad og frøs her i martsvejret, var jeg aldeles overbevist om, at James festede løs på et meget dyrt hotel i Caribien, hvor han havde fjorten piccoloer og en privat swimmingpool, og luften duftede af frangipaniblomster.

Jeg havde ingen anelse om, hvordan frangipaniblomster duftede. Jeg vidste bare, at de ofte dukkede op i den slags scenarier.

Åh gud, tænkte jeg og sank en klump. Jeg havde helt sikkert ikke forventet at føle sådan her.

Hvad skal jeg nu gøre?

Mor marcherede ind på værelset med en enorm bunke nystrøget tøj i armene.

Hun stoppede overrasket op, da hun fik øje på mig.

„Hvad er der i vejen med dig?" spurgte hun og så på mit blege, elendige ansigt.

„Jeg ringede til James," sagde jeg til hende og bristede i gråd.

„Åh gud," sagde hun, lagde bunken med tøj på en stol og kom over og satte sig ved siden af mig.

„Hvad sagde han?" spurgte hun.

„Ingenting," snøftede jeg. „Han var der ikke. Jeg vil vædde på, at han er taget på ferie med den fede kælling. Og jeg vil vædde på, at de fløj på første klasse. Jeg vil vædde på, at de har jacuzzi på deres badeværelse."

Mor lagde armene om mig.

Og til sidst holdt jeg op med at græde.

„Skal jeg hjælpe dig med at lægge strygetøjet væk?" spurgte jeg mor med snøftende og grådkvalt stemme.

Det fik hende til at se *virkelig* bekymret ud. „Er du okay?" sagde hun ængsteligt.

„Ja," sagde jeg. „Jeg er okay."

„Er du sikker?" sagde hun, stadig ikke overbevist.

„Ja," insisterede jeg lidt irriteret.

Jeg havde det fint.

Jeg besluttede mig for at vænne mig til at være så ulykkelig.

For det ville ske rigtig meget. I hvert fald indtil jeg accepterede det faktum, at det virkelig var slut med James.

Okay, jeg følte mig virkelig elendig nu.

Såret og chokeret.

Men om et stykke tid ville det ikke gøre det så ondt. Smerten ville forsvinde.

Jeg havde ikke tænkt mig at lægge mig i seng en uge.

Jeg ville ranke ryggen og komme videre med mit liv.

Og jeg ville ringe til ham på mandag.

Det ville være et rigtig godt tidspunkt at snakke med ham.

Han ville sikkert føle sig rigtig elendig i forvejen, nu hvor han var tilbage fra ferie og led af post-ferie-blues og jetlag.

Jeg prøvede at muntre mig selv op ved at lade, som om jeg ville blive glad for at se ham i elendigt humør.

Og hvis ikke jeg tænkte for meget over det, virkede det måske i et stykke tid.

„Okay, mor," sagde jeg beslutsomt. „Lad os få lagt det her tøj væk."

Jeg gik målrettet hen mod den nystrøgne bunke tøj på stolen. Mor så lidt lamslået ud, da jeg hurtigt begyndte at sortere det.

Jeg tog en favnfuld op og sagde til mor: „Jeg lægger det her i Annas kommode."

„Jamen…" begyndte mor.

„Ikke noget med jamen," sagde jeg beroligende til hende.

„Nej Claire…" sagde hun ængsteligt.

„Mor," sagde jeg insisterende, ganske rørt over hendes bekymring, men fast besluttet på at tage mig sammen og være en pligtopfyldende datter. „Jeg har det fint nu."

Og jeg gik ud af soveværelset og hen til Annas værelse.

Døren smækkede bag mig. Så mors stemme blev dæmpet, da hun råbte efter mig. „Claire! For himlens skyld. Hvordan skal jeg forklare din far, at hans underbukser ligger i Annas skuffe?"

Jeg lå på knæene foran Annas kommode.

Jeg holdt inde med det, jeg var i færd med.

Var jeg i gang med at lægge fars underbukser i Annas kommode?

Det var jeg.

Jeg indså, at jeg hellere måtte fjerne dem. For Anna ville aldrig opdage, at der var noget usædvanligt, når hun skiftede underbukser og pludselig gik rundt i enorme, posede underbukser med gylp.

Hvis altså hun overhovedet skiftede undertøj.

Eller gik med underbukser, nu hvor jeg kom til at tænke over det.

Jeg var sikker på, at jeg havde hørt hende ævle om, at tøj – især undertøj – var en form for fascisme. Uklar snak om luften, der havde brug for at cirkulere, og huden, der skulle ånde, og kanalerne skulle føle sig frie og ubegrænsede, gav mig mistanke om, at Anna ikke prioriterede underbukser ret højt.

Jeg samlede bunken af underbukser op med et martyrisk suk.

Kapitel tretten

Jeg skulle mødes med Laura i byen den aften.

Jeg må hellere fortælle lidt om hende.

Laura, Judy og jeg gik på universitetet sammen. Vi havde været venner lige siden.

Judy boede i London.

Og Laura boede i Dublin.

Jeg havde ikke set Laura, siden jeg flygtede fra London, minus et styk ægtemand og plus et styk baby, men jeg havde snakket i telefon med hende et par gange.

Jeg fortalte hende, at jeg var alt for deprimeret til at mødes.

Og fordi hun var en god veninde, blev hun ikke fornærmet, men sagde, at jeg ikke skulle bekymre mig om det, for i sidste ende ville jeg få det bedre, og så kunne vi se hinanden på det tidspunkt.

Jeg fortalte hende, at jeg aldrig ville få det bedre, og jeg aldrig ville komme til at se hende igen, men at det havde været dejligt at kende hende.

Jeg havde på fornemmelsen, at hun havde ringet til mor et par gange i løbet af de sidste par måneder for diskret at spørge til mit hjertes tilstand (stadig knust, sidst jeg tjekkede), min mentale sundhed (stadig meget ustabil) og min popularitet (så langt nede, som den nogensinde havde været).

Men hun havde ikke plaget mig, og det var jeg meget taknemmelig over.

Nu havde jeg det imidlertid langt bedre, så jeg ringede til hende og foreslog, at vi mødtes i byen og fik en drink.

Laura lød begejstret for ideen.

„Vi drikker os skidefulde," sagde hun entusiastisk i telefonen.

Jeg ved ikke helt, om det var et forslag eller en forudsigelse.

Uanset hvad, så var det givet på forhånd.

„Det gør vi sikkert," samtykkede jeg, hvis vi skulle dømme efter vores møder igennem de sidste ti år eller mere.

Jeg var lettere foruroliget.

Jeg havde glemt, hvilken uhæmmet hedonist Laura var.

Hun kunne have vist de romerske kejsere et og andet.

Mor sagde, at hun kun ville være glad for at passe Kate.

Efter middagen (frossen shepherd's pie i mikroovnen, ikke så dårligt, hvis jeg skal være ærlig), gik jeg ovenpå for at gøre mig klar til min første tur i byen, siden min mand forlod mig.

Noget af en begivenhed.

Lidt ligesom at få taget mødommen eller min første altergang eller at blive gift. Noget, som kun sker én gang.

Jeg havde ikke en trævl at tage på.

Jeg begyndte at føle mig meget dum og lettere deprimeret over at have efterladt alt mit vidunderlige tøj i London. Jeg havde opført mig som en dødsdømt mand på vej til galgen, mens jeg græd melodramatisk og sagde, at mit liv var slut, og at jeg ikke ville få brug for tøj, der hvor jeg skulle hen.

Jeg skulle kun til Dublin.

Ikke til de evige jagtmarker.

Helt ærligt, hvor ynkeligt.

Jeg burde have vidst, at jeg før eller siden ville føle mig næsten normal igen.

Ikke vildt lykkelig eller noget så vidunderligt som det.

Men i stand til at klare det.

I betragtning af at alt mit tøj var i en anden by, havde jeg ikke andet valg end at forgribe mig på Helens ting.

Hun ville blive irriteret.

Det kunne der ikke herske tvivl om.

Men hun var alligevel irriteret på mig over mit såkaldte begær efter hendes kæreste, så jeg havde intet at tabe.

Utallige hentydninger til at gå hele linen ud.

Jeg begyndte hektisk at rode Helens skab igennem. Hun havde virkelig noget dejligt tøj.

Jeg kunne mærke safterne stige.

Jeg elskede tøj.

Jeg var som en mand, der var ved at dø af tørst i ørkenen, og som uventet snublede over et køleskab fuldt af iskolde Seven-up.

Jeg havde tilbragt alt for lang tid i den natkjole.

Jeg fandt en lille, bordeauxfarvet, forklædeagtig kjole i hendes klædeskab. Den er fin, tænkte jeg, idet jeg hev den på.

Jeg gik ind på mit eget værelse og så mig i spejlet, og for anden gang på to dage var jeg overrasket og glad for det, jeg så.

Jeg så høj-agtig, slank-agtig og ung-agtig ud.

Jeg lignede overhovedet ikke en enlig mor.

Eller en forladt hustru.

Hvordan de så end ser ud.

Med et par strømpebukser og mine støvler så jeg tilpas piget (ha!) og uskyldig (dobbelt ha!) ud.

Og hvis forklædekjolen var lidt for kort til mig og viste foruroligende meget lår, fordi Helen var meget mindre end mig, var det så meget desto bedre.

Flere hentydninger til skyer og blå himmel.

Og endnu flere hentydninger – denne gang fra min mor, som kom ind for at snakke med mig, mens jeg gjorde mig klar – til lam og nogle ulve, som tilfældigvis var klædt i fåreklæder.

Flere hentydninger fra min side, der påpegede, at ord ikke kan slå ihjel.

Endnu en hentydning fra hendes side angående silkepunge og griseører og umuligheden af at forvandle den ene til det andet.

Jeg forsøgte hurtigt at komme i tanke om endnu et ordsprog, men kunne ikke.

„Fuck!" sagde jeg.

Jeg havde fået nok af hentydninger for en aften. Der var brug for lidt klar tale.

Så smurte jeg makeup i hovedet. Jeg var ret spændt på at skulle i byen. Jeg havde glemt, hvor sjovt det var.

Jeg plejede at elske at gå i byen.

Normalt var jeg et meget socialt menneske.

Når min mand ikke lige havde forladt mig, var jeg ret sjov at være sammen med.

Ikke den der sagde nej tak til en invitation.

Jeg har altid ment, at vi lige så godt kan more os, mens vi kan, og at vi kan sove, når vi dør.

Der vil være masser tid til at blive hjemme og stryge sit arbejdstøj til hele den følgende uge i det næste liv.

Jeg var normalt den første til at ankomme til en fest.

Og uundgåeligt den sidste, der gik.

En ordentlig klat foundation blev energisk smurt ud i ansigtet for at fjerne den hvide, dejagtige vinterfarve.

Jeg sværgede til kvantitet såvel som kvalitet, når det drejede sig om makeup.

Selvom man siger, at solbrændthed er et statussymbol fra firserne og fuldstændig malplaceret i de naturlige og korrekte halvfemsere, må jeg med skam melde, at jeg stadig ville ønske, at jeg var solbrændt.

Okay, okay, så man får hudkræft af overdrevent solbaderi, og hvad værre er, man får hud som australiere. Men jeg synes, at et glat, brunt ansigt ser meget sundt og tiltrækkende ud.

Hvorfor skulle man beskytte sig mod hudkræft og fuldstændig tvangsbetonet undgå solen og gå rundt og ligne et kadaver, når man kan blive ramt af en bus i morgen?

Bortset fra det, så var jeg ikke solbrændt. Jeg ville bare ønske, at jeg var det. Det er vel næsten lige så slemt.

Og jeg var totalt klar til at bruge makeup for at blive det. Så man kunne ikke ligefrem beskrive min makeup som bleg og interessant.

Interessant måske, men ikke bleg.

To striber kindrødt, en på hvert kindben.

Det så faktisk lidt skræmmende ud, indtil jeg gned det ud.

Jeg var sikker på, at jeg hørte mor mumle noget, der lød ligesom „Klovnen Coco", og jeg vendte mig lynhurtigt om, men hun nærstuderede bare sine fingernegle med et totalt udtryksløst ansigt.

Det må have været noget, jeg forestillede mig.

Lidt intens rød læbestift for at sikre mig, at man aldrig ville antage mig for at være andet end kvinde, selvom jeg var iført en piget kjole.

Kvinde.

Jeg elskede det ord.

Jeg var en kvinde.

Jeg ville have sagt det højt, men forbavsende nok var mor ikke styrtet ud af lokalet, da jeg havde brugt F-ordet, og hun sad stadig på sengen, mens jeg lagde makeup, og jeg følte, at jeg havde forskrækket hende tilstrækkeligt i løbet af den sidste måned.

Men det var sådan et suggestivt ord.

Kvinde.

Så vellystigt. Så sensuelt.

Eller var det sanseligt?

Jeg blandede altid de to sammen.

Nå, tilbage til mere verdslige ting.

Grå eyeliner og sort mascara fik mine øjne til at se virkelig blå ud.

Og med det nyvaskede, blanke hår var jeg meget tilfreds med effekten.

Det var mor naturligvis ikke.

„Har du tænkt dig at tage en nederdel på til den der top?" spurgte hun.

„Mor, du ved udmærket godt, at det er en kjole, ikke en top," sagde jeg roligt til hende.

Hun kunne ikke sige eller gøre noget, som forhindrede mig i at have det godt med mig selv.

„Det kan godt være, at det er en kjole på Helen," erkendte hun. „Men den er for kort til at være andet end en top på dig," sagde hun.

Jeg ignorerede hende.

„Har du spurgt Helen, om du må låne den?" sagde hun, åbenbart fast besluttet på at ødelægge mit gode humør. „For det er mig, der skal høre på Helen. Du er ligeglad. Du er i byen med dine vilde venner og tyller Malibu og Lucozade, eller hvad det nu er, I drikker. Mens jeg er herhjemme og min yngste datter råber ad mig, som om jeg er en sigøjnerhund. Det er jo ikke ligefrem, fordi nogen af os er Helens favoritter lige for tiden."

„Åh, hold kæft, mor," sagde jeg til hende. „Jeg lægger en seddel til Helen og forklarer, at jeg har lånt den. Og når jeg får alt mit tøj fra London, så kan hun låne noget af mit."

Stilhed fra mor.

„Er det okay?" spurgte jeg hende.

„Ja," sagde hun og smilede.

„Og du ser dejlig ud," tilføjede hun ond i sulet.

Lige inden jeg gik ud af værelset for at gå nedenunder, fik jeg øje på noget, der glimtede på natbordet. Det var min vielsesring. Jeg havde glemt at tage den på efter badet. Den lå der og blinkede op til mig, åbenbart virkelig ivrig efter at komme lidt ud af huset. Så jeg gik over og tog den op. Men jeg tog den ikke på. Mit ægteskab er slut, tænkte jeg, og måske begynder jeg også at tro på det, hvis jeg ikke længere går med min vielsesring. Jeg lagde ringen på toiletbordet igen.

Den var selvfølgelig rasende – den nægtede at tro, at jeg ikke ville tage den på. Og så blev den ked af det. Men jeg gav ikke efter. Jeg havde ikke råd til den slags følelser. Jeg bestemte mig for at gå, før anklagerne begyndte. „Undskyld," sagde jeg hurtigt, idet jeg vendte ryggen til, slukkede lyset og gik ud af rummet.

Far så golf i fjernsynet, da jeg gik ind til ham for at låne bilnøglerne.

Jeg tror, jeg gav ham lidt af et chok, da det endelig lykkedes mig at vride hans opmærksomhed væk fra mændene i Paddington-bukser.

„Du er meget glamourøs," sagde han og så helt forskrækket ud. „Hvor skal du hen?"

„Ind til byen for at mødes med Laura," sagde jeg.

„Sørg nu for fanden for, at bilen ikke bliver udsat for hærværk," sagde han forfærdet.

Far kom fra en lille by i Vestirland, og selvom han havde boet i Dublin i treogtredive år, stolede han stadig ikke på dublinerne. Han mente, at de alle sammen var nogle småkriminelle bøller.

Måske troede han, at Dublins centrum var ligesom Beirut. Bortset fra at der var meget rarere i Beirut.

„Den bliver ikke udsat for hærværk, far," sagde jeg til ham. „Jeg kører den i parkeringshus."

„Så husk at hente den ved midnat," sagde han og blev meget oprørt. „For de lukker alle parkeringshusene på det tidspunkt. Og hvis du ikke henter den, så bliver jeg nødt til at gå på arbejde i morgen."

Jeg undlod at fortælle ham, men kun lige akkurat, at han ikke behøvede at gå nogen steder næste morgen, selvom jeg ikke havde bilen med hjem. For der var faktisk ikke noget, der forhindrede ham i at låne mors bil eller bruge offentlige transportmidler.

„Bare rolig, far," forsikrede jeg ham. „Giv mig så nøglerne."

Han rakte mig dem modvilligt.

„Lad være med at skifte radiostation. Jeg gider ikke tænde den i morgen tidlig og få ørerne blæst ud af popmusik."

„Hvis jeg skifter station, skal jeg nok stille den tilbage," sukkede jeg.

„Hvis du kører sædet frem, så husk at køre det tilbage igen. Jeg gider ikke sætte mig ind i den i morgen tidlig og tro, at jeg har taget flere tons på i løbet af natten."

„Bare rolig, far," sagde jeg tålmodigt, idet jeg tog min frakke og taske. „Vi ses senere."

Det er lettere at få en kamel gennem et nåleøje end at låne bilen af far.

Idet jeg lukkede døren ind til stuen, hørte jeg ham råbe efter mig: „Hvor skal du hen uden nederdel?" men jeg gik videre.

Det var forfærdeligt at forlade Kate. Det var første gang, jeg skulle ud uden hende, og det var virkelig slemt. Jeg var faktisk lige ved at tage hende med, men så indså jeg, at hun nok skulle komme til at tilbringe tilstrækkelig meget tid på støjende, tilrøgede pubber, når hun blev ældre, så der var ingen grund til, at hun begyndte allerede nu.

„Du ser ind til hende *hvert* kvarter," sagde jeg tårevædet til mor.

„Ja," sagde hun.

„Hvert *kvarter*," sagde jeg med eftertryk.

„Ja," sagde hun.

„Du glemmer det ikke?" sagde jeg ængsteligt.

„Nej," sagde hun og begyndte at lyde lidt irriteret.

„Men hvad hvis du ser noget i fjernsynet, og du bliver distraheret?"

„Jeg glemmer det ikke!" sagde hun og lød helt sikkert irriteret. „Jeg ved godt, hvordan man tager sig af et barn, at du ved det. Det er lykkedes mig at opfostre fem af mine egne."

„Det ved jeg godt," sagde jeg til hende. „Det er bare, at Kate er noget særligt."

„Claire!" sagde mor forbitret. „Vil du så for fanden se at komme af sted!"

„Fint, fint," sagde jeg og tjekkede hurtigt, at babyalarmen var slået til. „Jeg smutter."

„Hav en god aften," råbte mor.

„Jeg skal forsøge," sagde jeg med dirrende underlæbe.

Køreturen ind til byen var mareridtsagtig.

Vidste du, at hvis man hører rigtig godt efter, så lyder *alting* som barnegråd.

Vinden i træerne, regnen på bilens tag, motorens summen.

Jeg var overbevist om, at jeg kunne høre Kate kalde på mig hele tiden, helt svagt, næsten uden for hørevidde.

Det var ulideligt.

Det var lige før, jeg vendte bilen og kørte hjem igen.

Hvis ikke det var, fordi Fornuften lavede en gæsteoptræden i mit hoved, så var det sikkert lige præcis det, jeg havde gjort.

„Nu er du fjollet," sagde Fornuften.

„Du er åbenbart ikke selv mor," svarede jeg igen.

„Nej," indrømmede Fornuften. „Det er jeg ikke. Men du bliver nødt til at indse, at du ikke kan være sammen med hende hvert eneste øjeblik resten af hendes liv. Hvad når du skal begynde at arbejde igen, og hun skal passes? Hvordan har du tænkt dig at klare det? Bare tænk på det her som en øvelse."

„Du har ret," sukkede jeg og faldt til ro et øjeblik. Så blev jeg igen grebet af panik. Hvad hvis hun døde? Hvad hvis hun døde i nat?

I samme øjeblik, som en oase i ørkenen, fik jeg øje på en telefonboks. Jeg svingede bilen derover til stor irritation for bilisterne bag mig, som dyttede og råbte grimme ting efter mig, de hjerteløse røvhuller.

„Mor?" sagde jeg med bævende stemme.

„Hvem er det?" spurgte hun.

„Det er *mig*," sagde jeg og var lige ved at briste i gråd.

„*Claire?*" sagde hun og lød groft krænket. „Hvad helvede vil du?"

„Er der sket Kate noget?" spurgte jeg åndeløst.

„Claire! Stop det! Kate har det rigtig dejligt."

„Er det rigtigt?" spurgte jeg og turde knap nok tro på det.

„Det er rigtigt," sagde hun venligt. „Prøv at høre, det bliver lettere. Den første gang er den værste. Smut så, og mor dig, og jeg lover dig, at jeg nok skal ringe, hvis der sker noget."

„Tak, mor," sagde jeg og havde det meget bedre.

Jeg satte mig ind i bilen igen og kørte ind til byen og parkerede bilen (ja, i et parkeringshus) og gik ned på pubben for at mødes med Laura.

Hun sad der allerede, da jeg kom.

Det var vidunderligt at se hende. Jeg havde ikke set hende i flere måneder.

Jeg fortalte hende, at hun så godt ud, for det gjorde hun. Hun fortalte mig, at jeg så dejlig ud. Selvom jeg ikke er helt sikker på, om jeg gjorde det.

Hun sagde, at hun lignede en gammel heks.

Jeg sagde, at jeg lignede en hund.

Jeg sagde, at hun ikke lignede en gammel heks.

Hun sagde, at jeg ikke lignede en hund.

Da høflighederne var overstået, gik jeg op for at købe drinks.

Der var flere millioner mennesker inde på pubben. Eller sådan føltes det i det mindste. Men Laura og jeg var heldige at få et sted at sidde.

Jeg må vist være ved at blive gammel. Der var engang, hvor jeg gladelig ville have stået op med en øl i hånden blandt alle disse mennesker, og blive puffet rundt som tang i tidevandet. Uden at have noget imod, at den person, som jeg stod og talte med, nu var flere meter væk, og at det meste af min øl var spildt ud over min arm.

Laura ville vide alt om Kate. Og jeg var kun glad for at fortælle hende det.

Da jeg var yngre, lovede jeg mig selv, at jeg aldrig ville blive til en kedelig babymor. Du ved, den type, der ævler løs om sin baby, og hvordan hun smilede for første gang i dag, og hvor smuk hun er og alt det, mens folk vrider og vender sig og får spasmer af kedsomhed. Så jeg var lidt foruroliget over, at det var lige præcis, hvad jeg gjorde. Men jeg kunne ikke lade være. Det var anderledes, når det var ens eget barn.

Det eneste, jeg kan sige til mit forsvar, er, at når du selv har fået en, så vil du vide, hvad jeg mener.

Måske var Laura ved at kede sig til døde, men hun gav overbevisende udtryk for at være interesseret i Kate.

„Jeg vil simpelthen så gerne se hende," sagde hun. Modigt, tænkte jeg.

„Hvorfor kommer du ikke forbi i denne weekend?" sagde jeg. „Så kan vi være sammen hele eftermiddagen, og du kan lege med hende."

Derefter ville Laura vide, hvordan det var at føde. Så i et godt stykke tid gennemgik vi hver eneste slimet detalje af fødslen.

Indtil Laura begyndte at se lidt bleg og svedende ud.

Så gik vi selvfølgelig videre til næste emne på tapetet. Aftenens vigtigste punkt. Aftenens hovednummer.

James.

James Webster, den Utrolige, Usynlige Mand.

Laura havde allerede hørt alle detaljerne.

Fra mange forskellige kilder: min mor, Judy og en masse af vores venner. Så hun behøvede egentlig ikke at høre, hvad der var sket. Hun var mere interesseret i at vide, hvordan jeg havde det nu, og hvad jeg planlagde at gøre.

„Det ved jeg ikke, Laura," sagde jeg. „Jeg ved ikke, om jeg tager tilbage til London, eller om jeg bliver her. Jeg ved ikke, hvad jeg skal stille op med min lejlighed. Jeg ved faktisk ikke rigtig, hvad jeg skal stille op med noget som helst."

„Du bliver virkelig nødt til at tale med James," sagde hun til mig.

„Åh, tror du ikke, jeg ved det?" sagde jeg.

Lettere bittert må jeg indrømme.

Vi diskuterede mit ansvar et stykke tid. Og forsøgte at gætte på, hvordan min fremtid ville blive.

Jeg blev lidt ulykkelig over at snakke om det, så jeg skiftede emne og spurgte Laura, hvem hun dyrkede sex med for tiden.

Det var meget mere underholdende at snakke om, det kan jeg godt fortælle dig.

Den heldige modtager af Lauras seksuelle ydelser var for tiden en nittenårig kunststuderende.

„Nitten!" hylede jeg i et lydniveau, som fik glassene til at smadres i hænderne på flere folk på en pub en kilometer væk. „Nitten! Tager du pis på mig?"

„Nej," grinede hun. „Men det er en ren katastrofe. Han har aldrig nogen penge, så vi har faktisk kun råd til at dyrke sex."

„Jamen, kunne du ikke betale, når I går i byen?" spurgte jeg.

„Det kunne jeg vel," sagde hun. „Men han ligner sådan en sut, at det ville være for pinligt at have ham med nogen steder."

„Er han altid dækket af malerpletter?" spurgte jeg.

„Det er han," sagde hun. „Men det er ikke kun det. Det virker, som om han kun har én sweater. Og ikke nogen sokker. Og jo mindre vi siger om hans underbukser, desto bedre."

„Uha," sagde jeg. „Det lyder slemt."

„Åh nej, det er det faktisk ikke," forsikrede Laura mig. „Han er vild med mig. Han synes, jeg er vidunderlig. Og det har mit ego rigtig godt af."

„Laver I virkelig ikke andet end at dyrke sex?" spurgte jeg nysgerrigt. „Jeg mener, snakker I overhovedet ikke eller noget?"

„Ikke rigtig," sagde hun. „Helt ærligt, så har vi ingenting til fælles. Han er fra en anden generation. Han kommer forbi. Vi dyrker sex og griner lidt. Han fortæller mig, at jeg er den smukkeste kvinde, han nogensinde har mødt – jeg er sikkert den *eneste* kvinde, han nogensinde har mødt – og så går han igen om morgenen – og tager normalt et par af mine sportssokker med sig – beder mig om penge til bussen, og så er han væk. Det er skønt!"

Gud, tænkte jeg og så beundrende på Laura.

„Du er bare sådan en halvfemserkvinde," sagde jeg til hende. „Hvor er du bare sej."

„Ikke rigtigt," sagde hun. „Jeg holder bare ulvene fra døren. En havn i en stormvejr og alt det der."

„Er han så din *kæreste?*" spurgte jeg. „Jeg mener, ville du gå ned ad Grafton Street med ham i hånden?"

„Gud nej!" sagde hun og så forfærdet ud. „Tænk, hvis jeg mødte nogen, jeg kendte! Nej, nej, den lille engel er kun en midlertidig foranstaltning, der holder sengen varm, indtil Den Rette dukker op. Selvom jeg ikke kan forstå, hvorfor det tager ham så lang tid."

Selvom jeg var meget glad for at se Laura, var jeg meget bevidst om, at dette faktisk var min første sociale begivenhed som single i over fem år.

Og det var min første sociale begivenhed uden min vielsesring. Jeg følte mig meget sårbar og nøgen uden den. Det var først, da jeg ikke længere havde den på, at det gik op for mig, hvor tryg jeg havde følt mig med den. Du ved, den er et udsagn, den siger noget i stil med: „Jeg er ikke desperat efter en mand, for jeg har allerede en. Nej, det er sandt, det har jeg. Se bare min vielsesring."

Laura havde slået op med sin kæreste, Frank, for omkring et år siden.

Så på trods af Lauras teenage-elsker var vi i alt væsentligt to singlekvinder, der nippede til et glas vin i en pakket pub i centrum en torsdag aften i marts.

Jeg spekulerede på, om mændene kunne lugte desperationen på os.

Jeg spekulerede på, om der overhovedet var nogen desperation at lugte.

Fik Laura min udelte opmærksomhed? Eller scannede en del af mig lokalet på udkig efter tiltrækkende mænd? Havde jeg tal på, hvor mange mænd der havde sendt mig beundrende blikke, siden jeg kom?

Ingen, for at være helt ærlig.

Ikke fordi jeg sad og talte eller noget.

Jeg grinede af noget, som Laura fortalte mig.

Men jeg var ikke sikker på, at jeg virkelig grinede.

Måske ville jeg bare vise mændene på pubben, at jeg var fuldstændig tilfreds og velfungerende og ikke følte mig som en kvart person uden en mand.

Min gud, jeg begyndte faktisk virkelig at blive deprimeret. Jeg følte det, som om jeg havde et neonskilt over hovedet, hvor der stod 'Droppet For Nylig' med blinkende lyserøde og lilla bogstaver og derpå 'Værdiløs Uden En Mand' i orange og rødt lys.

Al min selvsikkerhed var forsvundet.

Jeg havde aldrig anet, at jeg kunne føle mig så stigmatiseret.

Dengang James og jeg var lykkeligt gift, mødtes jeg tit med mine veninder på forskellige pubber uden at skænke det en tanke.

Hvorfor var det pludselig blevet sådan et problem?

Laura bemærkede, at jeg var begyndt at hænge med hovedet som en visnende plante, og stillede rutinespørgsmålene. Jeg forsøgte grådkvalt at fortælle hende, hvordan jeg havde det.

„Bare rolig," sagde hun kærligt til mig. „Dengang Frank forlod mig til fordel for hende den tyveårige, *skammede* jeg mig sådan. Som om det var min skyld, at han var skredet. Jeg følte det, som om jeg var mindre end ingenting værd uden ham. Men det går over."

„Gør det?" spurgte jeg, mens tårerne vældede op i øjnene.

„Helt ærligt, det gør det," lovede hun mig.

„Jeg føler mig som sådan en taber," forsøgte jeg at forklare hende.

„Jeg ved det, jeg ved det," sagde hun. „Og du føler, at alle andre ved det."

„*Præcis*," sagde jeg og var taknemmelig over, at jeg ikke var det eneste menneske, der nogensinde havde følt sådan her.

„Okay," sagde jeg og tørrede øjnene. „Så er det vist tid til flere drinks."

Jeg kæmpede mig igennem den glade menneskemængde og kom endelig op til baren. Der stod jeg og blev skubbet til og fik albuer puffet op i ansigtet og drinks spildt ned ad ryggen, mens jeg forsøgte at få bartenderens opmærksomhed. Lige i det øjeblik jeg nåede til den konklusion, at jeg nok måtte løfte op i min kjole og vise ham mine babser, før han lagde mærke til mig, var der en, der lagde sine hænder om min talje og gav mig et klem.

Det var lige, hvad der manglede! En, der forgreb sig på en singlekvinde over en vis alder.

Jeg vendte mig rasende om, så hurtigt som jeg kunne på den begrænsede plads, klar til at anklage en for sexchikane.

Og stod ansigt til ansigt med en brystkasse.

Det var den smukke Adam.

Adam, som måske og måske ikke var Helens kæreste.

Juryen voterede stadig.

„Hej," sagde han charmerende. „Jeg så dig fra den anden ende af baren. Har du brug for hjælp?"

„Åh hej," sagde jeg og holdt masken, men var rigtig glad for at se ham. Hvor var det heldigt, at Laura havde valgt denne pub, tænkte jeg.

„For fanden, hvor er jeg glad for at se dig," sagde jeg. „Jeg kan ikke komme til at bestille. Bartenderen hader mig."

Han grinede.

Og jeg grinede. Jeg havde helt glemt, at vi skulle føle os akavede over for hinanden efter den lille scene på mit soveværelse, hvor han praktisk talt foreslog, at vi lavede børn sammen.

Adam sagde: „Jeg skal nok bestille for dig."

Jeg gav ham pengene og bad ham købe to glas rødvin og noget til sig selv.

Jeg var stolt af ikke at have glemt, hvor jeg kom fra. Jeg havde ikke glemt mine rødder. Jeg havde også engang været en fattig studerende. Jeg kan huske, hvordan jeg bogstavelig talt plejede at se folk tænde cigaretter med fempundsedler og misundeligt drømme om, at de ville købe mig en stor fadøl, bare en stor fad.

Adam pressede sig op til baren. Min kind hvilede bogstavelig talt på hans brystkasse. Jeg kunne svagt lugte ham. Sæbe. Han duftede så rent og frisk.

Jeg bad ironisk mig selv om at tage mig sammen. Jeg var begyndt at opføre mig ligesom Blanche Du Bois. Eller hende den vanvittige gamle alkoholiker fra *Sunset Boulevard*, hvad hun end hed. Eller hvem som helst i en myriade af gamle hekse, som dukker op i samtlige historier fra Hollywood med ansigtsløftninger helt ud til fingerspidserne, fortæret af begær efter meget yngre mænd. Triste og ynkelige. Jeg havde ikke lyst til at være sådan.

Adam havde naturligvis skaffet vores drikkevarer i løbet af ingen tid. Bartendere behandler fyre som ham med respekt. De har ikke tid til kvinder som mig. Især ikke den slags, hvis mænd har forladt dem.

Ligesom alle andre mænd i universet vidste bartenderen åbenbart, at jeg var en taber.

Adam rakte mig de to glas vin og sagde så: „Her er dine byttepenge."

„Åh, jeg har ikke nogen frie hænder," sagde jeg og løftede de to vinglas.

„Ikke noget problem," sagde han og lod sin hånd glide ned i lommen på siden af min kjole.

Et kort sekund hvilede hans hånd på min hofte. Jeg kunne mærke varmen gennem kjolestoffet.

Jeg holdt vejret.

Det tror jeg også, at han gjorde.

Så slap han pengene, og de klirrede i lommen på mig.

Hvad ville du have, jeg skulle gøre? Smække ham en lussing, fordi han tog sig friheder? Jeg mener, fyren skulle jo give mig mine drikkepenge tilbage, og jeg havde ingen frie hænder, vel? Han havde gjort lige præcis det rigtige.

Selvom jeg mener, at folk, som er så tiltrækkende, burde have en tilladelse. De burde gå op til en eller anden form for eksamen for at bevise, at man kan stole på, at de opfører sig ansvarligt ude på gaden, når de går rundt og ser så fantastiske ud.

Det var ikke bare, fordi han var så pæn. Hvilket han unægtelig var. Men han var så stor og mandig.

Han fik mig til at føle mig som sådan en skrøbelig, lille kvinde.

Det var natkjole-syndromet om igen.

Han sagde: „Hvem er du sammen med?"

Og jeg sagde: „Min veninde Laura."

Han sagde: „Må jeg komme over til jer?"

Jeg sagde: „Selvfølgelig."

Hvorfor ikke? tænkte jeg. Han er underholdende og sød, og Laura vil sætte pris på ham.

Selvom han måske er lidt for gammel til hende.

Han styrede mig igennem den pakkede pub. Jeg må sige, at folk behandlede mig med langt mere respekt, når han var i nærheden.

Jeg tror ikke, at jeg fik mere end en enkelt dråbe alkohol spildt ned ad mig på turen tilbage fra baren, i sammenligning med det bryggeri, der blev hældt ud over mig på udturen.

Meget uretfærdigt, selvfølgelig, men sådan er det.

Vi gik forbi en gruppe mennesker, som tilsyneladende kendte Adam.

„Adam, hvor skal du hen?" spurgte en af pigerne. Lyshåret. Lyserød trutmund. Meget ung. Meget køn.

„Jeg har mødt en gammel ven," sagde han. „Jeg går lige hen og får en drink sammen med hende."

Jeg lod hurtigt blikket løbe hen over gruppen for at sikre mig, at Helen ikke var der. Gudskelov kunne jeg ikke få øje på hende.

Jeg lagde imidlertid mærke til en ældre kvinde blandt dem, som så meget ængstelig ud, da Adam gik forbi deres gruppe. Kunne det være den stakkels, elskovssyge professor Staunton?

Jeg blev opmærksom på flere fjendtlige blikke. Alle sammen fra piger. Det var næsten morsomt.

Til helvede med dem, tænkte jeg muntert.

Hvis de bare vidste. De har ikke noget at frygte fra mig.

Jeg havde lyst til at fortælle dem, at min mand havde droppet mig, og han var bare gennemsnitligt pæn. Ikke ligesom Adam her. Så hvilken interesse kunne en Adonis som Adam have i mig?

Desuden elsker jeg stadig min mand.

Troløs og det hele, som han er.

Jeg tog Adam med over og præsenterede ham for Laura.

Hun rødmede.

Så han havde virkelig den effekt på alle kvinder, han mødte. Det var ikke kun kvinderne i min familie.

På en eller anden måde lykkedes det Adam at finde en tom stol.

Det var den slags fyr, han var.

„Du er da noget af en løgner," sagde jeg og smilede til ham.

„Hvorfor?" spurgte han, spærrede øjnene op og så meget uskyldig og drenget ud.

„Du sagde til den stakkels pige, at jeg var en gammel ven," sagde jeg,

„Jamen, det er du jo," sagde han. „Du er gammel."

„Altså ældre end mig," sagde han hurtigt, da han bemærkede, at jeg var begyndt at knibe øjnene sammen. „Og det ved jeg kun, fordi jeg spurgte Helen, hvor gammel du var. Jeg troede, du var meget yngre."

Jeg så bare på ham.

Det skal han have point for, tænkte jeg, han fik reddet den i land.

„Og," fortsatte han, „selvom vi kun har mødt hinanden en gang før, så synes jeg, at vi er venner."

Ja, tænkte jeg, han har *helt sikkert* reddet den i land.

Laura fortalte mig senere, at det var på dette tidspunkt, at hun tog sine trusser af og løftede op i nederdelen, men ingen af os lagde mærke til det. Jeg tror hende ikke over en dørtærskel.

Men jeg tror nok, at jeg forstår hendes pointe.

Aftenen blev helt klart bedre, efter at Adam dukkede op.

Jeg følte mig i hvert fald meget gladere.

Jeg skammer mig over at måtte indrømme det, men jeg følte mig meget bedre tilpas med en mand i nærheden.

Som om jeg var mere værd.

Helt ærligt, jeg vidste godt, hvor trist og ynkeligt det var. Og jeg havde planer om at ændre holdning.

Men det var vidunderligt at være sammen med Adam.

Ud over alt det andet så kunne han føre en samtale.

Laura spurgte Adam, hvor han kendte mig fra, og han sagde: „Jeg går på universitetet sammen med Helen."

Laura sendte mig et meget sigende blik: Åh gud, nej, ikke en forpulet studerende. Så skal vi lade, som om vi er interesserede i hans studier.

Men Adam tog røven på hende.

Det lader til, det er en vane, han har.

„Det er okay," sagde han og smilede til Laura. „Du behøver ikke spørge, hvad jeg læser."

„Åh," sagde hun lettere pinligt berørt. „Jamen, så vil jeg lade være med det."

Der var en lille pause.

„Men nu er jeg faktisk nysgerrig," sagde Laura.

„Det var ikke meningen," grinede Adam. „Men nu hvor du har spurgt, så læser jeg engelsk, psykologi og antropologi på første år."

„Første år?" spurgte Laura, hævede øjenbrynene og hentydede tydeligvis til hans, hvad skal vi kalde det, ikke så drengede udstråling.

„Ja," sagde Adam. „Jeg er voksen-studerende. Eller det er i hvert fald det, de kalder det. Jeg føler mig ikke særlig voksen. Kun når jeg sammenligner mig med mine medstuderende."

„Er de forfærdelige?" spurgte jeg og ønskede, at han ville sige ja.

„Ikke forfærdelige," sagde han. „Bare unge. Det er der jo nogen, der skal være. Jeg mener, de er alle sammen sytten-atten år, og de er lige gået ud af skolen, og de går kun på universitetet for at udsætte alle former for ansvar et par år endnu. Ikke fordi de har den store interesse i at lære noget. Eller elsker deres fag."

Laura og jeg havde pli nok til at se ekstremt skamfulde ud, da han sagde det. Laura og Judy og jeg havde været stjerne-eksempler på de dovne, ugidelige, arbejdssky, forkælede, svage typer, som han beskrev.

„Hvor forfærdeligt for dig," mumlede jeg.

Laura og jeg grinede smørret til hinanden.

„Hvordan kan det så være, at du går på universitetet nu?" spurgte jeg ham.

„Tja, jeg havde ikke lyst til at gøre det før nu. Jeg vidste ikke rigtig, hvad jeg ville, da jeg gik ud af skolen. Så jeg gjorde alle de forkerte ting," sagde han fængslende.

„Og for nylig fik jeg styr på mit liv igen. Det var noget værre rod," fortsatte han, endnu mere interessant. „Og nu er jeg klar til universitetet. Jeg er virkelig vild med det."

„Virkelig?" sagde jeg, imponeret over hans modenhed og hans målrettethed.

„Ja," sagde han.

Så fortsatte han tøvende: „Jeg tror, jeg er heldig, fordi jeg ventede indtil nu. For nu kan jeg virkelig sætte pris på det. Jeg synes, at alle burde tvinges til at arbejde i et par år, før de bestemmer sig for, om de vil læse videre."

„Var det det, du gjorde?" spurgte jeg ham. „Arbejdede du?"

„Sådan da," sagde han brat og havde åbenbart ikke lyst til at tale mere om det.

Mere og mere mystisk.

Så renskurede Adam havde En Fortid.

Eller det var i hvert fald sådan, han fik det til at lyde.

Jeg vil vædde på, at han bare prøver at gøre sig mystisk og legendarisk, tænkte jeg fordømmende. Han har sikkert arbejdet i det offentlige i de sidste seks år. Uden tvivl i den mest uglamourøse afdeling, som for eksempel kvæg-registreringsafdelingen, hvis der findes sådan en.

Laura stillede Adam det andet spørgsmål, man altid stiller studerende. (Det første spørgsmål er: „Hvad læser du?").

„Hvad vil du så lave, når du er færdig?" spurgte hun ham.

Jeg ventede med tilbageholdt åndedræt.

Kære Gud, lad ham ikke sige, at han vil være forfatter eller journalist. Det ville bare være for meget af en kliche.

Jeg var lige begyndt at respektere ham og synes om ham, og det ville ødelægge det hele.

Jeg samlede mine hænder i bøn og vendte blikket mod himlen.

„Jeg vil gerne lave noget inden for psykologi," sagde han. (Puha! tænkte jeg). „Det, der interesserer mig, er, hvordan folks hjerne fungerer. Jeg kunne godt tænke mig at være en eller anden form for behandler. Eller også kunne jeg godt tænke mig at lave noget med reklame. Og bruge psykologien på den måde," forklarede han. „Men bortset fra det så er der lang tid til."

„Og hvad med engelsk?" spurgte jeg ham nervøst. „Synes du ikke om det?"

„Selvfølgelig," sagde han. „Det er mit yndlingsfag. Men jeg kan ikke se mig selv få et job ud af det. Medmindre jeg vil være forfatter eller journalist. Og det vil alle folk jo være."

Gudskelov! tænkte jeg.

Jeg er glad for, at han godt kan lide det. Men jeg kunne bare ikke holde ud at høre endnu en person ævle løs om, hvordan han gerne vil skrive en bog.

Så vi sludrede derudad. Laura gik op til baren for at hente mere at drikke.

Adam vendte sig mod mig og smilede.

„Det her er fedt," sagde han. „Hvor er det rart at føre en intelligent samtale."

Jeg strålede.

Adam rykkede lidt tættere på mig.

Okay, så jeg har måske ikke en krop som en syttenårig, men jeg kan stadig underholde en mand, tænkte jeg selvtilfreds.

Jeg følte mig som en moden, stærk kvinde, sikker på mig selv og min plads i verden. Selvsikker, stædig, men morsom og underholdende. Vittig og vis.

Sikke noget ævl.

Det var ikke engang en halv time siden, jeg havde været ved at bryde grædende sammen, fordi jeg var sikker på, at alle på pubben vidste, at jeg var en taber.

Men det er alt sammen et spørgsmål om den rette attitude.

Lige i det øjeblik følte jeg mig godt tilpas.

Jeg følte mig godt tilpas, fordi Adam fik mig til at føle sådan.

Var det ikke lige meget, hvem der fik mig til at føle mig godt tilpas?
Var det ikke bedre end at føle sig dårlig tilpas?

„Adam, vi går nu. Går du med?"

Den kønne, lyshårede pige dukkede op ved siden af Adam.

„Nej, Melissa, ikke endnu. Men vi ses i morgen, okay?" sagde Adam.

Det var tydeligvist langtfra okay. Melissa så ud, som om hun var dybt krænket.

„Jamen... jeg troede... kommer du ikke med til festen?" spurgte hun og lød, som om hun ikke kunne tro sine egne ører.

„Nej, det tror jeg ikke," sagde Adam lidt mere bestemt denne gang.

„Fint!" sagde Melissa og lod Adam vide, at det var langtfra fint. „Her er din taske," sagde hun og lod en enorm sportstaske falde ned på gulvet med et dunk.

Hun sendte mig og Laura giftige blikke.

Forvirrede, men giftige.

Hun kunne ikke fatte, hvad Adam lavede sammen med to gamle kællinger som os, når han kunne vælge mellem samtlige velformede syttenårige derinde.

Det kunne jeg ærlig talt heller ikke.

Melissa svansede væk, og Adam sukkede.

„Jeg kan ikke klare det," forklarede han træt. „Endnu en universitetsfest. Dåser med varm Heineken. Man kan ikke komme på toilettet, for der er nogen, der dyrker sex derude. Man lægger sin jakke på sengen, og så er der nogen, der brækker sig på den. Alle leger 'Den, som flaskehalsen peger på'. Jeg er for gammel."

Pludselig fik jeg oprigtigt ondt af ham.

Jeg var sikker på, at han mente det, når han sagde, at han satte pris på lidt intelligent samtale.

Det kunne ikke være let at være omgivet af fnisende, letbevægelige attenårige som Helen og Melissa, når man var meget mere moden end dem.

Det gik op for mig, at det heller ikke kunne være let, at der var så mange unge piger, der var forelsket i en. Ikke hvis man var et godt menneske, som Adam forekom mig at være, og ikke havde lyst til at såre dem eller gøre dem kede af det.

Ikke fordi jeg ved noget om det, men måske er det ikke altid lige sjovt at være smuk. Man må bruge sin magt klogt og ansvarsbevidst.

I løbet af de næste ti minutters tid kom en lind strøm af unge piger over for at sige farvel til Adam. Eller det var deres påskud. Melissa havde åbenbart aflagt rapport, og de kom i virkeligheden for at se, hvor grimme og gamle Laura og jeg var.

Hvis det havde været mig, ville jeg være den første til at kritisere og latterliggøre de frastødende kvinders sko, tøj, makeup og hår.

Laura så tilfældigvis virkelig smuk ud med røde krøller og alabastfarvet hud, og hun lignede på ingen måde sine tredive år. Jeg tror heller ikke, at jeg så alt for forfærdelig ud. Men det forhindrede dem helt sikkert ikke i at kommentere, hvor ældgamle vi så ud. Og hvad betød det?

Der var nogen, der stak en bøsse op under min næse og raslede med den.

„Vil De give et bidrag til trængende børn?" spurgte en forpint udseende mand i en våd overfrakke.

„Selvfølgelig," sagde jeg. Alkoholen havde gjort mig lidt mere generøs end normalt, og jeg proppede et pund ned i bøssen.

„Hvad med Dem?" sagde han og så på Laura.

Han spurgte ikke engang Adam, om han ville give et bidrag. Han kunne åbenbart genkende en fattig studerende, når han så en.

„Åh, jeg giver mine bidrag direkte," forklarede hun manden.

„Gør du?" spurgte jeg forvirret. Jeg vidste ikke noget om, at Laura var involveret i nogen form for velgørenhed for børn.

„Tja, jeg dyrker sex med et barn med jævne mellemrum," erklærede hun. „Hvis ikke det er at bidrage direkte, så ved jeg ikke, hvad det er."

Manden så forfærdet på hende og skyndte sig hastigt videre til et andet bord.

Adam brølede af grin.

„Jeg har aldrig mødt en pædofil før," sagde han til hende.

„Det er kun for sjov. Jeg misbruger ikke børn i virkeligheden," sagde hun til Adam. „Det omtalte barn er nitten."

Vi drak ud og tog frakker på og gjorde os klar til at gå.

Det var begyndt at tynde ud på pubben.

Alle folk ved bordene rundt om os virkede, som om de var i strålende humør, bortset fra bartenderne, som bogstavelig talt tiggede folk om at gå.

„Jeg har arbejdet tretten aftener i træk," hørte jeg en bartender sige til et særligt højrøstet bord af svirebrødre. For at være helt fair så han virkelig udmattet ud, men jeg tror, at han spildte sin tid på at forsøge at appellere til deres medmenneskelighed.

„Du får mig til at græde," sagde en rimelig fuld ung fyr meget ironisk.

„Drik den øl ud, eller jeg tager den," truede en anden bartender ved et andet bord i nærheden. Han var åbenbart vant til at spille den sirlige og joviale vært.

Så kunden drak næsten hele øllen i én slurk akkompagneret af sine venners opmuntrende kommentarer. „Godt gået, mand," „Lad intet gå til spilde" og forskellige andre udråb.

Selv Laura råbte: „Bare ned med det."

Fem minutter senere gik vi forbi kunden igen.

Han stod lige uden for pubben.

Et par af hans lige så fulde venner hjalp ham, mens han brækkede sig i rigelige mængder.

Da vi nåede hen til pubbens udgang, opdagede vi, at det var begyndt at regne igen.

„Jeg holder lige rundt om hjørnet," sagde Laura. „Tak for i aften."

Vi gav hinanden et knus.

„Jeg kommer forbi på søndag for at se Kate," sagde hun. „Det var hyggeligt at møde dig, Adam." Og så løb hun ud i den våde nat og var lige ved at støde ind i manden, der brækkede sig.

„Undskyld," råbte hun efter ham, og hendes stemme svævede tilbage til os i den fugtige natteluft.

Adam og jeg stod i døren et minut eller to. Jeg var ikke sikker på, hvad jeg skulle sige til ham, og han sagde overhovedet ikke noget.

„Vil du have et lift hjem?" spurgte jeg.

Jeg følte mig lidt pinligt berørt over at spørge ham.

Som om jeg var den ældre, rige kvinde, der var desperat efter kærlighed og sex og købte den kønne, fattige unge mand.

„Det ville være virkelig fedt," sagde han. „Jeg tror, den sidste bus er kørt."

Han sendte mig et strålende smil.

Jeg slappede af.

Jeg gjorde ham en tjeneste. Jeg forsøgte ikke at udnytte ham.

Vi gik hurtigt ned ad de våde gader, indtil vi nåede parkeringshuset.

Og tro mig, der var ikke den mindste smule romantik over den gåtur i regnen. Total elendighed var, hvad det var. Mine støvler var af ruskind. Jeg bliver nødt til at bruge resten af mit liv stående med dem ind over en dampende kedel for at restaurere dem til deres tidligere pragt.

Vi satte os ind i bilen. Han smed sin drivende våde taske om på bagsædet. Han satte sig i passagersiden, og jeg sværger ved gud, han fyldte næsten hele det forreste af bilen.

Så kørte vi.

Han begyndte at rode ved knapperne på radioen.

„Åh, lad være med det!" sagde jeg til ham. „Min far slår mig ihjel."

Jeg fortalte ham om samtalen med far, lige inden jeg gik hjemmefra, og han grinede hjerteligt.

„Du er en god chauffør," sagde han efter et stykke tid.

Jeg blev naturligvis helt rundt på gulvet, i samme øjeblik han havde sagt det, rodede rundt i gearene og var lige ved at køre ind i en lygtepæl. Han fortalte mig, hvordan jeg fandt hans lejlighed i Rathmines, og vi kørte af sted i regnen.

Ingen af os sagde noget.

Den eneste lyd var lyden af hjulene, der susede hen over vejen, og vinduesviskernes knirken.

Men det var en rar stilhed.

Jeg kørte op foran hans hus og smilede farvel til ham. Det havde været en dejlig aften.

"Tak for liftet," sagde han.

"Selv tak," sagde jeg og smilede.

"Øh, ehm… har du lyst til, jeg mener… må jeg byde dig på en kop te?" spurgte han forlegent.

"Hvornår… altså… lige nu, mener du?" spurgte jeg lige så forlegent.

"Nej, jeg tænkte på engang til december næste år." Han smilede til mig. Jeg ville automatisk sige nej tak.

Det lå mig på tungen, allerede før jeg vidste af det.

Jeg havde flere undskyldninger. Det var sent. Jeg var gennemblødt. Det var første gang, Kate blev passet. Helen ville hugge mig ned med en machete.

"Ja," sagde jeg og overraskede totalt mig selv. "Hvorfor ikke?"

Jeg parkerede bilen, og så gik vi ind.

Jeg var fuld af frygt og bæven. Min frygt var velbegrundet. Jeg havde været i tilstrækkelig mange studenterhybler til at forvente det værste.

Alle former for besynderlige arrangementer. Du ved, seks-syv mennesker, der sov i dagligstuen, et par, der boede i køkkenet; man blev nødt til at gå igennem soveværelset for at komme ud på badeværelset og nødt til at gå igennem badeværelset for at komme ind i stuen.

Soveværelser delt af ternede plaider, der hang ned fra loftet for at give en illusion af privatliv. Klædeskabe i entreen. Kommodeskuffer i køkkenet. Stegepander og spande på badeværelset. Køleskabet på reposen. Et sofabord, der bestod af fire blå mælkekasser og et stykke spånplade, i dagligstuen.

Sådan noget i den stil.

Et køkken, der så ud, som om evolutionsprocessen ville begynde forfra, hvis det blev ramt af et lynnedslag, gardiner, der hang skævt, ødelagte persienner foran vinduerne, krøllede øldåser og en cisterne, der blev brugt til at lave hjemmebryg.

Åh jo, tro mig, jeg har fået, hvad der tilkom mig af denne verdens studenterhybler.

Så jeg var meget lettet, da Adam åbnede hoveddøren og lukkede mig ind i en lejlighed, der så helt normal ud, ja, jeg vil faktisk gå så langt som til at sige, at der ligefrem var en behagelig atmosfære.

„Kom med ud i køkkenet," sagde han og tog sin våde overfrakke af.

Vi gik ud i køkkenet, og Adam tændte for elkedlen og varmeovnen. Ikke en af de her forfærdelige orange varmeovne, som hører til i etværelseslejligheder, men en normal gasovn, faktisk ligesom den, vi havde i London. Og kedlen var en rigtig elkedel og ikke en blikdåse på et gasblus.

Jeg var mistænksom.

„De andre mennesker, som bor her," sagde jeg. „Er det også studerende?"

„Nej," sagde han, tog min frakke og hang den op i nærheden af varmeovnen. „De arbejder begge to." Det forklarede rimelig meget.

„Er du helt gennemblødt?" spurgte han pænt. „Skal jeg hente en sweater til dig?"

„Jeg har det fint," sagde jeg tappert. „Min frakke beskyttede mig mod det værste."

Han smilede.

„Nå, men jeg henter lige et håndklæde, så du kan tørre dit hår," sagde han og gik et kort øjeblik.

Han var næsten øjeblikkelig tilbage med et stort, blåt håndklæde i hånden, og jeg kan berolige dig med, at han ikke tørrede håret på mig.

Hvad tror du, det er? Romanbladet?

Jeg er ked af det, men hvis det er den slags situationer, du vil have, så vil jeg foreslå, at du læser en anden bog.

Nej, han rakte mig håndklædet, og jeg gnubbede halvhjertet mit hår et par gange. Jeg havde ikke lyst til at ende med hår, der strittede ud til alle sider og tørrede i besynderlige vinkler.

Jeg ville helt ærligt hellere have lungebetændelse.

Jeg tog mine støvler af og stillede dem foran varmeovnen. Adam gav mig en kop te, og vi satte os ved bordet i det behageligt varme køkken. Han fandt endda en pakke kiks.

„Det er Jennys," forklarede han. „I morgen tidlig fortæller jeg hende, at jeg havde en ganske særlig gæst. Det forstår hun godt."

Han fik det til at virke så let at være charmerende. Det virkede aldrig klamt eller uærligt.

„Hvor lang tid siden er det, du fik Kate?" spurgte han og stillede sukkeret foran mig.

„Over en måned siden," sagde jeg.

„Hør, jeg håber ikke, du har noget imod det," sagde han kejtet. „Men Helen fortalte mig om det med dig og din mand."

„Og?" sagde jeg og havde noget imod det.

„Altså, egentlig ikke noget," sagde han hurtigt. „Jeg mener, jeg ved godt,

167

at det ikke rager mig, men jeg sikker på, at det ikke kan være let for dig. Jeg har været igennem noget lignende, og jeg ved, hvor forfærdeligt det er."

„Virkelig?" sagde jeg nysgerrigt.

„Øh ja," sagde han. „Men det er ikke, fordi jeg vil snage i dit liv eller noget."

Skide være med det, tænkte jeg, fortæl mig om det!

Du må godt snage i mit liv, hvis jeg må snage i dit.

„Og," fortsatte han, „jeg ved godt, at du har masser af venner i Dublin, men hvis du nogensinde har lyst til at snakke med mig om det, så må du gerne."

„Du bruger mig ikke til et eller andet eksperiment til dit psykologihold?" spurgte jeg mistænksomt.

„Overhovedet ikke," sagde han grinende. „Jeg kunne bare godt lide dig, fra det øjeblik jeg mødte dig. Og jeg kan lide dig endnu mere efter i aften. Jeg vil gerne have, at vi er venner."

„Hvorfor?" spurgte jeg endnu mere mistænksomt.

Jeg havde da al mulig ret til at spørge, ikke? Jeg mener, jeg fattede det bare ikke. Jeg var helt almindelig. Hvornår havde Adam bestemt, at jeg var noget særligt, der var værd at være venner med?

Det var ikke, fordi jeg satte mit lys under en skæppe eller noget. Jeg havde masser af gode kvaliteter, det vidste jeg godt. Det var ikke, fordi jeg var Dronningen af Lavt Selvværd. Men der er masser af mennesker med gode kvaliteter. Der var ikke noget *usædvanligt* ved mig. Men Adam derimod må have mødt millioner af kvinder; morsomme, smukke, begavede, underholdende, rige, skrøbelige, nuttede, sexede, interessante kvinder.

Hvorfor var han lige faldet for mig?

„Fordi du er sød," sagde han.

Sød! Hvad giver du?

Hvem har bedt om at blive valgt af en smuk mand som Adam, bare fordi man er sød?

„Og du er rigtig sjov. Og begavet. Og interessant," sagde han.

Det var bedre, tænkte jeg.

Nogen muligheder for sexet og smuk?

Jeg ville endda have slået mig til tåls med tiltrækkende.

Men det hjalp ikke.

Sexet, smuk og tiltrækkende blev ikke bragt på bane.

Men hvad helvede? Det var rart at snakke med ham. Jeg morede mig.

Jeg var ikke vild med ham.

Selvom jeg sikkert ville have været det under andre omstændigheder.

Han var ikke vild med mig.

Vi var bare to voksne mennesker, som syntes om hinandens selskab.
Jeg var en gift kvinde.
Mandag morgen ville jeg ringe til James.
Adam var allerede optaget. Hvis min søster ikke havde snuppet ham, havde en anden kvinde uden tvivl gjort det.
Så ingen ko på isen.

„Hvad skal du lave i morgen?" spurgte han.
„Øh, det ved jeg ikke," sagde jeg til ham. „Jeg har ikke rigtig fået nogen fast rutine, siden jeg vendte tilbage fra London. Jeg skal vel bare passe Kate."
„Det var derfor, jeg spurgte, hvor lang tid siden det var, du fik Kate. Jeg tænkte på, om du havde lyst til at gå ned og træne sammen med mig?"
„MIG?" sagde jeg forfærdet. „Hvorfor?"
„Ikke fordi jeg synes, at du trænger eller noget," sagde han ængsteligt. „Men jeg tænkte, at du måske havde lyst til det."
Mig, med min slaskede, slappe krop? Skulle jeg træne sammen med denne Adonis? Tog han pis på mig?
Men på den anden side ville min krop blive ved med at være slasket og ude af form, hvis ikke jeg gjorde noget ved det.
Før jeg fik Kate, kunne jeg jo godt lide at træne.
Måske var det det bedste forslag, jeg havde hørt længe.
„Øh…" sagde jeg forsigtigt. „Jeg er virkelig ude af form."
„Du bliver jo nødt til at starte et sted," sagde han hurtigt.
„Hvem skulle passe Kate?"
„Tror du ikke, din mor ville gøre det? Bare i et par timer."
For satan, jeg gik bare i byen for at få en drink med Laura. Nu var jeg ved at melde mig til et eller andet træningsprogram med en fyr, jeg mødte i går.
I går aftes, oven i købet.
„Hør, kom i morgen. Jeg vil vædde på, at du vil synes om det. Hvad har du at miste?"
Jeg tænkte over det.
Hvad havde jeg at miste?
Ud over mit liv, hvis Helen fandt ud af det.
„Okay, så kommer jeg."
Vi aftalte at mødes klokken tre den følgende dag inde i byen, selvom jeg næsten ikke kunne fatte, at jeg gjorde det. Jeg drak min te. Han fulgte mig ud til bilen.
Han lukkede bildøren efter mig og stod ved havelågen – i regnen, vil jeg lige tilføje – mens jeg kørte væk.

Jeg begyndte at få dårlig samvittighed, allerede inden jeg var nået ned for enden af vejen.

Dårlig samvittighed over, at jeg forsømte Kate.

Dårlig samvittighed over, at jeg var sammen med min søsters kæreste, uanset hvor uskyldigt det var.

Dårlig samvittighed ved tanken om at spilde tid i et fitnesscenter, når jeg burde snakke med en advokat og få styr på min pengesituation og alt det der.

Lige så snart jeg kom hjem, styrtede jeg op til Kate. Det var en enorm lettelse at se, at hun var i live og havde det godt. Jeg havde så dårlig samvittighed, at jeg var overbevist om, at der var sket noget forfærdeligt.

Jeg knugede hende så tæt ind til mig, at jeg var ved at klemme livet ud af hende.

„Jeg har savnet dig, skat," sagde jeg til hende, mens hun kæmpede for at få vejret. „På mandag ringer jeg til far, og så forsøger jeg at få styr på tingene. Det hele skal nok gå, det lover jeg."

Jeg havde haft sådan en dejlig aften.

Jeg kunne simpelthen ikke forstå, hvorfor jeg var så deprimeret.

Kapitel fjorten

Jeg havde planlagt at ringe til mr. Hasdell, den advokat, som Laura havde givet mig navnet på, i samme øjeblik han satte sig ved sit skrivebord klokken ni den følgende morgen.

Men jeg kunne ikke tage mig sammen til det.

Jeg gav Kate mad.

Jeg legede med Kate.

Jeg spekulerede på, hvad jeg skulle have på til træning.

Jeg spekulerede på, hvad der ville ske, hvis Helen fandt ud af, at jeg skulle træne sammen med Adam.

Jeg spekulerede over, om jeg forsømte Kate.

Jeg spekulerede over, om mor ville nægte at passe hende, fordi det gjorde hende medskyldig i, at jeg mødtes med Adam.

Jeg spekulerede på alt muligt andet end det vigtige.

Jeg vidste, at jeg blev nødt til at ringe til min bank. Jeg havde bogstavelig talt ikke nogen penge.

Men jeg var langt mere optaget af, hvor stor min røv ville se ud i den bodystocking og de gamacher, jeg havde fundet inde på Rachels værelse.

Mit barn voksede op uden sin far, men i stedet for at gribe telefonrøret og ringe til en familieadvokat og forsøge at få styr på tingene, stod jeg foran et spejl og sugede maven ind, mens jeg stirrede på mig selv i profil, og til sidst, som om årene var forsvundet og jeg stadig var femten år gammel, drejede jeg hovedet og forsøgte at se, hvordan min røv så ud i spejlet.

Mor var meget mistænksom, da jeg spurgte, om hun ville passe Kate om eftermiddagen.

„Igen?" spurgte hun.

„Ja, men det er bare i et par timer," mumlede jeg.

„Hvorfor?" spurgte hun. „Hvad skal du?"

„Ikke noget mor. Jeg vil bare gerne ned i fitnesscenteret og prøve at komme i form igen," sagde jeg til hende. Jeg ville ikke lyve for hende. Men jeg var heller ikke helt tryg ved at fortælle hende sandheden.

„Åh, fitnesscenteret," sagde hun og lød godt tilfreds. „Nå, men det lyder godt. Bare pas på, at du ikke, du ved forstrækker nogen… altså… gør skade på dig selv. Det er ikke så lang tid siden, du har født, glem ikke det."

„Tak, mor," sagde jeg og morede mig over hendes takt. „Men jeg tror, mine indre dele er i fin form. Jeg tror faktisk, at de trænger til at komme i gang, hvis jeg skal være helt ærlig."

Det skulle jeg ikke have sagt.

Det gjorde hende mistænksom igen.

Jeg ved godt, at det var hende, der havde opfordret mig til at have en affære med Adam, men jeg havde så dårlig samvittighed over at mødes med ham, at jeg ikke ville have, nogen vidste det.

Så jeg kørte ind til byen og fik kvalme af skyldfølelse og frygt for at blive taget på fersk gerning og for, at der skulle ske Kate noget.

Omkring halvvejs bestemte jeg mig for, at jeg ikke var skabt til et liv fyldt med hemmeligheder og et forsømt barn, så jeg ville vende om og køre hjem.

Men trafikken var så slem, at da jeg endelig kunne vende bilen, fik jeg dårlig samvittighed over bare at lade Adam stå og stritte. Så jeg bestemte mig for, at jeg ville tage ind, mødes med ham og fortælle ham, at jeg ikke kunne mødes med ham, hvis du forstår, hvad jeg mener, og så tage direkte hjem igen.

Så kunne jeg ikke finde en parkeringsplads. Jeg måtte bogstavelig talt tage en bus derfra, hvor jeg havde parkeret bilen, til det sted, hvor jeg skulle mødes med ham.

Så jeg kom alt for sent.

Jeg løb ned ad gaden, da jeg fik øje på ham uden for den butik, hvor vi havde aftalt at mødes. Han så op og ned ad gaden med et ængsteligt udtryk i ansigtet, totalt uvidende om de beundrende blikke, de forbipasserende kvinder sendte ham.

Jeg fik et chok, hver gang jeg så ham.

Jeg havde glemt, hvor smuk han var.

Denne høje, smukke mand med de lange, muskuløse ben står og venter på *mig*, tænkte jeg og følte mig lidt overvældet.

Hvorfor!?

„Claire," sagde han og så ud, som om han var glad for at se mig. „Jeg troede ikke, du kom."

„Det gør jeg heller ikke," mumlede jeg.

„Så du har bare sendt et hologram af dig selv eller hvad?" spurgte han smilende.

„Nej, jeg mener, Adam… prøv at høre, jeg er ikke sikker på, at det her er en god ide," stammede jeg. „Altså ligesom…" sagde jeg elendigt.

„Hvad er ikke nogen god ide?" spurgte han blidt, idet han styrede mig uden om de fremstormende fodgængere.

„At mødes med dig og det... jeg er jo gift og sådan noget," sagde jeg uden at se ham i øjnene.

Så kiggede jeg op, og jeg kunne ikke fatte, hvor såret han så ud.

„Jeg ved godt, at du er gift," sagde han stille og så mig i øjnene. „Jeg har ingen bagtanker. Jeg lægger ikke an på dig. Jeg vil være din ven."

Jeg var forfærdelig pinligt berørt.

Jeg kunne grave mig ned af skam.

Selvfølgelig lagde han ikke an på mig.

Hvad bildte jeg mig ind at tænke sådan?

Hvorfor var jeg så kynisk?

Eller hvorfor var jeg så indbildsk?

Okay, så jeg havde dårlig samvittighed over at mødes med ham. Men var det ikke mit problem? Hvorfor skulle jeg tillægge ham nogen upassende motiver, bare fordi jeg selv havde dem?

Havde jeg virkelig upassende motiver?

Åh gud! Det vidste jeg ikke.

„Hør, du må hellere tage hjem," sagde Adam.

Han var ikke kold eller vred, men det var, som om han ikke ville have, at jeg skulle røre ham eller noget.

„Nej!" sagde jeg.

Gud i himlen, kunne jeg ikke lige bestemme mig!

„Nej," sagde jeg, ikke helt så panisk. „Jeg er ked af det. Jeg skulle ikke have sagt det, jeg sagde. Jeg var fjollet og overreagerede."

Vi tiltrak alle mulige nysgerrige og interesserede blikke fra de handlende, der gik ind og ud ad døren.

Jeg overhørte en kvinde sige skadefro til sin ven: „Skønt! Der er ikke noget bedre end andre mennesker, der skændes."

Hendes stemme svævede tilbage til mig fra længere oppe ad gaden. „Det får mig til at føle, at jeg ikke er den eneste person i verden, som har det elendigt."

Åh bare rolig, tænkte jeg, det er du ikke.

Adam stirrede på mig og sukkede opgivende.

„Hvad vil du?"

„Ingenting," sagde jeg. „Kan vi ikke glemme, at det skete, og bare gå ind og træne, sådan som vi har aftalt?"

„Okay," sagde han. Men ikke særlig sødt.

„Åh, vær sød mod hende. Giv hende et kys," råbte en ussel, gammel mand med flere åbne flasker Guinness stikkende op af lommerne på den lasede overfrakke. Øjensynlig havde han fulgt med i det hele med stor interesse. „Hun er ked af det. Er du ikke, skat?"

„Kom nu," mumlede jeg til Adam.

Jeg havde ikke lyst til, at der skulle samle sig en masse mennesker.

„Smæk hende en," råbte den gamle mand efter os, og pludselig var han blevet lidt mere ondsindet. „Det er det eneste, de forstår."

Vi skyndte os op ad gaden, og den gamle mands råb blev svagere og svagere.

„Hjælp," sagde jeg lettet, da vi drejede om hjørnet og ikke kunne høre ham længere.

Adam smilede hurtigt, men tingene føltes stadig anspændte og ubehagelige.

Vi kom hen til fitnesscenteret, og han skrev mig hurtigt ind. Jeg gik hen til kvindernes omklædningsrum og sneg mig til sidst ud, så selvbevidst som en jomfrubrud i bodystocking og gamacher, mens jeg krøb af sted langs væggen af frygt for, at der var nogen, der skulle få et direkte, helfigurs, tredimensionelt glimt af min røv.

Men det behøvede jeg ikke.

Han værdigede mig knap nok et blik.

„Cyklerne er derovre," sagde han og pegede. „Og vægtene er inde i det rum der. Resten af maskinerne er den vej."

Og så overlod han mig til selv at finde ud af resten.

Det er bare pragtfuldt, tænkte jeg fornærmet. Jeg kunne forstrække muskler til højre og venstre, og det ville rage ham en høstblomst.

Jeg stod et øjeblik og ventede på, at han skulle komme tilbage og vise mig, hvad jeg skulle gøre.

For at være helt ærlig, havde jeg nok haft alle mulige dejlige, om end skyldige fantasier om, at han bøjede sig ind over mig, mens jeg lå på ryggen og løftede vægte, for at rette på vægtstangen eller sådan noget. Og så gik det pludselig op for os, at vi var så tæt på hinanden, at vi kunne kysse.

Sådan noget romantisk ævl.

Adam ignorerede mig totalt, så jeg bestemte mig modvilligt for, at jeg lige så godt kunne få styr på min løbske fantasi og træne lidt.

Jeg varmede op og strakte ud.

Og før jeg vidste af det, gik det op for mig, at jeg morede mig.

Jeg er ikke rigtig glad, forsikrede jeg mig selv om. Det er den kunstige, høje følelse, folk får af at træne. Feromoner eller sådan noget. Nej, det er endorfiner, ikke?

Gode gud, jeg var ved at blive til Helen.

Jeg stjal mig til at kigge efter Adam.

(Ups! Det var meget romanbladsagtigt. Folk 'stjæler sig' altid til at kigge).

Okay, så jeg stjal ikke noget.

Ikke skyldig i nogen form for tyveri.

Selvom jeg kendte en fyr i en pub, som gladelig ville have overtaget et par kasser stjålne blikke til en god pris uden at stille spørgsmål.

Men jeg så på Adam, når han ikke opdagede det.

Han hev og sled i et utroligt antal vægte.

Han så virkelig dejlig ud.

Meget bister og alvorlig og pæn.

En mand, som tog sin krop alvorligt.

Og med god grund.

Selvom han bare var iført joggingbukser og en T-shirt, så han ret fantastisk ud.

Smukke, stærke arme, som sveden glinsede ned ad.

Og en rigtig dejlig røv.

Undskyld, det skulle jeg ikke have sagt.

Men det havde han.

Efter en times tid bestemte jeg mig for, at jeg havde fået nok.

„Okay," sagde han og smilede. „Gå ud, og tag et bad, så mødes vi i cafeen bagefter."

Han sad allerede i cafeen, da jeg kom ud efter at have brugt al for lang tid på min makeup.

Hans hår var helt vådt og skinnende, og han havde noget nær tyve mælkekartoner stående foran sig.

„Endelig," sagde han, da han så mig. „Nå, kunne du lide det?"

„Det var skønt," sagde jeg til ham.

„Glad for, at du kom?" spurgte han udtryksløst.

„Ja," sagde jeg og så ham i øjnene.

„Godt," sagde han og begyndte at grine.

Og det gjorde jeg også.

Gudskelov! Jeg var så lettet over, at han ikke længere var irriteret på mig.

Jeg hentede en kop kaffe og satte mig ved hans bord.

Vi var de to eneste mennesker i cafeen.

Det var fredag aften, og de fleste andre fornuftige mennesker havde andet at lave.

Jeg vil vædde på, at de skulle på pub og drikke sig fulde.

Pludselig var det rigtig rart at være sammen med Adam igen. Anspændtheden var forsvundet.

Vi snakkede ikke om noget ubehageligt eller følsomt.

Jeg spurgte ham ikke, om Helen var hans kæreste, og han gengældte tjenesten ved ikke at spørge om James.

Jeg spurgte ham ikke om hans forelæsninger, og han gav meget venligt igen ved ikke at spørge til mit job.

Han spurgte mig, hvad der var mit yndlingsdyr.

Og jeg spurgte ham, hvad hans tidligste minde var.

Vi snakkede om at tage på diskotek, dengang vi var femten år.

Vi diskuterede, hvilken evne vi ville vælge, hvis vi havde frit valg.

„Jeg ville gerne kunne flyve," sagde han.

„Jamen, hvorfor lærer du det så ikke?" spurgte jeg.

„Nej, jeg ville ønske, at *jeg* kunne flyve," sagde han grinende. „Du ved, uden en flyvemaskine eller noget. Hvad med dig, hvad ville du gerne kunne?"

„Sommetider ville jeg ønske, at jeg kunne se ind i fremtiden," sagde jeg. „Ikke det hele og ikke flere år ud i fremtiden eller sådan noget. Måske bare et par timer frem."

„Det ville være fedt," sagde Adam. „Tænk på, hvor mange penge du kunne vinde på hestevæddeløb."

Jeg grinede.

„Eller jeg ville ønske, at jeg kunne blive usynlig. Det ville være virkelig sjovt. Jeg vil vædde på, at man kan finde ud af meget mere om folk, hvis ikke de ved, at man er der."

„Det er rigtigt," sagde han.

Der var en lille pause.

„Jeg ville elske at kunne rejse gennem tiden," sagde han lidt efter.

„Åh, det var en god en," sagde jeg spændt. „Forestil dig at tage til fremtiden. Eller hvad med at tage tilbage til en virkelig spændende tid, for eksempel det gamle Ægypten. Med mit held ville jeg garanteret ende som en eller anden stakkels, gammel gladiator."

„Jeg er ikke sikker på, at der var nogen gladiatorer i det gamle Ægypten," sagde han. Men på en pæn måde.

Han var vel vant til at rette på Helen.

„Bortset fra det," fortsatte han, „så er jeg sikker på, at du ville være en prinsesse. Måske ikke lige Kleopatra. Du er lidt for lys i huden," sagde han og rørte let ved mit hår. „Men du ville helt sikkert være en prinsesse."

„Øh, ville jeg?" mumlede jeg.

Vittig og imødekommende, sådan er jeg.

Sprudlende og Slagfærdig, det er mine mellemnavne.

„Øhm, hvor ville du gerne rejse tilbage til?" spurgte jeg ham, ivrig efter at samtalen igen blev mindre intim og mit åndedræt normalt igen.

„Tja," sagde han. „Sommetider ville jeg ønske, at jeg kunne rejse tilbage i mit eget liv. Du ved, tilbage til en tid, hvor jeg var virkelig lykkelig. Eller gå tilbage og ordne nogle ting. Fikse ting, som jeg har gjort galt. Eller gøre ting, som jeg burde have gjort og ikke gjorde."

Jeg var meget nysgerrig.

Hvad var der dog sket i hans liv, der var så traumatisk?

Men før jeg kunne snage, lagde jeg pludselig mærke til klokken.

Den var ti minutter over syv.

„Gud!" sagde jeg og sprang forfærdet op, helt forfjamsket. „Se, hvad klokken er. Jeg troede, den var omkring fem."

Jeg greb min taske og løb over mod døren.

„Vent," sagde han. „Jeg følger dig ned til din bil."

„Nej, det behøver du ikke," sagde jeg.

Og stak af.

Jeg var virkelig panisk.

Hvor var tiden blevet af?

Hvordan kunne jeg have forsømt Kate sådan?

Gud ville straffe mig. Der var helt sikkert sket hende noget.

Jeg nægtede at tro, at der var gået så lang tid så hurtigt.

Jeg kørte hjem i høj fart, der var ingen myldretidstrafik på vejene, fordi det var så sent.

Mor var fåmælt og mistænksom, da jeg kom hjem.

„Hvad er det for et tidspunkt at komme hjem på?" spurgte hun.

„Undskyld," sagde jeg. „Jeg glemte tiden."

„Jeg har givet Kate mad."

(Gudskelov! Det må betyde, at hun stadig er i live!).

„Tak, mor."

„Fem gange."

„Tak, mor."

„Og jeg har skiftet hende."

„Tak, mor."

„Tre gange."

„Tak, mor."

„Jeg håber, du sætter pris på det."

„Åh, det gør jeg, mor."

„Hun er ikke mit barn, at du ved det."

„Det ved jeg godt, mor."

Så blev hun virkelig mistænksom.

Hvorfor var jeg så sød?

Jeg skyndte mig at hæve stemmen.

„Helt ærligt, hun er også dit kød og blod," sagde jeg.

Men det var en halvhjertet indsats.

Jeg kunne ganske enkelt ikke koncentrere mig om at blive irriteret på hende. Jeg tænkte for mig selv: Du godeste, hun er virkelig irriterende, men lige idet jeg skulle til at hidse mig op, gled mine tanker over til Adam, og pludselig var jeg glad igen.

Glad-agtig, i hvert fald.

Mit hoved vidste ikke, hvor det var. Der skete alle mulige uvante ting.

En stor batalje af mine tanker marcherede beslutsomt over mod Irritation, men de blev afledt ved Adam og opdagede til deres store overraskelse, at de endte et helt andet sted, nemlig ved den sødmefyldte Tilfredshed.

Jeg kan godt fortælle dig, at det forårsagede uendelige mængder forvirring og bestyrtelse.

Der stod en masse misfornøjede tanker i deres arbejdstøj, mens de så langt efter deres tillidsmand i håb om, at han måske kunne kaste lidt lys over situationen.

„Hej drenge, hvad fanden laver vi her?" „Hvem styrer det her?" „Vi er faret vild!" „Det her var ikke del af arbejdsbeskrivelsen," og „Markering!" og masser af andre klager.

Jeg styrtede ovenpå for at se til Kate,

Hun lå og puttede sig tilfreds i søvne, mens hun spjættede med sine små, fede ben.

Med et chok gik det op for mig, hvor heldig jeg var.

Dette smukke miniaturemenneske var mit barn.

Jeg havde født hende.

Hun var min datter.

For første gang indså jeg, *virkelig* indså, at mit ægteskab ikke var en fiasko.

Det kunne godt være, at James og jeg ikke var sammen, men vi havde skabt dette vidunderlige, lille menneske.

Dette liv var et mirakel.

Jeg var ikke forbandet.

Jeg var ikke blevet indhentet af mørket.

Jeg var meget, meget heldig.

Kapitel femten

Jeg tilbragte fredag aften med at se fjernsyn sammen med mor. Jeg følte, at jeg havde føjtet nok rundt i løbet af de sidste par dage. Jeg var totalt udmattet. Det er en hård opgave at tage sig af en lille baby. Selvom jeg godt kan høre dig spørge, hvor jeg mon vidste det fra.

Okay, okay, jeg indrømmer, at mine forældre havde hjulpet mig meget, men jeg følte mig stadig alligevel totalt smadret.

Det gik ud over min fatteevne, hvordan jeg skulle klare at vende tilbage til arbejdet.

Hvordan gør folk det?

Det fik mig til at føle mig så utilstrækkelig.

Især når jeg tænkte på kvinder i, hvor er det, Kina? Du ved, når de står ude og graver i markerne med deres bare hænder, og de siger: „Åh, undskyld mig et øjeblik," som om de skal på dametoilettct til en eller anden snobbet reception, og så løfter de op i skørterne, og ud smutter en nyfødt baby, ned i en plovfure eller en sæk frø eller sådan noget.

„Åh, det var bedre," siger de eventuelt.

Hvorpå de fortsætter, graver og pløjer og hiver enorme egetræer op med den ene hånd, mens deres nyfødte barn sidder skruet fast på deres bryst.

Når natten falder på, er de gravide igen.

Og det nyfødte barn har fået et sæt tøj og er blevet sat til at køre traktor.

Mine tanker blev ved med at vende tilbage til Adam, mens jeg så fjernsyn sammen med mor. På sand teenagemanér fik jeg kuldegysninger, hver gang jeg tænkte på ham.

Jeg havde haft sådan en dejlig dag sammen med ham.

Han var så sød.

Så frisk og ivrig og interessant og interesseret.

Jeg mente, at det måtte være, fordi han var så lidt kynisk, at jeg godt kunne lide ham.

Han mindede mig om, hvordan det var at tænke positivt

Det faktum, at han var fantastisk lækker, gjorde hans utilslørede beundring så meget desto bedre.

Der findes næsten ikke noget værre end utilsløret beundring fra en absolut rædsel.

Så vil jeg hellere være fuldstændig fri for utilsløret beundring.

Men glem det faktum, at Adam var lækker.

Det var ikke derfor, jeg godt kunne lide at være sammen med ham.

Hvis ikke jeg havde elsket James, ville jeg måske nok være tiltrukket af Adam.

Dermed være ikke sagt at jeg var *u*-tiltrukket af ham.

Jeg mener, han var meget tiltrækkende.

Jeg er jo kun et menneske.

Og jeg havde øjne i hovedet.

Rent hypotetisk er det muligt at elske en mand, i mit tilfælde James, og være vild med en anden, i dette tilfælde Adam.

Det er jo ikke, fordi man tager skade af en lille forelskelse.

Det var ikke ensbetydende med, at jeg var et upålideligt menneske.

Det var godt for mig.

For jeg behøvede ikke at gøre noget ved den forelskelse.

Og selv hvis, Gud forbyde det, jeg rent faktisk gjorde noget ved det, tja, så var det jo ikke verdens ende, vel?

Jo, hvis Helen fandt ud af det, kunne det meget vel være verdens ende.

Hvis vi altså gik ud fra, at Adam var tiltrukket af mig.

Men det mente jeg helt sikkert, at han var.

Var det selvoptaget af mig?

Måske brugte han det trick med alle kvinder.

Udgive sig for at være ærlig og sårbar og beundrende, så kvinderne tror, at han er den sødeste mand, de nogensinde har mødt, og at han er virkelig anderledes.

Før de ved af det, så ligger de i Adams seng, med trusserne smidt i et af værelsets fire hjørner, mens Adam kravler ned af dem og siger: „Jeg løj, da jeg sagde, at jeg stadig ville respektere dig om morgenen."

Præcis tooghalvfjerds timer senere ville han så ringe og sige: „Åh. For øvrigt, kondomet sprang. Sagde du ikke, at du havde ægløsning?"

Ja, tænkte jeg. Jeg vil vædde på, at han er et rigtigt røvhul og bare går rundt og udnytter stakkels enker som mig. Okay, så jeg er ikke enke, men jeg er meget sårbar.

Hvad bilder han sig ind! Sådan at få mig til at føle mig smuk og særlig. Hvor strid har man lov til at være?

Nå, men hvis han tror, at jeg vil gå i seng med ham nu, så har jeg desværre dårligt nyt.

Adam, søde ven, jeg har ombestemt mig!

Det tog mig et par sekunder at indse, at jeg havde snakket mig igennem en hel affære med Adam; lige fra det øjeblik jeg faldt for ham, til han droppede mig, og jeg blev rasende på ham.

Ups, tænkte jeg. Det var noget værre skidt, Forbigående Sindssyge er tilbage igen.

„Hvad er der galt med dig?" sagde mor og vendte modvilligt opmærksomheden væk fra *Inspector Morse*. „Du ser meget vred ud."

„Ikke noget, mor," sagde jeg til hende, mens mit hoved stadig snurrede. „Sad bare og tænkte på noget."

„Man kan tænke for meget over tingene," sagde hun.

For en gangs skyld var jeg enig med hende.

Men før hun kunne nå at udbrede sig om farerne ved en universitetsuddannelse og ved at udvide sin horisont, ringede telefonen.

„Jeg tager den," bjæffede jeg, løb ud af stuen og afbrød hende halvvejs inde i sætningen.

„Hvad godt er der ved at være intellektuel?" råbte hun efter mig. „Jeg vil vædde på, at James Joyce ikke kunne skifte sikringer."

„Hallo," sagde jeg, idet jeg tog telefonen.

„Helen?" spurgte en mandsstemme.

„Nej, Helen er her ikke," sagde jeg. „Hun er forsvundet, sidst set i fuld tilstand."

Stemmen grinede hjerteligt.

„Adam?" sagde jeg med dirrende stemme.

Chokket over at høre hans stemme gjorde mig et kort øjeblik usikker.

Jeg kunne næsten ikke fatte, at han havde været sammen med mig hele eftermiddagen, og så ringede han til Helen, min *søster*.

Hvad var han for en psykopat, der spillede os to ud mod hinanden?

Jeg *vidste* det.

Han *var* et røvhul, ligesom alle de andre.

„Claire," sagde han. „Det er mig."

Hvad vil du have? tænkte jeg, en forpulet medalje for at være dig, eller hvad?

„Ja," sagde jeg iskoldt. „Jeg skal fortælle Helen, at du ringede."

„Nej, vent," sagde han. „Jeg ringede for at snakke med dig."

„Det er sjovt," fortsatte jeg rimelig overlegent. „For jeg hedder Claire og ikke Helen."

„Det ved jeg godt," forsatte han i et meget fornuftigt tonefald. „Men jeg tænkte, at det måske var lidt mærkeligt, hvis jeg ringede for at snakke med dig, og det var Helen, der tog telefonen, og jeg ikke kunne høre, at det var hende."

Jeg holdt inde.

„Jeg mener," fortsatte han blidt, „Helen er også min ven. Hvis ikke det var for Helen, ville jeg aldrig have mødt dig."

Jeg sagde stadig ikke noget.

„Er du irriteret?" spurgte han. „Har jeg gjort noget galt?"

Nu følte jeg mig virkelig dum.

Hysterisk og kvindelig.

„Nej," sagde jeg i et meget sødere tonefald. „Selvfølgelig er jeg ikke irriteret."

„Okay," sagde han. „Hvis du er sikker."

„Det er jeg."

„Jeg håber ikke, du har noget imod, at jeg ringer til dig," sagde han. „Men du stak af så hurtigt i dag, at jeg ikke fik en chance for at spørge dig, om vi måske… jeg mener… hvis ikke du har noget imod det… om vi kunne ses igen. Altså hvis du har tid."

Lettelse og glæde vældede ind over mig.

Som man siger, så bliver der født en idiot hvert minut.

„Ja," sagde jeg åndeløst. „Det vil jeg gerne."

„Jeg havde det virkelig dejligt."

Jeg blev helt varm af glæde og stolthed.

„Det havde jeg også."

„Hvad skal du lave i morgen?" spurgte han.

I morgen, tænkte jeg.

Han lod godt nok ikke græsset gro under fødderne.

„Jeg skal ind til byen for at købe noget tøj," sagde jeg.

Det var nyt for mig.

Jeg havde ikke hørt om det før.

„Så hvis du har lyst, kan vi mødes til en kop kaffe," sagde jeg til ham. „Men jeg er nødt til at have Kate med."

„Det er fedt," sagde han og lød helt glad. „Kate er vidunderlig. Tag hende endelig med."

„Okay så," sagde jeg, lidt overvældet over hans entusiasme.

På den anden side, tænkte jeg, rimelig snedigt efter min mening, hvis han er så vild med Kate, så kan jeg måske lokke ham til at babysitte, næste gang jeg vil i byen med Laura og drikke mig fuld.

Selvom jeg må indrømme, at det dejligste ved den aften, jeg gik ud og drak mig fuld med Laura, var det faktum, at Adam var der.

Så vi aftalte at mødes i byen næste dag.

Jeg gik ind til mor igen.

„Hvem var det?" spurgte hun og så på mit rødmossede, lykkelige ansigt.

Jeg åbnede munden for at fortælle hende det, men må desværre indrømme, at jeg stoppede lige inden den sidste forhindring.

Jeg kunne bare ikke fortælle hende det.
Jeg ved virkelig ikke hvorfor.
Eller det gør jeg måske.
Måske fordi det ikke længere var uskyldigt.
Måske havde det aldrig været det.

Kapitel seksten

Den følgende dag blev det godt og grundigt klart for mig, hvor forandret mit liv var blevet af at få Kate. Ikke fordi jeg ikke allerede havde lagt mærke til det.

Især på et af de vigtigste områder i mit liv.

Jeg taler naturligvis om den del af mit liv, der drejede sig om shopping.

Mit gamle shoppingliv var forsvundet som morgendug for middagssolen.

Ikke mere noget med at styrte ind i en tøjbutik, gribe tredive-fyrre stykker tøj fra bøjlerne og så tilbringe omkring seks timer eller mere i prøverummet med at beundre mig selv.

Nej, den dame!

Du skulle bare vide, hvor stor forskel det gør at have et barn spændt fast på maven.

Ens bevægelsesfrihed er meget begrænset.

For ikke at tale om den forfærdelige frygt for at nogen skulle bumpe ind i Kate og gøre hende ondt.

Eller endnu værre, vække hende.

Det havde ikke været så slemt den dag i supermarkedet, hvor civiliserede, afklarede mødre gled gennem de brede gange. Jeg stolede på, at de ikke ville støde ind i Kate.

Men for himlens skyld, det her var lørdag formiddag i tøjbutikkerne.

De her pige-shoppere var helt sikkert lejesoldater, som havde fået eftermiddagen fri fra blodsudgydelse og ravage et sted i det tidligere Jugoslavien.

Jeg siger dig, de var ondsindede.

Blodtørstige.

Jeg kunne slet ikke slappe af og bare kigge efter noget at tage på.

Jeg var så bange for, at Kate ville få et slag i hovedet eller i sine små bøjelige ribben af en eller anden dæmon af en shopper, som forsøgte at få fat på en kjole og var klar til at bruge ethvert kneb.

Desuden vidste jeg knap nok, hvad jeg ledte efter, for jeg havde fuldstændig mistet enhver selvforståelse.

Jeg stod i døren til en butik, lidt omtåget, mens jeg svingede og dukkede mig for at undgå de forbipasserende handlende, og spekulerede på, om jeg var en jeans-og-sweatshirt-pige, eller om jeg var typen med ankellang nederdel og kort bluse.

Jeg mener, hvad var jeg nu?

Det var så længe siden, at jeg havde købt ordentligt tøj.

Som ikke var smækbukser, mener jeg.

Eller havde elastiske velcrolinninger. Med tonsvis af stof.

Det var faktisk kun en uge siden, jeg begyndte at gå med normale trusser.

Lad mig forklare.

Måske ved du det ikke, men man vender ikke tilbage til et normalt liv, og hvad vigtigere er, normalt tøj, i samme øjeblik man har født.

Nej, minsandten!

Der går lang tid, før den kropslige proces holder op. Det er ikke, fordi jeg vil være unødvendig blodig, men må jeg bare have lov til at sige, at lady Macbeth havde fået kamp til stregen.

Kom ikke her, og sig noget om blod over det hele, frøken!

På grund af det måtte jeg iføre mig sådan nogle sære, vævede, papiragtige trusser.

De var forfærdelige, og de var enorme.

Helt op til armhulerne.

Men det glæder mig at kunne fortælle, at jeg i sidste uge vendte tilbage til almindelige trusser. Det er rigtigt, jeg gentager, vendte tilbage til normale trusser.

Hvad med resten af mit tøj?

Jeg var ikke længere gravid.

Så hvad skulle jeg tage på?

Der var så lidt, der kunne definere mig nu.

Der var hundrede år til, jeg skulle starte på arbejde igen, så jeg behøvede ikke at købe tøj til det.

Så det kunne ikke give mig form.

Jeg købte bare tøj til mig selv.

Hvem det end var.

Jeg greb et par kjoler fra et stativ og skubbede mig igennem horder af folk for at komme frem til prøverummene, bogstavelig talt bøjet ind over Kate for at beskytte hende.

Der ventede mig endnu et chok i prøverummene.

Hvor i alverden skulle jeg gøre af Kate?

Hun var ikke ligefrem en sportstaske, man bare smider på gulvet og er ligeglad med, om nogen træder på.

En hurtig U-vending og tilbage samme vej, som jeg kom, mens jeg sneg mig igennem menneskemængden med sænket hoved og foroverbøjet krop, så jeg lignede en tyr.

Jeg købte en hel masse ting, selvom jeg ikke havde prøvet dem. Jeg var *nødt* til at købe noget.

Jeg måtte værne om mit rygte.

Der var en tid, hvor mit navn var legendarisk blandt Kvinder Som Shopper.

En tid, hvor der ikke var noget, der hed at vælge mellem det sorte par og det grønne par. Ikke noget med at stå med pegefingeren presset ind i kinden, med rynkede bryn i chokeret bestyrtelse.

Næ, jeg købte bare dem begge.

Ud over at værne om mit rygte så havde jeg ikke en trævl at tage på. Og der var en mand, jeg skulle imponere.

Jeg betalte for det hele med mit kreditkort.

Eller jeg burde vel sige, at James betalte for det hele.

Jeg var ret forundret over, at alarmklokkerne ikke gik i gang, da butiksassistenten rakte poserne over disken, og læssevis af politimænd og schæferhunde ikke styrtede ind i butikken og slæbte af sted med mig.

For jeg var sikker på, at jeg havde overtrukket kortet.

Efter min halvhjertede, men dog produktive shopping, tog jeg af sted for at mødes med Adam, som trods alt var den egentlige grund til, at jeg var taget ind til byen.

Hvis jeg skal være helt ærlig, så var indkøbene bare en lille list.

En snedig plan.

Jeg kæmpede mig op ad gaden med armene beskyttende rundt om Kate.

Bølge efter bølge af handlende kom imod mig.

Rør mit barn, og jeg slår dig ihjel, tænkte jeg bidsk og så arrigt på de forbipasserende.

Som i al deres uskyld så meget forbavsede og bange ud.

Bortset fra den angst, jeg følte ved tanken om, at der skulle ske Kate noget, blev jeg opmærksom på en anden sær følelse i maven.

Forstoppelse?

Med et besynderligt lille chok gik det op for mig, at jeg havde sommerfugle i maven.

Sommerfugle, som dansede jitterbug på mine tarme. De havde tydeligvis skubbet bordene og stolene tilbage i min mave og var helt vilde. Arm i arm, mens de svingede rundt med hinanden og sparkede og hujede og skiftede partnere og havde det rigtig pragtfuldt.

Åh gud, tænkte jeg, da det gik op for mig, så er det officielt.

Jeg er vild med Adam.

Eller måske skulle jeg sige: JEG ER VILD MED ADAM!!!!!!

Burde der have lydt himmelske trompeter? Burde jeg pludselig have set verden i et lyserødt skær? Burde jeg gå, eller faktisk løbe resten af vejen for at mødes med ham i slowmotion? Og blive svinget langsomt rundt i hans arme, rundt og rundt, mens vi begge grinede som lalleglade idioter?

Men nej, det var mig, vi snakkede om, og jeg begyndte straks at bekymre mig. Jeg slæbte modvilligt mine fødder af sted resten af vejen for at mødes med ham, mens mit hoved spekulerede på højtryk.

Hvorfor skulle jeg være vild med ham?

Hvad var jeg for et menneske?

Jeg elskede James, og det var kun seks, eller næsten syv uger siden, vi gik hver til sit, så burde jeg ikke stadig være ham tro?

Jeg følte mig så illoyal.

Men hvorfor fanden skulle jeg egentlig det?

James festede på livet løs, så hvorfor skulle jeg ikke gøre det samme?

Men det var ikke så enkelt.

Jeg havde aldrig været god til at dyrke sex med folk uden at blive følelsesmæssigt involveret.

På den anden side, hvem sagde noget om at dyrke sex?

Åh gud!

Jeg var så splittet.

Jeg kunne ikke forstå de forskellige ting, jeg følte.

Jeg var så forvirret.

Jeg *var* vild med Adam. Men jeg havde så dårlig samvittighed over det, for det var ensbetydende med, at jeg var et meget overfladisk menneske, når jeg nu burde elske James.

Men elskede jeg virkelig James?

Jeg var bange for at tænke over det. Det var for enormt til at overskue.

Jeg var vred på James. Hvorfor skulle jeg ikke flirte med Adam og have det lidt sjovt?

Men så fik jeg igen dårlig samvittighed, for Adam var et menneske, et sødt menneske, og han fortjente bedre end at blive brugt af mig som en eller anden ego-kur.

Lidt ligesom at få ordnet håret.

Eller få fjernet hår på benene.

Så blev jeg vred igen, for det var ikke sådan, jeg tænkte på Adam. Jeg elskede at snakke med ham og være sammen med ham. Selvom jeg kun havde kendt ham i et par dage.

Det førte mig næsten tilbage til spørgsmålet om, hvordan jeg kunne være vild med en, som jeg kun havde kendt et par dage, når jeg stadig elskede James.

Åh, op i røven, tænkte jeg panisk.

Jeg måtte tømme mit hoved for disse bekymrende tanker. Jeg kunne under ingen omstændigheder klare at forholde mig til dem nu. Jeg skulle mødes med den mand, jeg var vild med, så jeg måtte forholde mig til andre ting.

Som for eksempel, om jeg så godt ud.

Og om han var vild med mig.

Og hvordan jeg skulle få ham i kanen.

Jeg så ham stå uden for den cafe, hvor jeg skulle mødes med ham.

Det vendte sig i maven på mig.

Han var så lækker.

„Hej," sagde han og smilede. „Du kommer kun et kvarter for sent. Du er åbenbart ved at lære det."

„Hold kæft," sagde jeg og smilede. „Undskyld."

Det var vidunderligt at være sammen med ham.

„Hej, engel," sagde han til Kate og kiggede ind i hendes lille pose.

Selvom jeg foretrak at tro, at han gjorde det for at se på mine babser. Kate sagde ikke noget.

Så gik vi ind for at få en kop kaffe, mens vi kæmpede os vej gennem horder af ophidsede og opstemte mennesker.

Det var lørdag eftermiddag, og der var et udbredt vanvid.

Det var lidt, som om folk var blevet angrebet af en form for sindssyge. Shopping-syndrom eller noget i den stil.

Jeg er sikker på, at der findes et eller andet smart medicinsk navn for det.

Det må være noget i stil med mistralen, der med jævne mellemrum fejer ind over landsbyerne i, er det Italien? Alle mændene banker deres koner, og hundene hyler, og hønsene vil ikke lægge æg, og kvinderne råber og græder (ikke så sært, deres mænd banker dem immervæk) og nægter at lave noget husarbejde.

Som om hele landsbyen har præmenstruelle spændinger, og natlysolie og B6-høsten er sen det år.

Mistralvanviddet virkede som barnemad i forhold til udskejelserne den lørdag eftermiddag.

Jeg læste engang et sted, at shopping har en enorm effekt på ens adrenalinniveau.

Det får blodtrykket til at stige, og man hyperventilerer, og øjnene står ud af hovedet og alle mulige andre ting.

Det gav fuldstændig mening for mig – al den ophidselse!

Dette påvirker til gengæld åbenbart ens blodsukkerniveau.

Det er derfor, at alle skal have stærk te eller kaffe med sukker og en milkshake (eller noget i den stil) efter eller oven i købet under deres shoppingorgie.

Det er vel lidt ligesom den postcoitale cigaret.

Som resultat af overdreven shopping var Dublin fuld af hyperventilerende, rødmossede (på grund af det høje blodtryk) galninge med øjne, der stod ud af hovedet, med hundredvis af indkøbsposer fastgjort til deres krop og tegnebøger fulde af kreditkort, som nærmest summede og glødede efter al den aktivitet.

Så hvis det er en kop kaffe, du er ude efter, som Adam, Kate og jeg var det, så skal du ikke vente med tilbageholdt åndedræt på at få en plads.

Vi stod midt en tætpakket cafe, mens elendige, huløjede sjæle tumlede forbi os med bakker fulde af kaffe og kager. De havde åbenbart været der i flere uger og havde stadig ikke fået et sted at sidde.

Men i og med at Adam var Adam, lykkedes det ham at finde det eneste bord, som var blevet ledigt i løbet af de sidste tre ugers tid. Det var en af de mange fordele ved at følges med en høj mand.

Efter at have sikret sig at Kate og jeg sad behageligt, gik han hen for at hente kaffe.

Hvilken helt!

Han var tilbage rekordhurtigt med en bakke fyldt til kanten med kager.

„Jeg vidste ikke, hvilken en du bedst kunne lide," forklarede han. „Så jeg tog en af hver."

„Åh, Adam," sagde jeg. „Det skulle du ikke have gjort. Du er en fattig studerende."

Jeg var så rørt, jeg kunne have grædt.

Han havde sikkert lige brugt helt sit sommerstipendium på kager til mig.

„Og jeg kan ikke spise dem alle sammen," løj jeg.

„Det skal du ikke tænke på," sagde han smilende og så virkelig vidunderlig ud. „Jeg spiser bare dem, du ikke kan."

Så satte han sig ned og gav mig sin fulde opmærksomhed.

„Hvordan har du det?" spurgte han. Det lykkedes ham at få det til at lyde, som om han virkelig var interesseret.

„Fint," sagde jeg, smilede genert og følte mig fjollet som en dum og tøset dåse.

Hvad er det for noget, der sker?

I samme øjeblik man indser, at man er vild med nogen, forvandler man sig til en total tåbe.

Jeg gør i det mindste.

„Skal jeg holde Kate et øjeblik?" spurgte han.

„Hvis du har lyst," sagde jeg, tog hende ud af selen og rakte hende forsigtigt over til hans blide arme.

Heldige kartoffel!

Hvor er det dog en skam, hun endnu ikke kan tale, tænkte jeg fuld af beklagelse. Ellers kunne jeg forhøre hende om, præcis hvordan det føltes at blive holdt i Adams arme.

Vi sad og sludrede afslappet om alt og intet, mens menneskeheden bølgede og skyllede og fløs og vaskede ind over os med svingende blodsukkerniveau. Adam, Kate og jeg var en oase af ro midt i Dublins kaos.

Som om vi tre var i vores egen lille verden.

Vi snakkede i virkeligheden ikke så meget. Vi sad bare med mine indkøb spredt rundt om os i afslappet stilhed, mens vi drak vores kaffe og spiste vores boller.

Adam havde travlt med at lege med Kate, beundre hende, undersøge hendes småbitte fingre og ae hendes nuttede lille ansigt.

Han havde sådan en udstråling af intens forundring over sig, ja næsten længsel, at jeg blev foruroliget.

Glem alt om Laura, tænkte jeg, Adam er pædofil!

„Tror du," sagde han tankefuldt og talte til mig, mens han stadig så på Kate, „at folk ville tro, at jeg var hendes far, hvis de ikke vidste bedre? Vi er jo bare prototypen på en kernefamilie, som de siger i mine antropologitimer, ude at shoppe en lørdag eftermiddag."

Han så op og smilede til mig.

Selvom jeg havde tænkt næsten præcis det samme, følte jeg mig lidt, jeg ved ikke, sært tilpas og trist over, at Adam sagde det.

Illoyal, det var sådan, jeg følte mig.

Jeg var glad for, at Adam var så glad for Kate.

Men Adam var ikke Kates far.

James var Kates far.

Og James var her ikke.

Det var alt sammen så sært og rodet og mærkeligt og trist.

Hvorfor kunne Adam ikke være hendes far?

Eller hvorfor kunne hendes far ikke holde af hende?

„Vil du gerne have børn?" spurgte jeg Adam. „Jeg mener ikke nu, men en dag?"

Han holdt inde med det, han var i gang med, og sad meget stille et kort øjeblik. Så vendte han sig og så på mig.

Han havde et sært udtryk i ansigtet.

Han så meget trist ud. Næsten fortabt.

Men før han svarede, blev vi afbrudt af pigestemmer.

„Hej, se, det er Adam", „Fedt, hvor?", „Adam, hvordan går det?", „Åh hej, Adam, hvor var du i går aftes?"

Tre smukke, unge kvinder, som åbenbart var Adams studiekammerater, var kommet hen til bordet og stimlede sammen om ham.

Sådan som kvinder gjorde i nærheden af Adam.

De var ligesom smukke, eksotiske fugle.

Meget farverige og meget højrøstede.

De sagde højlydt uh og ah til Kate, og så mistede de enhver interesse for hende, da de opdagede, at hun ikke var Adams barn.

Selvom jeg spekulerede på, hvorfor hun ikke skulle kunne være det.

Adam præsenterede os alle sammen for hinanden.

„Det her er Kate," sagde han og tog hendes lille, lyserøde hånd og vinkede til pigerne.

Det var så smukt at se min lille pige og denne smukke mand sammen, at jeg troede, mit hjerte skulle knuses.

Jeg spekulerede på, hvorfor James ikke kunne være her til at gøre det.

Selv når jeg var glad, var tristheden lige om hjørnet.

„Og det er Claire," fortsatte han.

„Hej." Jeg smilede tappert til de unge piger med deres strålende hud og det vilde tøj i et forsøg på ikke at føle mig som en gammel heks.

„Og dette er…"

Han sagde tre navne, som kunne have været Alethia, Koo og Freddie. Eller Alexia, Sooz og Charlie.

Men det kunne også have været Atlanta, Jools og Micki.

Mærkelige navne. Seje navne.

Og hjemmelavede navne, det ville jeg æde min gamle hat på.

Navne, hvor der er mange K'er, der hvor der skulle have stået C, og Z'er, der hvor der skulle have stået S.

Navne, som jeg var overbevist om ikke stod på deres dåbsattester.

Jeg vidste, at deres rigtige navne var noget i stil med Mairead, Dymphna og Mary. Altså pæne, almindelige navne.

Sunde navne.

Men med fare for at fornærme alle Maireads, Dymphnaer og Maryer derude, ikke særlige glamourøse navne.

Disse smukke piger, som havde kastet sig ind over Adam, så ud, som om de havde brug for glamourøse navne til at passe til deres glamourøse ydre.

De så alle tre nogenlunde ens ud.

De havde alle sammen kort hår.

Og jeg mener rigtig kort hår.

Sooz/Koo/Jools var næsten helt skaldet.

Og Atlanta/Alexia/Alethia lignede en meget ikkegrim ælling med sit lyse, dunede hår.

Hun lignede Kate lidt for at være helt ærlig.

Det var sikkert ensbetydende med, at Adam, som jeg mistænkte for at være pædofil, var helt vild med hende, tænkte jeg surt.

Jeg begyndte at blive lidt jaloux.

De snakkede alle fire løs om en eller anden fest aftenen før.

Jeg ville virkelig ønske, at de gik, så Kate og jeg kunne få Adam for os selv igen.

Jeg forsøgte at opføre mig voksent og følsomt omkring disse tre smukke kvinder, der sloges om Adams opmærksomhed.

Mit ansigt gjorde ondt, fordi jeg forsøgte at se ud, som om jeg også var rigtig skæg, at jeg ikke havde noget imod at blive ignoreret, mens de sludrede og grinede charmerende og ubesværet.

Det så ud til, at de tre planlagde at blive hængende længe.

Min hjerte sank helt ned til mine (nye) støvler, da de trak stole over og samlede sig om vores lille bord, mens de alle sammen bogstavelig talt sad på skødet af Adam.

De havde ikke engang købt en kop te til deling.

Det er rigtigt, jeg var ikke spor fordømmende.

Jeg vidste, hvordan det var at være en fattig studerende.

De måtte spare deres penge til øl og stoffer.

Det forstod jeg da godt.

Men da Freddie/Charlie/Micki begyndte at spise en af bollerne, en af *mine* boller, var jeg lige ved at begynde at græde.

Jeg havde lyst til at trampe i gulvet og skrige som et barn, der fik et hysterisk anfald: „Det er *mine* boller. Adam købte dem til *mig!*"

Jeg sank en klump.

Jeg følte mig totalt malplaceret.

Det var dumt at tro, at sådan en som mig kunne have en plads i sådan en som Adams liv.

Han var ung og smuk og havde et fuldt og lykkeligt liv.

Jeg følte mig træt og gammel og tåbelig og fjollet.

Jeg rejste mig og tog Kates sele på igen, mens Adam fortsatte med at snakke livligt med pigerne.

Så lænede jeg mig frem og tog temmelig brysk Kate ud af armene på ham (Hit med mit barn!), idet jeg afbrød en livlig samtale om en, som hed Olivia Burke, der tilsyneladende havde suttet den af på Malcolm Travis til festen i går aftes foran alle de andre.

På trods af min selvmedlidenhed og elendighed glædede det mig at høre, at Adam ikke på nogen måde var forarget over Olivia Burkes opførsel. Hans forargelse var forbeholdt Malcolm Travis, som tilsyneladende havde en fast kæreste, der hed Alison. Og Olivia vidste ikke noget om hende.

„Den fyr er bare for meget," sagde Adam. „Ved at opføre sig sådan udviser han bare total mangel på respekt over for to kvinder på en gang."

Lige præcis, makker!

Kate begyndte at græde, da jeg tog hende ud af Adams arme. Jeg kunne ikke bebrejde hende det.

Adam vendte sig om og så overrasket på mig.

„Du er ikke ved at gå, vel?" spurgte han.

„Jo, det tror jeg," sagde jeg og prøvede at lyde afslappet. „Kate er træt, og hun skal snart skiftes."

Jeg vendte mig om mod de smukke piger.

„Farvel." Jeg nikkede. „Hyggeligt at møde jer."

I det mindste kunne de ikke anklage mig for at være uhøflig, tænkte jeg selvretfærdigt.

„Farvel," sagde de i kor. „Farvel, Kate."

Så skammede jeg mig.

Det var søde piger. Det var mig, der havde et problem.

Jaloux og usikker.

Barnlig og nærtagende og forkælet.

Jeg kæmpede mig af sted, belæsset med baby, indkøbsposer og enorme mængder af selvmedlidenhed, mens jeg forsøgte at se ophøjet og ubekymret ud, idet jeg masede mig igennem menneskemængden, som ikke flyttede sig.

Jeg kunne mærke Adams blik hvile på mig, men jeg nægtede at møde hans blik.

Han indhentede mig, før jeg var nået to meter.

Hvis jeg skal være helt ærlig – hvad der ikke altid er lige let – så var det præcis, hvad jeg havde håbet på.

„Claire," sagde han overrasket. „Hvor skal du hen?"

„Hjem," mumlede jeg.

Jeg håbede desperat, at det ikke var gået op for ham, hvor jaloux jeg var.

„Hej, undskyld," sagde han og så mig lige ind i øjnene. „Gik de dig på nerverne?"

„Nej," protesterede jeg. „Nej, de var søde."

„Du behøver ikke være høflig," sagde han og så på mig med et bekymret udtryk i øjnene. „Jeg ved, at de må have virket som små, fjollede piger for en kvinde som dig."

„Nej Adam, helt ærligt, de var søde," insisterede jeg.

Nu fik jeg det *virkelig* forfærdeligt.

Jeg kunne ikke sætte pris på at være sammen med Alexandra, Zoo og Gerri, eller hvad helvede de hed, fordi jeg var *jaloux* på dem, ikke fordi jeg var forfærdelig moden og nedladende.

Og her stod Adam og tilskrev mig alle mulige ædle motiver.

Kaldte mig intelligent, når jeg i virkeligheden bare var en forkælet, umoden møgunge, som krævede opmærksomhed på den mest barnlige facon.

„Helt ærligt, de er nogle søde piger," sagde han. „Jeg havde kun lyst til at være sammen med dig og Kate, men jeg vidste ikke, hvordan jeg skulle forhindre dem i at sætte sig ved vores bord uden at virke uhøflig," forklarede han.

„Det er helt fint," insisterede jeg.

„Hør, jeg må hellere smutte," sagde jeg, da endnu en person med en bakke bumpede ind i mig og tiskede, fordi jeg stod midt i det hele.

„Er du sikker?" spurgte han og stod meget tæt på mig.

„Det er jeg," lovede jeg ham.

„Virkelig?" spurgte han, og hans ansigt rykkede nærmere mit.

„Virkelig," forsikrede jeg ham om.

Men jeg flyttede mig ikke.

Jeg ville bare blive stående, tæt på ham.

Bare et øjeblik.

Jeg ville have, at han skulle kysse mig.

Men med flere tusind mennesker omkring os var der en meget lille chance for, at det skete. For ikke at tale om det faktum, at Kate højst sandsynligt ville blive kvalt i sin sele, hvis Adam trak mig mandigt ind til sine arme.

„Skal jeg følge dig hen til din bil?" spurgte han.

„Nej, Adam, det behøver du virkelig ikke."

„Vi ses snart," sagde han blidt.

„Ja." Jeg sendte ham et lille smil.

Et sødt smil.

Et ægte et.

Han lagde sine hænder på mine skuldre og trak mig ind til sig (men passede på Kate efter bedste evne) og gav mig et lillebitte kys på panden.

Jeg lukkede øjnene og gav mig hen til øjeblikket.

Jeg holdt vejret, for jeg kunne næsten ikke fatte, at det skete.

Hans mund føltes varm og fast.

Han duftede af sæbe og varm, glat hud.

Gennem larmen fra alle stemmerne, som bølgede rundt inde på cafeen, hørte jeg en eller anden sige: „Se, det er de to igen."

En anden stemme sagde: „Hvilke to?"

„Jo, de to der stod og skændtes uden for Switzer's i går."

Stemmerne tilhørte de piger, som havde haft stor fornøjelse i at bevidne Adams og min lille diskussion i går.

Min gud, var det virkelig kun i går?

De fortsatte højlydt med at diskutere os.

„Nå ja, dem. Nå, men det ser da ud til, at de er blevet gode venner igen."

„Åh lort!"

Jeg åbnede øjnene og så op på Adam. Vi begyndte begge to at grine.

„Det eneste, vi mangler nu, er Guinness-manden," sagde han.

„I så fald går jeg virkelig," sagde jeg.

Jeg gik forbi pigerne på vej ud.

„Jeg er helt sikker på, at hun ikke havde en baby i går," sagde den ene.

„Tror du, det er hans?" ville den anden vide.

Jeg fortsatte videre.

Det holdt ikke op med at prikke i min pande, før jeg var omkring hundrede meter fra vores hoveddør.

Ja, ja, jeg ved det.

Et kys på panden er ikke ligefrem hed sex.

Jeg kan ikke komme i tanke om en eneste svensk film, som handler om et kys på panden.

Men det var så længselsfuldt og ømt og på sin egen ærbare måde så erotisk, at det var meget bedre end hed sex.

Eller i hvert fald lige så godt.

Kapitel sytten

Laura kom forbi søndag eftermiddag, og vi slappede af og drak te, spiste Jaffakager (Michaels) og legede med Kate.

At lege med Kate indebar for det meste at give hende mad, bøvse hende af og skifte ble på hende.

Laura var iført en beskidt T-shirt fyldt med malerpletter, som jeg gik ud fra tilhørte hendes teenagekæreste.

Hun så ung, glad og tilfreds ud.

Og det burde hun også.

Hun havde dyrket sex fire gange den foregående aften, hvad hun forsøgte at underholde mig med, bortset fra at vi hele tiden blev afbrudt af mor og far.

„Har du hørt fra James?" spurgte hun, da far havde forladt stuen for tyvende gang, og hun havde opgivet tanken om at tilbringe eftermiddagen med at snakke om sex.

Han kom ind, nikkede til Laura og begyndte at løfte sofapuderne og flytte rundt på lænestolene, mens han mumlede, at han ikke havde fået læst *The Independent*, og at han ville slå Helen ihjel, hvis hun havde taget den.

Det var ham, der betalte for aviserne, så hvorfor var det altid ham, der ikke fik lov til at læse dem, og så videre?

Han kom tilbage tre minutter senere for at se, om der var ordentlig gang i kakkelovnen, og førte en stor diskussion, primært med sig selv, om fortrinnene ved antracitkul.

(„Der er en god varme i det, også selvom det koster mere").

Laura og jeg sad i sofaen med benene oppe under os, Kate på skødet af Laura, og vi så alle sammen ud, som om vi kedede os, selv Kate, mens vi ventede på, at han gjorde sin tirade færdig og gik igen.

Han var knap nok ude ad døren, før mor kom ind, angiveligt for at tilbyde os en kop te, men i virkeligheden for at se, om det var mig, der havde stjålet Jaffakagerne.

Hun spurgte til Lauras far.

„Geoff Prendergast er en dejlig mand," sagde hun. „Jeg ved ikke, hvor i alverden du kom fra."

Så gik mor og tog Jaffakagerne med sig.

„Har du hørt fra James?" spurgte Laura igen, da døren ind til dagligstuen lukkede igen.

„Han er ude at rejse," sagde jeg kort for hovedet. „Men jeg ringer til ham i morgen."

Jeg havde ikke lyst til at snakke om James.

I det mindste ikke lige på det tidspunkt.

Jeg var ved at brække mig over det.

Vende og dreje det hele igen og igen i et forsøg på at få mening ud af det og spekulere på, hvad jeg skulle gøre.

Som de siger i New York: Kom videre, og hvis du ikke kan komme videre, så hold kæft med det.

Fornuftigt råd.

Laura var i huset en god times tid, før hun tog hul på emnet Adam.

Jeg er forundret over, at det tog hende så lang tid.

„Nå. Hvad er så historien mellem dig og unge Lochinvar?" spurgte hun ultra henkastet, mens hun aede Kate på ryggen med cirkelbevægelser.

„Hvem?" spurgte jeg. Bevidst sløv i optrækket.

„Den smukke Adam," sagde hun lettere irriteret.

„Hvad med ham?" spurgte jeg,

„For det første er han vild med dig, og for det andet ser han helt fantastisk ud. Hvis han var fem eller seks år yngre, ville jeg selv være interesseret."

„Laura, han er ikke spor vild med mig," protesterede jeg.

Det sagde jeg selvfølgelig kun, så Laura ville insistere på, at Adam virkelig var vild med mig, og jeg kunne få den der varme lykkefølelse i maven igen.

„Han er vild med dig," sagde hun til mig. „Og det ved du godt."

„Ja, men hvad så?" sagde jeg. „Selv hvis han er vild med mig – og det har vi ingen beviser for, at han er – hvad skal jeg så gøre ved det?"

„Bol ham," sagde hun.

Hun havde ikke skam i livet.

„Laura! For himlens skyld, jeg er gift," råbte jeg ad hende.

„Nå da," sagde hun dumsmart. „Hvor er han så?"

Jeg var stille.

„Claire," sagde hun kærligt, efter at vi havde siddet og sagt ingenting i fem anspændte minutter. „Det eneste, jeg siger, er, han er en dejlig mand, og det virkede, som om han virkelig godt kunne lide dig, og du har haft det hårdt. Så selvom tingene i sidste ende falder på plads med

197

dig og James, burde du måske prøve at more dig lidt i mellemtiden."

„Hvad sker der her?" spurgte jeg. „Alle opfordrer mig til at have et forhold til Adam. Selv min egen mor!"

„Har din mor sagt til dig, at du skal bolle Adam?" hvinede Laura forbavset.

„Ja, altså ikke ligefrem med de ord," sagde jeg. „Men det var det, hun mente."

„Så hvad holder dig tilbage?" spurgte Laura henrykt. „Du har fået din mors velsignelse. Sikke et fantastisk tegn."

Jeg tænkte over det et par minutter.

„Ja," sukkede jeg. „Det burde jeg vel."

„Hvad?" bjæffede Laura. „Mener du det alvorligt?"

„For himlens skyld," sagde jeg og hævede stemmen. „Er det ikke det, du lige har opfordret mig til at gøre?"

Jeg *vidste*, at det her ville ske. Jeg *vidste* det bare.

Folk opmuntrer altid andre folk til at gøre ting, som de ved, at de ikke vil gøre. Og så får de deres livs chok, når vedkommende rent faktisk gør det.

Jeg gør det også selv.

I årevis opmuntrede jeg far til at købe et par cowboybukser.

„Helt ærligt far, det vil se dødgodt ud på dig," sagde jeg tit.

Og så sagde far: „Åh, smut med dig. Jeg er alt for gammel."

„Nej far, det er du ikke."

Jeg var ved at dø af chok den dag, han rent faktisk dukkede op iført et par Wrangler, der var stive som et bræt, med et opsmøg på tredive centimeter, mens han smilede genert og stolt.

„Ja, det ved jeg godt," sagde Laura og forekom mig at være lidt bekymret. „Men det ligner bare slet ikke dig at gøre sådan noget. Jeg mener, du er altid så loyal."

„Laura, det er jo ikke ligefrem, fordi jeg er illoyal over for James, hvis jeg går i seng med Adam, vel?" spurgte jeg hende pænt.

Jeg kunne se, hvor chokeret hun var.

Jeg havde måske nok en snert af at være en festabe, men jeg har faktisk altid været Trofaste Claire.

Min snert af skørlevned var papirtynd, ja bogstavelig talt gennemsigtig, hvis jeg skal være helt ærlig.

Jeg havde leget 'Stod op og tog hjem' oftere, end jeg har lyst til at tale om, men jeg havde aldrig lagt min sjæl i det.

Jeg havde altid drømt om at være kedelig og slå mig ned med en mand, men jeg havde gjort mit bedste for at skjule det, for de fleste mennesker betragter det som det mest fornærmende, man kan sige om en person, altså at hun bare vil slå sig ned med en mand.

Kun få mennesker kendte min skamfulde hemmelighed.

„Claire, er du vild med ham Adam?" spurgte Laura bekymret.

Det morede mig at opdage, at Adam på få minutter havde forvandlet sig fra 'Smukke Adam' til 'Ham Adam'.

„Selvfølgelig er jeg vild med ham," sagde jeg og grinede af hendes forfærdelse. „Han er skøn – eller det havde du måske ikke lagt mærke til?"

„Pæn, det vil jeg indrømme," sagde hun forsigtigt. „Men hvad ved du om ham?"

„Jeg ved, at han er sød, og han får mig til at føle mig begavet og smuk og attråværdig."

„Claire, glem ikke, at du er meget sårbar lige nu. Du prøver faktisk at komme dig over et ødelagt parforhold."

„Det siger du ikke?" sagde jeg. Jeg syntes selv, jeg lød meget kvik.

„Desuden," spurgte jeg nysgerrigt. „Hvad har du gang i, at opfordre mig til at have en affære med ham, og når jeg så siger, at jeg vil gøre det, bliver du helt fordømmende?"

„Undskyld, Claire," sagde hun ydmygt. „Det er bare, fordi jeg tænkte, at det kunne være et egotrip for dig at vide, at han var vild med dig. Men jeg troede ikke i to sekunder, at du rent faktisk ville gøre noget ved det. Du er så monogam, at det bare var lidt af et chok."

„Laura, i øjeblikket er jeg ikke engang monogam," mindede jeg hende om.

„Det ved jeg godt, men du elsker James så højt, at... jeg ved ikke... jeg troede bare ikke, at du overhovedet ville overveje det."

„Tingene ændrer sig, folk forandrer sig," sagde jeg. „Jeg ved ikke længere, hvad jeg føler for James. Det eneste, jeg i virkeligheden ved, er, at det er dejligt at være sammen med Adam."

Pludselig tog Laura sig sammen.

„Jamen, hvis det er tilfældet, så kunne du ikke have valgt et større hug at have en affære med. Han er simpelthen så lækker. Og sød. Og begavet," tilføjede hun som en eftertanke.

Det var godt at høre fra Laura, der som regel er mere interesseret i organet mellem benene end det mellem ørene.

„Du må hellere komme i form," grinede hun. „Gav de dig ikke nogle øvelser til at stramme lidt op. Bækkenbundsøvelser på gulv, eller hvad det nu hedder. Du vil vel ikke have, at sex med Adam skal være ligesom at smide en pølse op ad O'Connell Street."

„Tak for det, Laura," sagde jeg tørt. „Du får mig virkelig til at lyde som lidt af en fangst."

Efter at Laura var gået, kunne jeg ikke falde til ro.

Der var ikke andre hjemme.

Anna havde lavet endnu et af sine forsvindingsnumre.

Helen var tilsyneladende hos Linda.

Det var jeg nu glad for.

Jeg havde så dårlig samvittighed med hensyn til Adam, at jeg ikke tror, jeg kunne have set hende i øjnene.

Jeg var ret sikker på, at Adam ikke var hendes kæreste.

Men det var måske en ide at finde ud af det med sikkerhed.

Jeg følte bare ikke, at jeg kunne klare at få at vide, at han rent faktisk var hendes fyr, for hvad ville det ikke sige om ham?

At han var et eller andet tilfælde, som nød at splitte familier ad og spille søstre ud mod hinanden.

Hvis Adam var Helens fyr, og hun opdagede, at vi havde aftalt at mødes, ikke bare en, men to gange, så ville 1916 virke som julemorgen sammenlignet med det kaos og den ødelæggelse, der helt sikkert ville komme bagefter.

Følte jeg mig illoyal over for Helen, fordi jeg mødtes med Adam?

Ja, selvfølgelig gjorde jeg det.

Men ikke tilstrækkelig illoyal.

Hvis Adam var Helens mand, ville jeg med det samme trække følehornene til mig og ikke have mere med ham at gøre.

Den del var let nok.

Men hvad hvis Adam ikke var Helens kæreste, men Helen gerne ville have det?

Altså, hvis Adam også ville have hende, så gjaldt det samme som før. Jeg ville med det samme trække følehornene til mig og ikke have yderligere med ham at gøre.

Men hvad hvis Helen ville have Adam, og Adam ikke ville have Helen og han i stedet, dejlig tanke, ville have mig? Hvad så?

Det var en svær en.

Jeg elskede jo Helen.

Guderne skal vide hvorfor, men det gjorde jeg altså.

Det var ikke kun, fordi jeg var bange for hende.

Det bedste, jeg kunne gøre, var at snakke med Adam om alt det her.

Hvis der var noget om det, så rykke videre til en ny bekymringsfase.

Når det kom til stykket, ville jeg aldrig finde ud af det, hvis ikke jeg tog en chance.

Jeg havde aldrig troet, at jeg skulle høre mig selv sige det, men livet var virkelig for kort.

Man burde gribe alle chancer med begge hænder.

Og det havde jeg tænkt mig at gøre med Adam.

Det er korrekt, du hørte rigtigt, der var skjulte undertoner – jeg havde tænkt mig at gribe ham med begge hænder.

„For himlens skyld, Claire," knurrede mor, da jeg skiftede tv-kanal igen. „Hvad er der galt med dig? Kan du ikke sidde stille? Det er, som om du har ild i røven."

„Undskyld, mor."

I samme øjeblik ringede telefonen.

„For himlens skyld, Claire, min fod!" bjæffede far som en hund, der havde fået halen i klemme i døren, idet jeg sprang op for at tage telefonen og smadrede flere af hans mellemfodsknogler på vejen.

„Hallo," gispede jeg ned i røret.

„Hallo, er din far hjemme?" snøvlede en stemme i den anden ende.

„Far," råbte jeg. „Faaaar! Det er tante Julia."

Årh, for helvede, tænkte jeg.

Det betød, at far ville snakke i telefon i flere timer.

Det var umuligt at få tante Julia til at lægge på, når hun ringede op og var fuld.

Hun ringede som regel for at undskylde et eller andet, for eksempel at hun havde snydt i et spil rundbold. Et spil bold, som havde fundet sted for omkring femogfyrre år siden.

Jeg spekulerede på, hvorfor det gik mig sådan på, at telefonen var optaget, idet jeg adræt trådte til side for far, der gnavent haltede forbi mig på vej til telefonen.

Var der nogen, der havde sagt noget om, at de ville ringe til mig?

Ventede jeg et opkald?

Nej, nej og atter nej.

Men der var et varmt, lille glimt af håb indvendigt, der troede, at Adam måske ville ringe.

Han havde ikke sagt noget om det.

Men jeg følte, at han godt kunne finde på det.

Jeg satte mig ude i gangen for skamløst at lytte til fars samtale med tante Julia.

Det var som regel interessant, om end ret bizart at høre på.

Hvor lang tid ville denne samtale vare?

„Julia, hør nu på mig," sagde far ophidset.

Åh gud, det må have været et meget vigtigt spil rundbold, siden far hidsede sig sådan op.

„Fugt et viskestykke, og kast det hen over det med det samme!" brølede han ned i røret.

Åh gud, tænkte jeg, da det gik op for mig, at tante Julia såmænd bare var ved at sætte ild til sit hus og ikke ringede for at snakke længe, for-tvivlet, undskyldende, usammenhængende og fordrukkent med far.

„Nej, under hanen, Julia, under hanen!" råbte far.

Hvordan i alverden havde hun ellers tænkt sig at gøre viskestykket vådt? Måtte hellere lade være med at tænke på det.

„Julia, hør her, nu lægger jeg på, og så skal du gøre det samme," sagde far langsomt og tydeligt, som om han talte til et fireårigt barn.

„Og så skal du ringe 999 og bede om brandvæsnet," fortsatte han. „Og bagefter skal du ringe til mig igen og fortælle mig, at du har gjort det, og at de er på vej."

Han smed røret på og lænede sig op ad væggen.

„Gud i himlen," sagde han og så udmattet ud.

„Hvad har hun nu gjort?" spurgte mor, som var dukket op ude i gangen.

„Det er på en eller anden måde lykkedes hende at sætte ild til et af blussene på komfuret, og det kom ud af kontrol," sukkede far. „Åh gud, får det aldrig ende?"

Telefonen ringede.

„Det er hende, der ringer tilbage," sagde far, idet mor rakte ud efter røret.

„Hallo," sagde mor.

Så forandredes hendes ansigtsudtryk.

„Ja, hun er her. Hvem er det?"

„Det er til dig, det er Adam," sagde hun og rakte mig telefonen med udtryksløst ansigt.

„Åh," sagde jeg og tog røret fra hende, mens jeg åndede lettet op.

Det var *det*, jeg havde ventet på hele aftenen uden at vide det.

„Hej," sagde jeg lykkeligt, men forsøgte at skjule det for mor og far.

„Claire," sagde han med sin dejlige stemme. „Hvordan har du det?"

„Fint," sagde jeg lidt kejtet. Mor og far stod stadig i gangen og stirrede begge to på mig.

„Smut," hvæsede jeg ad dem og viftede med min frie arm.

„Det er for helvede en nødsituation," bjæffede far. „Læg så røret!"

„Om et øjeblik," sagde jeg til ham.

„Ét minut!" sagde han truende.

Men de gik begge to.

„Det må du undskylde," sagde jeg til Adam, idet mor og far modvilligt vendte tilbage til dagligstuen. „En mindre familiekrise."

„Er det okay?" spurgte han ængsteligt.

„Fint," sagde jeg.

Nu var det mig, der blev nervøs.

Var han bekymret på grund af Helen?

På grund af sin *kæreste* Helen?

„Claire," fortsatte han. „Jeg håber ikke, du har noget imod, at jeg ringer.

Jeg mener, jeg vil ikke have, at du skal føle, at jeg generer dig. Bare sig til, så holder jeg op."

Bare gener mig, lige så meget du har lyst til, tænkte jeg.

„Nej, Adam, selvfølgelig har jeg ikke noget imod, at du ringer. Jeg kan godt lide at snakke med dig."

„Fedt nok," sagde han. Jeg kunne høre smilet i hans stemme.

Jeg gjorde mig det behageligt på gulvet, klar til en dejlig, timelang samtale.

I samme øjeblik hørte jeg en nøgle i døren.

„Åh gud," sagde jeg, da jeg hørte Helen brøle: „Jeg er hjemme. Giv mig noget at æde! Ellers indberetter jeg jer for børnemishandling."

„Hvad er det?" spurgte Adam.

„Helen er hjemme," sagde jeg.

„Åh, er hun? Så hils hende fra mig."

„Nej, jeg vil ej," fløj det ud af mig.

„Hvorfor ikke?" spurgte han chokeret.

Helen gik forbi mig i gangen. Hun blinkede og sendte mig et lille, fortryllende smil.

„Hej, Claire, flotte støvler," sagde hun og fortsatte videre.

Sommetider, som regel når jeg mindst venter det, kan hun være så sød og charmerende, at jeg kunne slå hende ihjel.

„Hvorfor ikke?" spurgte Adam igen.

Jeg bestemte mig for, at det var tid til at få opklaret det her en gang for alle.

Hvis Adam legede med mig og min lillesøster, så var det min chance for at sætte en stopper for det.

Det lykkedes mig at hidse mig gevaldigt op.

Hvad bildte han sig ind?

Bare fordi han er virkelig lækker, så tror han, at han bare kan svanse ind og træde os alle sammen under tæerne, tænkte jeg og blandede mine metaforer sammen, mens jeg hurtigt hidsede mig op i et selvretfærdigt raseri

„Prøv at høre, Adam," sagde jeg skarpt, lige så snart jeg kunne høre Helen, mor og far begynde at skændes inde i dagligstuen, og jeg vidste, at det var sikkert at tale. „Jeg ved virkelig ikke, hvordan jeg skal få det sagt. Jeg ved faktisk ikke rigtig, hvad det er, jeg vil sige."

„Hvad, for himlens skyld?" afbrød han voldsomt.

Kom så, sig det så, sagde jeg opmuntrende til mig selv.

Du har enhver ret til at vide det.

Men jeg var allerede begyndt at miste modet.

„Hør lige, måske rager det ikke mig, men er du Helens kæreste?" lykkedes det mig til sidst at sige.

Der fulgte en lang stilhed.

Åh gud, tænkte jeg. Han kommer faktisk sammen med Helen. Han var bare sød over for mig, fordi jeg er Helens tabersøster. Og nu ved han, at jeg er vild med ham.

For satan og ind i helvede. Jeg skulle have holdt min store kæft lukket. Nu har jeg ødelagt alting, fordi jeg er så utålmodig.

„Claire," sagde han til sidst og lød lamslået. „Hvad i alverden snakker du om?"

„Det ved du godt," sagde jeg. Jeg følte mig virkelig dum, men endnu mere lettet.

„Nej," sagde han lidt køligt. „Det gør jeg ikke."

„Åh," sagde jeg og følte mig *virkelig* flov nu.

„Så du tror altså, at jeg er Helens kæreste?" sagde han stift.

„Altså, jeg troede måske, at du var det..." sagde jeg forfærdet.

„Hvad troede du så helt præcist, jeg lavede, når jeg spurgte, om vi kunne ses?" fortsatte han og lød næsten foragtelig nu.

„Nå?" pressede han på, da jeg ikke sagde noget.

„Enten må du tro, at jeg er ekstremt dum eller ekstremt kynisk," sagde han. „Og jeg ved ikke helt, hvad der støder mig mest."

Jeg sagde stadig ikke noget.

Primært fordi jeg ikke vidste, hvad jeg skulle sige.

Jeg havde det forfærdeligt.

Jeg havde ikke nogen beviser på, at han overhovedet havde noget med Helen at gøre.

Jeg havde såret ham ved at tvivle på hans hensigter.

„Claire," sagde han udmattet. „Claire, Claire, Claire, hør på mig. Jeg er ikke din søster Helens kæreste nu og har heller aldrig været det. Og jeg har heller ikke lyst til det.

Hun er en dejlig pige," tilføjede han hurtigt. „Men hun er ikke noget for mig."

„Prøv at høre, Adam," stammede jeg. „Jeg er virkelig ked af det, men jeg vidste ikke..."

„Jeg er også ked af det," sagde han. „Jeg bliver ved med at glemme, hvad du lige har været igennem. Du er virkelig blevet såret. Hvem kan bebrejde dig for at tro, at vi alle sammen er nogle utro skiderikker?"

Min helt, tænkte jeg og blev blød i knæene.

Det var lige mine ord. Han havde sparet mig for at fortælle ham det og løbe en risiko.

Sikke en fyr!

Hvordan kunne han være så meget i kontakt med mine følelser?

Måske var han transseksuel, tænkte jeg forfærdet. Det er sikkert det, der er hans store hemmelighed. At han blev født som kvinde. Eller han er en kvinde fanget i en mands krop – og sikke en krop!

„Claire," fortsatte han og trak min opmærksomhed væk fra spekulationerne om hans seksualitet. „Jeg ved ikke, hvad er det for et indtryk af mig, du har dannet dig, men det er åbenbart ikke det, jeg havde håbet på."

„Nej… Adam…" protesterede jeg vagt. Jeg havde så meget, jeg ville sige, og jeg vidste ikke, hvor jeg skulle begynde.

„Bare giv mig et øjeblik," sagde han. „Bare hør på mig, vil du det?"

Hvordan skulle jeg kunne modstå det, når han lød så alvorlig og drenget?

„Selvfølgelig," sagde jeg.

„Jeg har masser af kvindelige venner, men jeg involverer mig ikke særlig tit romantisk. Faktisk næsten aldrig. Eller i hvert fald ikke sammenlignet med andre folk på min årgang på universitetet, men måske er de bare særlig aktive."

„Det er fint," sagde jeg, ivrig efter at få ham til at holde kæft nu.

Jeg havde lyst til at fortælle ham, at han ikke behøvede forklare mig noget.

Jeg havde fået fastslået, at han ikke var Helens kæreste, og det var nok for mig.

Jeg skammede mig virkelig over mit hysteriske anfald og mine anklager. Jeg havde bare lyst til at glemme alt om det nu.

Stakkels fyr!

Han havde kun kendt mig et par dage, og vi havde allerede haft flere mini-skænderier.

Hvad i alverden fik ham til at mene, at jeg var det værd?

Men før jeg kunne komme til at tænke over det, dukkede far op igen ude i gangen med en tordensky over hovedet.

„Claire!" råbte han. „Læg røret. NU!"

„Du bliver nødt til at gå?" spurgte Adam.

„Ja," sagde jeg. „Jeg er ked af det."

Jeg havde ikke lyst til at afslutte samtalen, før jeg vidste, at det hele var okay. At Adam ikke var irriteret på mig, fordi jeg havde troet, at han var en eller anden Lothario, der spillede familier ud mod hinanden.

Jeg ville heller ikke have haft noget imod en form for antydning af, ud over som han så diskret formulerede det, at han ikke havde lyst til at involvere sig romantisk med Helen, så havde lyst til at gøre det med mig.

Som mor siger: Jeg ville have sukker ovenpå.

„Åh, jeg glemte helt, hvorfor jeg egentlig ringede til dig," sagde han.

„Hvad var det?" spurgte jeg.

Sig til mig, at du er helt vild med mig. Kom nu, kom nu, lokkede jeg tavst.

„Der er en god film i tv klokken elleve. Jeg er sikker på, at du vil kunne lide den. Du burde se den, hvis ikke du er for træt."

„Åh," sagde jeg, som om vinden var blevet kirurgisk fjernet fra mine sejl, det kan jeg godt fortælle dig. „Nå, men tak."

En forpulet film!

Helt ærligt, mand.

„Vi ses," sagde han.

Jeg havde lyst til at råbe: Nej, vent, du må ikke lægge på endnu. Tal med mig lidt længere. Giv mig dit nummer, så jeg kan ringe til dig. Kan vi mødes i morgen? Glem i morgen, hvad med i aften?

„Claire," brummede far faretruende inde fra dagligstuen.

„Okay, farvel," sagde jeg og lagde på.

Og følte mig, blandt andet, fuldstændig udmattet.

Der væltede en vild bølge ud fra dagligstuen, i samme øjeblik jeg lagde på.

Far og Helen sloges i døren.

Far ville ringe til tante Julia med det samme for at høre, om infernoet var under kontrol.

Men Helen havde andre planer med telefonen.

„Jeg skal ringe til Anthony," råbte hun. „Jeg skal bruge et lift til Belfast på torsdag."

„Nå, men Julia er vigtigere," insisterede far.

„Lad hendes hus brænde ned," sagde Helen. „Så kan hun lære det. Den gamle sut."

Næstekærlig hele vejen igennem, det var Helen.

Jeg forlod kampen om telefonen.

Jeg gik ovenpå, flyttede Kates lift ind på mors værelse og slog mig ned for at se den anbefalede film på det lille fjernsyn derinde.

Det var det mindste, jeg kunne gøre, efter at jeg havde været så led over for Adam.

Så kan jeg snakke med ham om den, næste gang jeg ser ham, tænkte jeg.

Hvis der bliver en næste gang.

Kapitel atten

Mens jeg var den Alkoholiserede Mor fra Helvede (og den Alkoholiserede Datter og den Alkoholiserede Søster fra Helvede, hvis jeg skal være helt præcis), gik tiden i stå. Men nu var jeg begyndt at leve igen, og livet var begyndt at trave muntert derudad, og før jeg vidste af det, var det begyndt at galoppere.

Dagene var begyndt at flyve forbi, på samme måde som de gør det på film, når instruktøren gerne vil vise, at tiden går hurtigt, dvs. kalenderbladene vendes meget hurtigt i hård blæst. Og brune blade blæser hen over siderne for at antyde efterårsdage og så et par snefnug for at indikere vinterens ankomst.

Weekenden var slut, før jeg vidste af det.

Ikke fordi begreber som weekend og arbejdsuge gjorde nogen som helst forskel for en dovendidrik som mig.

Hver dag var en feriedag osv.

Men pludselig var det mandag morgen.

James måtte være kommet tilbage fra Caribien. Eller Mustique. Eller fra en lille, privatejet ø lige ud for himlens kyst. Eller hvor han nu havde været, det utro røvhul.

Så jeg var nødt til at ringe til ham.

Men jeg følte mig rimelig afklaret. Det måtte jo gøres.

Det var selvfølgelig meget let for mig at være afklaret med hensyn til James, når jeg var dødbekymret over Adam.

Det var lidt besværligt at være helt ødelagt over dem begge to på en gang.

Overføring af følelser osv. En stor applaus til dr. Freud, tak.

Men før jeg kunne ringe til James, ventede der en anden fornøjelse denne mandag morgen.

Min seksugersundersøgelse hos lægen.

Mit liv var bare fest og ballade.

Det var lidt af en symbolsk vendepunktsagtig begivenhed.

Det var en form for anerkendelse af, at fødslen havde været en succes. Lidt ligesom festen efter premieren på en ny film. Bortset fra at skuespillerne og teknikerne ikke skal lægge fødderne op i stigbøjlerne til premiere-festen, mens ukendte mænd undersøgte deres ædlere dele.

Ikke medmindre de gerne vil have det, selvfølgelig.

Kate havde også en aftale på børneklinikken.

Så af sted med os begge to i bilen.

Jeg var stolt af mig selv. Det var stadig lidt af et mirakel, hver dag det lykkedes mig at stige ud af sengen og fungere.

Livet og alle de pligter, der fulgte med, var endnu en gang begyndt at være en fornøjelse.

Kate havde allerede været på klinikken et par gange.

For hende var der intet nyt. Men jeg var ikke rigtig forberedt på den kakofoni af gråd, der mødte os, da vi kom. Det var, som om der var flere tusind tudbrølende babyer med deres forpinte og forvirrede mødre i venteværelset.

Nogle af mødrene græd faktisk højere end børnene.

„Hvis bare han ville holde op med at græde," sagde en kvinde grådkvalt ud i luften. „Bare i fem minutter."

Åh gud, tænkte jeg forfærdet. Pludselig gik det op for mig, hvor heldig jeg var.

Ikke alene lod det til, at Kate var en ualmindelig fredsommelig baby, men jeg havde mor og far, og vel egentlig også Helen og Anna, at dele pasningsbyrden med.

Mor og far havde taget hende med til lægeundersøgelserne, dengang jeg opførte mig som antikrist.

Åh gud, jeg kan ikke sige dig, hvor meget jeg skammede mig nu.

Hvordan kunne jeg forsømme mit smukke barn så forfærdeligt?

Det ville aldrig ske igen.

Ingen mand skulle nogensinde underminere min selvtillid på den måde, som jeg havde ladet James underminere mig.

Jeg fik kvalme ved tanken om, at jeg ikke havde passet Kate, sådan som jeg burde, bare fordi jeg havde længtes efter en mand.

Kates aftale var før min.

Jeg bar hende ind på lægens kontor i liften.

Sygeplejersken var en glamourøs, rødhåret, ung kvinde fra Galway.

Hvorfor skal sygeplejersker altid være lækre og sexede?

Jeg er sikker på, at der findes en eller anden gammel legende, der for-klarer det.

Engang for lang, lang tid siden var der en stamme af kvinder, der var overvældende smukke.

Mændene blev vanvittige af begær efter dem, og de fik alle de andre kvinder til at føle sig utilstrækkelige og hæslige.

Alle mulige former for vold brød ud.

Hjem blev splittet ad, idet mænd, som tidligere havde været lykkeligt gifte, forelskede sig i disse sexkillinger.

Kvinder fra de utiltrækkende stammer begik selvmord, fordi de aldrig ville kunne konkurrere med disse sirener.

Der måtte gøres noget.

Så Gud bestemte, at alle de tiltrækkende kvinder skulle være sygeplejersker og iføre sig virkelig forfærdelige snøresko og frastødende A-formede kitler, som fik deres røve til at se enorme ud, så deres tiltrækningskraft ville blive ganske kraftigt formindsket.

Helt op til i dag er tiltrækkende kvinder nødt til at blive sygeplejersker, så deres skønhed skjules af de hæslige uniformer.

Selvom jeg ikke helt kan forklare, hvordan den lille fabel hænger sammen med supermodeller og deres afslørende og flatterende tøj.

Glem det.

Sygeplejersken lukkede døren fast bag os, men larmen fra de tudbrølende børn i venteværelset var stadig til at høre, nu og da afbrudt af klageskrig. „Bare fem minutter, det er alt, hvad jeg beder om."

„Driver larmen dig ikke til vanvid?" spurgte jeg hende nysgerrigt.

„Overhovedet ikke," sagde hun. „Jeg hører det ikke engang længere."

Hun begyndte at undersøge Kate.

Kate var så dygtig. Hun græd ikke engang.

Jeg havde lyst til at åbne døren og som en skolefrøken sige til alle børnene derude: „Hør her, det er sådan, I skal opføre jer. Læg mærke til det eksemplariske barn herinde, og gør som hende."

Jeg betragtede sygeplejersken, mens hun undersøgte Kate og hendes livstegn.

Hvis der var et eller andet forfærdelig galt med hende, så havde jeg fortjent det, tænkte jeg og blev grebet af rædsel.

Men nej, alt var i orden.

Det var lige før, den del af mig, der havde dårlig samvittighed, var skuffet.

„Hun tager på, ligesom hun skal," sagde sygeplejersken.

„Tak," sagde jeg og strålede stolt.

„Hun er en meget sund baby," smilede sygeplejersken.

„Tak," sagde jeg igen.

Jeg åbnede døren for at gå, og en ny bølge af hyl og skrig gjorde mig helt svimmel.

Vi kæmpede os ud igennem mængden af skrigende, rødmossede børn.

Så vidt jeg kunne forstå, skulle en del af dem vaccineres, og det var medvirkende til den almindelige tumult.

Jeg manøvrerede mig forsigtigt gennem den kaotiske menneskemængde med Kate i liften.

Idet jeg taknemmeligt lukkede døren til larmen bag mig, var det sidste, jeg hørte, den stakkels kvinde, der hylede: „Bare tre minutter. Tre minutter er også okay."

Derefter måtte vi vente lidt, indtil det var min tur til at komme ind til lægen.

Jeg læste i et eksemplar af *Women's Own*, som var fra engang omkring århundredeskiftet. (Krinoliner er *helt sikkert* yt i dette forår). Kate fik sig en lille lur.

Hun var sådan en god pige.

Til sidst blev mit navn råbt op, og vi gik ind.

Lægen var en venlig, gammel nisse. Gråt jakkesæt, gråt har, vævende, venlig facon.

„Goddag, åh ja, Claire, åh, Claire og baby øh, Catherine," sagde han, mens han læste sine noter på skrivebordet. „Kom ind og sæt jer."

Efter et kort stykke tid så han op på stolen foran sig, og da jeg ikke var der, flakkede hans blik hastigt rundt i lokalet, mens han spekulerede på, hvor jeg var blevet af.

Jeg havde stillet Kates lift på gulvet, og jeg lå ovre på briksen, havde smidt trusserne og lagt fødderne op i stigbøjlerne så hurtigt, at det svimlede for ham.

Gammel vane.

Fremover når jeg skal til lægen, uanset hvad der er galt, fra ørepine til et forvredet håndled, bliver det svært ikke at smide trusserne og kravle op på briksen.

Lægen gjorde det, han skulle gøre, og gjorde blandt andet brug af mine gamle venner, gummihandsken og vaselinen.

Du må undskylde, hvis det er frastødende.

Jeg føler virkelig med dig.

Der var engang, hvor jeg ville have været en besvimelse nær bare ved tanken om en livmoderhalskræfttest.

Men efter at jeg har været gravid og har født, er jeg sikker på, at jeg kunne få fjernet min livmoder med lokalbedøvelse, mens jeg stadig sad op og muntert diskuterede den foregående aftens tv-program med kirurgen.

Åhr, hvad helvede, hvorfor overhovedet bruge bedøvelse?

Men jeg glemmer, at det ikke er alle, der har været ude for de samme hærdende oplevelser som mig.

„De er helet perfekt," sagde han og fik det til at lyde som en stor bedrift.

„Tak," sagde jeg stolt og smilede op til ham mellem benene.

Jeg havde det, som om jeg var fem år gammel og havde regnet alle mine regnestykker rigtigt i skolen.

„Ja, der er overhovedet ingen komplikationer," fortsatte han. „Er blødningerne holdt op?"

(Undskyld, jeg skal nok lade være med at trække det i langdrag).

„Ja, de holdt op for omkring en uge siden," sagde jeg til ham.

„Og stingene er også helet fint," sagde han, mens han fortsat rodede og regerede.

„Tak," sagde jeg og smilede igen.

„Fint, så kan De godt hoppe ned igen," sagde han.

„Så alting er, som det skal være?" spurgte han, idet jeg klædte mig på.

„Fint," sagde jeg. „Helt fint.

Øh, hvornår kan jeg dyrke sex igen?" fløj det pludselig ud af mig.

(*Hvorfor* spurgte jeg nu om det?).

„Tja, Deres seks uger er gået, så når som helst De har lyst," sagde han elskværdigt. „De kan begynde med det samme."

Så kastede han hovedet tilbage, kluklo højlydt og stoppede så brat, idet billeder af høringer for Lægerådet og begæringer om at få hans ret til at praktisere inddraget dukkede op for hans indre blik.

Der er en meget fin linje mellem en acceptabel opførsel fra lægens side og et sjofelt forslag.

Dr. Keating havde måske ikke helt fattet forskellen endnu.

„Øhm," sagde han og faldt til ro. „Ja, når som helst."

„Vil det gøre ondt?" spurgte jeg ængsteligt.

„Det kan godt føles lidt ubehageligt til at starte med, men det bør ikke være *smertefuldt* som sådan. Bed Deres mand om at være forsigtig."

„Min *mand?*" spurgte jeg overrasket.

Jeg havde overhovedet ikke skænket min mand en tanke.

„Ja, Deres mand," sagde han og lød lige så overrasket. „De er gift, ikke sandt, mrs., øh, mrs. Webster," sagde han og tjekkede sine noter.

„Jo, selvfølgelig er jeg det," sagde jeg og rødmede. „Men jeg spurgte bare sådan mere, øh, generelt. Det var egentlig ikke, fordi jeg planlagde at have samleje med nogen bestemt."

Jeg tænkte, at jeg kunne neutralisere den pinlige og akavede stemning, som pludselig havde udviklet sig, hvis jeg brugte ordet 'samleje' i stedet for ordet 'sex'.

„Øh," sagde han tørt.

Stilhed og dr. Keatings forvirring hang tungt i luften.

Tid til at smutte, tænkte jeg.

Kom så, Kate.

Og så tog vi hjem.

„Hvordan gik det?" spurgte mor, da hun åbnede døren.

„Fint," sagde jeg. „Fint. Kate tager på, som hun skal, siger sygeplejersken."

„Og hvad med dig?" spurgte hun.

„Kunne tilsyneladende ikke være bedre," sagde jeg. „Jeg er i tiptop form. Jeg har en vagina, jeg kan være stolt af."

Mor sendte mig et frastødt blik.

„Der er ingen grund til at være vulgær," tiskede hun.

„Jeg var ikke vulgær," protesterede jeg.

Hold op, hvis jeg var vulgær, ville det ikke være til at tage fejl af.

„Kom og få en kop te, inden der er *Neighbours*," sagde hun.

„Øh, er der nogen, der har ringet, mens jeg var ude?" spurgte jeg hende meget henkastet, idet jeg trippede efter hende ud i køkkenet.

„Nej."

„Åh."

„Hvorfor, hvem havde du forventet ville ringe?" spurgte hun og så indgående på mig.

„Ikke nogen," sagde jeg og satte Kates lift på køkkenbordet.

„Nå, men hvorfor spørger du så?" sagde hun med et tonefald, der mindede mig om, at lige meget hvor dumt min mor opførte sig, så var hun ingen idiot.

„Og flyt barnet fra bordet," sagde hun og slog til min arm med et viskestykke. „Folk skal spise ved det bord."

„Hun er helt ren," protesterede jeg krænket.

Hvad bildte hun sig ind?

Jeg vaskede Kate konstant.

Hun var totalt steriliseret.

Man skulle lede længe for at finde en eneste bakterie på hende.

Mit barn var en bakteriefri zone.

Adam har altså ikke ringet til mig, tænkte jeg, mens jeg drak min te.

Jeg spekulerede på, om han stadig var irriteret på mig.

Måske ville han aldrig nogensinde ringe til mig igen.

Ikke fordi jeg kunne bebrejde ham det.

Ikke så neurotisk og kværulantisk, som jeg havde opført mig.

Og jeg havde ikke hans telefonnummer, så jeg kunne ikke ringe til ham.

Så det var sikkert enden på det.

Flirten, som aldrig blev til noget.

Den lidenskabelige affære, som aldrig blev fuldbyrdet.

To sjæle, som var skabt for hinanden, men skilt af omstændighederne.

De elskende, som elskede på afstand.

På den anden side var det ikke engang frokosttid endnu.

Giv manden en chance.

Men han ringede ikke.

Jeg brugte hele eftermiddagen på at kede mig og være utilfreds.

Jeg havde ikke lyst til at lave noget.

Jeg gad ikke læse.

Kate klynkede og græd, og jeg var ikke særlig tålmodig over for hende.

Jeg så halvhjertet eftermiddagens sæbeoperaer sammen med mor, fordi jeg ikke kunne give hende en god undskyldning for, hvorfor jeg ikke skulle gøre det.

Jeg foretrak at se flere tredjerangs australske sæbeoperaer med de samme skuespillere, der dukkede op i den ene serie efter den anden, frem for at begynde endnu en samtale med mor om, at min universitetsuddannelse havde givet mig fine fornemmelser.

Hun vidste, at der var noget galt.

„Du ser meget trist ud," sagde hun.

(Det, hun helt præcis sagde, var: „Claire, du er som et træ over en velsignet brønd.'').

„Hvorfor helvede skulle jeg ikke være det?" snappede jeg.

„Undskyld," sagde hun. „Guderne skal vide, at det ikke er let for dig."

Hun havde ret, det var det ikke.

Men hun refererede åbenbart til min situation med James. Og ikke til min manglende situation med Adam.

„Nej, det er mig, der undskylder," sagde jeg til hende og havde det elendigt over at have bidt hovedet af hende.

Klokken var seks, og fars nøgle sad i døren, før jeg forfærdet indså, at jeg ikke havde fået ringet til James.

Pisselort, pisselort, pisselort.

Jeg havde virkelig tænkt mig at gøre det, men på grund af alle de ting der skete – den store begivenhed at skulle til lægen og den enorme begivenhed, at Adam ikke havde ringet – havde jeg glemt alt om det.

Jeg var fast besluttet på at gøre det næste morgen.

Middagsmåltidet, det store familiecirkus, fik mig på andre tanker et stykke tid.

Helen kom hjem sammen med far og krævede McDonald's.

„Nej, Helen," råbte far. „Vi får kun McDonald's på *helligdage*."

„Nå, men det er dumt," råbte hun igen. „Andre familier, *normale* familier, får det på almindelige dage."

Åh, hun kunne være noget så grusom.

Så det endte selvfølgelig med, at Helen fik sin vilje som sædvanlig, og far drønede af sted som en anden Formel 1-kører, med en lang og kompliceret bestilling til McDonald's.

„Ikke nogen syltede agurker på quarterpounderen," råbte Helen efter ham.

Men han var allerede væk.

Jeg klistrede skamløst til Helen hele aftenen i håb om, at hun måske ville sige noget om Adam.

Jeg kunne selvfølgelig have taget tyren ved hornene og bare bedt hende om hans telefonnummer, i og med at hun ikke kom sammen med ham eller noget.

Men jeg kunne ikke få mig selv til det.

Jeg havde fået fastslået, at han ikke var interesseret i hende.

Men jeg var overhovedet ikke sikker på, hvad Helen følte for ham.

Efter middagen, som stakkels far for øvrigt havde misforstået totalt – syltede agurker på mors æbletærte, cheeseburgere i stedet for quarter-poundere med ost (hvilket selvfølgelig gjorde, at han blev anklaget for at være nærig), Cola i stedet for Cola Light – beordrede far Helen til at gå op på sit værelse og læse lektier.

Stakkels far.

Han må have taget et eller andet selvhævdelseskursus.

Helen gik imponerende nok op uden de helt store protester.

Hun kaldte far et røvhul og kom med hentydninger til, at husets regime var at sammenligne med Nazityskland.

Men hun gik rent faktisk op på sit værelse.

Det var intet mindre end et mirakel.

Jeg gav hende et par minutter, så tog jeg Kate, og vi gik op og bankede på hendes dør.

Der lød en masse skramlen og raslen. Det lød, som om hun stoppede noget ned langs sengen.

„Åh gud, Claire, du må ikke gøre den slags! Jeg troede, det var far," udbrød hun, med store øjne i sit blege ansigt.

Hun trak et blad frem, der hed *True Crimes* eller noget i den stil, fra hullet mellem sengen og væggen.

„Læser du *nogensinde* lektier?" spurgte jeg nysgerrigt.

„Neeeeej," sagde hun foragteligt.

„Hvad vil du gøre, hvis du dumper?" spurgte jeg, idet jeg satte mig på sengen.

„Her, giv mig hende," sagde Helen og tog babyen ud af armene på mig.

„Jeg dumper ikke," erklærede hun.

„Hvor ved du det fra?"

„Det ved jeg bare," forsikrede hun mig.

Åh gud, tænk at have hendes selvtillid.

„Hvordan er universitetet så?" spurgte jeg og forsøgte at få hende til at tale om Adam.

„Fint nok," sagde hun overrasket over min interesse.

Hun sagde ikke et ord om Adam.

Og helt ærligt, jeg kunne ikke, kunne bare ikke spørge hende direkte.

Så hørte jeg telefonen ringe.

Det var første gang, den havde ringet hele dagen.

Jeg sprang ned fra sengen og ned ad trappen som Jens Lyn.

Jeg lykønskede lettet mig selv med, at jeg ikke havde nået at spørge Helen om Adams nummer. Jeg ville have afsløret alting, og nu var der slet ingen grund til det!

„Hallo," sagde jeg og forsøgte at lyde elskværdig og uneurotisk og undskyldende, alt sammen på samme tid.

Undskyld, Adam, jeg vil aldrig være led over for dig igen.

„Ja, goddag, må jeg snakke med Jack Walsh?" spurgte en stemme.

Min første tanke var: Hvorfor i alverden vil Adam snakke med far?

Men så gik det op for mig, at det overhovedet ikke var Adam i telefonen.

Røvhul!

Hvad bildte han sig ind?

Sådan at få mig til praktisk talt at brække nakken på vej ned ad trappen kun for, at det slet ikke var ham alligevel.

„Ja, vent et øjeblik, mr. Brennan, så henter jeg ham," sagde jeg.

Og traskede elendigt op ad trappen igen.

Meget langsommere end på vej ned.

Jeg gik ind til Helen igen.

Jeg var passende ydmyg.

Jeg havde stadig brug for hende.

Hun legede med Kate og gad ikke kommentere mit dødsforagtende stunt ned ad trappen.

Det er en af de fantastiske ting ved at være sammen med et menneske, der er så selvoptaget som Helen.

Hun lagde sjældent mærke til noget, som ikke handlede om hende selv.

I samme øjeblik dukkede Anna op med flagrende hår og slasket nederdel og en uklar udstråling.

Jeg var virkelig glad for at se hende.

Vores veje havde ikke krydset hinanden siden engang i den foregående uge.

Hun trampede gennem Helens lyserøde og plyssede værelse i de støvler, som mor var ude af sig selv over, og satte sig ned ved siden af sengen.

Hun tog omkring hundrede plader chokolade op af tasken (broderet og dækket af spejle og perler) og begyndte med stor effektivitet at spise sig igennem dem.

Jeg har aldrig set noget lignende.

Jeg kunne kun gå ud fra, at det på en eller anden måde var narkorelateret.

„Anna, har du fået... øh... ædeflip?" spurgte jeg og følte mig som en gammel klovn.

Jeg følte mig noget forlegen over at bruge så slangagtige ord som 'ædeflip'.

„Mmm," nikkede hun gennem en mund, der var proppet til det yderste af en Yorkiebar med rosiner og kiks.

„Schfopdet!" Hun gestikulerede vredt, da Helen begyndte at flå papiret af en chokoladebar og bogstavelig talt slugte den i en mundfuld.

„Køb dine egne, Helen," lykkedes det hende til sidst at sige, da hendes mund et kort øjeblik var tom.

„Bare giv mig den her Bounty og en Mintcrisp, så tager jeg ikke mere," sagde Helen.

Og løj selvfølgelig.

Anna gik med til det.

Stakkels Anna.

Jeg tilbragte resten af aftenen på Helens seng, mens jeg spiste chokolade og halvt om halvt lyttede til det godmodige mundhuggeri mellem Helen og Anna og ventede på, at Adam skulle ringe.

Men ved du hvad? Det gjorde han ikke.

Jeg sagde til mig selv, at det var lige meget, han havde ikke sagt noget om, at han ville ringe til mig.

Han ville ringe dagen efter.

Jeg prøvede at trøste mig med, at han helt sikkert ville ringe inden for de næste par dage.

Han kan helt klart virkelig godt lide dig.

Men under al min brovten vidste jeg, at han ikke ville ringe.

Jeg ved ikke hvordan, det gjorde jeg bare.

Min katastrofeantenne var åbenbart blevet lidt bedre, efter at James havde forladt mig.

Det havde nok hjulpet lidt med den smule øvelse.

Kapitel nitten

Næste morgen var hele huset som Grand Central Station.

Helen skulle til Belfast i to dage på en tur med universitetet og mente åbenbart, at forberedelserne ikke alene skulle foregå i sidste øjeblik, men også være en familiebegivenhed.

I stedet for at blive vækket af Kates utidighed blev jeg vækket af lyden af hemmelighedsfuld knitren i fodenden af min seng.

Jeg satte mig søvnigt op.

„Hvem er det?" gabte jeg.

Det var Helen.

Jeg burde have vidst det.

Hun var på vej over mod døren med armene fulde af mit nye tøj.

„Åh, Claire!" sagde hun og spjættede skyldbevidst, idet hun tabte en af mine nye støvler på gulvet. „Jeg troede, du sov."

„Det kan jeg se," sagde jeg tørt. „Læg det tilbage."

„Lede kælling," mumlede Helen og smed mit tøj i en stor bunke på gulvet. Det havde åbenbart været på vej til Belfast.

Jeg er ked af det, gutter, sagde jeg til det. Jeg skal nok tage jer med en anden gang.

Jeg hørte hende gå ned i køkkenet, og kort efter brød et højrøstet skænderi uundgåeligt ud.

Hvad var der med hende?

Hun skulle åbenbart provokere, lige meget hvor hun var.

Kate lå vågen i sin lift og lå og stirrede op på loftet.

„Hvorfor græd du ikke, lille skat?" drillede jeg hende blidt. „Hvorfor vækkede du mig ikke og sagde, at væmmelige tante Helen var ved at stjæle alt mit tøj?"

Jeg tog hende op og lagde hende i sengen hos mig, mens jeg holdt hendes bløde, varme krop ind til mig.

Vi lå og småslumrede i sengen et stykke tid, mens vi halvt om halvt hørte lydene af et skænderi i køkkenet. Jeg burde virkelig stå op, tænkte jeg. Måske siger Helen noget om Adam, inden hun tager af sted.

Jeg knugede bare Kate endnu mere. Mit dyrebare, smukke barn.

Men så begyndte hun at kræve at få mad, så jeg stod op, klædte mig hurtigt på og snublede over tøjbunken på gulvet imens. Vi gik nedenunder.

Og hørte, at et nyt skænderi i gang.

Anna, mor og Helen sad rundt om bordet, omgivet af morgenmadens efterladenskaber, hindbærtærter og tepotter og cornflakespakker og milkshakekartoner over det hele.

Mor og Helen skændtes højlydt.

Anna smilede lyksaligt og lavede et eller andet besynderligt med en påskelilje og en papirclips.

„Jeg ved ikke noget om noget grønt tørklæde og handsker," sagde mor vredt til Helen.

„Jamen, jeg lagde dem oven på køleskabet," protesterede Helen. „Så hvor har du gjort af det?"

„Ja, hvis du nu ikke havde lagt det oven på køleskabet, men i stedet havde lagt det, hvor det hører til, så ville du vide, hvor du kunne finde det," svarede mor.

„De hører til oven på køleskabet," svarede Helen. „Der lægger jeg altid mine ting."

„Godmorgen," sagde jeg imødekommende.

De ignorerede mig alle sammen totalt.

Af uransagelige årsager stod køkkendøren på vid gab, og en sibirisk morgenluft blæste igennem køkkenet.

Det var for meget.

Der var et lille barn til stede.

Vi kunne alle sammen dø af lungebetændelse.

Jeg gik hurtigt over til døren, og mens jeg holdt Kate med den ene arm, lykkedes det mig at lukke den og låse den godt og grundigt med den anden.

„Det skulle du ikke have gjort," sagde Anna dystert.

Jeg så overrasket på hende.

Jeg ville have troet, at det var alt for tidligt på morgenen, selv for Anna, til at være mystisk og æterisk.

„Hvorfor ikke?" spurgte jeg forsigtigt, kærligt, klar til at lege med. „Kommer Morgenens Gudinde og straffer mig, fordi jeg har barrikaderet hendes indgang til vores køkken?"

„Nej," sagde Anna og så på mig, som om jeg var splitterravende sindssyg.

I samme øjeblik lød der en dæmpet og panikslagen rumsteren på den anden side af døren.

Nogen eller noget var meget irriteret over at finde den låst.

Hun taler et pragtfuldt sprog, hende Morgenens Gudinde, det kan jeg godt fortælle dig.

Anna sukkede og sjoskede over og åbnede døren.

Far stod på dørtrinnet, næsten totalt skjult af den enorme bunke vasketøj, han havde i armene.

„Hvem helvede har låst døren?" brølede han gennem bunken af cowboybukser og sweatere.

„Jeg burde have vidst, at du havde noget med det at gøre," hvæsede han ad stakkels Anna, som stod med hånden på dørhåndtaget.

„Nej, far, det var mig," sagde jeg hurtigt. Annas underlæbe var begyndt at dirre, og hun så ud, som om hun var ved at briste i gråd.

„Nej, nej, fordi vi *frøs*," forklarede jeg, da far sendte mig et meget såret blik. „Ikke fordi vi gerne ville lukke dig ude."

Åh gud, sikke en bunke neurotikere!

Jeg var simpelthen så normal sammenlignet med resten af min familie.

„Godt," erklærede far og smed alt tøjet på bordet, ligeglad med de halvspiste stykker toastbrød og tallerknerne med forladte cornflakes, som bordet flød med. „Hvilket af det her tøj vil du have?"

„Åh, Helen, hvorfor skal du være så besværlig?" sukkede mor. „Du har et værelse fyldt med tøj ovenpå, men det, du vil have, er enten i maskinen eller hænger til tørre."

Helen smilede som en lille kat.

Hun elskede at få at vide, at hun var besværlig.

Det fik hende til at føle sig magtfuld.

Hvad hun virkelig også var.

Hun grinede smørret, valgte et par stykker tøj fra bjerget på bordet og rakte far dem.

„Hvad skal jeg med dem?" spurgte han overrasket.

„Jamen, de skal stryges," sagde Helen og lød lige så overrasket.

„Stryges?" spurgte far. „Af mig?"

„Har du tænkt dig at sende mig til Belfast med krøllet tøj?" spurgte Helen krænket. „Du ved godt, at jeg er ambassadør for det frie Irland. Jeg kan ikke dukke op i Belfast og ligne en narkoman. Så vil de tro, at alle katolikker er beskidte og snuskede."

„Ja, ja, ja," råbte far og løftede armene for at beskytte sig mod hendes lidenskabelige appel.

Den stakkels mand.

Han havde ikke en chance.

Der faldt ro over tingene.

Toastbrødet blev spist, kaffen blev drukket, samtalen – og jeg bruger begrebet meget løseligt – kom i gang.

„Gæt, hvem jeg skal bo hos i Belfast?" sagde Helen med en uskyldig, trallende stemme. Hun lød alt for afslappet og blasert.

Jeg kendte godt det tonefald

Der var noget i gære.

„Hvem?" spurgte Anna.

„En protestant," sagde Helen dæmpet og gudfrygtigt.

Mor blev ved med at nippe til sin te.

„Mor, hørte du mig ikke?" sagde Helen vrantent. „Jeg sagde, at jeg skulle bo hos en protestant."

Mor løftede roligt blikket.

„Og hvad så?"

„Jamen, hader vi ikke alle protestanter?"

„Nej, Helen, vi hader ikke nogen," sagde hun til Helen, som om hun talte til et fireårigt barn.

„Ikke engang protestanter?"

Helen var fast besluttet på at skændes på den ene eller den anden måde.

„Nej, ikke engang protestanter."

„Jamen, hvad hvis jeg kommer under deres indflydelse og bliver helt vildt mærkelig og begynder at gå til blomsterbinding?"

På en eller anden facon havde Helen fået en uklar og tåget forestilling om, hvordan protestanter var.

En sær blanding af Be'elzebub og miss Marple.

De havde selvfølgelig horn i panden og klove og spyede ild og lavede deres egen marmelade.

„Ja, hvad så, hvis det sker?" sagde mor elskværdigt.

„Hvad hvis jeg ikke går til gudstjeneste længere?" gispede Helen tilsyneladende forfærdet.

„Jamen, det gør du jo alligevel ikke," sagde Anna og lød forvirret.

Der fulgte en rimelig anspændt og ubehagelig stilhed.

Heldigvis opfattede Kate den akavede stemning og forsøgte at glatte tingene lidt ud ved at begynde at skrige som en sindssyg.

Jeg havde en fornemmelse af, at hun havde en stor fremtid for sig som ambassadør eller ansat i FN.

Alle styrtede hen for at varme en flaske til hende. Anna og Helen snublede bogstavelig talt over hinanden for at hjælpe.

Far var travlt beskæftiget med at stille strygebrættet frem og gjorde et stort nummer ud af at stryge, trykkede på dampknappen på strygejernet, indtil der var som en sauna i køkkenet.

Mor sad som en stenstøtte.

Men efter et stykke tid blev selv hun vækket til dåd. Hun begyndte at rydde op på bordet og smed bistert noget koldt, sejt toastbrød i skralde-spanden.

Det var lidt af en skam, for jeg kan faktisk godt lide koldt, sejt toast-brød. Men jeg var ikke dum nok til at sige min mor imod, lige efter at hun havde fået besked om en af hendes døtres manglende tilstedeværelse ved gudstjeneste.

Selv ikke når førnævnte datter ikke var mig.

Tingene blev normale igen.

Normalt er naturligvis et totalt subjektivt begreb.

Et menneskes normalitet er et andet menneskes dysfunktionelle, anar-kistiske, dybt usunde familiesituation.

Helen har aldrig været den, der er tynget af et *faux pas* særlig længe.

Det intetsigende ævl begyndte igen i løbet af få minutter.

„Hvordan mon der er i Belfast? Hvad hvis jeg bliver dræbt?" sagde hun tænksomt. „Jeg mener, der kan jo ske alt muligt. Jeg kunne blive skudt eller sprængt i luften. Det her kan være sidste gang, I nogensinde ser mig."

Vi stirrede alle på hende, gjort tavse af følelser. Selv Kate var helt stille.

Kunne vi virkelig være så heldige?

„Eller måske bliver jeg kidnappet," sagde hun drømmende. „Jeg kunne være ligesom Brian Keenan. Og han har også to grimme søstre!" sagde hun triumferende, begejstret over at finde et lighedspunkt mellem sig selv og et offer for kidnapning.

„Bortset fra at jeg har fire grimme søstre," sagde hun tankefuldt. „Nå, men det kan være lige meget."

„De er *ikke* grimme," sagde mor indigneret.

„Tak, mor." Jeg grinede smørret til Helen.

„Ikke *jer*," sagde mor irriteret. „Jeg snakker om Brian Keenans søstre."

„Åh," sagde jeg dæmpet.

Helen snakkede stadig om at blive kidnappet.

Mit hjerte smertede af medlidenhed med hendes fantasikidnapper.

Hvem der end kidnappede Helen, ville finde ud af, at det var en fælde. At hun var en eller anden form for frygtindgydende, hemmeligt våben sendt fra den anden side for at nedbryde dem indefra.

Der var ingenting, der gjorde hende bange.

Hun kunne være lænket i en eller anden beskidt kælder med en tynd, bleg fanatiker med lange, seje muskler og brændende øjne, belæsset med våben, og hun ville begynde en samtale med ham om, hvor han havde købt sin sweater. Eller hvad som helst, i virkeligheden.

„I bliver nok nødt til at torturere mig lidt," ville hun henkastet sige. „Hvad vil I gøre? I kan vel godt skære mit øre af og sende det med posten for at få løsepenge. Det ville jeg ikke have så meget imod. Jeg mener, hvad skal jeg bruge mit øre til? For jeg hører med indersiden af øret. Ikke ydersiden. Selvom det ville være lidt af et problem, hvis jeg skulle have briller. Hvis jeg kun havde et øre, ville de hænge skævt. Men så kunne jeg jo bare få kontaktlinser. Ja! Jeg kunne få far til at købe mig nogle af de her farvede kontaktlinser. Hvad med brune? Synes du, jeg ville se godt ud med brune øjne?"

Den stakkels terrorist ville være udmattet og bange for hende.

„Hold kæft, kælling," ville han måske sige.

Og måske ville hun holde kæft et øjeblik eller to, før hun begyndte igen:

„Det her er nogle dejlige håndjern. Jeg har også nogle håndjern, men det er bare nogle elendige plastic-nogen. Det må vel være et af goderne ved det her job at få lov til at låne de gode håndjern. Til at binde din kæreste med og sådan noget. Selvom det må være lidt af et problem, når I har en fange. Men jeg ville ikke have noget imod det. Du må godt tage dem med i aften, og jeg lover, at jeg ikke vil prøve at flygte…"

Og så videre og så videre, indtil terroristen brød sammen.

Voksne mænd hulkede ustyrligt: „Hun er forfærdelig, forfærdelig! Jeg vil gøre alt, hvad du siger, men få hende til at stoppe!"

Helen ville komme tilbage i ét stykke, ikke alene med løsepengene i behold, men med en indsamling og et medfølende brev til hendes familie fra terroristerne.

Nå, men til sidst tog hun af sted. En stakkels idiot ved navn Anthony fra hendes hold havde den tvivlsomme ære af hendes selskab på den tre timer lange køreture til Belfast.

Så tog hun af sted, siddende på forsædet med et dydsiret ansigtsudtryk, mens hun knugede en flaske vievand ind til sig.

Hun sagde ikke noget om Adam, før hun tog af sted.

Ko.

Måske skulle han også til Belfast.

Måske var han der allerede.

Måske var alle telefonkablerne i Rathmines afbrudt, og det var derfor, han ikke havde ringet til mig.

Måske var han væltet på sin cykel og lå på hospitalet med et stort udvalg af kvæstelser.

Det vigtige var, at han ikke havde ringet til mig.

Og han ikke havde tænkt sig at gøre det.

Så hvad skulle jeg så gøre?

Hvad jeg virkelig syntes var mærkeligt, var, at jeg knap nok havde skænket James en tanke i løbet af de sidste par dage.

Mit hoved havde været fuldt af Adam, Adam, Adam.

På samme måde som stewarderne på Titanic havde været mere bekymrede ved tanken om utømte askebægre i baren end det enorme hul i siden af skibet, som slap trillioner af liter vand ind, så tænkte jeg også mere på det irrelevante og ignorerede det livsvigtige.

Sommetider er det lettere på den måde.

For selvom der ikke var en skid, jeg kunne gøre ved det enorme hul, så var det stadig i min magt at tømme askebægrene.

Fin analogi.

Men de praktiske konsekvenser af at have det sådan var, at jeg tilbragte hele tirsdagen med at sidde og hænge derhjemme.

Ikke på den fulde-rugby-trænings-fest-agtige måde.

Men *hænge* med hovedet i den elendige og tragiske betydning af ordet.

Ringede jeg til James?

Ked af det, men det gjorde jeg ikke.

Jeg led af et svært tilfælde af selvmedlidenhed.

Jeg var ramt af en særlig ondartet form for Stakkels Mig.

Det gik op for mig, at det ikke var nogen undskyldning.

Guderne skal vide, at jeg ikke prøvede at retfærdiggøre mig selv.

Men jeg var, jeg var... jeg var for fanden *deprimeret*.

Kapitel tyve

Næste dag havde jeg det ikke meget bedre.

Hold dog kæft! Har du nogensinde mødt nogen, der har så ondt af sig selv som mig?

Det var latterligt, og det måtte høre op.

Så jeg slæbte mig ud af sengen og tog mig af Kate. Så tog jeg mig af mig selv.

Åh, bare slap af, vi skal ikke have en gentagelse af hele den alkoholiserede, uvaskede episode.

Nej, nej, tingene stod ikke helt så slemt til.

Jeg kom igennem dagen.

For at være helt ærlig så lykkedes det mig ikke at præstere noget helt fantastisk.

Jeg fandt ikke nogen kur mod kræft.

Jeg opfandt ikke strømpebukser, der ikke løber.

Og jeg må med skam melde, at jeg ikke engang ringede til James.

Jeg ved det, jeg ved det! Jeg er ked af det. Jeg ved godt, at jeg burde have gjort det. Jeg ved godt, at jeg skubbede mit ansvar fra mig.

Men jeg følte mig så tom og ensom.

Trist og alene og alle de andre følelser, der dækkes ind under begrebet 'Tab' i underkategorien 'Afvisning'.

Det var stadig ikke nogen undskyldning for at sidde på min flade røv og lade græsset gro.

Det omtalte græs er naturligvis det græs, der altid er grønnere.

Især når man ikke længere har det.

Håber, du kan bære over med det usammenhængende sammensurium af ordsprog og vendinger.

Bortset fra det stod jeg rent faktisk op om torsdagen.

Og ikke bare det, jeg ringede også til James.

Jeg var ikke engang nervøs.

Og det kunne jeg takke Adam for.

Intet er så galt osv. osv.

For jeg greb det at ringe til James an med en attitude af: „Ha! Tro ikke, at du er noget særligt. For det er du ikke. Du er ikke den eneste mand, der kan gøre mig trist til mode og få mig til at føle mig ensom og afvist. Åh nej! Der er *millioner* af andre, som kan gøre præcis, hvad du har gjort! Tag den!"

Måske ikke ligefrem den perfekte tilgang set ud fra et spørgsmål om selvfølelse, men alligevel.

Jeg tastede nummeret i London, og mine hænder rystede ikke, og min stemme bævede ikke.

Hvor interessant, tænkte jeg.

James kunne ikke længere reducere mig til et rystende nervevrag.

Eller rettere, det at taste nummeret til hans kontor kunne ikke længere reducere mig til et rystende nervevrag.

Nu skal vi ikke lade begejstringen løbe af med os.

Med selvsikker og rolig stemme bad jeg receptionisten på hans kontor i London om at stille mig om.

Det føltes, som om London var flere millioner kilometer væk. Så fjern som en anden planet. Man skulle ikke have troet, at jeg så byen hver aften i nyhederne. Receptionisten lød, som om hun var meget langt væk, meget fremmed.

Det afspejlede mine følelser. Mit liv med James var blevet noget meget fjernt, meget fremmed.

Eller måske var det, fordi receptionisten var græsk.

Uanset hvad, så var jeg fuldstændig rolig, mens jeg ventede på at komme til at tale med ham.

Jeg mener, hvad var problemet?

Hvad havde jeg at tabe?

Ingenting.

Som en eller anden engang har sagt – et elendigt, sarkastisk, misantropisk menneske – frihed er bare et andet ord for intet at tabe.

Indtil jeg hørte det, havde jeg troet, at frihed var at kunne gå i svømmehallen, når man havde menstruation.

Hvor var jeg dog fejlinformeret.

Men når man er tolv år gammel, tror man jo på hvad som helst.

Vidste du godt, at man ikke kan få babyer, hvis man gør det stående?

Helt ærligt, det er rigtigt.

Ved du så også godt, at man *godt* kan få en baby, hvis man sutter mandens tingest?

Men det ville aldrig ske for mig, så meget vidste jeg, for jeg ville aldrig gøre noget så ulækkert som at sutte mandens tingest.

Og jeg troede ikke et øjeblik på, at der nogen steder i hele verden var nogen, der ville gøre noget så frastødende.

Jeg havde ikke hørt begrebet 'anden kønslig omgang', da jeg var tolv, men jeg ville have taget det til mig som en forsvunden søster.

Jeg kunne have grædt over det uskyldige barn, over den idealistiske tolvårige, jeg engang havde været.

Men på samme tid så anede jeg jo ikke, hvad jeg gik glip af.

Åh, undskyld, undskyld, du vil gerne vide, hvordan det gik med James.

Åh, sagde jeg ikke det?

Han var der ikke.

Han sad i møde eller sådan noget.

Og nej, jeg lagde ikke mit navn.

Og ja, du har ret, hvis du har på fornemmelsen, at jeg var rimelig lettet over ikke at have fået fat i ham.

Jeg var i en uangribelig position.

Jeg havde jo ringet til ham, ikke sandt?

Kom ikke og sig, at jeg ikke havde ringet til ham.

Var det måske min skyld, at han ikke var til at få fat på?

Nej, det var det minsandten ikke.

Det betød, at jeg kunne holde op med at have dårlig samvittighed i et par timer.

Så humøret var højt torsdag ved frokosttid.

Jeg tog lykkeligt Kate op af liften og svingede hende rundt.

Hvor må vi være et dejligt billedmotiv, os to, tænkte jeg.

Det smukke barn i sin moders kærlige arme.

Kate så bare bange ud og begyndte at græde, men pyt med det.

Jeg mente det godt.

Jeg havde hjertet på rette sted.

Også selvom Kates balancepunkt ikke var det.

„Kom skat," sagde jeg. „Lad os tage vores bedste sparkedragt på og tage ind til byen og se på folk."

Så Kate og jeg tog ind til byen.

Jeg kunne ikke med god samvittighed købe mere tøj til mig selv.

Ikke efter mit kommandoraid i lørdags.

Men jeg kunne godt købe tøj til Kate.

Ha! Spild ikke tiden på at give mig dårlig samvittighed over det.

Jeg havde et skudsikkert alibi.

Hver dag fandt jeg flere gode ting ved Kate. Hun forbedrede konstant alle aspekter af mit liv.

Jeg købte den mindste, mest vidunderlige, lille denim-forklædekjole til hende.

Den var *skøn*.

Jeg købte den sødeste, lille sparkedragt til hende, lyseblå med mørkeblå polkaprikker og – tjek lige det her – en lille jakke med lynlås og hætte, der passede til.

Så hun ville passe ind, hvis hun mødte nogle seje gadebørn.

Og sokkerne!

Jeg kunne snakke i timevis om de sokker, jeg købte til hende.

Små og bløde og dejlige og varme til at dække hendes bitte, bitte, bittesmå, lyserøde fødder.

Sommetider skyllede sådan en bølge af kærlighed til hende ind over mig, at jeg fik lyst til at kramme hende så meget, at jeg faktisk frygtede for hendes liv.

Så slentrede vi rundt i en boghandel et stykke tid.

Adrenalinen begyndte at pumpe i min krop, hver gang jeg var inden for hundrede meters radius af en boghandel.

Jeg elskede bøger.

Næsten lige så meget, som jeg elskede tøj. Og det siger noget.

Fornemmelsen af dem og duften af dem. En boghandel var ligesom Aladdins hule for mig. Hele verdner og liv findes lige bag det blanke omslag. Alt, hvad man behøver at gøre, er at se efter.

Den verden og det liv, som jeg valgte at træde ind i, tilhørte en, der hed Samantha, som tilsyneladende havde 'det hele': et palazzo i Firenze, en penthouselejlighed i New York, et atelier lige ved siden af Buckingham Palace, flere uvurderlige juveler, end man kan tænke sig til, et forlag eller to, et Learjetfly, et hug af en kæreste, som var hertug eller greve eller noget i den stil, og den essentielle, forfærdelige hemmelighed og en skjult, tragisk fortid.

Jeg ville vædde på, at hun havde været lesbisk prostitueret, før heldet vendte for hende.

Det var ikke godt nok, at hun bare var prostitueret. Det var der ikke længere tilstrækkelig chokværdi i.

Der måtte være lidt ekstra. Noget med en finte.

Lesbiskhed var endnu ikke blevet et forslidt udtryk. Folk blev stadig lidt varme i kinderne af det.

Men hvad ville der ske, når folk holdt op med at hæve øjenbrynene over homoseksualitet?

Jeg bævede ved tanken.

Folk, der dyrkede sex med dyr?

Folk, der dyrkede sex med lig?

Folk, der dyrkede sex med reklamedirektører?

Alt sammen meget væmmelige og chokerende fremtidsudsigter.

Jeg kunne vel godt have købt en 'opbyggelig bog'.

En af dem fra Brontë-klanen. Eller måske endda en lille smule Joseph Conrad. Så fik man sig altid et godt grin.

Men jeg ville have noget, som ikke var særligt anstrengende.

For at være på den sikre side købte jeg en total kioskbasker.

Da jeg kom ud fra boghandlen med mit barn og min bestseller med guldpræg, kom jeg tilfældigvis fordi den cafe, hvor Adam og jeg var taget hen forrige lørdag, og jeg havde tilfældigvis en time eller to tilovers, så jeg satte mig tilfældigvis bare ned – og prøv lige at gætte, hvad der så skete – Adam kom tilfældigvis lige forbi, halvanden time efter at jeg havde sat mig.

Sikke et tilfælde!

For godt til at være sandt, hvad?

Hvis ikke det var guddommelig indgriben, så ved jeg ikke hvad.

Bare kom med en anden forklaring, hvis du kan.

Jeg var ikke noget særlig religiøst menneske, men jeg vidste, når jeg var nær Gud.

Du er ikke overbevist, vel?

Nå, jeg må vel hellere indrømme det.

Jeg havde ligesom håbet lidt på, at jeg måske, kun måske, ville støde ind i Adam, hvis jeg tog ind til byen.

Hvis han havde siddet på netop denne cafe om lørdagen, og flere af hans holdkammerater også havde været der, var der mere end en lille chance for, at han måske ville smutte forbi en torsdag eftermiddag.

Alle ved, at når de studerende ikke drikker sig fulde og tager stoffer, sidder de og leger med sukkeret i timevis på cafeerne med en kop kold kaffe til deling blandt ti af dem,

Jeg sad måske nok og hang over min KitKat og min te længere end højst nødvendigt.

Nogle mennesker ville måske oven i købet have bemærket, at det så ud, som om jeg ventede på ham.

Da han langt om længe dukkede op, kunne jeg ikke så godt kalde det hverken en religiøs eller en metafysisk begivenhed.

Man kunne oven i købet hævde, at jeg havde arrangeret vores møde.

Selvom det ikke er helt retfærdigt, for fanden.

Gud hjælper dem, som hjælper sig selv.

Og Gud kan ikke køre bil.

Hvis jeg var blevet derhjemme i sengen med min chokolade og *Marie Claire*, ville jeg så måske have mødt ham?

Svaret må være nej.

Jeg sad med et halvt øje på Samanthas opkøb af aktiemajoriteten og det andet på døren. Selvom jeg håbede, at han ville komme ind, og endda halvvejs forventede, at han dukkede op, var jeg ikke forberedt på min reaktion, da han rent faktisk dukkede op.

Han var så, han var så... så *lækker*.

Så høj og stærk. Men på samme tid nuttet på en drenget måde.

„Rolig, rolig," sagde jeg mig selv. „Tag en dyb indånding."

Jeg bekæmpede trangen til at smide Kate på bordet og styrte over og kaste mig om halsen på ham.

Jeg mindede mig selv om, at jeg havde opbrugt min neurosekvote i forhold til ham, og at det nok var en god ide at opføre mig som en normal, afbalanceret kvinde.

For fanden, efter lidt øvelse kunne det oven i købet være, at jeg også blev det.

Så jeg sad der, afbalanceret og på det yderste af stolen i et forsøg på at udstråle ro og afbalanceret uneurotiskhed.

Endelig fik han øje på mig.

Jeg holdt vejret.

Jeg forventede nærmest, at han skulle stejle som en forskrækket hest og så styrte hen mod døren, som om helvedeshundene var efter ham, med håret strittende i vejret og opspilede øjne, mens han væltede tepotter og kaffekopper ud over uskyldige tilskuere, pegede vildt hen mod mig og Kate og råbte til enhver, der gad høre det: „Hende der, hun er sindssyg, at I ved det. Komplet vanvittig. Hold jer fra hende."

Men det gjorde han ikke.

Han smilede til mig.

Jeg må indrømme, at det var et lidt vagtsomt smil.

Men det var et smil.

„Claire!" sagde han og kom over til bordet.

„Og Kate!" fortsatte han.

Korrekt i begge tilfælde.

Der var ikke meget, der gik hans næse forbi.

Han kyssede Kate.

Han kyssede ikke mig.

Men det kunne jeg leve med.

Jeg var så glad for at se ham og endnu gladere for, at han havde lyst til at tale med mig. Jeg skænkede det virkelig ikke en tanke, hvem af os han kyssede.

„Vil du ikke sidde hos os?" spurgte jeg høfligt.

Afbalanceret. Glat. Verdens bedste værtinde. Det var mig.

Med formfuldendte manerer. Følelserne, hvis jeg overhovedet havde nogen, var godt og grundigt snøret inde og holdt på plads.

Min hage var løftet, min overlæbe var stiv, mit ansigt var udtryksløst. Intet, der kunne skræmme ham væk, blev vist frem.

„Okay,“ sagde han.

Vagtsomt, forsigtigt. Holdt nøje øje med mig. Måske ventede han på, at jeg ville anklage ham for at være lun på min mor.

„Jeg går lige op og henter en kop kaffe,“ sagde han.

„Fint,“ sagde jeg, sendte ham et storsindet smil, mens afbalanceret afslappethed strålede ud fra hver eneste pore i min krop (håbede jeg).

Han gik derop.

Og jeg ventede.

Og ventede.

Åh gud, tænkte jeg trist, han er stukket af. Han vil åbenbart overhovedet ikke have noget med mig at gøre. Det var vist ved at udvikle sig til en vane for mig.

Han sad sikkert klemt fast i det lillebitte vindue på herretoilettet, mens han kæmpede for at komme ud til de ildelugtende skraldespande og kålblade og tomme cognacflasker, som man finder uden for restauranters og cafeers bagindgange.

Jeg lagde min bog i tasken – ved du hvad? Jeg var så glad for at se ham, at jeg fuldstændig glemte at skjule omslaget på min kioskbasker – og spændte Kate fast i selen igen.

I det mindste gjorde jeg et forsøg, tænkte jeg.

Og jeg var glad.

Jeg havde ikke fået det, som jeg ville have det, men i det mindste havde jeg taget ansvar for mit liv. Jeg havde forsøgt at ordne noget, jeg havde forsøgt at få noget til at ske.

Jeg havde ikke opført mig som et passivt offer, der bare lod livet udfolde sig for mig.

Jeg havde taget kontrol.

Det havde ikke virket, men hvad så?

Det vigtigste var, at jeg havde forsøgt.

Næste gang jeg mødte en sød mand, ville jeg ikke være pladdersentimental og totalt skolepigeagtig over for ham og betragte ham som min kæreste og mistænke alle andre kvinder for at begære ham.

Jeg havde lige fået pakket alting sammen til at gå, da han muntert drejede om hjørnet med en bakke med kaffe og kage.

Røvhul.

Nu havde jeg lige været så voksen og moden og klog og til hvad nytte?

Jeg havde det *så* godt med mig selv, følte mig trist, men en erfaring rigere, og så skulle han absolut komme tilbage og ødelægge det hele for mig.

Der forsvandt mit rosenrøde, indadvendte, tænksomme skær.

Egoistiske røvhul.

Jeg havde lyst til at bede ham om at skride og lade mig være i fred. Det var ikke engang fem minutter siden, jeg havde accepteret, at jeg havde mistet ham, så hvad skulle jeg nu stille op med ham?

Nyde hans selskab?

Er du komplet vanvittig?

„Undskyld, det tog så lang tid," sagde han. „Kassedamen fik et anfald og... hallo!... hvor er du på vej hen?"

Han så virkelig overrasket ud.

„Undskyld," mumlede jeg pinligt berørt.

Hvis han havde haft grund til at mene, at jeg var hysterisk og neurotisk før, så ville dette kun overbevise ham om, at jeg var en totalt led, lille kælling, der konstant fik hysteriske anfald.

„Hvorfor går du?" spurgte han og lød både såret og vred. „Jeg er ked af, at det tog så lang tid. Men jeg troede, at du ville vente."

„Jeg troede, at du var gået," mumlede jeg.

„Jamen, hvorfor?" spurgte han totalt opgivende. „Hvorfor skulle jeg gå?"

„Det ved jeg ikke," sagde jeg og fik kvalme af forlegenhed.

Åh, nu har du lavet godt og grundigt ged i den, tænkte jeg for mig selv.

„Hør her!" sagde han, og han hamrede bakken ned i bordet og fik kaffen til at flyve til højre og venstre.

Det gav et sæt i mig.

„Sæt dig ned," sagde han vredt. Han lagde hænderne på mine skuldre og skubbede mig ned i min stol, så det ikke var til at misforstå.

Hjælp, tænkte jeg forskrækket. Tag det roligt.

„Åh, undskyld, Kate," indskød han undskyldende. Hendes lille ansigt må have set overrasket ud over denne bratte forandring.

„Okay!" sagde han og var vred igen. „Hvad helvede foregår der?"

„Hvad mener du?" spurgte jeg med lille stemme.

Han forsøgte helt åbenlyst at styre sin vrede, og det var skræmmende.

„Hvorfor behandler du mig sådan her?" spurgte han vredt med sit ansigt meget tæt på mit.

Jeg kunne ikke fatte, hvad der var ved at ske.

Hvad var der sket med rare, forstående Adam?

Hvem var denne rasende mand?

„Hvordan?" spurgte jeg tryllebundet. Jeg var bange for ham, men som en kanin fanget i forlygterne på en bil kunne jeg ikke rive mig løs fra hans vrede, blå øjne.

„Som om jeg er en eller anden skiderik."

„Det gør jeg heller ikke," protesterede jeg overrasket.

Det gjorde jeg da ikke, vel?

„Jo, du gør fandme," bjæffede han ad mig, mens hans fingre borede sig ned i mine skuldre. „Det har du bogstavelig talt gjort siden første gang, vi mødte hinanden.

Jeg mødte dig, jeg kunne virkelig godt lide dig, jeg havde lyst til at mødes med dig, hvad er der galt med det?" sagde han rasende.

„Ingenting," hviskede jeg.

„Hvorfor opfører du dig så, som om jeg er et eller andet Casanovarøv-hul; hvorfor troede du, at jeg havde noget kørende med din lillesøster, hvorfor troede du, at jeg ville gå og efterlade dig her, bare sig mig *hvorfor?*"

Folk ved de andre borde var begyndt at stirre nysgerrigt på os, men Adam lagde ikke mærke til det, og jeg syntes ikke, det ville være rigtig smart at påpege det, i hvert fald ikke når han var i det humør.

„Kan du ikke se, hvor fornærmende det er?" spruttede han.

„Nej," sagde jeg, næsten bange for at se på ham.

„Nå, men det er det!"

Jeg vidste ikke, hvad jeg skulle sige. Jeg sad bare der og så på ham, mens hans blå blik borede sig ind i mit.

Pludselig blev jeg opmærksom på, hvor tæt jeg var på ham.

Der var kun få centimeter mellem vores ansigter.

Jeg kunne se hver enkelt skægstub, den let solbrændte hud, der strammede om hans smukke kindben, hans lige, hvide tænder, hvor sexet hans mund var...

Pludselig stod han meget stille.

Det var, som om al vreden og voldsomheden lettede fra ham.

Vi sad ligesom statuer, hans hænder hvilede på mine skuldre. Vi stirrede på hinanden.

Jeg var utrolig bevidst om ham, hans styrke, hans sårbarhed.

Der var en spænding imellem os, der vibrerede let i stilheden.

Så trak han sig væk fra mig. Træt og fuldkommen udmattet satte han sig med armene hængende slapt ned langs siderne.

„Adam," forsøgte jeg forsigtigt.

Han så ikke engang op på mig.

Han sad der bare med bøjet hoved.

Så jeg kunne se hans smukke, mørke hår.

„Adam," sagde jeg igen og rørte forsigtigt ved hans arm.

„Det er ikke dig, det er mig," sagde jeg akavet.

Der var en pause.

„Hvad mener du?" spurgte han.

Eller jeg mente i hvert fald, at det var det, han sagde. Det var svært at høre ham; hans stemme var formummet, for hans ansigt hvilede praktisk talt på brystkassen, og han snakkede ned i sin sweater.

„At det er mit problem," sagde jeg. Det var meget svært at sige.

Men jeg måtte sige det.

Det skyldte jeg ham.

Jeg havde gjort ham ked af det, og jeg kunne i det mindste fortælle ham, hvad der foregik i hovedet på mig.

Han sagde noget.

„Øh, undskyld, Adam, men det fik jeg ikke helt fat i," sagde jeg undskyldende.

Han løftede hovedet og så på mig.

Han så vred, men smuk ud.

„Jeg sagde, hvad er dit problem?" gentog han gnavent.

Endnu en bølge af frygt vældede ind over mig.

Jeg blev nødt til at gøre det godt igen.

Men det var meget svært at snakke med ham, når han var så skræmmende.

„Det er, fordi jeg er usikker og mistænksom," sagde jeg.

Han sagde ingenting.

Sad bare og så mopset på mig.

„Du har ikke gjort noget galt," fortsatte jeg i et andet spor.

Han nikkede dystert.

Jeg troede i hvert fald, det var et nik.

Det lignede rimelig meget et nik.

Også selvom det var meget lille og meget bistert.

Han kunne selvfølgelig også bare have ændret hovedets stilling på skuldrene.

Men det var nok til at opmuntre mig til at fortsætte.

„Jeg troede, at du var gået, fordi du ikke havde lyst til at snakke med mig," sagde jeg til ham.

„Jeg forstår," sagde han uden nogen synlige følelser.

Jeg havde lyst til at stikke ham en.

Reagér, for fanden!

Sig til mig, at jeg er latterlig, sig til mig, at du altid vil have lyst til at se mig.

Det gjorde han ikke.

Måske satte han ikke pris på at blive manipuleret til at give komplimenter.

Fint nok.

Måske var det på tide, at jeg holdt op med at manipulere med ham.

Eller nogen andre for den sags skyld.

Men sommetider var det lige så instinktivt som at trække vejret.

Ikke fordi jeg var stolt af det eller noget.

Jeg forsøgte at forklare ham det.

"Jeg troede ikke, at du ville tale med mig, efter at jeg havde været så urimelig i telefonen søndag nat."

"Du var urimelig," samtykkede han.

"Men jeg er bange," sagde jeg sørgmodigt.

"For hvad?" spurgte han og lød ikke helt så bidsk.

"For, for, for... alting i virkeligheden," sagde jeg. Til min rædsel begyndte tårerne at vælde op i øjnene på mig.

Jeg gjorde det ikke med vilje, jeg *sværger*, det gjorde jeg altså ikke.

Jeg var lige så chokeret over mine uventet tårevædede øjne, som han var.

"Undskyld," snøftede jeg. "Jeg gør ikke det her, for at du skal være sød mod mig."

"Godt," sagde han. "For det virker ikke."

Hjerteløse røvhul, tænkte jeg kort, men så skubbede jeg den uværdige tanke ud af hovedet.

"Jeg reagerer kun på grædende kvinder, hvis de er under to år," fortsatte han og smilede skævt, idet han aede Kates ansigt.

"Åh," sagde jeg. Jeg gjorde et tappert forsøg på at grine, selvom jeg stadig græd.

"Hvad er det, du er så bange for, at du bliver nødt til at være led over for mig?" spurgte han. Denne gang lød han næsten blid.

"Åh, det sædvanlige," sagde jeg og forsøgte at tage mig sammen.

"Holde af folk og så miste dem, opføre mig som et fjols, blive såret, skræmme folk væk, være for ligefrem, være for reserveret..." lirede jeg af. "Vil du have, jeg skal fortsætte? Jeg kunne blive ved i flere timer."

"Nej, det er okay," sagde han. "Men den slags ting er vi alle sammen bange for."

"Er vi?"

"Selvfølgelig," forsikrede han mig om. "Hvorfor tror du, at du er noget særligt? Du har ikke monopol på den slags følelser, at du ved det. Bortset fra det, hvordan skræmmer jeg dig?"

"Fordi jeg troede, at du spillede mig ud mod Helen," sagde jeg.

"Jamen, det *sagde* jeg jo, at jeg ikke gjorde," sagde han irriteret. "Jeg fortalte dig jo, at jeg godt kunne forstå, hvorfor du følte sådan, selvom jeg ikke syntes om det."

"Men hvorfor er du så nærtagende omkring det?" spurgte jeg, momentant afledt fra min egen elendighed. "Jeg troede, alle mænd godt kunne lide at blive regnet for scorekarle."

„Nå, men det kan jeg helt klart ikke," sagde han. Han så trist og tankefuld ud. Jeg vidste, at han ikke kun tænkte på mig og Helen.

Hvad var det dog, der var hændt ham?

Hvad var det for en sorg, han bar rundt på?

Jeg måtte til bunds i det her.

Men først måtte jeg have ordnet de nuværende problemer.

Jeg pløjede tappert videre.

„Efter at jeg havde talt med dig søndag aften, tænkte jeg, at jeg havde virket hysterisk, som om jeg overreagerede. Jeg var bange for, at jeg havde skræmt dig væk, og at du ikke ville ringe til mig mere," fløj det ud af mig, og så kiggede jeg forsigtigt ud under øjenvipperne på ham for at se, hvordan han reagerede på det.

„Nå..." sagde han langsomt.

Åh, skynd dig nu, for fanden, tænkte jeg panisk, mine nerver kan ikke holde til det.

„Jeg havde ikke tænkt mig at ringe til dig," fortsatte han.

„Åh", sagde jeg.

Så jeg havde haft ret.

Topkarakter for min intuition.

Og dumpekarakter for min fornemmelse af velvære.

Jeg følte det, som om jeg var blevet sparket i maven af en hest.

Det er faktisk ikke sandt, for jeg har aldrig nogensinde prøvet at blive sparket i maven af en hest.

Tror du virkelig, at jeg ville sidde her og snakke, hvis jeg havde været den heldige modtager af et hestespark i maven?

Svaret må nødvendigvis være nej.

Men jeg havde det på samme måde, som dengang jeg var ti år gammel, og jeg faldt ned fra en mur og lavede en maveplasker ned på en græsplæne, som sommersolen havde bagt lige så hård som cement. Der var den der forfærdelige fornemmelse af chok og kvalme, da al luften brat blev presset ud af min krop.

Det var sådan, jeg havde det nu.

„Ikke fordi jeg ikke havde lyst til at ringe til dig," fortsatte han uden at være klar over, hvor rædselsfuldt jeg havde det. „Men fordi jeg troede, det ville være bedst for dig."

„Hvad mener du?" kvækkede jeg og havde det uendelig meget bedre.

„Fordi du har været igennem så meget på det sidste. Jeg havde ikke lyst til at gøre dig ked af det på nogen måde eller give dig flere problemer."

Sikke en engel!

„Du gjorde mig ikke ked af det," sagde jeg til ham.

„Jamen, det gjorde jeg jo åbenbart," sagde han.

„Jamen, du gjorde det ikke med vilje," protesterede jeg.

„Det ved jeg godt," sagde han. „Og det var derfor, jeg flippede ud før – undskyld, for øvrigt – men det var, som om du blev irriteret eller ked af det eller hvad nu, bare vi var i kontakt med hinanden."

Lettelsen skyllede ind over mig.

„Jeg er ked af, at jeg er besværlig," sagde jeg til ham. „Men…"

Jeg tog en dyb indånding.

Det var lidt af en risiko.

At udstille mine følelser.

„Jeg vil hellere være sammen med dig end ikke at være sammen med dig," lykkedes det mig til sidst at sige.

„Er det rigtigt?" sagde han og lød så håbefuld og glad og drenget.

„Ja."

„Er du sikker?"

„Jeg er sikker."

„Stoler du på mig?"

„Åh, Adam," sagde jeg halvt grinende, halvt grædende. „Jeg sagde, at jeg havde lyst til at være sammen med dig. Der var ikke nogen, der sagde noget om tillid."

„Okay," sagde han og grinede også (ingen tegn på tårer). „Men stoler du på mig, hvis jeg siger, at jeg gerne vil være sammen med dig og ikke Helen?"

„Ja," sagde jeg højtideligt. „Det gør jeg."

„Og hvis kassedamen kommer op at skændes med en eller anden om byttepenge og får et hysterisk anfald og stikker af, så jeg bliver nødt til at vente i timevis for at kunne betale for kaffen, så tror du ikke, at jeg er flygtet ud ad bagindgangen?"

„Nej," sagde jeg. „Det gør jeg ikke."

„Så vi er venner?" spurgte han åh-så-tiltrækkende.

„Ja." Jeg nikkede. „Vi er venner."

Selvom min hjerne sagde til mig: „Undskyld mig, undskyld mig lige et øjeblik, *venner*, sagde du *venner*? Jeg tror ikke, folk, der bare er venner, opfører sig sådan, som du har lyst til med Adam. Laura er din ven, og du flår ikke tøjet af hende, hver gang du ser hende, og har jeg ikke ret, når jeg siger, at det er lige præcis det, du har lyst til at gøre med Adam?"

„Hold kæft," mumlede jeg.

„Undskyld?" sagde Adam og så forfærdet på mig, mens han åbenbart tænkte: Åh nej, nu begynder hun igen.

„Ikke noget," sagde jeg. „Overhovedet ikke noget."

„Nå," sagde han. „Nu hvor vi har fået det på plads, hvornår kan vi så ses?"

„Åh, det ved jeg ikke," sagde jeg og blev helt genert og piget.

„Skal du noget søndag aften?" spurgte han.

„Det tror jeg ikke," sagde jeg og lod, som om jeg overvejede det, selvom min kalender strakte sig lige så tom og formløs ud foran mig som Gobiørkenen.

„Nå, men må jeg invitere dig til middag?" spurgte han.

„Ja, det ville være dejligt," sagde jeg.

„Godt," sagde han. „Jenny og Andy er taget på weekend, så vi har stedet for os selv."

„Åh," sagde jeg.

Jeg var en verdenskvinde.

Jeg vidste meget vel, at det at tage hjem til en mand i en lejlighed, hvor alle de andre beboere ikke var til stede, og sige ja til at spise middag, som var blevet tilberedt personligt til en, var ensbetydende med, at der var meget mere på spil end svinekoteletter og chokoladekage.

Fedt, tænkte jeg.

Jeg kunne næsten ikke fatte, hvor heldig jeg var.

„Godt, Adam, det lyder dejligt."

Vi blev enige om et tidspunkt søndag aften. Han fulgte Kate og mig hen til bilen, og vi kørte hjem.

Kapitel enogtyve

Forberedelserne til søndag.
   Ingredienser:
   Et styk forsømt, afvist, nedslået niogtyvårig kvinde, som for nylig har født
   En god portion skyld
   En knivspids forventning
   En pakke usikkerhed over kroppens fremtoning
   En dusk spænding (vild, om muligt)
   En skefuld kondenseret dyb fortvivlelse
   En mindre panik over strækmærker
   Et par selvsiddende strømper med blondekant
   Et par interessante sorte trusser
   En sort bh af den mirakuløse og ikke kun almindeligt opløftende type
   En flaske rødvin
   En kjole
   Et par sko
   Pynt:
   Luderrød læbestift
   Flere lag sort mascara
   Tilberedning:
   Læg strømperne, trusserne og bh'en til side til senere brug.
   Tag kvinden.
   Tjek hendes øjne og hud for at sikre, at hun ikke har overskredet sin sidste salgsdato.
   Tilføj skyld, forventning, usikkerhed, spænding, fortvivlelse og panik.
   Rør grundigt sammen.
   Lad det simre i et par dage.
   I et middelstort badekar gør da kvinden klar ved at barbere hendes ben, farve hendes hår og lakere hendes tånegle.
   Omkring en time før du begynder, gnid da gavmildt kroppen med dyr bodylotion, mens du vender den ofte.
   Tilføj strømperne, det interessante par sorte trusser og den mirakuløse

sorte bh. Øv dig et par gange med at se forførende ud ved at lade håret falde ned over ansigtet og se ud under øjenvipperne.

Tjek, at hun stadig kan gispe og skyde ryg og sige: „Åh, skat, det var vidunderligt" og „Åh gud, du må ikke stoppe", mens hun holder masken.

Få en søster, helst Anna, til at passe barn.

Tilføj en god portion luderrød læbestift, flere lag sort mascara, en sort, gennemknappet, lilla (det er trods alt lidenskabens farve) kjole, sexede sorte ruskindssko med ankelremme og en flaske rødvin.

Sørg altid for ikke at begynde at drikke af rødvinen, før du er ankommet til bestemmelsesstedet.

Som en valgfri mulighed er kondomer i tasken altid en fin detalje.

Hvis ikke det er muligt at fremskaffe dem – hvis det for eksempel ikke er sæson for dem – må du nøjes med store mængder selvkontrol. Ikke altid ideelt, men bedre end ingenting.

Server på en seng med en lækker mand.

Jeg fulgte instruktionerne ord for ord. Jeg var så heldig at fremskaffe kondomer – takket være Laura – sikke en kvinde!

Jeg havde det rimelig godt med mig selv.

Jeg blev ikke engang ked af det, da jeg opdagede at takket være min hårfarvning (det er farve*toning*, skat, vi har ikke brug for at farve vores hår, vi har bare brug for at *tone* dets naturlige farve og reflekser), okay så da, at takket være min farve*toning* var mine ører og mit hår nu farvekoordineret.

Og hvis jeg absolut skulle have farvede ører, kunne det have været meget værre end en kraftig, blank kastanjefarve.

Ikke noget med Sort Ibenholt eller Blommefarvet til mine ører. Ellers tak!

Omkring klokken halv otte søndag aften gjorde jeg mig klar til at tage af sted.

Klar til at synde hele natten uden nogen bekymringer.

Jeg kyssede Kate godnat.

Idet jeg stjålent sneg mig hen mod hoveddøren med frakken bogstavelig talt knappet helt op til øjenbrynene i tilfælde af, at mor skulle se mig ligne en tøjte, ringede telefonen.

„Claire, det er til dig," råbte Helen.

Åh gud!

Men det var bare Laura.

Der ringede for at ønske mig held og lykke og ville vide, om jeg havde øvet mig i at sætte et kondom på med tænderne efter hendes anvisninger.

„Nej, det har jeg ikke!" sagde jeg.

Jeg ville bare lægge røret og skynde mig ud af huset, for jeg var rædselsslagen for at blive opdaget.

„Hvorfor ikke?" spurgte hun. „Du kan ikke bare dukke op og forvente, at han er tilfreds med kedelig, gammeldags sex. Du må være lidt opfindsom."

„Jamen, du gav mig kun to!" sagde jeg rystet. „Jeg ville ikke sløse med dem. Hvad skulle jeg egentlig talt have øvet mig på?"

„Nå, men så lad os bare håbe, at du gør det ordentligt med den første. Ellers får du ikke en chance for at bruge nummer to," sagde hun dystert.

„Åh, hold op, Laura, jeg er nervøs nok i forvejen!"

„Godt," grinede hun. „Det er meget bedre, når man er nervøs."

Jeg lovede at ringe til hende næste dag og fortælle hende alle de slimede detaljer.

„Eller hvis jeg kommer tidligt hjem i aften, så ringer jeg og fortæller det hele," lovede jeg ivrigt.

„Hvis du kommer tidligt hjem i aften for at fortælle mig det hele, så er der ikke noget at fortælle," sagde hun.

„Åh," sagde jeg.

Det havde hun jo ret i.

„Hør, jeg bliver nødt til at smutte," sagde jeg irriteret og lagde på, mens hun var i færd med at forklare en eller anden kompliceret seksuel aktivitet, som hun sagde, at hun havde set i et show i Bangkok. Hvad det end var, skulle man være langt mere smidig end jeg for at kunne gøre det.

Jeg vidste godt, hvordan man dyrkede sex, at du ved det. Jeg havde faktisk født et barn. Hvordan troede hun egentlig, at det var kommet i stand?

Apropos seksuelle udfoldelser, så bliver jeg nødt til at komme med en tilståelse.

Vent lidt.

Her kommer den.

Jeg kan godt lide missionærstillingen.

Så! Nu har jeg sagt det.

Folk får mig til at *skamme* mig sådan over at have det sådan.

Som om jeg er forfærdelig kedelig og hæmmet.

Men det er jeg ikke. Helt ærligt.

Jeg siger ikke, at det er den eneste stilling, jeg godt kan lide.

Men helt ærligt, så har jeg virkelig ikke noget at indvende imod den.

Dette er naturligvis ikke rette tid og sted at diskutere seksuelle yndlingsstillinger.

Men jeg vil bare lige fortælle dig meget hurtigt, at det at blive slikket er det kedeligste, Gud nogensinde har fundet på. Jeg vil hellere bruge en hel dag på at arkivere end at udholde fem minutter af det.

Når han så er færdig med sine fem minutters slubren, så opfører han sig, som om man bør være så *taknemmelig* for det. Lyser op i hele hovedet, som om han fortjener en medalje. Og opfører han sig, som om han har ret til betingelsesløse blowjobs i et helt år.

Der er selvfølgelig nogle kvinder, der sværger til det, men… undskyld, undskyld.

Jeg tog langt om længe af sted og kørte over til hans hus.

Kapitel toogtyve

Jeg parkerede bilen uden for hans hus og følte en heftig blanding af spænding og snusket skam, da jeg gik op til hoveddøren. Så kom jeg i tanke om, at jeg havde glemt vinen i bilen, og løb hurtigt tilbage efter den.

Jeg skulle ingen steder uden den.

Jeg drak mig mod til.

Chilensk mod, men lige meget.

Adam åbnede døren næsten øjeblikkeligt.

Hvis ikke jeg vidste bedre, ville jeg sværge på, at han havde stået og gemt sig i entreen, skjult bag gardinet, og ventet på, at jeg skulle komme.

Det havde han faktisk nok gjort.

Det virkede, som om han var lige så spændt og påvirket af alt det her, som jeg var.

Han så lidt nervøs ud.

Kolde fødder?

Havde han ombestemt sig?

Nerver før kampen?

Men så kastede han sig ud i det.

„Hej," sagde han smilende. „Du ser dejlig ud."

„Hej," sagde jeg. Jeg smilede til ham på trods af min nervøsitet.

Hvor er det vidunderligt, tænkte jeg ophidset.

Jeg følte mig så foruroligende dekadent.

Til stævnemøde med en smuk mand.

Jeg spekulerede på, om jeg nogensinde havde været så vild med en mand, som jeg var med Adam.

Højst sandsynligt, tænkte jeg og sukkede.

Var bare realistisk et kort øjeblik.

Men lige i det øjeblik føltes det, som om jeg aldrig nogensinde havde været vild med andre end ham.

Hvor lang tid går der mon, før vi er i seng sammen, tænkte jeg.

Hvor lang tid kan jeg styre mig, hvis ikke han gør noget?

Hvad hvis han ikke gør noget? tænkte jeg rædselsslagen.

Eller hvad hvis det er en komplet katastrofe?

Måske synes han, at jeg er totalt frastødende med min efterfødselskrop.

Måske vil jeg synes, at han er totalt frastødende, fordi han ikke ser ud præcis ligesom James.

Åh gud!

Jeg burde være blevet hjemme. Det medfører ikke lige så mange forfærdelige dilemmaer og rædselssvækkende forestillinger at se *Coronation Street*.

Før jeg kunne nå at styrte ud ad døren, mens jeg stammede, at det alt sammen havde været en forfærdelig fejltagelse, lagde han armen (og hvilken arm) om mig og førte mig ud mod køkkenet.

„Tag din frakke af," sagde han. „Og snup dig et glas vin."

„Jamen... okay, så. Gider du skænke mig en halv liter rødvin, tak?" sagde jeg, idet jeg satte mig ved køkkenbordet.

Han grinede.

„Er du nervøs, skat?" spurgte han kattevenligt, idet han skænkede et glas vin til mig.

Gud i himlen! tænkte jeg rædselsslagen, du må ikke stille mig spørgsmål med den stemme.

Jeg var skræmt nok i forvejen. Hvis han begyndte at opføre sig som en eller anden superforfører, så var jeg smuttet.

Det eneste, der manglede nu, var, at han skiftede sine cowboybukser og sweatshirt ud med en paisleymønstret slåbrok i silke og svansede rundt med et sort cigaretrør.

„Jeg er ikke nervøs," fløj det ud af mig. „Jeg er skidehamrende rædselsslagen."

„Over hvad?" spurgte han og lod, som om han var overrasket. „Så dårlig er jeg heller ikke til at lave mad."

Nå, det er sådan, vi leger, tænkte jeg.

Falsk afslappethed, hva'?

Fint nok.

Jeg sendte ham et afbalanceret smil.

Og kastede hele vinglassets indhold ned i halsen, før jeg overhovedet vidste, hvad jeg gjorde.

„Slap af," sagde han ængsteligt og kom over for at sidde ved siden af mig og holde mig i hånden. „Jeg bider ikke."

Nå, så det gør du ikke, tænkte jeg. Nå, jamen så tager jeg helt sikkert hjem.

„Vi skal bare have noget mad og snakke lidt," sagde han venligt. „Ikke noget at bekymre sig om."

„Okay, så," sagde jeg og gjorde en tapper indsats for at slappe af. „Hvad skal vi for øvrigt have?"

„Hjemmelavet Stilton og muskatdruesuppe, Boeuf Bourguignon med Dauphinoiskartofler og min egen opskrift på Zabaglione til dessert."

„Er det rigtigt?" spurgte jeg forbavset.

Jeg havde ikke ligefrem forestillet mig, at Adam var til finere madlavning.

Mere en kotelet- og kartoflerfyr.

Kvantitet frem for kvalitet.

„Nej," sagde han og grinede. „Er du gal? Du får spaghetti med kødsovs, og du er heldig, at det overhovedet lykkedes mig."

„Jeg forstår," grinede jeg.

Han var så sød.

Der var overhovedet ikke noget ævl med ham.

„Og hvis du er rigtig dygtig" – på dette tidspunkt holdt han inde og sendte mig et betydningsfuldt blik – „og jeg mener *rigtig* dygtig, så får du også chokolademousse."

„Åh," sagde jeg helt ophidset, en kombination af det betydningsfulde blik og nyheden om chokolademoussen. „Det lyder godt. Jeg elsker chokolademousse."

„Det ved jeg godt," sagde han. „Hvorfor tror du, jeg købte det?"

„Og," fortsatte han drillende. „Hvis du er rigtig, *rigtig* dygtig, får du lov at spise det på min mave."

Jeg bristede i latter.

Han var sådan en engel.

Jeg kunne ikke undertrykke en kuldegysning af lyst ved tanken om hans flade, muskuløse mave.

Og det var sikkert lige præcis den reaktion, han satsede på.

Jeg skænkede hurtigt endnu et glas vin til mig selv, men denne gang tvang jeg mig til at nippe til det.

Han serverede maden, og det var åbenlyst, at det ikke var noget, han gjorde særlig tit. Han virkede helt malplaceret ved komfuret. Sådan som han styrtede fra vasken til komfuret og tilbage igen, mens pastaen kogte over, og salaten nærmest visnede for øjnene af os.

Jeg havde nu en pragtfuld udsigt til hans røv.

Modsat de fleste andre ting faldt det ham ikke naturligt at lave mad.

Hvilket gjorde det meget mere rørende, at han havde gjort sig sådan umage for min skyld.

Han så meget usikker ud, da han forsigtigt bar tallerknerne over til bordet og højtideligt stillede den ene foran mig.

„Tag noget mere vin," sagde han og skænkede mig et glas mere.

Det var en forandring fra hans opførsel som den lokale afdeling af Anonyme Alkoholikere mindre end ti minutter tidligere.

„Forsøger du at drikke mig fuld, så du kan udnytte mig?" spurgte jeg og forsøgte at lyde irriteret.

„Jeg prøver at drikke dig fuld, så du ikke opdager, at maden smager forfærdeligt," grinede han.

„Jeg er sikker på, det er dejligt," forsikrede jeg ham.

Jeg må desværre indrømme, at jeg ikke kunne spise mere end et par mundfulde. Ikke fordi det var forfærdeligt eller noget.

Det kunne det nu godt have været.

Jeg skal ikke kunne sige det.

Jeg var så nervøs, og der var så meget spænding og forventning i luften, at jeg havde lyst til at sige til ham: „Hør her, Adam, vi ved begge to, hvorfor jeg er her, så skal vi ikke bare se at få det overstået?"

Han kunne heller ikke spise noget.

Det kunne selvfølgelig godt være på grund af maden og ikke hans nerver.

Vi sad over for hinanden ved Adams køkkenbord, mens vi skubbede spaghetti frem og tilbage på tallerknerne og overhovedet ikke rørte salaten, som så trist og forladt ud i sin skål.

Vi snakkede om løst og fast.

Indimellem så jeg op på ham og greb ham i at se på mig.

Og hans ansigtsudtryk gjorde mig varm og kejtet.

Det ødelagde enhver chance for, at jeg kunne spise noget som helst.

Jeg var bange for, at min mave ville bule ud, hvis jeg spiste noget.

Hvad var det for en mave at have den første nat med en mand?

Eller at jeg ville svinge en gaffelfuld mad op mod munden, men så slaskede spaghettien ned og ramte mit ansigt med en piskesmældsagtig effekt og splattede hele mit ansigt til med tomatsovs.

Min reaktion, når jeg er i nærheden af en mand, er et sikkert tegn på, hvad jeg føler for ham.

Hvis jeg ikke kunne spise noget, var det, fordi jeg var vild med ham.

Hvis det lykkedes mig at få noget appelsinjuice og et stykke toast ned næste morgen, var det begyndelsen på enden.

Når vi nåede så langt, at jeg begyndte at spise det, han havde levnet, var det så godt som slut.

Enten det, eller jeg giftede mig med ham.

Sådan havde mønsteret i hvert fald været indtil nu.

„Skal du ikke spise mere?" spurgte han til sidst og så på det bjerg af mad, der lå på min tallerken.

Han så skuffet ud, og jeg havde det forfærdeligt.

„Adam," sagde jeg akavet. „Undskyld. Jeg er sikker på, det er dejligt og alt muligt, men jeg kan bare ikke spise noget. Jeg ved ikke hvorfor. Jeg er virkelig ked af det." Jeg så bedende på ham.

„Det er lige meget," sagde han og ryddede tallerknerne af bordet.

„Vil du aldrig lave mad til mig igen?" spurgte jeg trist.

„Selvfølgelig vil jeg det," sagde han. „Og lad for himlens skyld være med at se så elendig ud."

„Det er bare, fordi jeg er nervøs," sagde jeg til ham. „Det er ikke, fordi maden var forfærdelig."

„Nervøs?" Han kom over til min side af bordet og satte sig ned ved siden af mig. „Du har ikke noget at være nervøs over."

„Har jeg ikke?" sagde jeg og så ham direkte ind i øjnene.

Jeg var skamløs.

Jeg er den første til at indrømme det.

Men, for fanden, jeg havde allerede spildt nok tid.

„Nej," mumlede han. „Du har ikke noget at være nervøs over."

Og så lagde han meget blidt armen om min skulder og hånden bag om mit hoved.

Jeg lukkede øjnene.

Jeg kan ikke fatte, jeg gør det her, tænkte jeg vildt, men jeg har ikke tænkt mig at stoppe.

Jeg indåndede duften af hans hud, da hans ansigt nærmede sig.

Jeg ventede på hans kys.

Og da det kom, var det vidunderligt. Sødt og blidt og fast.

Den slags kys, hvor den, som kysser dig, er rigtig god til det, men ikke, fordi han har øvet sig på tusindvis af kvinder.

Han holdt op med at kysse mig, og jeg så forfærdet op på ham.

Hvad var meningen?

„Var det okay?" spurgte han stille.

„Okay?" gispede jeg. „Det var mere end okay."

Han grinede lidt.

„Nej, jeg mener, er det okay at kysse dig? Du ved, jeg vil ikke overskride dine grænser."

„Det er okay," sagde jeg til ham.

„Jeg ved, at du er blevet såret," sagde han.

„Men du er min ven," sagde jeg. „Det er okay."

„Jeg vil gerne være mere end din ven," sagde han.

„Det er også okay," sagde jeg til ham.

„Er det?" spurgte han og så på mig for at få det bekræftet.

„Helt ærligt," sagde jeg.

Åh gud! Jeg havde ikke givet mig selv meget plads at manøvrere i.

Ikke fordi jeg havde lyst til det.

Jeg havde startet det her, så jeg ville gøre det færdigt.

Han kyssede mig igen, og det var lige så dejligt som første gang.

Han trak sig væk fra mig, og jeg trak ham ind til mig igen.

Han så næsten forundret på mig og sagde: „Åh gud, du er bare så smuk."

„Nej, jeg er ej," sagde jeg og følte mig lidt pinligt berørt.

„Jo, du er," sagde han. „Det er du virkelig."

„Nej," sagde jeg. „Helen er smuk."

„Prøv at høre," sagde han og smilede. „Med risiko for at lyde totalt californisk, så er du et smukt menneske."

„Er jeg?"

„Det er du."

En lille pause.

„*Og* du er en steg."

„Tak." Jeg grinede. „Hvor er det ærgerligt, at du er så grim."

Så grinede han.

Den mand havde bare ingen form for forfængelighed.

Men på den anden side, hvis man er så smuk, har man måske heller ikke brug for det.

Alle andre er forfængelige på ens vegne.

Han kyssede mig igen.

Og det var helt ærligt vidunderligt.

Jeg følte mig så tryg, når jeg var sammen med ham og i hans arme. Men jeg følte også, at jeg passede på ham. At han havde lige så meget brug for mig, som jeg havde brug for ham.

„Ved du godt, at vi har kendt hinanden mindre end to uger?" spurgte han mig.

Åh nej, tænkte jeg, betyder det nu, at han ikke vil gå i seng med mig endnu? Har han tænkt sig at pålægge det en tidsbegrænsning? At vi ikke kan dyrke sex, før vi har kendt hinanden i tre måneder eller sådan noget i den stil.

„Ja," sagde jeg vagtsomt. „Ti dage faktisk."

„Men det føles som meget længere tid," sagde han. „Meget, meget længere."

Gudskelov!

„Jeg er så glad for, at jeg har mødt dig," fortsatte han. „Du er virkelig noget særligt."

„Det er jeg ikke," protesterede jeg. „Jeg er meget almindelig."

„Du er noget særligt for mig."

„Jamen hvorfor?"

„Åh, det ved jeg ikke," sagde han. Han lænede sig tilbage i stolen og så på mig. „Fordi du er interessant og har meninger om ting, og du er meget sjov. Men mest fordi du er så sød... grundlæggende bare fordi du er et ordentligt menneske."

„Det er jeg ikke altid," sagde jeg til ham. „Jeg mener, du skulle have set mig for et par uger siden. Jeg var som Myra Hindley med PMS."

Han grinede.

Jeg blev virkelig irriteret på mig selv.

Her sad jeg med en dejlig mand, der fortalte mig dejlige ting om mig selv, og så forsøgte jeg at overbevise ham om, at ingen var dem var sande.

Det var som regel den anden vej rundt. Jeg plejede at fortælle dejlige ting om mig selv, og de tilbragte resten af tiden med at forsøge at overbevise mig om, at intet af det var sandt.

Han lænede sig frem og kyssede mig igen.

Det var bare himmelsk.

Jeg havde lyst til bare at overgive mig til det.

Til at være sammen med ham, uden nogen skyldfølelse eller bekymringer eller kejtethed.

Det føltes så *rigtigt* at være sammen med ham.

Du er lige kommet ud af et forhold, advarede jeg mig selv.

Og hvad så? Jeg mener, det er jo ikke, fordi jeg har tænkt mig at gifte mig med fyren. Må jeg ikke have det lidt sjovt? spurgte jeg mig selv.

Nå jo, det må jeg vel gerne.

Men du kan jo ikke bare bolle med enhver mand, der gerne vil i seng med dig.

På den anden side er det her jo ikke en hvilken som helst mand.

Det her er en pæn, sød mand, som holder af mig, eller det *virker* i det mindste, som om han holder af mig, og jeg holder af ham.

Med et lille chok gik det op for mig, at jeg virkelig holdt af ham.

Jeg mener, jeg siger ikke, at jeg elskede ham eller noget, for det ville ikke være sandt. Men der var noget over ham, som rørte mig.

Jeg havde ikke lyst til at såre ham.

Men ville jeg komme til det?

Var der en forpligtelse forbundet med at gå i seng med ham?

Han vidste, at jeg var gift.

Han var fuldstændig klar over mine følelser for James.

Måske ville han ikke have forpligtelser.

Måske ville han være sammen med mig, fordi han vidste, at jeg i virkeligheden var sammen med en anden, og så var han sluppet af krogen?

Åh gud!

Traumetrip!

Tid til at tage en beslutning.

Jeg rejste mig og tog ham i hånden.

Han så spørgende op på mig.

„Er du okay?" spurgte han. „Er der noget, du mangler?"

„Ja," mumlede jeg.

„Hvad?" spurgte han.

„Sex."

Men jeg hviskede det kun. Jeg ville ikke have, at han skulle tro, at jeg var *forfærdelig* vulgær.

For det var jeg virkelig ikke.

I hvert fald ikke hele tiden.

Jeg begyndte at bevæge mig hen mod døren, mens jeg stadig holdt ham i hånden.

Jeg følte mig så frigjort og fjantet.

„Hvor skal vi hen?" spurgte han og spillede stadig uskyldig.

„Ned om hjørnet for at få en drink," sagde jeg.

Jeg så på ham, og skuffelsen stod skrevet hen over hans ansigt.

„Jeg laver fis med dig, dit fjols," sagde jeg og smilede til ham. „Vi skal ovenpå."

Så vi gik sammen op ad trappen, mens jeg førte an og stadig holdt ham i hånden.

For hvert skridt jeg tog, blev jeg mere og mere overbevist om, at det var det rette at gøre.

Vi kom op på reposen, og han trak mig ind i sine arme og kyssede mig.

Det var vidunderligt. Han føltes så stor og stærk. Jeg kunne mærke den glatte hud på hans ryg gennem sweatshirten. Han vendte mig om og styrede mig hen mod en dør.

„Mit soveværelse," sagde han. „Medmindre du har taget mig med herop for at få en rundtur."

„Det kan vente til senere," sagde jeg næsten ude af stand til at tale af ophidselse og nerver.

Hans soveværelse var pænt.

Det var så ordentligt, at jeg øjeblikkelig vidste, at han havde planlagt ned til mindste detalje at score mig – ikke at jeg på noget tidspunkt virkelig havde været i tvivl.

Mænds soveværelser er kun så ryddelige, første gang man går i seng med dem. Når man først har dyrket sex med dem, så går det helt ad helvede til.

I samme øjeblik forholdet er fuldbyrdet, er det, som om manden råber: „Okay gutter, så kan I godt komme ud!"

Og ud fra pladsen under sengen dukker hele hære af beskidte underbukser og svedige sokker og kopper og tallerkner og bilmagasiner og grufulde sweatere og snavset fodboldudstyr og ølkrus og sexistiske kalendere og Stephen King-bøger og fugtige håndklæder og bøtter af Wintergreen-sportscreme op og puffer og maser og råber op og brokker sig højlydt over al den tid, de har været gemt væk, og de strækker sig og børster støvet af, og så draperer de sig kunstnerisk på gulvtæppet, lykkelige over at være tilbage, hvor de hører til.

„Hvorfor tog det så lang tid?" råber en sok måske muntert til den succesrige forfører. „Gav hun dig kamp til stregen, hva'?"

„Vi troede, vi var fanget derinde for altid," griner et par beskidte cricketbukser godmodigt. „Du må være ved at miste grebet."

Adam lettede min tur over det uberørte gulv hen til sengen ved at kysse mig, så jeg ikke behøvede at vandre over og sætte mig forventningsfuldt og kejtet på den.

Nej, han kyssede mig ligesom bare og styrede mig gennem rummet, og ja, vi kom over til sengen, og da den nu var der, så tænkte vi, at det ville være en god ide at lægge os på den, for ellers måtte vi jo gå uden om den.

Lidt efter begyndte han at knappe min kjole op. Og jeg stak mine hænder ind under hans sweatshirt og ind på den bare hud på maven og brystet.

Han knappede min kjole hele vejen op, meget blidt og meget langsomt, og begyndte at tage mit tøj af.

Det føltes rart, men besynderligt. Besynderligt, men rart.

Det var så lang, lang tid siden, at jeg havde været i seng med nogen for første gang, hvis du kan følge mig.

Det var sært, at han ikke var James.

Ikke forfærdeligt eller ubehageligt.

Bare, som sagt, lidt sært.

Jeg følte mig lidt forlegen over min krop og over, at Adam skulle se den.

Selv når det gik højt, var jeg ikke ligefrem uhæmmet. Det var ikke lige mig at danse rundt uden tøj på.

Det var okay, da jeg var sammen med James. Jeg havde ikke nogen problemer sammen med ham. Det vil sige til sidst. Men selv med ham havde jeg været meget knibsk i virkelig lang tid.

Adam blev ved med at sige til mig, at jeg var smuk. Han var så glad for, at jeg var der, og aede mig og kærtegnede mig og holdt om mig og kyssede mig. Efter et stykke tid følte jeg mig fuldstændig afslappet. Kald mig bare gammeldags, men der er ikke noget, der tænder mig mere end at få fortalt, at jeg er smuk, og at en mand får mig til at føle mig smuk.

Bare hold dit avancerede tungeslaskeri og dine udvidede hofteryk for dig selv. Fem minutters smiger virker meget bedre på mig.

Efter at vi havde kysset hinanden et godt stykke tid og lært hinanden at kende, hvis man kan kalde det det, blev det åbenlyst, at aftenen var på vej i en bestemt retning.

Adam trak sig væk fra mig.

„Gud!" sagde han. „Du er en heks, du driver mig til vanvid, du er så lækker."

Jeg satte mig lidt op og så ned ad ham, mens hans hænder strejfede om på min mave.

Jeg var så taknemmelig over, at jeg ikke havde spist noget.

Han var dejlig. En smuk krop. Et fantastisk ansigt.

Og så sød.

Hvad havde jeg gjort for at fortjene det?

Mit blik gled ned over hans brystkasse, beundrede hans spændte mave, men jeg vendte blikket bort, da det kom lidt længere ned.

Hvordan skal jeg forklare tingenes tilstand under Adams bæltested uden at blive alt for udførlig eller alt for knibsk?

Det er meget svært at tale om sex uden at blive så grov, at man lyder som en pornografisk roman, eller være så diskret, at man lyder som en hæmmet, snerpet victoriansk romanforfatterinde, som med jævne mellemrum lider af vaginalkrampe og stadig kalder sin mand mr. Clements efter syvogtyveårs ægteskab.

Hvad hvis jeg siger: Af en grim ælling vokser der sig en stor svane?

Er det ikke godt? Diskret og symbolsk?

Ikke stødende, men efterlader på samme tid ingen tvivl om, at Adam havde en stådreng, der kunne skære igennem diamanter.

Hov!

Vulgært, vulgært, vulgært!

Nu hvor vi er ved det, kan jeg lige så godt fortælle dig, at den var så stor, at jeg var bange for, at det ville slå gnister, hvis han lavede nogle pludselige bevægelser.

Hvilket jeg naturligvis af hele mit hjerte håbede, at han ville.

Nej, jeg laver bare fis. Så stor var den heller ikke.

Den var mellemstor.

Hverken foruroligende stor eller deprimerende lille.

Lige den rigtige størrelse, faktisk.

Der findes selvfølgelig skrupelløse kvinder, der fortæller hvilken som helst mand, de er sammen med, at han har den største penis, de nogensinde har set.

Altså som en selvfølge.

De viger tilbage på madrassen, stirrer med store øjne og rædsel malet i ansigtet på den pågældende mand og hviner: „Åh gud! Du kommer ikke i nærheden af mig med det der monster. Hvad vil du? Kneppe mig eller slå døren ind?"

Listig taktik.

For den pågældende mand bliver selvfølgelig glad.

Det får ham til at tro, at hans lem er som et våben, og får ham til at føle sig uovervindelig, som en rigtig mand.

Og så får de en omgang, de sent skal glemme.

Men det tager du ikke mig i at gøre.

Aldrig!

Eller kun sjældent.

Jeg kan heller ikke beskrive, hvad der foregik under Adams bæltested, for jeg kan ikke komme på et ord, som jeg føler mig godt tilpas ved at bruge til at beskrive hans, altså, du ved, hans...

Hvordan skal jeg kunne fortælle dig, hvad der foregik dernede, hvis jeg ikke har et ord til at beskrive det med?

Jeg mener, det korrekte ord er selvfølgelig penis.

Men det lyder så klinisk.

Jeg ville ikke selv synes om, at der var nogen, der sagde til mig: „Åh, det er vel nok en smuk vagina, du har der."

Det er ikke ligefrem suggestivt eller romantisk, vel?

Ikke ligefrem blomsternes og hjerternes sprog.

Desuden synes jeg, at penis minder alt for meget om biologitimerne, hvor en rødmende lærer hurtigt og sparsomt forklarede det menneskelige reproduktionssystem til et lokale fuld af fnisende teenagere.

Som beskrivelse er det ikke menneskeligt nok.

Men hvad skal jeg ellers kalde den?

Jeg ved, at der er hundredvis af ord, men ikke et eneste af dem virker passende.

Hvad med 'kæppen'?

Det er meget moderne lige nu.

Tjaaa, jeg ved ikke rigtig.

Det lyder lidt for funktionelt til mig.

Men på den anden side, hvorfor skulle det ikke det?

Pik?

Nej, det kan jeg heller ikke lide.

Af en eller anden grund minder det mig om aldrende rockstjerner med London-accent, forfærdelige stonewashed cowboybukser og langt, gråt hår.

Værre endnu er det, når manden har døbt sit lem. Jeg mener, har du nogensinde hørt noget lignende?

Skævt, smørret grin fra manden, fulgt af indsmigrende lyde.

„Jeg tror, George er ved at vågne."

Betydningsfuldt og indsmigrende smil.

„Jeg tror, George vil ud og lege."

Indsmigrende øjenkontakt og håbefuldt ansigtsudtryk.

„George vil lege gemmeleg."

Stift og sygeligt grin.

Adrk!

George kan bare skride og finde en anden en at lege med.

Den slags er nok til at få mig til at gå i cølibat.

Nå, men i mangel af ord, jeg synes om, forfalder jeg til at bruge roman-bladssprog og kalder den hans Pulserende Manddom.

Adam havde heldigvis ikke præsenteret mig for sin Pulserende Manddom ved navn.

Men jeg vidste ikke, om jeg var helt klar til at lære hans Pulserende Manddom at kende endnu.

Jeg vænnede mig ligesom til James' Pulserende Manddom. Ikke fordi det var særlig hårdt (undskyld ordspillet), men den passede til mig.

Jeg havde ikke noget *imod* Adams Pulserende Manddom (bortset fra mit lår selvfølgelig), men jeg var nervøs over at gøre dens bekendtskab.

Det var, som om Adam fornemmede det og greb mig i armen. (Nej, Adam, for himlens skyld, ikke min arm. Der er ikke en erogen molekyle i den) og sagde indtrængende: „Vi behøver ikke gøre noget, Claire. Vi kan bare ligge her, hvis du har lyst til det."

Ja, og hvis jeg havde en penny, for hver gang en mand har lovet mig, at 'vi kan bare ligge her', så ville jeg være en meget rig kvinde. Jeg kan ikke tælle det antal gange, hvor jeg har været tvunget til at tilbringe natten sammen med en mand, fordi den sidste natbus var kørt, og jeg ikke havde penge til en taxa, og han lovede mig det.

„Du kan sove hjemme hos mig. Det er lige rundt om hjørnet," sagde han.

„Jeg sover på sofaen," svarede jeg hurtigt.

„Altså, du kan da lige så godt ligge i min seng. Den er meget mere behagelig."

„Åh nej, sofaen er fin."

„Hør her, jeg har ikke tænkt mig at røre dig. Er det det, du er bekymret over?"

„Øh, ja."

„Det skal du ikke bekymre dig om. Jeg rører dig ikke."

Og så de skæbnesvangre ord: *„Vi kan bare ligge der."*

Hvorpå jeg selvfølgelig overhovedet ikke fik lukket et øje, fordi jeg tilbragte hele natten som den ene deltager i verdensmesterskaberne i brydning.

Eller lå med ansigtet mast helt op i væggen i et forgæves forsøg på at komme væk fra manden og havde meget svært ved at trække vejret på grund af den erigerede penis, der var presset ind i ryggen på mig.

Bange for at puste ud og dermed ganske ufrivilligt bevæge den underste del af ryggen omkring en tiendedel af en millimeter over mod hans dunkende lem, så dette ikke kunne opfattes som en opmuntring.

Når jeg så ikke leverede varen, var der selvfølgelig en stor risiko for, at omtalte gentleman ville skælde mig huden fuld og kalde mig en narrefisse og en frigid lebbe og alle mulige andre forfærdelige og totalt ufortjente skældsord.

Og sige ting som: „Åh, hun lagde an på mig hele aftenen. Hvem tror hun, at hun narrede med den løgn om, at hun ikke havde penge til taxaen?"

Den dag i dag har jeg stadig et svagt, penisformet aftryk i ryggen.

Men jeg troede på Adam.

Jeg vidste, at han mente det.

Jeg stolede på ham.

Jeg vidste, at hvis han sagde, at vi bare kunne ligge der, så mente han det.

Men var det, hvad jeg ønskede?

Helt ærligt, nej.

Ja, jeg var nervøs.

Men for helvede, jeg ville dyrke sex med ham.

Jeg ville begynde at skrige, hvis han nu blev helt respektfuld over for mig.

„Jeg har ikke lyst til at stoppe," hviskede jeg til ham.

Der var vel egentlig ikke nogen grund til at hviske.

Jeg havde ikke lyst til at overdrive den nervøse lillepigetaktik.

Okay, det var tid til at tage sagen i egen hånd.

„Øhm," sagde jeg forlegent. „Jeg har glemt min taske nedenunder."

„Hvad skal du bruge din taske til? Din makeup sidder perfekt." Han smilede til mig.

„Ikke til makeup, dit fjols."

„Hvad så?"

Men han drillede bare.

„Claire, gider du slappe af?" sagde han opgivende og rullede mig om på ryggen. „Jeg går ud fra, at du taler om kondomer?"

„Øh ja," sagde jeg og var pinligt berørt.

„Nå, men det behøver du ikke bekymre dig om. Jeg har her."

„Åh."

Jeg var ikke sikker på, hvad jeg ellers skulle sige.

Hans åbenhed havde fået luften til at gå af ballonen.

Han havde selvfølgelig ret.

Der var ikke noget at være flov over.

Det eneste, jeg skulle bekymre mig om nu, var, om det var godt.

Han kyssede mig igen.

Og tingene blev meget mere seriøse.

Det kys satte helt sikkert en stopper for det sorgløse drilleri.

Jeg så på ham, og hans øjne var virkelig mørke, næsten sorte af begær.

„Claire," hviskede han (nu var det hans tur). „Jeg har ikke, du ved, været sammen med nogen i lang tid."

Har du ikke? tænkte jeg overrasket.

Jeg ville have troet, at hver eneste dag var et sexorgie for så charmerende og smuk en mand som Adam.

Men på den anden side virkede det, som om han var ret kræsen. Jeg havde mere end en gang set ham undgå smukke kvinder.

Og han har valgt mig, tænkte jeg med smeltende hjerte.

Han kunne have fået omtrent hvem som helst, og han valgte mig.

Der måtte stikke noget under.

Når som helst ville han tilbyde at vise mig sin knivsamling eller flå en motorsav frem og hakke mig i småstykker.

„Det er okay," hviskede jeg tilbage til ham. „Det er også hundrede år siden, jeg har dyrket sex."

„Åh," sagde han.

Så sagde han med lidt højere stemme: „Hvorfor hvisker vi egentlig?"

„Det ved jeg ikke," fnisede jeg.

Derpå fulgte kondomritualet. Først rode rundt i en skuffe efter det, knitren fra indpakningen, der bliver revet op, mens man siger: „Er det den rigtige vej? Eller skal det på den anden vej?" Til sidst lykkes det at få det på, kun for at se erektionen forsvinde.

Men det gjorde Adams bare ikke.

Altså forsvandt.

Gudskelov.

På dette tidspunkt er jeg bange for, at jeg bliver lidt uklar.

Jeg er ked af at skuffe dig, men jeg har ikke tænkt mig at give dig en detaljeret beskrivelse af mine seksuelle udfoldelser med Adam. (Ja, jeg håber, du lagde mærke til flertalsbetegnelsen 'udfoldelser').

Jeg *kunne* selvfølgelig godt komme med en beskrivelse, som kunne læses mere som en lærebog til første år på medicinstudiet.

Og jeg *kunne* få det hele til at lyde som et brev til De Grå Sider i et pornoblad, propfulde af støn og buede rygge og avancerede gymnastiske øvelser.

Men det ville virkelig ikke udtrykke, hvor dejligt det hele var (alle tre gange faktisk), og hvor *glad* jeg var.

Kan vi ikke bare sige, at alle havde glæde af det.

Ja, med alle mener jeg selvfølgelig os to.

Jeg havde ikke noget at klage over.

Han havde ikke noget at klage over.

En sand fornøjelse.

Det var pengene værd hele vejen rundt.

Vi ville helt sikkert komme igen til næste år osv.

Det ville bare være for pinligt at fortælle, at han kyssede mig alle steder, og jeg mener virkelig *alle* steder. Og når ikke han gjorde det, bed han mig over det hele på den mest vidunderlige, dirrende måde.

Og jeg kan under ingen omstændigheder få mig selv til at fortælle om det øjeblik, da han endelig var inde i mig. Jeg var så bange for, at det måske ville gøre ondt, og han var så blid. Det gjorde ikke ondt, og det var smukt.

Hvis du tror, at jeg har tænkt mig at fortælle, at han hektisk hviskede ting til mig, mens han lå oven på mig, vidunderlige ting som at jeg var smuk, og at min hud smagte dejligt, og at han var vildt ophidset, så må du tro om igen.

Du må bare bruge din fantasi til at forestille dig, hvordan jeg viklede benene om ryggen på ham for at presse ham længere ind i mig, og jeg troede, at jeg skulle dø, hvis han holdt op, og dø, hvis han ikke gjorde det.

Du behøver faktisk ikke mig til at fortælle, at da han, øh... da det var slut, gispede og stønnede vi begge og var dækket af sved, og han så ned ad mig og grinede og sagde beundrende: „Hold kæft, du er noget af en kvinde."

Jeg bliver nødt til at bruge en eufemisme til at beskrive sceneriet.

Hvad med: „En dag kommer min prins?"

Nå, men det glæder mig at kunne fortælle, at han allerede *var* kommet.

Og det var jeg også, at du ved det.

Der var bare en ting mere.

Før jeg fik Kate, havde jeg hørt rygter, ubekræftede rapporter, om at sex som regel var meget bedre, efter at man havde født.

Der var sket visse forandringer på grund af alt postyret, omkalfatringerne og traumerne i, øh, fødselsvejene, deriblandt de frygtede sting.

Disse forandringer resulterede i, øh, større følsomhed og en større opmærksomhed omkring ens erogene zoner, hvis du forstår, hvad jeg mener.

Og generelt, hele vejen rundt, mere spændende og fornøjelig sex.

Det glæder mig at kunne fortælle, at det faktisk var sandt.

Sex med Adam var anderledes, end jeg huskede det med James.

Da jeg først var kommet mig over det indledende ubehag, var det virkelig vidunderligt.

Det var faktisk bedre, end jeg huskede det med James.

Det er en af de bivirkninger ved at føde, som ikke får den positive pressedækning, som den fortjener.

Der er selvfølgelig en stor chance for, at det bare er noget værre ævl, jeg lukker ud.

Og at den tilsyneladende bedre sex ikke havde at gøre med noget som helst andet, end at Adams var større end James'.

Jeg har aldrig nogensinde købt det der 'størrelsen betyder ikke alt'-ævl.

På samme måde som man aldrig nogensinde griber en rig mand i at sige: „Penge kan ikke købe lykke", tror jeg, at du vil opdage, at de eneste folk, der siger, at størrelse ikke betyder alt, er mænd med meget små penisser.

Senere, da det hele var overstået.

Overstået for tredje gang, for at være helt præcis, lå vi bare i sengen og snakkede og grinede.

„Kan du huske den dag i fitnesscenteret?" spurgte Adam.

„Mmmmmmm," sagde jeg og var så afslappet og tilfreds, at jeg knap kunne tale.

„Det var rædselsfuldt," sagde han.

„Hvorfor?" spurgte jeg.

„Fordi jeg var så vild med dig."

„Er det rigtigt?" spurgte jeg overrasket og glad.

„Ja, det er det."

„Nej, altså, er det *virkelig* rigtigt?" spurgte jeg som en sand neurotiker.

„Ja!" insisterede han. „Jeg turde ikke se på dig af skræk for, at jeg sprang på dig."

„Jamen, du var så alvorlig og bister og løftede bare vægte," mindede jeg ham om. „Du ignorerede mig fuldstændig."

„Ja," sagde han tørt. „Jeg var lige ved at forstrække hver eneste muskel i kroppen. Jeg kunne ikke koncentrere mig om andet end dig. Du så virkelig sød ud i dit træningstøj."

„Åh," sagde jeg lykkeligt, mens jeg rykkede tættere på ham.

Omkring klokken halv to sagde jeg: „Jeg må hellere smutte hjem."

„Åh nej," sagde han og viklede arme og ben rundt om mig. „Jeg lader dig ikke gå. Jeg holder dig fastlænket herinde. Du skal være min sexslave."

„Adam," sukkede jeg. „Du siger sådan nogle søde ting."

Efter lidt længere tid sagde jeg modvilligt: „Jeg må virkelig hellere smutte."

„Hvis du virkelig skal," sagde han.

„Det ved du, at jeg skal."

„Ville du blive her, hvis det ikke var for Kate?"

„Ja."

Han satte sig op i sengen og så på mig, mens jeg klædte mig på.

Jeg så op fra knapperne i min kjole og opdagede, at han smilede til mig, men på en trist måde.

„Er der noget galt?" spurgte jeg.

„Du stikker altid af fra mig," sagde han.

„Adam, det gør jeg ikke," sagde jeg indigneret. „Jeg bliver *nødt* til at gå."

„Undskyld," sagde han og sendte mig et ægte smil denne gang.

Han sprang ud af sengen og sagde: „Jeg følger dig ned til døren."

„Nej, ikke uden tøj," sagde jeg. „Hvad hvis der er nogen forbipasserende, der ser det?"

Der var ingen tvivl.

Jeg var min mors datter.

Han kyssede mig dvælende i hoveddøren.

Det var noget af en bedrift, at jeg overhovedet kom af sted.

„Bliv," mumlede han ind i mit hår.

„Det kan jeg ikke," sagde jeg strengt til ham, selvom jeg havde lyst til at gå direkte op ad trappen og kravle ned i sengen med ham igen.

„Jeg ringer i morgen," sagde han.

„Farvel."

Endnu et kys.

Mere overtalelse.

Stålsat modstand fra mig.

Modvillig afsked.

Til sidst nåede jeg frem til bilen.

Lidt af en bedrift.

Jeg kørte hjem.

Gaderne var mørke og tomme.

Jeg var meget lykkelig.

Jeg havde ikke engang dårlig samvittighed over at have været væk fra Kate i så lang tid.

Eller ikke *særlig* dårlig samvittighed.

Kapitel treogtyve

Jeg parkerede bilen og stak nøglen i hoveddøren. Der var lys i stuen. Det var sært, jeg troede, alle sov tungt på det her tidspunkt.

Åh gud, lad det ikke være Helen. Bare det ikke er gået op for hende, hvor jeg har været, og hvad jeg har lavet.

Jeg var sikker på, at mine nylige aktiviteter stod skrevet hen over ansigtet på mig.

Måske var det Anna, som var vågen.

Og ofrede en ged i køkkenet eller noget i den stil.

Dansede rundt i haven med blodtilsølede lagner viklet om kroppen, mens hun messede mod månen, bed hovederne af levende flagermus og sådan noget.

Jeg gik ind i entreen. Døren til stuen gik op, og mor trådte ud med far lige i hælene. De var begge i nattøj. Mor var iført sin lyserøde, quiltede badekåbe og havde et par orange curlere i pandehåret.

De var begge hvide i hovedet og så chokerede ud, som om der var sket noget forfærdeligt.

Og det var der vel egentlig også, hvis man betragter mit lille fejltrin med Adam fra den vinkel.

„Claire!“ sagde mor. „Gudskelov, du er hjemme!“

„Hvad?“ sagde jeg rædselsslagen. „Hvad er der sket?“

„Claire, kom ind, og sæt dig ned,“ sagde far og tog over.

Det vendte sig i maven på mig.

Der *var* sket noget forfærdeligt.

„Er det Kate?“ tryglede jeg mor og greb hendes arm. „Er der sket hende noget?“

Tusind mareridtsvisioner løb gennem hovedet på mig.

Hun var død af vuggedøden.

Hun var blevet kidnappet.

Hun var blevet kvalt.

Helen havde tabt hende.

Anna havde nedkastet en forbandelse over hende.

Det var alt sammen min skyld.

Jeg havde forladt hende.

Og jeg havde forladt hende for at dyrke sex med Adam.

Hvordan kunne jeg gøre det?

„Nej, nej," sagde mor beroligende. „Det er ikke Kate."

„Nå, men hvem så?" spurgte jeg, og mareridtsvisionerne begyndte forfra.

Var der sket noget med en af mine søstre?

Var Margaret blevet slået ihjel af en gangster i Chicago?

Var Rachel forsvundet i Prag?

Havde Anna fået arbejde?

Havde Helen undskyldt for et eller andet?

„Det er James," fløj det ud af mor.

„James," sagde jeg omtåget og satte mig langsomt i sofaen. „Åh gud, James."

James.

Jeg havde ikke skænket ham en tanke, mens jeg troede, at der var sket noget forfærdeligt for et menneske, jeg elskede.

Der var sket min mand noget forfærdeligt, mens jeg var i seng med Adam.

Hvad var jeg for en kvinde?

„Hvad med James?" spurgte jeg dem.

De sad begge to der og så medfølende og medlidende på mig.

„Åh, sig det nu bare!" råbte jeg. „Vær sød at sige det!"

Jeg var forberedt på det værste.

James havde været ude for en ulykke, mens jeg havde vendt og vredet mig i lidenskabeligt begær med en anden mand.

Jeg indså selvfølgelig, at mit liv var slut.

Jeg havde ingen andre alternativer end cølibat. Måske ville jeg gå i kloster. Det var det mindste, jeg kunne gøre.

Det var straffen for at gå i seng med en mand, jeg ikke elskede.

Jeg ville aldrig nogensinde se Adam igen, så længe jeg levede.

Det var alt sammen hans skyld.

Hvis ikke jeg var gået i seng med ham, så havde James været okay.

„Han er her," sagde mor blidt.

„Her!" hvinede jeg. „Hvad mener du – her?"

Jeg så mig panisk rundt i rummet, som om jeg forventede, at han pludselig dukkede op bag et gardin eller under sofaen med et slikket smil, iført smoking og cigar og sagde sådan noget som: „Min hustru, formoder jeg."

„Mener du, han er her i huset?" spurgte jeg hysterisk.

Mit hoved susede rundt som en snurretop.

Jeg spekulerede på, hvorfor det skulle være lige nu.

Hvorfor havde han valgt dette tidspunkt til at dukke op?

Hvad ville han?

„Nej," sagde mor og lød lidt irriteret. „Tror du virkelig, at vi ville lade ham bo her, efter alt hvad der er sket? Nej, han ringede. Han er i Dublin, det er rigtigt, men han har indlogeret sig på et hotel."

„Åh," sagde jeg. Jeg troede, jeg skulle besvime.

„Vil han mødes med mig?"

„Selvfølgelig vil han det," sagde far. „Men det behøver du ikke, hvis du ikke har lyst."

„Jack," sagde mor til ham. „Selvfølgelig bliver hun nødt til at mødes med ham. Hvordan skal de ellers få styr på noget som helst? Hun har jo et barn at tænke på."

„Mary, det eneste, jeg siger, er, at hvis hun ikke kan klare det, så vil vi ikke lægge pres på hende. Vi hjælper hende så godt, vi kan."

„Jack!" sagde mor skarpt. „Hun er en voksen kvinde og…"

„Jamen, Mary…" afbrød far.

„Stop det!" sagde jeg højt.

Jeg vidste, at jeg hellere måtte kvæle det her i fødslen. Den her diskussion kunne fortsætte og fortsætte og fortsætte, som man siger. Det var en føljeton lige så lang som *Dollars*.

De så begge to overrasket på mig. Næsten som om de havde glemt, at jeg var der.

„Jeg vil gerne mødes med ham," sagde jeg lidt mere neddæmpet.

„Du har ret, mor, jeg *er* en voksen kvinde. Jeg er den eneste, der kan få styr på det. Jeg må tænke på Kate. Hun er den vigtigste person i alt det her."

„Og tak, far." Jeg nikkede til ham. „Det er rart at vide, at hvis jeg nogensinde skulle få brug for en lynchning, så sørger du for det."

„En lynchning?" spruttede han. „Tja, det ved jeg ikke lige. Men hvis du tror, du får brug for en, så kan jeg spørge et par af gutterne fra golfklubben. Se, hvad de siger."

„Åh, far," sagde jeg træt. „Jeg laver sjov."

„Han sagde, at han ville ringe i morgen tidlig," sagde mor.

„Hvornår?" spurgte jeg.

„Klokken ti," sagde mor.

Hvis James havde sagt, at han ville ringe klokken ti om morgenen, så ville James ringe klokken ti om morgenen.

Ikke atten sekunder over ti, forstår du, eller et halvt minut i ti.

Men klokken ti.

Det kunne godt være, at han havde forladt mig til fordel for en anden kvinde, men på nogle områder var han verdens mest pålidelige mand.

261

„Hvad er klokken?" spurgte jeg.

„Tyve minutter over tre," sagde far.

„Jeg må vel hellere smutte i seng," sagde jeg. „Stor dag i morgen og alt det der."

Jeg vidste godt, at jeg ikke ville få lukket et øje.

„Vi går alle sammen i seng nu," sagde mor. „Bortset fra det, hvor har du været så længe?"

„Dyrket sex med Adam," sagde jeg til dem.

Far grinede højlydt og nervøst.

Mor så chokeret ud.

Gør du bare det, tænkte jeg. Det var dig, der gav mig ideen til at begynde med.

„Nej, jeg mener det alvorligt," sagde mor. „Hvad har du lavet?"

„Jeg mener det også alvorligt." Jeg smilede. „Godnat."

Mor så forfærdet ud. Hun vidste ikke, om hun skulle tro mig eller ej, men hun forventede helt sikkert det værste. Hun stod og åbnede og lukkede munden som en guldfisk, da jeg lukkede døren bag mig.

Jeg tror ikke engang, at hun lagde mærke til, at far trak i hendes badekåbeærme og hvæsede: „Hvem af dem er Adam?"

Kapitel fireogtyve

Jeg gik i seng, og jeg havde ret.

Jeg fik ikke lukket et øje.

Hvorfor var James her?

Var det et forsøg på forsoning?

Eller var det bare for at få styr på de løse ender?

Ville jeg gerne have, at det var et forsøg på forsoning?

Var han stadig sammen med Denise?

En tanke slog mig – hvad hvis han havde taget Denise med?

Det elendige røvhul, det ville han ikke gøre, vel?

Jeg tvang mig til at falde til ro. Jeg havde ingen beviser på, at han havde gjort noget i den stil, og det gav ingen mening at blive vred over ting, som måske slet ikke var sket.

Jeg blev nødt til hele tiden at have Kates behov for øje.

Hun var den vigtigste person i alt det her.

Jeg ønskede, at tingene skulle være civiliserede mellem mig og James, så han ville være en del af Kates liv.

Selv hvis han aldrig nogensinde ville se mig igen, ville jeg stadig gerne have, at han var der for hendes skyld.

Så jeg kunne ikke ligefrem kaste mig over ham med en machete, når jeg så ham dagen efter.

Jeg kunne næsten ikke fatte det.

Jeg skulle mødes med ham i morgen.

Hvad hvis det utænkelige skete, og han havde lyst til at give vores forhold en ny chance?

Hvad så?

Det vidste jeg ikke.

Hvad med Adam?

Den mand, hvis seng jeg lige havde forladt.

Det kan jeg ikke tænke på nu, tænkte jeg.

Der var så proppet inde i mit hoved, at der kun var ståpladser tilbage. Der var faktisk et par af de mere hårdhudede tanker, der stod uden for mit hoved med deres drinks i hånden, i øsende regnvejr, for der var i det mindste lidt pusterum.

Men der var overhovedet ikke plads til Adam.

Glem det, sagde jeg til mig selv, du kan umuligt tænke på det nu. Vent, til alt det her på den ene eller anden måde er overstået, og så kan du tænke på ham.

Så begyndte jeg at spekulere på hvorfor.

Du ved, hvorfor havde James forladt mig? Hvorfor var James stukket af med Denise, når jeg havde troet, at vores ægteskab var så godt? Jeg havde ikke pint og plaget mig selv med disse tanker i et godt stykke tid.

Men i morgen ville jeg i det mindste forsøge at få svar på disse spørgsmål.

Hvis jeg kunne forstå, hvad der var gået galt, eller hvad jeg havde gjort galt, ville det måske blive lettere at leve med.

Jeg ville ønske, at der var en eller anden kontakt i min hjerne, som jeg kunne slukke for, på samme måde som jeg slukkede for fjernsynet. Bare slå den fra og med det samme tømme min hjerne for alle disse billeder og bekymrende tanker. Og ganske enkelt lade en tom skærm stå tilbage.

Hvis jeg bare kunne skrue mit hoved af og lægge det på natbordet og glemme alt om det indtil næste morgen. Og så skrue det på igen, når jeg fik brug for det.

Det blev endelig morgen, og jeg havde stadig ikke fået noget søvn.

Jeg sprang ud af sengen og var svagt klar over en stivhed i mine inderlår. Jeg spekulerede på, hvad det mon var. Og så kom jeg i tanke om det. „Åh, øh, ja, det er rigtigt." Jeg rødmede lidt, da jeg kom i tanke om, hvad jeg havde lavet den foregående aften. „Adam. Sex. Men det kan jeg ikke tænke på nu."

Helt ærligt, for fanden James!

Den fornøjelse at ligge i sengen og drømmende svælge i alle detaljer om min Lidenskabelige Nat med Adam var blevet mig nægtet.

I stedet var jeg nødt til at stå op og styrte rundt som en skoldet skid og Forberede Mig På Hans Ankomst. Som om det var paven eller et statsoverhoved, der kom på besøg.

Efter at jeg havde givet Kate hendes flaske, gav jeg hende et bad og iklædte hende den yndigste sparkedragt. Blød og lyserød med små, grå elefanter over det hele.

Jeg dækkede hende med talkum og holdt hende ind til mig og inhalerede hendes vidunderlige, mælkede babyduft.

„Du ser fantastisk ud," forsikrede jeg hende om. „Enhver mands drøm. Og hvis ikke han kan se det, er han endnu dummere, end jeg allerede synes, at han er."

Jeg ville have, at hun skulle se guddommelig ud. Jeg ville have, at hun skulle være planetens smukkeste baby. Jeg ville have, at James skulle længes efter hende.

Efter at holde hende, kysse hende, give hende mad og snuse til hende.

Jeg ville have, at han skulle se, hvor meget han havde givet afkald på.

Jeg ville have, at han skulle ønske at få os tilbage.

Det var, som om hele huset var oppe ved daggry. Anna og Helen vidste, at James havde ringet. Helen kom ind på mit værelse omkring klokken halv otte og sprang over til Kates lift og sagde: „Åh gud, hvor har du fået hende til at se vidunderlig ud. Så kan han lære det. Nu må vi bare håbe på, at hun ikke gylper på ham eller laver lort, mens han holder hende."

Hun tog Kate op og beundrede hendes sparkedragt.

„Synes du, at vi skal sætte et lyserødt bånd i håret på hende, så det matcher?" spurgte hun.

„Helen, jeg ville overveje det, hvis hun havde mere hår," sagde jeg.

Jeg syntes, det var at gå for vidt, da hun foreslog, at vi lagde makeup på Kate.

Jeg ville gemme makeuppen – og masser af den – til mig selv.

„Okay, vi må også få dig til at se smuk ud," sagde Helen.

Jeg var ikke sikker på, at jeg kunne lide hendes tonefald.

Det lød lidt tvivlsomt eller opgivende.

Så dukkede far op.

„Jeg tager på arbejde nu," sagde han. „Men husk, hvad jeg sagde. Du behøver ikke tage ham tilbage bare for Kates skyld."

„Hvem siger, at han vil bede hende om at komme tilbage?" spurgte Helen højlydt.

Det var der virkelig ikke nogen grund til at sige.

Men hun havde en pointe.

Så kom mor ind på værelset.

„Hvordan går det?" sagde hun hengivent.

„Fint," sagde jeg.

„Okay," sagde hun. „Smut ud, og tag et bad. Helen og jeg skal nok passe på Kate imens."

„Øh, okay." Jeg var lidt forbavset over al den organisering og aktivitet. Det var næsten som den morgen, jeg skulle giftes.

Ind kom Anna.

Det var lige før, jeg overvejede at gå nedenunder og begynde at invitere fremmede ind fra gaden.

Anna smilede sødt til mig og rakte mig noget. „Claire, tag den her rystal og læg den i lommen eller noget. Den bringer held."

„Hun har brug for mere end en af dine elendige krystaller," sagde Helen studst.

„Hold op, Helen," sagde mor skarpt.

„Hvad?" sagde Helen fornærmet.

„Behøver du at være så led?" sagde mor.

„Jeg var ikke led," forsvarede Helen sig ophidset. „Men hvis hun ser godt ud og opfører sig, som om hun har det fint, så vil han have hende tilbage. Det har hun ikke brug for krystaller til."

Jeg så på Helen og var næsten i chok.

Det kunne godt være, at hun var et af de mest irriterende, idiotiske mennesker, jeg nogensinde havde mødt, men når det drejede sig om mænds psyke, så måtte jeg indrømme, at hun var mesteren.

Jeg tog krystallen alligevel.

Man ved aldrig.

Jeg måtte væk fra min familie bare et lille stykke tid. Jeg kunne ikke tænke klart. Jeg måtte falde til ro, før jeg skulle tale med James.

Jeg bestemte mig for at ringe til Laura. Hun kunne fortælle mig, hvad jeg skulle gøre.

„Laura," sagde jeg med bævende stemme, da hun tog telefonen.

„Åh, Claire," udbrød hun. „Jeg skulle lige til at ringe til dig. Gæt, hvad der er sket!"

Det var mig, der skulle sige det, tænkte jeg.

„Hvad?" spurgte jeg.

„Det lille røvhul til Adrian har lige droppet mig."

Adrian var den nittenårige kunststuderende.

„Hvad?" sagde jeg igen.

„Ja," sagde hun med ru stemme. „Kan du fatte det?"

„Jamen, jeg troede, at du var ligeglad med ham," sagde jeg overrasket.

„Det var jeg også," snøftede hun. „Vent, til du hører det her! Gæt, hvorfor han har droppet mig."

„Hvorfor?" spurgte jeg og overvejede, hvad grunden mon kunne være. Var hun langt om længe løbet tør for sokker?

„Fordi han er sammen med en anden," erklærede Laura. „Gæt, hvor gammel hun er."

„Tretten," gættede jeg.

„Nej!" råbte hun. „Forpulede syvogtredive år."

„Gode gud!" sagde jeg.

Jeg var chokeret.

„Ja," sagde hun og kunne knap nok tale, fordi hun græd så meget. „Han siger, at jeg er umoden."

„Den lille hvalp!"

„Han har brug for en, der hviler mere i sig selv."

„Hvad *bilder* han sig ind?"

„Jeg gjorde ham kun en tjeneste ved at være sammen med ham. Og nu har han bare forladt mig," snøftede hun, „uden en eneste sok tilbage. Nu bliver jeg igen sådan en, som ikke ved, hvem der ligger som nummer et på *Top of The Pops.*"

„Hold op, det er slemt," sagde jeg og rystede resigneret på hovedet.

„Hør," sagde hun tragisk. „Jeg bliver nødt til at smutte. Jeg kommer for sent på arbejde. Vi snakkes ved senere."

Og så lagde hun på.

Hvad siger du så? Hun troede sikkert, jeg ringede for at fortælle alt om min lidenskabelige nat med Adam. Hun vidste jo intet om det store drama, der var sket i mellemtiden.

Jeg sad og stirrede på telefonen i et par sekunder.

Hvem skulle jeg nu ringe til?

Ingen, bestemte jeg mig for.

Jeg måtte prøve at håndtere det her på egen hånd.

Hvis jeg ikke kunne håndtere mit eget liv, så kunne jeg heller ikke forvente, at andre skulle klare det for mig.

Jeg tog et brusebad, vaskede hår og gik ind på mit værelse igen, hvor Anna, Helen (selvfølgelig) og mor havde gang i et eller andet meningsløst skænderi.

De råbte alle tre i munden på hinanden. Kate lå i sin lift og blev totalt ignoreret.

„Jeg skar ikke ansigt," benægtede Anna så indtrængende, som hun kunne, og det var ikke særlig meget.

„Gu' gjorde du så," sagde Helen.

„Hun skar ikke ansigt," sagde mor og forsøgte at gyde olie på vande, som allerede var meget oprørte. „Det var mere et blik."

Kakofonien af stemmer stoppede brat, i samme øjeblik jeg kom ind på værelset.

De vendte alle tre forventningsfuldt ansigterne mod mig.

Det lod til, at de havde bestemt sig for at lægge deres gensidigt ødelæggende uoverensstemmelser på hylden og alliere sig med mig mod vores fælles fjende, James.

De løb rundt, hentede tøj og klædte mig på.

„Du bliver nødt til at være smuk," sagde Anna.

„Ja," samtykkede Helen. „Men det bliver nødt til at se ud, som om du overhovedet ikke har gjort dig umage. Som om du bare har taget et eller andet på."

„Men han ringer bare til mig klokken ti," mindede jeg dem om. „Han sagde ikke noget om at komme forbi."

„Ja," sagde mor. „Men han kom ikke hele vejen til Dublin bare for at ringe til dig. Det kunne han have gjort fra London."

God pointe.

„Okay, piger," sagde jeg til Anna og Helen. „I så fald, gør mig smuk."

„Vi sagde, at vi kunne låne dig tøj og lægge din makeup," sagde Helen. „Vi har aldrig sagt noget om, at vi kunne udføre mirakler."

Men hun smilede, da hun sagde det.

Til sidst blev vi enige om, at jeg skulle tage de gamacher og den blå silkeskjorte på, jeg havde på den dag, Adam kom til middag.

Adam, tænkte jeg længselsfuldt et kort øjeblik.

Men så skubbede jeg ham godt og grundigt ud af hovedet.

Ikke nu, tænkte jeg dystert.

„Du ser godt ud, rigtig tynd," sagde Helen, trådte et skridt tilbage og så på mig. „Og nu makeuppen."

Helt ærligt, hun organiserede det hele som en militær operation.

Annas blik lyste op ved tanken om at lægge makeup. Hun nærmede sig med en plastpose, der så ud til at være fuld af fedtfarver og blyanter.

„Gå væk," sagde Helen irriteret og puffede hende til side. „*Jeg* lægger makeuppen. Du vil sikkert lave ansigtsmaling og male stjerner og sole og alt sådan noget new age-lort på hende."

Anna så rent faktisk lidt fåret ud.

„Nej," forklarede Helen lidt venligere. „Det skal se ud, som om hun overhovedet ikke har makeup på. Bare naturlig skønhed."

„Ja," sagde jeg helt spændt. „Få mig til at se sådan ud."

Jeg spekulerede på, hvorfor Helen var så sød ved mig.

Havde hun mistanke om, at hun og jeg var rivaler med hensyn til Adam? Hvis jeg vendte tilbage til James, ville det betyde, at hun kunne kaste sig over Adam.

Eller måske var jeg bare totalt kynisk.

Jeg mener, hun var trods alt min søster.

Desuden havde hun sikkert ikke mistanke om noget som helst.

Jeg må sige, at jeg virkelig var smuk, da Helen endelig var færdig med mig.

Frisk, med klar hud og strålende øjne, afslappet klædt på.

„Smil," befalede hun.

Det gjorde jeg så.

De nikkede alle sammen bifaldende.

„Godt," sagde mor. „Gør sådan hele tiden."

„Hvad er klokken nu?" spurgte jeg.

„Næsten halv ti," sagde mor.

„En halv time tilbage," sagde jeg og fik kvalme.

Jeg satte mig på sengen.

Mor, Anna, Helen og Kate sad der allerede.

„Ryk lidt," sagde jeg. Jeg sad på Annas fod.

„Av," sagde Helen, da Anna rykkede og tilfældigvis kom til at puffe hende i ansigtet med albuen.

Vi lå alle sammen på sengen, halvvejs oven på hinanden.

Det var, som om de vågede ved mit dødsleje.

De blev der for min skyld, indtil han ringede.

Det føltes, som om vi var skibbrudne på en tømmerflåde. Klemt ubekvemt sammen, pakket som sild i en tønde, men der var ingen antydning af, at vi ville forlade hinanden.

„Okay," sagde mor. „Lad os lege en leg."

„Okay," sagde vi alle sammen i kor.

Bortset fra Kate selvfølgelig.

Mor kendte masser af gode lege. Ordlege, som vi plejede at lege, da vi var yngre, for at få tiden til at gå på lange bilture.

Det var Helen (hvem ellers?), der havde fundet på den leg, vi rent faktisk legede, da James ringede. Åbenlyst med mere end en pæn hentydning til den situation, jeg for nylig havde været i. Det var en leg, hvor man skulle finde på alle de ord, man kunne, til at beskrive det at være gravid.

Jeg tror ikke, det var det, mor havde forestillet sig, da hun opmuntrede os til selv at finde på nye versioner af de lege, hun havde lært os.

„Bollet tyk," råbte Anna.

„Med rogn," hvinede Helen.

„Ventende," mumlede mor, splittet mellem misbilligelse og ønsket om at vinde.

„Din tur, Claire," sagde Anna.

„Nej," sagde jeg. „Sssshhh, er det telefonen?"

Der blev helt stille.

Det var det.

„Skal jeg tage den?" spurgte mor.

„Nej. Ellers tak, mor, men jeg skal nok gøre det," sagde jeg.

Og jeg forlod dem.

Kapitel femogtyve

„Hallo," sagde jeg i mangel af bedre.

„Claire," sagde James' stemme.

Så det var ham.

Langt om længe kom vi altså til at tale sammen.

„James," svarede jeg.

Jeg var ikke helt sikker på, hvad jeg ellers skulle sige.

Jeg kendte ikke den korrekte etikette med hensyn til at tale med bortløbne ægtemænd. Især ikke, fordi jeg var rimelig sikker på, at han ikke forsøgte at indsmigre sig hos mig.

Vi har brug for en bog. En bog, der fortæller os, hvordan man skal tale med bortløbne ægtemænd.

Altså den type bog, der fortæller, hvilken kniv man bruger til muslinger, og hvordan man henvender sig til en biskop, for eksempel (bare så du ved det, så bliver „Sikke en fin ring, De har på, Deres velærværdighed," normalt anset for at være høfligt nok til det første møde).

Denne bog ville blidt vejlede os om antallet af gange ordet 'røvhul' kunne bruges i en sætning, og hvornår det anses for uhøfligt ikke at bruge fysisk vold osv.

Hvis for eksempel din kæreste/ægtemand/fyr ganske enkelt har været forsvundet i et par dage efter en særlig betydningsfuld fodboldkamp og lige er vendt hjem igen, grøn i hovedet, ubarberet og i opløsning, er det så passende at sige:

„Hvor helvede har du været de sidste tre dage, din fordrukne, egoistiske taber?"

Men da den bog endnu ikke var skrevet, måtte jeg stole på mit eget instinkt.

„Hvordan har du det?" spurgte han.

Som om det rager dig, tænkte jeg.

„Meget godt," sagde jeg høfligt.

En pause.

„Åh! … og hvordan har du det?" spurgte jeg hurtigt.

Helt ærligt, hvor er mine manerer?

Er det noget under, han forlod mig?

„Fint," sagde han tankefuldt. „Ganske fint."

Højrøvede nar, tænkte jeg.

„Claire," fortsatte han glat. „Jeg er i Dublin."

„Det ved jeg," sagde jeg uvenligt. „Min mor fortalte, at du ringede i går aftes."

„Ja, det tvivler jeg ikke på," sagde han med slet skjult ironi.

Man har aldrig kunnet kalde James for dum.

Et røvhul, ja. Men ikke dum.

„Hvor bor du?" spurgte jeg.

Han nævnte et eller andet pensionat i centrum af byen. På en gade, som kun kan kaldes frontlinjen. Overhovedet ikke James' sædvanlige stil. Det var mere sandsynligt at finde ham på et hyperelegant, forretningsagtigt sted. Propfuld af små butikker i hotellobbyen, der solgte lakerede slåen-grene og nisser på dåse. Ud fra James' adresse kunne jeg regne ud, at han ikke var i Dublin på forretningsrejse. Hvis han havde været det, blev det betalt af firmaet, og så ville han bo et sted, der var rigtig meget pænere og dyrere. Hvis han ikke var i Dublin på forretningsrejse, hvorfor var han så her?

„Hvad kan jeg gøre for dig?" spurgte jeg i et lettere ubehageligt tonefald. Han var ikke den eneste, der kunne være ironisk.

Mit tonefald skulle vise ham, at jeg, som man siger, ikke ville pisse på ham, hvis der gik ild i ham.

„Det, du kan gøre for mig, Claire, er at mødes med mig," sagde han. „Vil du det?"

„Selvfølgelig," sagde jeg lydigt.

Hvordan skal jeg *ellers* brække hver en knogle i kroppen på dig, tænkte jeg.

„Vil du?" spurgte han og lød overrasket. Som om han havde forventet den helt store modstand.

„Ja, selvfølgelig." Jeg grinede lidt. „Hvorfor lyder du så chokeret?"

Når jeg er færdig med at brække hver eneste knogle i kroppen på dig, så skærer jeg pikken af og stikker den ind i munden på dig, og det kan jeg *helt sikkert* ikke gøre over telefonen, vel? tænkte jeg.

„Altså, øh… ingenting. Ingenting. Det… øh… er fantastisk," sagde han.

Han lød stadig overrasket.

Han havde åbenbart forventet, at jeg ville nægte at se ham. Det forklarede det overtalende tonefald og overraskelsen over, at jeg så roligt indvilligede i at se ham.

Men helt ærligt, hvad ville jeg opnå ved ikke at mødes med ham?

Der var et par spørgsmål, jeg gerne ville have svar på.

Som for eksempel, hvorfor holdt du op med at elske mig?

Og hvor mange penge vil du give mig til Kate?

Hvordan skulle vi ellers få orden på vores juridiske forhold til hinanden og vores forhold til Kate, hvis ikke vi mødtes og talte om det?

Måske havde han forventet, at jeg var brudt fuldstændig sammen.

Men... hallo... jeg var ikke brudt sammen nu, vel?

Det var ikke, fordi jeg havde det godt, men lige meget hvordan jeg end vendte og drejede det, kunne det ikke benægtes, at jeg fået det meget bedre.

Hvor besynderligt!

Hvornår skete det?

Du kender situationen lige i slutningen af et parforhold, hvor alle ens venner samles og siger masser af irriterende ting som „Masser af andre fisk i havet", og „Han ville alligevel aldrig have gjort dig lykkelig". Nå, men når de når til den del med „Tiden læger alle sår", så prøv at overvinde din indledende trang til at stikke dem én.

Lad være, for det virker faktisk.

Jeg var et levende bevis på det.

Det eneste problem med, at tiden læger alle sår, er, at det tager længere tid.

Så selvom det er effektivt, så hjælper det ikke de af os, som har travlt.

Det havde nok også haft en positiv effekt på min helbredelse at dyrke sex med Adam. Men jeg måtte slæbe mine tanker tilbage til nutiden. James sagde noget igen.

„Hvor skal vi mødes?" spurgte han.

„Hvorfor kommer du ikke herud?" foreslog jeg.

Jeg ville ikke have, at det skulle foregå ude af huset. Når det ikke kunne blive på mine betingelser, så ville jeg have, at det skulle foregå på mit territorium.

„Du kan tage en taxa. Eller hvis du foretrækker det, så kan du tage en bus og bede chaufføren om at sætte dig af i rundkørslen for enden af…"

„Claire!" afbrød han og grinede over, hvor fjollet jeg var. „Jeg har været ude hos jer masser af gange. Jeg *ved* godt, hvordan man kommer derud."

„Selvfølgelig gør du det," sagde jeg glat.

Det *vidste* jeg godt.

Men jeg kunne ikke modstå chancen for at behandle ham som en totalt fremmed. Så han vidste, at han ikke længere hørte til.

„Skal vi sige klokken halv tolv?" sagde jeg med autoritet i stemmen.

„Øh, fint," sagde han.

„Herligt," sagde jeg syrligt. „Så ses vi der."

Og lagde på uden at vente på hans svar.

Kapitel seksogtyve

Nå, jeg ville lyve for både mig selv og jer, hvis ikke jeg indrømmede, at det ville have været en stor tilfredsstillelse, hvis James var kommet kravlende tilbage. Det ville have frydet mig, hvis han havde kravlet hulkende op ad indkørslen på alle fire, mens han tiggede og bad mig om at tage ham tilbage. Jeg ville ønske, at han var ubarberet, beskidt og iført laset tøj. Jeg ville ønske, at hans hår var langt og fladt, og at han var blevet sindsforvirret og åbenlyst vanvittig af sorg og den forfærdelige erkendelse af, at han havde mistet den eneste kvinde, han nogensinde havde elsket. Og minsandten nogensinde ville kunne elske.

Det mentale billede var så levende, at da han dukkede op ved haveindgangen klokken halv tolv, blev jeg dybt skuffet over at opdage, at han rent faktisk gik fuldt oprejst.

Det forhistoriske menneske må have følt samme form for vantro, da et af deres medmennesker hoppede ned fra træet og begyndte at spankulere rundt på to ben.

Jeg stod i vinduet og betragtede ham, mens han gik op ad den korte indkørsel. Bare rolig, jeg stod lidt tilbagetrukket. Jeg tror ikke, at jeg ville stige i hans agtelse, hvis han så mig med næsen presset flad mod ruden.

Jeg havde spekuleret på, hvordan han ville se ud. Og nu kunne jeg se det.

Det vendte sig i maven på mig af smerte.

Han var ikke længere min, så han måtte se anderledes ud.

Mit blide, men definitive aftryk på ham ville være forsvundet.

Han havde været en forlængelse af mig, så jeg havde ubevidst – og indimellem helt bevidst, det må jeg indrømme – fået ham til at se ud på en bestemt måde.

Lad os tale lige ud af posen, han var jo en afspejling af mig. Jeg kunne ikke have, at han gik rundt og lignede lort.

Nu var al den magt forsvundet.

Og hvordan så han ud?

Var han anderledes?

Havde Denise gjort ham fed?

Var han klædt grimt på?

Havde Denise udstyret ham med de samme små jakker og joggingbukser, som hun klædte sine tre små drenge i? Lilla og turkis. Meget klamt.

Ville han ligne et grusomt og hjerteløst røvhul, der kom for at tage mit hjem og mit barn fra mig?

Men han så bare helt *normal* ud.

Traskede af sted med hænderne i lommerne. Han kunne have været hvem som helst på vej hvor som helst hen.

Selvom han så anderledes ud, end jeg huskede ham.

Tyndere, tænkte jeg.

Jeg var sikker på, at der også var noget andet, der var anderledes... hvad var det?... jeg var ikke sikker... havde han... havde han *altid* været så lille?

Han var heller ikke klædt, som jeg havde forventet, at han ville være klædt.

Hver gang jeg tænkte på at mødes med ham, forestillede jeg mig ham iført sit bedemandstøj, som han havde haft på den dag på hospitalet. I dag havde han cowboybukser på, en blå trøje og en form for jakke.

Meget afslappet. Meget tilbagelænet.

Forholdt sig tydeligvis ikke til situationen med den alvor, den fortjente.

Det føltes forkert.

Det stemte ikke.

Som en bøddel, der dukker op til dagens arbejde iført hawaiiskjorte og baseballkasket med skyggen i nakken, mens han smiler fra det ene øre til det andet og fortæller dårlige vittigheder.

Han ringede på dørklokken. Jeg tog en dyb indånding og gik ud for at åbne.

Mit hjerte hamrede.

Jeg slog døren op, og der stod han.

Den samme. Han lignede hjerteskærende meget sig selv.

Hans hår var stadig mørkebrunt, hans ansigt var stadig blegt, hans øjne var stadig grønne, han var ikke blevet fed om kæberne.

Han sendte mig et sært, skævt halvsmil, og efter en akavet pause sagde han udtryksløst: „Claire, hvordan har du det?"

„Fint." Jeg smilede lidt – høfligt – til ham. „Vil du ikke komme ind?"

Han trådte ind i entreen, og jeg var lige ved at besvime, da en bølge af kvalme ramte mig.

Det var én ting at mundhugges roligt med ham i telefonen. Men det var fandens meget sværere at forholde sig til ham i kød og blod.

Uanset hvor ubehageligt det var, var jeg imidlertid nødt til at opføre mig som et voksent menneske.

De dage, hvor jeg styrtede grædende op på mit værelse, var slut for længst.

Han så heller ikke selv alt for lykkelig ud.

Jeg vidste, at han ikke elskede mig længere, men han var jo kun et menneske. Det vil sige, jeg gik ud fra, at han kun var et menneske. Han kunne ikke undgå at blive påvirket af denne betydningsfulde begivenhed.

Men jeg kendte James. Han skulle nok genvinde selvkontrollen lynhurtigt.

Og jeg måtte gøre det samme.

„Må jeg tage din jakke?" sagde jeg høfligt, som om han bare var en, der var kommet for at sælge mig et nyt fyr.

„Ja, det må du vel," sagde han modvilligt, rystede den af og rakte mig den, mens han gjorde sig, hvad der forekom mig at være overdrevent umage for, at vores hænder ikke rørte hinanden.

Han så længselsfuldt efter sin jakke, som om han aldrig skulle se den igen og ønskede at huske alle detaljer.

Hvad var han bange for?

Jeg havde ikke tænkt mig at stjæle hans elendige jakke.

Den var slet ikke pæn nok.

„Jeg hænger lige den her væk," sagde jeg, og for første gang fik vi ordentlig øjenkontakt.

Han tjekkede hurtigt mit ansigt og sagde udtryksløst: „Du ser godt ud, Claire."

Han sagde det med samme entusiasme, som en bedemand normalt reserverer til de mennesker, der mod alle odds har overlevet et forfærdeligt biluheld. „Ja." Han nikkede, en lille smule overrasket. „Du ser virkelig godt ud."

„Ja, hvorfor skulle jeg ikke det?" Jeg sendte ham et lille, bedrevidende smil, der udtrykte lige dele værdighed og ironi – eller det håbede jeg i hvert fald.

Jeg håbede, at han ville se, at selvom han ikke længere elskede mig, selvom han havde såret og ydmyget mig, så var jeg et ansvarligt menneske, og jeg skulle nok komme over det.

Det var lige før, jeg gjorde grin med hele den elendige historie og inviterede ham, gerningsmanden, til at grine med.

Jeg kunne næsten ikke fatte, at det lykkedes mig.

Jeg var ret godt tilfreds med mig selv.

For selvom jeg ikke følte mig rolig og civiliseret, det skal guderne vide, så havde jeg tænkt mig at gøre mig meget umage for at opføre mig sådan.

Det lod imidlertid ikke til, at han fandt det helt lige så morsomt, som det lykkedes mig at lade, som om jeg gjorde.

Han sendte mig et køligt blik.

Flere bedemandsagtige signaler.

Elendige skiderik.

Når nu jeg var klar til at forsøge at være sød og civiliseret, så *måtte* han da også kunne tage sig sammen. Når alt kom til alt, hvad havde han så at miste?

Måske havde han forberedt en smuk tale om, at jeg nok skulle komme mig over ham, at vi aldrig rigtig havde passet sammen, og at det var bedre for mig at være foruden ham. Måske var han skuffet over, at han ikke fik mulighed for at fyre den af.

Han havde sikkert stået foran spejlet på sit værelse på The Liffeyside (anbefalet af Bord Failte, med brusebad, faciliteter til at lave te og kaffe på værelset, tv med mange kanaler og på opfordring tillige fuldemandsslagsmål tidligt om morgenen på gaden under vinduet) og øvet sig i at kaste armene bønfaldende om skuldrene på mig, mens han med en stemme, der var ved at kvæles af følelser, fortalte mig, at selvom han stadig elskede mig, så var han ikke længere *forelsket* i mig.

Vi stod i entreen i et par sekunder. James så ud, som om hele hans familie var blevet udryddet for øjnene af ham i et macheteangreb. Jeg så ikke meget bedre ud. Spændingen i luften var forfærdelig.

„Kom med ind i spisestuen,“ sagde jeg og tog føringen. Ellers kunne vi have stået der hele dagen, hvide i ansigterne, elendige og lammede af nerver. „Der bliver vi ikke forstyrret, og vi kan bruge bordet, hvis vi skal sprede dokumenterne ud og sådan noget.“

Han nikkede bistert og gik ned ad gangen foran mig.

Hvad bildte han sig ind? Hvorfor helvede så han så skide anspændt ud? Det måtte da være mig, der havde ret til det.

Kate ventede i spisestuen.

Hun lå i sin lift og så smuk ud.

Jeg tog hende op og stod med hende i armene, med hendes ansigt vendt mod mit.

„Det er Kate,“ sagde jeg bare.

Han stirrede på os begge, mens han åbnede og lukkede munden.

Han lignede lidt en guldfisk. En bleg, alvorlig guldfisk.

„Hun er blevet så stor, hun er vokset så meget,“ lykkedes det ham til sidst at fremstamme.

„Det gør babyer jo.“ Jeg nikkede vist til ham.

Mellem linjerne sagde jeg selvfølgelig: „Hvis du var blevet hos os, dit røvhul, så ville du have været der, mens hun voksede.“ Men det sagde jeg ikke.

Det behøvede jeg ikke.

Han vidste det godt.

Det stod skrevet hen over hans fårede, skamfulde ansigt.

„Og hun hedder Kate?" spurgte han.

Der væltede en bølge af vrede ind over mig, der var så voldsom, at jeg var overbevist om, at jeg ville slå ham ihjel.

Han havde ikke engang gidet finde ud af, hvad hun hed.

Der var masser af mennesker, han kunne have spurgt.

„Efter Kate Bush?" spurgte han. Og refererede til en sanger, som jeg aldrig nogensinde ville have overvejet at opkalde mit barn efter, selvom jeg i og for sig godt kunne lide hende.

„Ja," lykkedes det mig bittert at sige. „Efter Kate Bush."

Jeg gad ikke fortælle ham den rigtige grund. Hvad helvede betød det for ham?

„Hej!" sagde han, og tanken havde åbenbart først slået ham i det øjeblik. „Må jeg holde hende?" Under andre omstændigheder ville det blive beskrevet, som om han sagde det entusiastisk.

Min vrede og bitterhed var åbenbart gået lige hen over hans velfriserede hoved.

Jeg havde lyst til at råbe ad ham: „Selvfølgelig må du holde hende, hun har ventet to måneder på, at du skulle holde hende. Du er hendes forpulede FAR!" Men det lykkedes mig at lade være.

Jeg følte mig som en forræder, som en mor i den tredje verden, der af økonomiske årsager er tvunget til at sælge sit barn til den rige gringo. Men jeg rakte hende over til ham.

Bare udtrykket i hans ansigt.

Det var, som om han pludselig var blevet retarderet.

Ikke andet end smil og strålende øjne og ærbødige blikke.

Han holdt hende selvfølgelig helt forkert.

På tværs i stedet for på langs.

Horisontalt i stedet for vertikalt.

Folk, der ikke aner noget om babyer, holder dem sådan.

Det ved jeg, for jeg gjorde det samme den første dag i Kates lille liv, indtil en af de andre mødre, som var træt af at høre på Kate, der hylede, udmattet rettede på mig. („Op, ikke på tværs!").

Men du tog ikke mig i at føle med James, der gjorde den samme fejl.

Kate begyndte at græde.

Ja, selvfølgelig gjorde det stakkels barn det!

Når en fremmed mand holdt hende, som om hun var et sammenrullet tæppe.

Ville du ikke også græde?

James så bange ud.

„Hvad er der galt med hende?" spurgte han. „Hvordan får jeg hende til at holde op?"

Det ærbødige ansigtsudtryk forsvandt.

Erstattet af rendyrket frygt.

Jeg vidste bare, at hele 'søde fyr'-showet var for godt til at være sandt.

„Her," sagde han og kastede hende over til mig. Han så på os begge med et udtryk af mishag i ansigtet.

Der var åbenbart ikke plads til grædende kvinder i James' verden.

Han havde ikke altid været sådan, at du ved det.

Han havde jo giftet sig med mig. Og jeg var ikke ligefrem berømt for at holde tårerne tilbage. Mit motto havde altid været bedre ude end inde.

Men når jeg så på ham nu, på hans forvænte udtryk, undrede det mig – og det var ikke første gang, kan vi hurtigt blive enige om – hvilket stort røvhul han var blevet.

„Uha da," sagde jeg syrligt. „Det lader ikke til, at hun kan lide dig."

Jeg grinede, som om det var en spøg, og tog hende fra James' vigende arme.

Han kunne ikke slippe af med hende hurtigt nok. Jeg kurrede og trøstede hende. Hun holdt op med at græde.

Et kort øjeblik følte jeg en bitter tilfredsstillelse over, at Kate havde taget mit parti mod ham.

Hvorpå jeg følte mig trist og skamfuld.

James var Kates far.

Jeg burde gøre alt i min magt for at få dem til at synes om hinanden. Jeg kunne finde en anden mand at elske.

Men Kate havde kun én far.

„Undskyld." Jeg smilede undskyldende til ham. „Det er bare, fordi du er ny. Giv hende en chance. Hun er bange."

„Du har ret. Det vil sikkert bare tage lidt tid," sagde han og klarede lidt op.

„Det er det hele," forsikrede jeg ham. Men på samme tid tænkte jeg rædselsslagen: Hvornår forventer han helt præcist at tilbringe den såkaldte 'lidt tid' sammen med hende?

Hvis han var kommet til Dublin for at tage Kate med tilbage til London, så måtte han dø. Det var faktisk meget enkelt.

Han havde ikke dyrket faderrollen indtil nu, så hvad ville han?

„Kaffe."

„Hvad?" spurgte jeg ham skarpt.

„Er der mulighed for en kop kaffe?" spurgte han.

Han så på mig, som om jeg var lidt underlig.

Hvor mange gange havde han spurgt, før jeg hørte ham?

„Selvfølgelig," sagde jeg.

Jeg lagde Kate ned i liften igen og gik ud i køkkenet for at lave kaffe.

Jeg burde have tilbudt det tidligere. Men jeg havde ikke skænket det en tanke midt i alt hurlumhejet.

Det var en lettelse at komme ud i køkkenet.

Jeg sukkede langt og dybt og inderligt, da jeg lukkede døren bag mig.

Mine hænder rystede så meget, at jeg knap nok kunne fylde kedlen.

Det var så forfærdeligt at være sammen med ham.

Det var udmattende at skulle lade, som om jeg havde det fint.

Det krævede virkelig meget af mig konstant at lægge låg på den morderiske vrede.

Men jeg blev nødt til det.

For Kates skyld ville jeg redde så meget ud af det her, som jeg kunne.

Jeg gik ind i spisestuen igen med kaffen.

Og nej, jeg tog ikke nogen kager med til ham.

Jeg er ked af det, men jeg er bare ikke et tilstrækkelig stort menneske.

Han stod lænet ind over liften i et forsøg på at tale med Kate.

Han førte en eller anden dæmpet, anspændt diskussion med hende.

Som om hun var en forretningspartner og ikke en to måneder gammel baby.

Han opførte sig ikke som søde, normale, varme mennesker gør, når de er i nærheden af små babyer. Du ved, som om de har ladet deres hjerne ligge ude i regnen hele natten.

Trallende lyde og tilbedende retoriske spørgsmål.

Som for eksempel: „Hvem er den smukkeste pige i hele verden?" Og det korrekte svar var ikke, sådan som du måske kunne forvente, Cindy Crawford, men Kate Webster.

I stedet lød det, som om han diskuterede skattereformer med hende.

Det lod dog ikke til, at han bemærkede, at der var noget galt.

Jeg stillede kaffen ned på spisebordet, og i det øjeblik porcelænet ramte mahognien, gik det op for mig, at jeg automatisk havde lavet den, sådan som James kunne lide den.

Jeg var rasende!

Kunne jeg ikke bare *lade*, som om jeg havde glemt det?

Kunne jeg ikke have givet ham lidt mælk og to sukkerknalder i stedet for sort, ingen sukker og halvt koldt vand?

Og så, når han var ved at kvæles i den, og han ømmede sig over sin skoldede og oversukrede mund, henkastet sige noget i stil med: „Åh, undskyld, jeg glemte, at det er *dig*, der ikke kan lide sukker?"

Men nej.

Jeg var gået glip af en dyrebar chance for at vise ham, at han ikke betød noget for mig længere.

„Åh tak, Claire," sagde han og tog en tår af kruset. „Du huskede, hvordan jeg kan lide den," sagde han og smilede tilfreds.

Jeg var så vred, at jeg gladelig kunne være gået ud i køkkenet, have hældt benzin over hovedet og sat ild til mig selv.

„Velbekomme," sagde jeg sammenbidt.

Der var tavshed et lille stykke tid.

Så begyndte James at sige noget.

Det var, som om han pludselig var slået over i Afslappet Facon. De nerver, han tilsyneladende havde, da han stod i hoveddøren, var forsvundet.

Jeg ville bare ønske, at mine havde gjort det samme.

„Jeg kan næsten ikke fatte, at jeg virkelig er her," sagde han afslappet og lænede sig tilbage i stolen, mens han holdt den forræderiske kaffe mellem hænderne.

„Jeg kan ikke fatte, at du lukkede mig ind."

Nå, jamen det er du ikke ene om, havde jeg lyst til at sige til ham, men det gjorde jeg ikke.

„Hvorfor ikke?" spurgte jeg med kølig høflighed.

„Åh," sagde han og rystede på hovedet med et skævt, lille smil, som om han ikke helt kunne styre sin løbske fantasi. „Jeg troede, at din mor og dine søstre ville have gjort et eller andet virkelig ledt, da jeg ankom. For eksempel hælde kogende olie ned over mig. Eller noget i den stil."

Så sad han der og så mig lige ind i øjnene, mens han smilede selvglad og accepterede den lethed, hvormed han var blevet lukket ind i Løvens Hule. Som om han fortjente det, overbevist om, at han kunne føle sig tryg, også selvom jeg kom fra en gal familie og en nation af vilde primitive.

Jeg overvandt trangen til at kaste mig over bordet og flå hans strubehoved ud med tænderne, mens jeg hvæsede: „Kogende olie ville være for godt til dig."

I stedet sendte jeg ham et koldt, lille smil og sagde: „Åh, hold dog op med at være så latterlig. Vi er fuldstændig civiliserede her i huset, uanset hvad du gerne vil tro om os. Hvorfor skulle vi gøre dig ondt? Vi har trods alt" – perlende, lille latter. Som isklumper, der rammer indersiden af glasset – „brug for, at du er sund og rask, så du har råd til at betale børnebidrag til Kate."

Stilheden var rungende.

„Hvad snakker du om? Børnebidrag?" spurgte han langsomt, som om han aldrig i sit liv havde hørt om sådan noget.

„James, du må da vide, hvad børnebidrag er," sagde jeg, svag i knæene af chok.

Jeg stirrede på ham.

Hvad helvede havde han gang i?

Han var en kedelig, hårdtarbejdende, revisoragtig person.

Han og børnebidrag burde være venner.

Jeg var faktisk dybt forundret over, at han ikke var dukket op med en enorm, udspecificeret aftale, som jeg skulle skrive under på. Du ved, sådan en, der udspecificerede alle udgifter, som for eksempel udgifterne ved køb af Kates sko resten af hendes liv (planlagte besparelser, amortisationsfonde, nedskrivning af gæld) og så videre.

Dette var trods alt en mand, der kunne, og højst sandsynligt ofte gjorde det, regne drikkepenge ud med fjorten decimalers nøjagtighed.

Ikke fordi han var nærig, forstår du.

Men han var meget, *meget* velorganiseret.

Han griflede konstant ting ned på bagsiden af konvolutter eller servietter og kom frem med usandsynligt detaljerede udregninger, som besynderligt nok næsten altid viste sig at være korrekte.

Han kunne i løbet af få minutter fortælle dig, ned til sidste penny, hvor meget det ville koste at ombygge dit badeværelse. Han havde regnet alting med, deriblandt maling, mandetimer, kager til håndværkerne, arbejdsdage (det vil sige dine egne), som gik tabt på grund af søvnløse nætter, når håndværkerne forsvandt i tre uger og efterlod badekarret på reposen osv. Helt ærligt, han tænker på alt!

„Børnebidrag?" sagde han endnu en gang tankefuldt. Han lød ikke glad.

„Ja, James," sagde jeg fast besluttet.

Selvom det vendte sig i maven på mig som på en murer om bord på en færge i høj sø. En murer, der havde drukket atten liter toldfri fadøl.

Jeg ville bare dø, hvis James havde tænkt sig at være besværlig med hensyn til pengene.

Nej, lad mig tage det tilbage. Det ville jeg ikke.

Jeg ville slå ham ihjel.

„Okay, okay, jeg forstår," sagde han og lød lidt forbavset. „Ja, vi har sørme meget, vi skal have snakket om."

„Ja, det har vi i hvert fald," bekræftede jeg og forsøgte at lyde munter. „Og nu er du her, så vi er i den lykkelige situation, at vi rent faktisk kan gøre det."

Jeg sendte ham et strålende smil.

Det var så modvilligt, at jeg sikkert ødelagde flere muskler i ansigtet.

Men jeg blev nødt til at holde det her på så venligt og rart et niveau som muligt.

„Så," fortsatte jeg frisk, fast besluttet på at lyde, som om jeg vidste, hvad jeg talte om. „Jeg ved, at ingen af os er vant til sådan noget her, men tror du ikke, at vi burde få styr på de grundlæggende ting selv og så lade advokaterne sætte prikken over i'et?" (Jeg tillod mig at smile lidt over det, hvad han fuldstændig ignorerede). „Eller foretrækker du, at vi får ordnet hele molevitten gennem vores advokater?"

„Aha!" Det var, som om han pludselig vågnede op. Han stak pegefingeren i luften som monsieur Poirot, der demonstrerede en skæbnesvanger fejl i argumentet. „Det ville være fint, hvis vi havde advokater. Men det har vi ikke, vel?" Han så på mig på en venlig, men medlidende måde, som om jeg var lidt af en tumpe.

„Jamen... det har jeg faktisk," sagde jeg.

„Har du?" spurgte han. „Har du minsandten det? Nå, nå da." Han lød meget overvældet. Og ikke spor glad.

„Øh... ja, selvfølgelig har jeg det," sagde jeg.

„Uha da, der er nok nogen, der har haft travlt," sagde han lidt ondskabsfuldt. „Du har sørme ikke spildt tiden."

„James, hvad snakker du om? Der er gået to måneder," protesterede jeg.

Tænk, at jeg havde haft dårlig samvittighed over, at jeg havde trukket det ud og spildt tiden.

Jeg var forvirret.

Havde jeg gjort noget galt?

Var der en eller anden form for etikette? En eller anden tidsgrænse, som jeg skulle overholde, før jeg måtte forholde mig til resterne af mit smadrede ægteskab?

Måtte jeg ikke gå ud at danse i en rød kjole, før seks år efter at min mand var død, eller hvad det end var, Scarlett O'Hara forargede Atlantas bedsteborgerskab med.

„Ja," sagde han. „Du har ret, der er gået to måneder."

Han sukkede.

Et kort øjeblik slog det mig, at han måske var trist til mode.

Og så gik det op for mig, at ja, han var sikkert trist.

Hvilken mand ville ikke være ked af det, når det pludselig gik op for ham, at han havde to familier at forsørge?

Han forestillede sig sikkert advokathonorarerne og ejendomsmæglerudgifterne, der strakte sig, så langt øjet rakte ind i fremtiden, mens vi ordnede vores smadrede ægteskab.

Det var selvfølgelig heller ikke billigt at sørge for, at Denises tre små møgunger fik deres lyserøde nylonflyverdragter.

Selvom det burde det være, hvis ret skal være ret.

Så jeg puffede enhver medfølelse til side og sagde: „James, har du taget skødet til lejligheden med?"

„Øh, nej," sagde han og så lettere desorienteret ud.

„Hvorfor ikke?" spurgte jeg lidt irriteret.

„Det ved jeg ikke," sagde han og så på sine sko.

Der var en perpleks pause.

„Jeg tænkte vel bare ikke på det. Jeg forlod London meget hurtigt."

„Har du *nogen* af vores dokumenter med?" spurgte jeg og bekæmpede trangen til at slå ham. „Bankudskrifter, pensionsordninger, den slags ting?"

„Nej," sagde han kort for hovedet. Han var blevet meget bleg i ansigtet. Han måtte være rasende over at blive grebet med bukserne nede om røven.

Denne form for ineffektivitet lignede virkelig ikke James. Han opførte sig slet ikke, som han plejede. På den anden side havde han ikke opført sig som sig selv i et stykke tid. Måske havde han fået et nervøst sammenbrud? Eller måske var han så forelsket i fede Denise, at han havde forvandlet sig til en dum dåse.

Hans syn havde tydeligvis svigtet ham, da han stak af med hende. Det var ikke til at sige, om det samme var sket for hans hjerne.

„Har vi brug for alle de dokumenter?" spurgte han.

„Nej, ikke lige med det samme," sagde jeg. „Men hvis vi skal have styr på tingene, mens du er her, ville det være meget smart at have dem."

„Jeg kunne selvfølgelig få dem faxet over," sagde han langsomt. „Hvis det virkelig er det, du vil."

„Det er jo ikke et spørgsmål om, hvad *jeg* vil," sagde jeg og følte mig lidt forvirret. „Det er, for at vi kan forsøge at finde ud af, hvem der ejer hvad."

„Gud, hvor gement!" sagde han med enormt mishag. „Du mener sådan noget som 'Jeg ejer det håndklæde, du ejer den stegepande', den slags ting."

„Ja, det er vel det, jeg mener," sagde jeg.

Hvad var der i vejen med ham? Havde han overhovedet ikke skænket det her en tanke?

„James?" spurgte jeg, da han sad i stolen og så ud, som om han havde fået granatchok. „Hvad havde du *troet*, der ville ske? At skilsmisse-feerne ville komme forbi og på magisk vis ordne alt for os, mens vi sov?"

Det lykkedes ham at sende mig et lille, blegt smil.

„Du har ret," sagde han træt. „Du har ret, du har ret, du har ret!"

„Det har jeg," sagde jeg beroligende. „Og hvis det sætter dig i bedre humør, så må du gerne få alle stegepanderne."

„Tak," sagde han stille.

„Og bare rolig," sagde jeg, rigtig gemytligt og rygklappende spøgefuldt.

„Jeg er sikker på, at vi en dag vil se tilbage på det her og grine af det."

Det var jeg naturligvis overhovedet ikke sikker på.

Jeg var svagt bevidst om, at der var noget helt, *helt* galt ved det faktum, at det var mig, der trøstede ham, og mig, der skulle opmuntre ham til at være stærk.

Men det var alt sammen så mærkeligt, at jeg helt ærligt alligevel ikke kunne kende forskel på hoved og røv.

Ikke en fejl jeg normalt ville lave.

Normalt ville du ikke gribe mig i at smøre hæmoridecreme i hovedet. Eller børste tænder på min røv for den sags skyld. Men som sagt, så var det svære tider.

Pludselig rejste James sig op. Han stod et par sekunder og så fortabt ud. Han planlægger åbenbart, hvordan han skal få kreditforeningspapirerne og alt sådan noget sendt over fra London, tænkte jeg. Han må være meget pinligt berørt over, at han har været så ineffektiv.

„Jeg må hellere gå," sagde han.

„Okay," sagde jeg. „Fint. Hvorfor tager du ikke tilbage til hotellet" (hotel, sikke en vits) „og får sendt skødet på lejligheden over? Så kan vi mødes senere."

„Fint," sagde han og var stadig meget stille.

Jeg kunne ikke vente, til han var gået.

Det var for meget.

Nu skete det langt om længe.

Det var virkelig, virkelig slut.

Vi havde forholdt os til det som civiliserede mennesker. Alt for civiliserede, efter min mening.

Det hele virkede drømmeagtigt.

Det var forfærdeligt.

„Jeg ringer til dig i eftermiddag," sagde han.

Han sagde farvel til Kate, og selvom han så ud, som om han forklarede hende, hvilke pensionsordninger hun havde krav på, så gjorde han sig i det mindste umage for at knytte sig til hende.

Til sidst lykkedes det mig endelig at få ham ud ad døren.

Han så lige så udmattet ud, som jeg følte mig.

Kapitel syvogtyve

Jeg havde knap nok lukket døren bag ham, før jeg begyndte at græde.

Som om de instinktivt vidste, at han var gået – hallo, hvad snakker jeg om? De havde jo ligget på gulvet i soveværelset oven over spisestuen med ørerne presset ned mod drikkeglas for at høre alt, hvad der blev sagt – dukkede Anna, Helen og mor frem fra panelerne på magisk vis iført deres Bekymrede Ansigtsudtryk.

Jeg var splittet.

Det var, som om Kate fornemmede min sorg og begyndte at hyle.

Eller også var hun bare sulten.

Uanset hvad, så var det lidt af en kakofoni.

„Røvhul," lykkedes det mig at sige mellem snøftene, mens tårerne løb ned ad mit ansigt. „Han er ligesom en forpulet maskine, uden nogen følelser."

„Var han ikke bare en lille smule ked af det?" spurgte mor ængsteligt.

„Det eneste, røvhullet bekymrede sig om, var, hvor *usselt* det er, at vi skal dele vores ejendele."

„Jamen, det er vel ikke så slemt," sagde Helen trøstende. „Måske lader han bare dig få alting. Så får du det hele."

Godt forsøgt, Helen.

Bare ikke lige det, jeg havde brug for at høre.

„Så han sagde ikke noget om en forsoning?" spurgte mor, helt hvid i ansigtet og med bekymret blik.

„Ingenting!" udbrød jeg, hvilket endnu en gang fik Kate til at brøle i armene på Anna, der så helt elendig ud.

„Forsoning!" hvinede Helen. „Jamen, du ville da ikke tage ham tilbage, vel? Ikke sådan som han har behandlet dig."

„Jamen, det er ikke pointen," hulkede jeg. „Jeg ville i det mindste gerne have haft muligheden. Jeg ville gerne have haft chancen for at bede ham skride ad helvede til og fortælle ham, at jeg ikke vil røre ham med en ildtang. Og det kunne røvhullet ikke engang give mig."

De nikkede alle tre medfølende.

„Og han var så selvglad!" udbrød jeg. „Jeg huskede, hvordan han drikker sin skide kaffe!"

Der lød en skarp lyd af tre kvinder, der på samme tid holdt vejret. De stod og rystede trist hovedet over min dumhed. „Det var skidt," sagde Anna. „Nu ved han, at du stadig holder af ham."

„Jamen, det gør jeg *ikke*," protesterede jeg voldsomt. „Jeg hader den røv, ham og hans anspændte, utro revisor-røv!"

„Hvad fanden bilder han sig ind!" fortsatte jeg med tårerne trillende ned ad mit rødspættede ansigt.

„Hvad?" spurgte de alle tre, idet de rykkede lidt frem for at høre endnu en af hans ugerninger.

„*Han* blev ked af, at vi skulle dele tingene, og det var mig, mig, MIG, der måtte trøste og opmuntre ham. Tænk jer det! *Mig*, der trøstede *ham*. Efter alt, hvad der er sket."

„Mænd," sagde Anna og rystede på hovedet i træt vantro. „Kan ikke leve med dem, kan ikke leve med dem."

„Kan ikke leve med dem," fortsatte mor. „Kan ikke skyde dem."

Der var en pause. Så sagde Helen noget:

„Hvem siger det?"

„Så hvad ender det med?" spurgte mor.

„Ikke noget endnu," sagde jeg. „Han ringer i eftermiddag."

„Hvad vil du gøre indtil da?" spurgte mor, og hendes ængstelige blik strejfede utilsigtet barskabet, selvom det havde været tomt i mange år, men det var en gammel vane. Det havde måske været mere passende, hvis hendes blik utilsigtet havde strejfet olietanken ude i haven, men glem det.

„Ingenting," sagde jeg. „Jeg er så træt."

„Hvorfor går du ikke i seng?" sagde hun hurtigt. „Det har været en kamp for dig. Vi tager os af Kate."

Helen så ud, som om hun skulle til at protestere. Hun åbnede oprørsk munden. Men så lukkede hun den igen.

Intet mindre end mirakuløst, det må jeg sige.

„Okay," sagde jeg. Jeg slæbte mig op ad trappen og kravlede i seng stadig iført det pæne tøj, som jeg havde taget på om morgenen. Der var intet tilbage af den smilende, tiltrækkende kvinde med den pæne makeup, som jeg havde været på det tidspunkt. Kun et rødmosset vrag med opsvulmede øjne og store, røde pletter i ansigtet.

Midt på eftermiddagen vækkede mor mig ved at ryste mig blidt i skulderen, mens hun hviskede: „James er i telefonen. Vil du snakke med ham?"

„Ja," sagde jeg. Jeg tumlede ud af sengen med krøllet tøj og halvblind på grund af søvn i øjnene, savlende som en gal.

„Hallo," mumlede jeg.

„Claire," sagde han skarpt med autoritativ og effektiv stemme. „Jeg har prøvet at få vores skøde faxet over, men der findes ikke nogen faxbutik i hele den her skide by."

Jeg følte mig øjeblikkeligt skyldig. Han fik mig til at føle, at det var min skyld. Som om jeg personligt havde fået lukket samtlige faxbutikker i hele Dublin kun for at genere ham.

„Åh, det er jeg ked af, James," stammede jeg. „Hvis du havde sagt noget, så ville jeg have foreslået, at du faxede til fars kontor."

„Åh, bare glem det," sukkede han irritabelt og opgivende og gav udtryk for, at hvis der var noget, han ville have gjort, så var det bedre, at han selv gjorde det i stedet for at indblande mig og min familie. „Det er alligevel for sent nu. Det bliver sendt med posten, og det skulle gerne komme i morgen tidlig."

Så skal du være heldig, tænkte jeg og så det irske postvæsens afslappede holdning for mig. Men jeg sagde ikke noget. Når det viste sig, at dokumenterne ikke kom, ville han uden tvivl få mig til at føle, at det også var min skyld,

„Men jeg synes alligevel, at vi skal mødes her til aften," fortsatte han effektivt, evigt og altid den professionelle. Tid er penge, er det ikke rigtigt, James?

For at være helt fair havde han jo ret. Vi blev nødt til at mødes under alle omstændigheder. Vi havde så meget at snakke om, at det gav mening.

Jeg havde ikke andre motiver, vel?

Jeg var ikke så ynkelig, at jeg troede, at han ville indse, at han stadig elskede mig, hvis bare han så tilstrækkelig meget til mig.

Måske satte jeg bare pris på hans selskab.

Måske i helvede!

Men jeg må indrømme, at jeg var fascineret af det faktum, at han ikke elskede mig længere.

Altså på samme måde som folk altid ser på blodet på vejen og de smadrede køretøjer, som bliver slæbt væk efter et biluheld. Jeg ved, at det er forfærdeligt, men på samme tid bliver jeg totalt draget af det. Jeg ved, at jeg vil blive ked af det bagefter, men jeg kan ikke lade være.

Eller måske ville jeg bare have en chance for at banke ham sønder og sammen. Hvem ved?

„Nå, men hvad skal vi gøre?" spurgte han. „Jeg kunne tage ud til jer, men jeg er ikke sikker på, at jeg er særlig velkommen."

Jeg kunne næsten ikke tro mine egne ører.

Hvad *bildte* han sig ind?

Hvad i hede hule helvede bildte han sig ind?!

Han havde ingen ret til at føle sig velkommen, men alligevel havde jeg behandlet ham så høfligt, som det var mig muligt.

Og det er mere, end man kan sige om den måde, han havde behandlet mig.

Havde jeg ikke lavet kaffe til ham?

Havde jeg ikke undladt at pudse hundene på ham?

Ikke fordi vi havde nogen hunde, men det var lige meget.

Hvad værre var, jeg havde ikke pudset Helen på ham.

Hvad i alverden havde han forventet?

At der langs vejene fra Dublin Lufthavn stod hujende indbyggere, der vinkede med Union Jack-flag? Hornorkestre og røde løbere? At det skulle være national helligdag? At jeg tog imod ham i hoveddøren, iført sexet neglige, mens jeg smilende og med rusten stemme sagde: „Velkommen tilbage, skat"?

Jeg var mildest talt målløs.

Jeg vidste ikke, hvad jeg skulle sige.

Ked af det, min herre, men vi har desværre ikke flere fedekalve tilbage.

Han lød, som om han var mopset. Som om han ville have, at jeg skulle sige noget i stil med: „Åh, lad være at være dum, James. Selvfølgelig er du velkommen."

Men James var ikke mopset. Det var han alt for voksen til. Og ingen mand med forstanden i behold ville have forventet, at jeg tog imod ham med åbne arme.

Men hvad skulle jeg sige?

„Jeg er ked af, at du har det sådan, James," lykkedes det mig ydmygt at sige. „Hvis min familie eller jeg på nogen måde har opført os, så du ikke føler dig velkommen, så kan jeg kun undskylde."

Jeg mente selvfølgelig ikke et ord af det.

Hvis min familie på nogen måde *havde* fornærmet ham; hvis Helen for eksempel havde skåret ansigter eller givet ham fingeren i vinduet på første sal, da han gik, eller havde vist ham sin bagdel – eller det, der var værre – så ville jeg personligt have givet hende en belønning.

Men jeg blev nødt til at føje ham.

Selvom jeg var ved at kløjes i mine høflige ord, var Kate altid det første, jeg måtte tænke på.

Der var ikke noget, jeg ville have nydt mere end at fortælle James, præcis hvor uvelkommen han var, men ville det ikke være at save den gren over, jeg sad på? Jeg ville ikke have, at Kate skulle vokse op uden en far, og den pris, jeg måtte betale, var at fortælle James, at han ikke var uvelkommen (det var så langt, jeg kunne gå).

„Nå, men skal jeg så komme derover?" spurgte han modstræbende.

Hvad var hans *problem?*

Han opførte sig som et manipulerende barn.

„Åh, James," sagde jeg venligt. „Jeg vil ikke have, at du skal komme herover, hvis du ikke føler dig velkommen. Vi vil begge gerne kunne slappe af. Måske skulle vi mødes et sted inde i byen?"

Der var en lang pause, mens James fordøjede det.

„Fint," sagde han koldt. „Vi kunne gå ud at spise."

„Det lyder rart," sagde jeg og tænkte: Det lyder faktisk rart.

„Ja, jeg bliver jo nødt til at få noget at spise," sagde han uvenligt. „Så du kan jo lige så godt komme med."

„Du har sørme altid være godt skåret for mundtøjet," sagde jeg og tvang et smil ind i min stemme. Men jeg følte mig pludselig så trist.

Vi aftalte at mødes på en restaurant i centrum klokken halv otte.

Forberedelserne var om muligt grundigere end om morgenen.

Jeg ville naturligvis være smuk.

Men jeg bestemte mig for, at jeg også ville være sexet.

James havde altid elsket mine ben og elsket det, når jeg gik i høje hæle, også selvom jeg blev næsten lige så høj som ham.

Så jeg tog mine mest højhælede sko på med min korteste kjole, sort naturligvis, og det tyndeste par strømper, jeg kunne finde.

Var det ikke bare heldigt, at jeg havde barberet mine ben aftenen før? Da jeg forberedte mig på at dyrke sex med Adam, faktisk. Men det skal vi ikke snakke om lige nu.

Jeg smurte tonsvis af makeup på.

„Mere mascara," opfordrede Helen indtrængende fra sidelinjen. „Mere foundation."

Vi kan vel godt blive enige om, at den underspillede facon ikke havde været særlig succesfuld denne morgen. Så nu gik vi linen ud.

Mens jeg smurte det prikkende stads på, som holdt min læbestift på plads, slog det mig, hvor forfærdeligt det hele var. Så rædselsfuldt.

Da jeg begyndte at komme sammen med James, plejede jeg at lægge min makeup med samme omhu. Og her stod jeg og dullede mig ud og gjorde mig umage for at være smuk til vores forholds store finale.

Hvor var det dog alt sammen et værre spild.

Mislykkede forhold kan beskrives gennem al den forspildte makeup.

Glem morskaben, glem skænderierne, glem alt om sex, glem jalousien. Men tag din hat af, og hold et minuts stilhed for de legioner af ukendte tuber foundation, mascara, eyeliner, kindrødt og læbestift, som havde lidt døden i alt det, som kunne have været. Men som afgik ved døden for ingen verdens ting.

Jeg så mig selv i spejlet, og jeg måtte indrømme, at jeg så godt ud. Høj og slank og næsten elegant. Ikke en vandmelon i syne.

„Hold kæft," sagde Helen og rystede på hovedet i utilsløret beundring. „Du skulle se dig selv. Og det er kun kort tid siden, du var en fed, gammel kælling."

Ros, minsandten.

„Sæt dit hår op," foreslog Helen.

„Det kan jeg ikke, det er for kort," protesterede jeg.

„Nej, det er ikke," sagde hun og kom over og samlede det oven på mit hoved.

For helvede, hun havde ret. Det måtte være vokset en del i løbet af de to måneder, hvor jeg slet ikke havde plejet det.

„Åh," sagde jeg begejstret. „Jeg har ikke haft langt hår, siden jeg var seksten."

Helen havde travlt med spænder og hårklips, mens jeg smilede som en gal til mit spejlbillede. „James bliver helt syg," sagde jeg. „Han vil bare fortryde, at han ikke kan få sådan en smuk sild som mig. I samme øjeblik jeg træder ind ad døren, ligger han på knæ og tigger mig om at tage ham tilbage."

Min smukke fantasi om en savlende og sønderknust James blev afbrudt af Helen, der højlydt sagde: „Hvad har du gjort ved dine ører?"

„Hvad er der galt med dem?"

„De er ligesom lilla."

„Åh, det er bare hårfarven. Så må vi vel hellere tage mit hår ned igen for at dække dem," sagde jeg sørgmodigt. Jeg var meget hurtigt blevet glad for dette sofistikerede look.

„Nej, nej, vi finder på noget," sagde Helen med et glimt i øjet. „Bliv her." Og så var hun væk.

Hun kom tilbage med Anna, som fløjtede, da hun så mig, samt et par klude og en flaske terpentin.

„Du tager det øre," instruerede Helen. „Så tager jeg det her."

Jeg tog hen for at mødes med James med ører, der var røde, hudløse og næsten blødende frem for en varm, skinnende kastajnefarve.

Men mit hår blev siddende oppe.

Kapitel otteogtyve

Jeg må indrømme, at det var en af de mest tilfredsstillende oplevelser nogensinde, da jeg trådte ind på restauranten. James så op fra det, han sad og læste i, og han måtte bogstavelig talt, *bogstavelig* talt, blinke med øjnene.

„Øh, Claire," sagde han helt forfjamsket. „Øhm, du ser vidunderlig ud."

Jeg smilede på en måde, som jeg håbede var mystisk, gådefuld og sofistikeret.

„Tak," spandt jeg.

Så kan du lære at lade være med at forlade mig, dit røvhul, tænkte jeg, idet jeg gled ned på min stol, så han fik et godt glimt af mine lår i de gennemsigtige, skinnende strømper og min korte, stramme, sorte kjole.

Han kunne ikke få øjnene fra mig.

Det var vidunderligt.

Jeg havde fået et par sære blikke, da jeg gik fra parkeringspladsen og hen til restauranten. Jeg var vel lidt for fint klædt på til en strålende mandag aften i april, men hvad fanden.

Tjeneren, en ung mand i en dårligt siddende smoking, der gav sig ud for at være italiener, men talte med Dublin-accent, styrtede over og brugte unødvendigt lang tid på at klappe min serviet ned i skødet på mig.

„Øh, tak," sagde jeg, da han havde brugt tilstrækkelig meget tid på det.

„Selv tak," snøvlede han, lige så italiensk som bacon og kål. Han blinkede til mig hen over James' hoved.

Helt ærligt!

Så blev jeg virkelig paranoid.

Måske troede han, at jeg var luder.

Lignede jeg en prostitueret?

Jeg *vidste*, at min kjole var for kort.

Åh, hvad fanden, besluttede jeg.

James smilede til mig. Et smukt, varmt, beundrende, bekræftende smil. Og i et kort øjeblik kunne jeg se den mand, jeg havde giftet mig med.

Så opdagede han den unge tjener, der bøjede sig ind over mig, så han bedre kunne se mine ben under bordet, og smilet forsvandt, og jeg sad tilbage med en følelse af at være blevet frarøvet noget.

„Claire." Han rynkede panden som en victoriansk patriark. „Dæk dig til. Prøv at se, hvordan tjeneren glor på dig."

Jeg rødmede.

I stedet for sexet og lækker følte jeg mig nu tåbelig og pinlig berørt.

Op i røven, James, fordi du får mig til at føle sådan her!

Opførte sig, som om han var en forpulet amish.

Han havde ikke altid været sådan, at du ved det. Jeg kunne huske engang, hvor han blev gladere og gladere, jo kortere min kjole var.

Nå, men tiderne skifter, som man siger.

Jeg bøjede hovedet og ledte trodsigt efter den dyreste ting på menuen.

„Vi burde vel tale om penge," sagde jeg, da tjeneren var gået.

„Det er okay," sagde han. „Jeg skal nok betale. Jeg tager det på kortet."

„Nej, James," sagde jeg og spekulerede på, om han spillede tungnem med vilje. „Jeg mener, vi bliver nødt til at tale om *vores* penge. Du ved, dine og mine, vores økonomiske situation."

Jeg talte langsomt og tydeligt, som om jeg talte til et barn.

„Åh, jeg forstår." Han nikkede.

„Nå, har vi så nogen?" spurgte jeg ængsteligt.

„Penge? Selvfølgelig har vi det," sagde han irriteret. Jeg havde ramt et ømt punkt. Sat spørgsmålstegn ved hans evne til at forsørge sin kone og familie. Eller skulle jeg sige kone og familier?

„Hvorfor skulle vi ikke have nogen penge?" spurgte han.

„Tja, fordi jeg ikke arbejder og kun modtager de der elendige barsels-dagpenge, og du betaler kreditforeningslån og husleje for den anden lejlighed og …"

„Hvad mener du med husleje for en anden lejlighed?" spurgte han højlydt og irriteret.

„Du ved, den lejlighed, du… og… Denise bor i," sagde jeg. Jeg var lige ved at dø, da jeg skulle sige hendes navn.

„Jamen, jeg er flyttet hjem igen," sagde han og stirrede lettere målløs på mig. „Vidste du ikke det?"

Flere ting faldt mig ind på samme tid.

Var det muligt at såre ham dødeligt med en gaffel?

Ville en kvindelig dommer være mildere indstillet?

Hvordan mon fængselsmad smagte?

Hvordan ville det gå Kate, hvis hendes mor myrdede hendes far?

James' stemme svømmede mod mig gennem en tåge af morderisk vrede.

„Claire?" sagde han ængsteligt. „Er du okay?"

Det gik op for mig, at jeg greb så stramt om smørkniven, at det gjorde ondt i min hånd. Og selvom jeg ikke kunne se mit ansigt, vidste jeg, at jeg var pæonrød i hovedet af raseri.

„Vil du fortælle mig," lykkedes det mig endelig at hvæse ad ham, „at du har flyttet den kvinde ind i *mit* hjem?"

Jeg troede, at jeg enten ville blive kvalt eller brække mig *eller* gøre noget samfundsskadeligt.

„Nej, nej, Claire," sagde han. Og lød forhastet, ængstelig, bange for, at – Gud forbyde det – jeg skulle lave en scene. „Jeg er flyttet hjem. Men Deni… øh… hun er ikke med."

„Åh."

Jeg var slået totalt ud. Jeg vidste ikke, hvad jeg skulle sige. For jeg anede ikke, hvad jeg følte.

„Jeg er… øh… ikke sammen med hende længere. Det har jeg ikke været i nogen tid."

„Åh."

På en måde var det næsten værre.

Jeg havde stadig lyst til at kvæle ham.

At tænke sig, at han ødelagde vores ægteskab, vores forhold, for noget, som ikke engang havde overlevet to måneders samliv.

Sikke et *spild*. Fornemmelsen af et meningsløst tab var næsten ikke til at bære.

Så fløj det ud af munden på mig: „Hvorfor er der ikke nogen, der har fortalt mig det?"

Hvad var der sket med den utroligt effektive jungletelegraf, som mine venner og jeg benyttede os af?

James talte beroligende til mig.

„Måske er der ikke nogen, der ved det endnu. Jeg har ikke gjort så meget spektakel ud af det. Jeg har ikke set så meget til folk den sidste måneds tid," forklarede han, tydeligvis ivrig efter at få mig til at falde til ro.

Han *må* have fået et nervøst sammenbrud, tænkte jeg. Han var blevet en sær Howard Hughes-agtig, tilbagetrukket person, der lever i skyggerne.

„Jeg har været på kursus," fortsatte han.

„Åh."

Okay, så han havde ikke fået et nervøst sammenbrud. Han var *ikke* blevet en sær, Howard Hughes-agtig, tilbagetrukket person, der levede i skyggerne.

Det burde jeg have vidst. James var alt for praktisk til at beskæftige sig med nervøse sammenbrud. Hvis ikke det kunne retfærdiggøres økonomisk, var han ikke interesseret.

Det betød i det mindste, at han ikke var på ferie med fede Denise, da jeg ringede til ham.

Sikke et spild af al den angst og elendighed.

Så begyndte nysgerrigheden at brænde indvendigt.

Hvad var der sket mellem James og Denise?

Jeg vidste, at jeg ikke burde stille spørgsmål, men jeg kunne ikke lade være.

„Så hun smed dig ud?" spurgte jeg. Jeg forsøgte at sige det let, men det lød bare bittert. „Gik tilbage til Mario eller Sergio, eller hvad han nu hedder?"

„Faktisk ikke, Claire," sagde James og så indgående på mig. „Jeg forlod hende."

„Uha da." Bitterheden sivede ud af mine porer. „Det er ved at blive lidt af en vane. Sådan at forlade kvinder, mener jeg," tilføjede jeg ondskabsfuldt, i tilfælde af at han ikke havde forstået det.

„Ja, Claire, jeg forstod godt, hvad du mente." Hans tonefald antydede, at han på en eller anden måde var *hævet* over det her. Men at han var en ordentlig fyr, der var parat til at føje mig.

Uanset hvad fortsatte jeg: „Bortset fra det, så troede jeg ikke, en gentleman nogensinde ville sige, at han forlod en kvinde. Jeg troede, at det var høfligst at sige, at hun havde forladt ham, også selvom det ikke er rigtigt."

Selv jeg var forundret over, hvor ulogisk jeg opførte mig. Jeg var bevidst om mit hysteriske tonefald. Men jeg kunne ikke holde mig tilbage. Jeg havde ikke styr på mine løbske følelser.

„Jeg går ikke rundt og fortæller hele verden, at jeg har forladt hende," sagde han stramt. „Jeg fortæller dig det. Du spurgte mig, husker du nok?"

„Nå, men hvorfor fortæller du så ikke hele verden, at du har forladt hende? Jeg vil have, at du fortæller hele verden, at du har forladt hende," sagde jeg med en farlig bæven i stemmen. „Hvorfor skal alle vide, at du droppede mig – og Kate – og så tro, at hun smed dig ud? Hvorfor skal hun spares for ydmygelsen?"

„Okay så, Claire," sagde han og sukkede højlydt over mine urimelige og irrationelle krav. „Hvis det gør dig glad, så skal jeg nok fortælle alle, hvad der skete med Denise."

„Godt," sagde jeg med en underlæbe, der bævrede som gele.

Det var forfærdeligt! Hvor var den ligevægtige, overskudsagtige Claire forsvundet hen? Jeg havde gjort mig sådan umage for at udvise kontrol over for James, så han ikke skulle se, hvor meget han havde såret mig, hvor ødelagt jeg var. Men al smerten lå lige under overfladen. Jeg var lige ved at bryde sammen.

Det var alt sammen så *flovt*. Jeg var meget ked af det, og han havde kontrol over situationen. Kontrasten var forfærdende.

„Jeg skal på toilettet," sagde jeg til James. Måske kunne jeg få lidt styr på mig selv derude.

„Nej, Claire, vent," sagde James, idet jeg rejste mig. Han forsøgte at gribe min hånd hen over bordet.

Jeg verfede vredt hans hånd væk. „Lad være med at røre mig," sagde jeg med tårer i øjnene.

Om et øjeblik ville jeg sikkert fyre noget af i stil med: „Du mistede retten til at røre mig, da du forlod mig."

„Du mistede retten til at røre mig, da du forlod mig," hørte jeg mig selv sige.

Jeg vidste det, jeg vidste det bare! Den person, som skrev mit livs dialog, plejede at arbejde på en meget dårlig sæbeopera.

Men jeg mente det.

Jeg havde lyst til at såre ham virkelig meget. Jeg havde lyst til, at han skulle føle samme tab, som jeg havde følt. At begære en anden så meget, at det gør ondt. Og indse, at du ikke kan få vedkommende.

Mest af alt ville jeg have, at han skulle føle, at det var hans *skyld*.

Hvem fik det til at ske?

Det gjorde du.

„Claire, vær nu sød at sætte dig ned," sagde han og gav langsomt slip på min hånd. Han så virkelig bleg og ulykkelig ud. Et kort øjeblik fik jeg dårlig samvittighed. Gud, jeg kunne bare ikke vinde, vel?

„Slap af, James," sagde jeg koldt. „Jeg har ikke tænkt mig at lave en scene."

Han havde anstændighed nok til at se ud, som om han skammede sig.

„Det er ikke det, jeg er bekymret for," sagde han.

„Åh, virkelig?" snerrede jeg ad ham.

„Ja, virkelig," sagde han og lød lidt mere tålmodig. „Hør her, Claire, vi bliver nødt til at snakke sammen."

„Der er ikke mere at snakke om," svarede jeg automatisk.

Ups! Der var den igen. Flere forpulede klicheer. Helt ærligt, jeg kunne have gravet mig ned. Det var så pinligt.

Jeg ville ikke have haft så meget imod det, hvis det var sandt. Men der var masser af ting at tale om.

Åh, rolig nu, tag det roligt, sådan, sagde jeg til mig selv. „Var planen ikke rolig og civiliseret samtale?" sagde den fornuftige del af min hjerne sødt til den kværulantiske del. „Var det ikke?"

„Det var det vel," indrømmede den kværulantiske del modvilligt. Som en mopset teenager.

„Kan vi i det mindste prøve at bevare kontrollen?" spurgte den fornuftige del.

„Jeg må holde op," sagde jeg til mig selv og tog en dyb indånding. „Jeg holder op nu."

„Claire," sagde han og forsøgte at lyde mild – mens han greb ud efter min hånd igen. „Jeg ved, at jeg har behandlet dig dårligt."

„Dårligt!" Jeg eksploderede, før jeg kunne stoppe mig selv. „Ha! Dårligt! Sådan kan man også sige det."

Nå ja, det var så det med at være rolig og bevare kontrollen.

På trods af mine ynkelige forsøg på at lægge låg på mine følelser var handskerne godt og grundigt af nu. Enhver forestilling om at være rolig og voksen og civiliseret var røget over bord. Eller i hvert fald enhver forestilling om, at jeg var rolig og voksen og civiliseret. Han virkede stadig usandsynligt ligevægtig.

Ligevægt var en af de ting, han var bedst til.

„Forfærdeligt," indrømmede han.

Han lød ikke særlig sønderknust. Han lød, som om han føjede mig.

Den følelsesløse skiderik! Hvordan kunne han være så selvbehersket? Det var umenneskeligt.

„Hvordan kunne du være så uansvarlig?" udbrød jeg. Jeg vidste, at det ville såre ham mere end noget andet. Han kunne klare anklager om at være strid, grusom, hårdhjertet uden at blinke. Men at kalde ham uansvarlig var under bæltestedet.

„Hvordan kunne du bare forlade os? Jeg havde *brug* for dig."

Jeg sagde det sidste i et lidenskabeligt, skingert tonefald.

Stilhed fulgte.

Han sad meget stille – foruroligende stille – et øjeblik, og en følelse, som jeg ikke genkendte, bølgede hen over hans ansigt.

Da han igen sagde noget, blev det klart, at der var sket en forandring med ham. Noget var knækket. Den tålmodige brønd var løbet tør. Han var gået hen for at hente en pakke Tolerance, og skabet var tomt.

Ikke mere Sød Fyr. Ikke fordi han havde været det i forvejen.

Da han igen sagde noget, var det ikke med hans normale stemme. Men i et ondskabsfuldt, trallende, respektløst tonefald. „Jep," sagde han med en lang pause mellem hvert ord. „Det. Havde. Du. Minsandten."

„Hva… ad?" spurgte jeg lidt overrumplet.

Jeg var stadig fordybet i følelser af tab og forladthed, men jeg fattede dog, at der var sket noget med James. Og at dette noget ikke var til min fordel. Det var med det samme åbenlyst, at tingene ikke var, som de skulle være, da han så hurtigt var enig med mig. Det var endnu mere åbenlyst, at tingene var helt forkerte, da han så hurtigt var enig med mig i sådan et sært tonefald.

„Åh," sagde han stadig med et sært tonefald. „Jeg siger bare, at du har så evigt ret. Det er det, du vil have, ikke? Jeg siger det faktisk lige igen, ikke? Du havde *brug* for mig."

Hvad var der sket? Begivenhederne havde taget en pludselig og uventet drejning. Jeg havde det, som om jeg var vandret ind i nogle andre menneskers diskussion. Eller som om James, helt af sig selv, havde bestemt sig for at skifte kanal. Jeg var stadig fordybet i den gamle samtale, den, der handlede om, at James havde forladt mig, og at jeg var helt ødelagt over det. Men han havde slået over i en ny samtale om noget fuldstændig andet. Jeg kæmpede for at nå op på siden af ham.

„James, hvad sker der?" spurgte jeg forvirret.

„Hvad mener du?" svarede han uvenligt.

„Jeg mener, hvorfor opfører du dig pludselig så besynderligt?" sagde jeg nervøst.

„Besynderligt," sagde han med et tankefuldt, betydningsladet tonefald. Og så sig om i lokalet, som om han appellerede til et usynligt publikum. „Hun siger, at jeg opfører mig besynderligt."

Det skulle komme fra en mand, der sad og sludrede med folk, som ikke var der.

„Jamen, det gør du," sagde jeg. Han blev faktisk mere og mere besynderlig, for hvert øjeblik der gik.

„Jeg sagde bare, at jeg havde brug for dig og…"

„Jeg hørte godt, hvad du sagde," afbrød han arrigt, og den trallende, respektløse tone var brat forsvundet.

Han lænede sig ind over bordet og stirrede på mig med et rasende ansigtsudtryk. Nu kommer det, tænkte jeg.

Lettelse blandede sig med frygt. Nu ville jeg i det mindste få at vide, hvad helvede der var galt med ham.

„Du sagde, at du havde brug for mig." Han kom med en galhovedet, tiskende lyd og himlede med øjnene. „Noget af en underdrivelse!"

Han holdt inde – for at give det mere vægt? – og stirrede på mig, og hans ansigt var hårdt og vredt.

Jeg turde ikke sige noget. Jeg var tryllebundet. Hvad var det næste?

„Jeg *ved*, at du havde brug for mig," spyttede han efter mig. „Du havde for fanden altid brug for mig, til den ene forpulede ting efter den anden. Hvordan skulle jeg kunne *undgå* at vide det?"

Jeg kunne bare stirre på ham.

Han blev ikke særlig tit vred. Det var som regel lidt af et tilløbsstykke, de sjældne gange det skete. Lidt spektakulært. Men ikke i dag. Jeg vidste ikke, hvor hans vrede kom fra, men det lod til, at det, han gerne ville udtrykke, var, at det var min skyld.

Det var ikke en del af manuskriptet.

Det var mig, der havde retten på min side. Det var ham, der var røv-hullet. Det var sådan, det var.

„Du havde brug for mig til *alting,*" råbte han næsten.

Jeg tror, at jeg på dette tidspunkt bør påpege, at James aldrig råbte. Han hævede ikke engang stemmen.

„Du krævede konstant opmærksomhed," fortsatte han. „Og konstant bekræftelse. Du tænkte aldrig en skid på mig, eller hvordan jeg havde det, eller hvad jeg eventuelt kunne have brug for."

Jeg stirrede på ham med åben mund og polypper.

Jeg nægtede at tro mine egne ører.

Hvorfor angreb han mig?

Det var da ham, der havde forladt mig, ikke?

Så hvis der var nogen, der skulle anklage nogen for noget, så var det mig.

„James…" sagde jeg mat.

Han ignorerede mig og fortsatte med at skælde ud og prikke mig med fingeren.

„Du var umulig. Du gjorde mig helt udmattet. Jeg ved ikke, hvorfor jeg blev sammen med dig så længe, som jeg gjorde. Jeg aner ikke, hvordan *nogen* ville kunne holde ud at bo sammen med dig."

Hov, prøv lige at høre! Det her var for meget. Vrede bølgede igennem mig.

Snak lige om en rettergang uden dommer.

Det var justitsmord.

Og jeg havde ikke tænkt mig at lade ham slippe af sted med det.

Jeg var *edderspændt* rasende.

„Åh, jeg forstår," sagde jeg, hvidglødende af vrede. „Det er alt sammen min skyld. Jeg tvang dig til at have en affære. Jeg tvang dig til at forlade mig. Det er sørme sjovt, for jeg kan ikke huske, at jeg truede dig med en pistol. Det må jeg have glemt."

Det er sandt, hvad de siger. Sarkasme er virkelig den laveste form for humor. Men jeg kunne ikke holde mig tilbage. Han kritiserede mig. Og jeg var ved at brænde op af følelsen af at blive uretfærdigt behandlet.

„Nej, Claire," sagde han. Han skar faktisk tænder, mens han sagde det. Det har jeg aldrig set nogen gøre før. Jeg troede, at det bare var en talemåde. „Selvfølgelig tvang du mig ikke til noget som helst."

„Hvad er det så, du siger?" spurgte jeg.

Jeg havde en sær, kold følelse i maven. Jeg vidste, at det var frygt.

„Jeg siger, at det at bo sammen med dig var lidt ligesom at bo sammen med et krævende barn. Du ville altid i byen. Som om livet var én lang fest. Og det var det også for dig. Du grinede altid og morede dig. Så jeg blev nødt til at være den voksne. Jeg blev nødt til at bekymre mig om penge og regninger. Du var så *egoistisk.* Jeg var den, der klokken et om natten til et middagsselskab blev nødt til at minde dig om, at vi begge to skulle på arbejde næste morgen. Og så skulle jeg finde mig i, at du kaldte mig et kedeligt røvhul."

Jeg var fuldstændig paf over den svada fra James.

Ud over at det kom så uventet, følte jeg også, at det var meget uretfærdigt.

„James, det var jo sådan, det fungerede for os," protesterede jeg. „Jeg var den sjove, du var den fornuftige. Det vidste alle. Jeg var den lette underholdning, den fjollede, som fik dig til at grine og slappe af. Du var den stærke. Det var sådan, vi begge to gerne ville have det. Det var sådan, det var. Og det var derfor, det var så godt."

„Jamen, det var det jo ikke," sagde han. „Jeg var så skidetræt af at være den stærke."

„Jeg har aldrig kaldt dig et kedeligt røvhul," udbrød jeg pludselig. Jeg vidste, at der var noget galt med det, han havde sagt.

„Det er lige meget," sagde han irritabelt. „Du fik mig til at føle mig sådan."

„Ja, men du sagde, at jeg…" begyndte jeg at protestere.

„Åh, for himlens skyld, Claire," udbrød han vredt. „Nu begynder du igen. Prøver at score point. Kan du ikke bare slippe det? Kan du bare for en gangs skyld, en eneste gang, påtage dig skylden?"

„Jo, men…" sagde jeg mat.

Jeg var ikke engang sikker på, hvad det var, jeg skulle påtage mig skylden for.

Glem det. Jeg havde ikke tid til at tænke over det. James tog endnu en dyb indånding, og så var han i gang igen. Og jeg måtte skænke det, han sagde, min fulde opmærksomhed.

„Du lavede bare rod i den." Han sukkede. „Og det var mig, der skulle rydde op efter dig."

„Det er ikke rigtigt!" råbte jeg.

„Nå, men tro mig, det var sådan, det føltes," sagde han ukærligt. „Du vil bare ikke indrømme, at det er sandt. Alting var et drama. Eller et traume. Og det var altid mig, der skulle tage mig af det."

Jeg var stille. Totalt lamslået.

„Og ved du hvad, Claire?" fortsatte han højtideligt. „Man vågner ikke bare op en morgen og opdager, at man på magisk vis er blevet voksen. Man ved ikke fra den ene dag til den anden, hvordan man skal betale regningerne. Man arbejder på sagen. Man arbejder på at være ansvarlig."

„Jeg ved godt, hvordan man betaler regninger," protesterede jeg. „Jeg er jo ikke totalt åndssvag, at du ved det."

„Hvorfor var det så mig, der skulle tage sig af den side af sagen?" spurgte han sammenbidt.

„James." Det summede i hovedet på mig, mens jeg forsøgte at finde måder at forsvare mig. „Jeg forsøgte at hjælpe."

Jeg kan helt tydeligt huske en gang, hvor jeg sad sammen med James, mens han selvretfærdigt bladrede igennem checkhæfter og pengeautomatkvitteringer og hamrede på sin regnemaskine. Den dag tilbød jeg at hjælpe. Med et sjofelt glimt i øjet sagde han, at hvis han holdt sig til det, han var god til, så skulle jeg holde mig til det, jeg var god til. Og hvis jeg husker korrekt, og det er jeg sikker på, at jeg gør, så bollede vi på hans skrivebord. Der er faktisk stadig ret interessante pletter på access- og visa-regningerne fra juli 1991. Men det havde jeg ikke mod til at minde ham om.

„Jeg tilbød virkelig at hjælpe," protesterede jeg igen. „Men du ville ikke lade mig gøre det. Du sagde, at du var meget bedre til det, for du var god til tal."

„Og det accepterede du bare?" spurgte han ondskabsfuldt og rystede på hovedet, som om han næsten ikke kunne fatte, hvor tykhovedet og dum jeg var.

„Øh... ja, det gjorde jeg vel," sagde jeg og følte mig dum.

Han havde ret. Jeg havde ladet ham bekymre sig om truende breve og frakoblingsmeddelelser og alt sådan noget. Men jeg havde virkelig troet, at han gerne ville tage sig af det. Ikke fordi der nogensinde kom nogen truende breve eller frakoblingsmeddelelser eller noget i den stil. James var alt for organiseret til at lade det ske. Jeg troede, at han godt kunne lide at have styr på tingene. At det ville blive mindre tilfældigt, hvis kun en af os var indblandet. Hvor havde jeg dog taget fejl.

Jeg ville ønske, at jeg kunne skrue tiden tilbage. Hvis jeg bare havde været mere opmærksom på ting som afdragene på kreditforeningslånet.

„Jeg er ked af det," sagde jeg kejtet. „Jeg troede, du gerne ville gøre det. Jeg ville have gjort det, hvis jeg havde vidst, at du ikke havde lyst."

„Hvorfor skulle jeg have lyst til det?" spurgte han rasende. „Hvilket fornuftigt menneske ville synes, det var sjovt at være totalt ansvarlig for en hel husholdnings regninger?"

„Du har ret," indrømmede jeg.

„Nå," sagde James og lød lidt varmere. „Det var ikke rigtig din skyld. Du har altid været lidt ubetænksom."

Jeg kvalte mit svar på tiltale. Dette var ikke det rette tidspunkt at støde ham fra mig.

Men jeg var ikke *ubetænksom*. Det vidste jeg, at jeg ikke var.

James mente imidlertid noget andet.

„Hvis bare du ikke havde været ubetænksom, når det virkelig gjaldt," sagde han tankefuldt. „For problemerne i vores ægteskab handlede ikke kun om, at du ikke tog din del af slæbet. Det handlede lige så meget om, hvordan du fik mig til at føle."

„Hvad mener du?" spurgte jeg. Jeg væbnede mig mod endnu en omgang anklager. Anklager, som jeg ikke havde lyst til at høre. Men jeg blev nødt til at høre dem, hvis jeg skulle finde ud af, hvorfor han havde forladt mig.

„Altså, det handlede jo altid om dig, ikke?" sagde han.

„Hvordan? På hvilken måde?" spurgte jeg desorienteret.

„Jeg kom hjem efter en forfærdelig dag på arbejde. Og du ville ikke tale med mig om det. Du ævlede bare løs om din dag, fortalte mig historier og forventede, at jeg grinede af dem."

„Jamen, jeg spurgte jo," protesterede jeg. „Du sagde altid, at det var for kedeligt at forklare. Jeg fortalte dig kun sjove historier, fordi jeg vidste, at du havde haft en forfærdelig dag, og jeg gerne ville muntre dig op."

„Du skal ikke prøve på at retfærdiggøre det," sagde han hidsigt. „Det var så åbenlyst, at du aldrig gad høre noget ubehageligt. Du ville kun have sjov. Du havde overhovedet ingen interesse i at høre om noget som helst ubehageligt."

„James..." sagde jeg hjælpeløst.

Hvad kunne jeg sige?

Han havde bestemt sig.

Jeg sværger, det var virkelig nyt for mig. Jeg havde ikke haft den fjerneste anelse om, at han havde det sådan. Jeg havde ingen anelse om, at jeg havde opført mig så ulideligt.

Det kunne ikke tilfældigvis være, fordi James ønskede at give sig selv syndsforladelse for sin skyld i denne elendige fiasko, vel?

James forsøgte ikke på en eller anden sindssyg måde at manipulere med mig, vel?

Jeg var nødt til at finde ud af det.

„James," sagde jeg med lille stemme. „Jeg er ked af at spørge dig, men du prøver vel ikke at undgå at påtage dig skylden for at have forladt mig? Altså ved at skyde skylden på mig og gøre det hele til min fejl?"

„Åh, for himlens skyld," fnøs James. „Det var lige præcis den barnlige, egoistiske reaktion, jeg burde have forventet fra dig."

„Undskyld," hviskede jeg. „Jeg skulle ikke have spurgt."

Endnu en pause.

„Hvorfor sagde du det ikke til mig?" udbrød jeg. „Vi stod hinanden så nær. Det var så smukt."

„Vi stod ikke hinanden særlig nær, og det var ikke særlig smukt," sagde han studst.

„Det var det. Det gjorde vi," protesterede jeg.

Han har taget nok fra mig nu, tænkte jeg. Han skal ikke have lov at tage alle mine minder.

„Claire, hvis det var så smukt, hvorfor forlod jeg dig så?" spurgte han stille.

Og hvad skulle jeg sige? Han havde jo ret.

Men, vent lidt. Så var han i gang igen. Flere beskyldninger. Hans anklage var en kraft, der ikke var til at stoppe.

„Claire, du var fuldstændig umulig. Der var så meget, jeg ikke kunne sige til dig. Jeg måtte bære så mange bekymringer helt alene, fordi jeg følte, at du ikke ville kunne klare det."

„Hvorfor afprøvede du det aldrig nogensinde?" spurgte jeg trist.

Han gad ikke engang svare mig.

„Du var noget af en håndfuld. Jeg kunne komme udmattet hjem fra arbejde, og så havde du på stående fod bestemt, at vi skulle holde middag for otte mennesker, og det var mig, der løb rundt som en skoldet skid og købte øl og trak vin op og piskede flødeskum."

„James, det skete kun én gang. Det var seks mennesker, ikke otte. Og det var dine venner, der kom ned fra Aberdeen. Det skulle have været en overraskelse. Det var mig, der piskede flødeskum."

„Hør! Jeg gider ikke gå i detaljer," sagde han arrigt. „Du kan uden tvivl forsøge at retfærdiggøre alt, hvad jeg siger til dig, men du vil stadig være galt afmarcheret."

Jeg *kan* retfærdiggøre alt, hvad jeg gjorde, for jeg gjorde det rigtige, tænkte jeg forvirret. Men jeg sagde ikke noget.

„Jeg troede godt, at du kunne lide, når jeg var spontan," sagde jeg forsigtigt. „Jeg troede endda, at du opmuntrede mig til det."

„Nå, sådan opfatter du det altså," snerrede han. „Det er vel sådan, du gerne vil opfatte det," sagde han lidt mere kærligt.

En smilende tjener nærmede sig vores bord i frisk trav. Men han stivnede på stedet og drejede skarpt til højre over mod et andet bord, da han så det blik, James sendte ham.

„Så du tænkte, at du ville hjælpe mig med at blive voksen. Du tænkte, at jeg måske ville blive så chokeret, at det skete," sagde jeg, da det langsomt og stødvist gik op for mig. „Synd, at du skulle bruge sådan nogle ekstreme metoder."

„Åh, det var ikke, derfor jeg forlod dig," sagde han. „Det blev ikke gjort for at få dig til at blive voksen. Jeg troede faktisk ikke, at det var muligt. Jeg ville være sammen med en, som holdt af mig. Som ville tage sig af mig. Og det gjorde Denise."

Jeg sank en klump af smerte.

„Jeg *holdt* af dig. Jeg *elskede* dig." Jeg måtte få ham til at tro mig.

„Du gav mig aldrig chancen for at hjælpe dig. Du gav mig aldrig en mulighed for at være stærk. Jeg *er* stærk nu. Jeg *kunne* have taget mig af dig."

Han så på mig. Han havde lagt sit ansigt i faderlige, overbærende folder. „Det kunne du måske," sagde han kærligt. „Det kunne du måske."

„Og nu vil vi aldrig få det at vide," tænkte jeg højt, mens følelsen af tab, forspildte muligheder, af at blive misforstået, næsten knuste mit hjerte.

Der var en lidt sær pause. Så sagde han noget.

„Øh, eh, nej, det får vi vel ikke," sagde han hurtigt.

Hvad så nu?

Jeg følte mig syg, trist, elendig.

Trist på vores begges vegne.

Trist på James' vegne, som havde båret så mange bekymringer helt alene.

Trist på egne vegne over at være blevet så misforstået.

Eller var det trist på egne vegne over, at jeg misforstod alting?

Trist på Kates vegne, det uskyldige offer.

„Du troede vel, at jeg ville bryde fuldstændig sammen uden dig?" spurgte jeg ham. Jeg følte en brændende vrede af skam og flovhed.

„Ja, det gjorde jeg vel," indrømmede han. „Det kan du næppe bebrejde mig, vel?"

„Nej," sagde jeg med bøjet hoved.

„Men det gjorde jeg ikke, vel?" sagde jeg. Tårerne løb ned ad mit ansigt. „Jeg klarede mig uden dig. Og jeg skal nok klare mig fint uden dig for fremtiden."

„Det kan jeg se," nikkede han og så på mit tårevædede ansigt med mild munterhed i blikket. „Åh, din fjollede pige. Kom her." Han trak mig ligesom kejtet hen over bordet, skubbede blomstervasen og salt- og pebersættet til side og klappede mit hoved ned mod sin skulder på en tilsyneladende trøstende facon.

Jeg lod mit hoved hvile der et øjeblik. Jeg følte mig lidt fjollet og ubehageligt til mode. Jeg rettede mig op igen. Det ville næppe gavne min sag, hvis jeg blev ved med at opføre mig som et barn, der skulle trøstes.

Men det virkede heller ikke, som om det passede ham.

„Hvad er der i vejen?" spurgte han og lød lidt irriteret.

„Hvad mener du?" spurgte jeg og spekulerede på, hvad jeg nu havde gjort galt.

„Hvorfor trækker du dig væk fra mig? Det kan da godt være, at jeg har forladt dig til fordel for en anden kvinde, men har jeg hundegalskab eller sådan noget?" Han grinede lidt smørret af sin egen vittighed. Jeg forsøgte mat at grine med.

„Øh, nej," sagde jeg totalt forvirret. Hvad ville han *have* af mig? Jeg kunne tilsyneladende ikke gøre ham tilfreds, lige meget hvordan jeg opførte mig.

Jeg var udmattet.

Tingene var så meget mere lige ud ad landevejen, da han var det utro, flirtende røvhul. Dengang vidste jeg, hvor jeg stod. Jeg forstod den situation. Men han havde vel ret. Jeg havde elsket at være uansvarlig. Hvorfor skulle det ellers være så svært for mig at tage min del af skylden for vores ødelagte ægteskab?

Men det var svært at acceptere, at det alt sammen var min skyld. Det var ham, der havde forladt mig. Det var ham, der havde knust mit hjerte.

Intet af det, jeg havde forventet, var sket. Jeg troede, at han enten ville spørge, om jeg ville komme tilbage. Eller også ville han fortsætte med at opføre sig som et totalt røvhul. Jeg havde helt sikkert ikke regnet med at ende med at undskylde, at jeg helt alene havde skabt situationen.

Tingene havde været sorte og hvide. Han var mørket, og jeg var lyset. Han var den, der havde gjort noget galt, og jeg var offeret.

Nu var det hele blandet sammen.

Det var mig, der havde gjort noget galt, og han var offeret.

Der var svært for mig, men jeg var klar til at give det en chance.

„Hør, James," sagde jeg og tvang mine tårer tilbage. „Det her kommer som lidt af et chok. Jeg har brug for at tænke over det, du har sagt. Jeg går nu. Vi tales ved i morgen."

Og dermed sprang jeg op, gik over mod døren og lod James sidde tilbage, mens han åbnede og lukkede munden som en ophidset guldfisk.

„Godt gået, skat," sagde en af tjenerne, da jeg sejlede forbi. „Han er slet, slet ikke din type."

Jeg kørte hjem i høj fart, gennem samtlige røde lys, og satte fodgængeres og andre bilisters liv og lemmer på spil.

Kapitel niogtyve

Jeg satte nøglen i døren, og med en imponerende opvisning af Annas, Helens og mors clairvoyante evner gik køkkendøren op i samme øjeblik, og de styrtede ud i entreen for at tage imod mig. Enten det, eller også hørte de mig parkere bilen.

„Hvordan gik det?" spurgte mor.

De havde åbenbart ikke så meget at lave i øjeblikket. Mit livs sæbeopera ville ikke have fået så meget opmærksomhed, hvis de havde kunnet finde på noget bedre.

„Hvad skete der?" skreg Helen.

„Åh, fantastisk nyt," råbte jeg med tårer i øjnene, mens jeg begyndte at gå op ad trappen til Kate.

„Åh, hvor godt," sagde mor og strålede.

„Ja, du ved, hvordan James forlod mig og flyttede sammen med en anden og ikke engang vidste, hvad Kate hed. Nå, men det er okay nu. For det var min skyld. Jeg var selv ude om det. Jeg bad tilsyneladende om det. Jeg var helt nede på mine knæ og tryglede om det!"

Jeg skred ind på mit værelse og lod tre forbavsede ansigter tilbage for foden af trappen, med tre store, overraskede o'er midt i ansigtet.

Kate begyndte at hyle, da hun så mig. Og bare for sjovs skyld bestemte jeg mig for at gøre det samme. Som du måske har gættet, var denne her skyld-accept-ting ikke let for mig.

Men jeg lod min frustration over situationen gå ud over Helen, Anna og mor i stedet for at sige det til James, som jeg burde. Det var ikke retfærdigt over for pigerne og mor. En lille stemme mindede om, at jeg *havde* forsøgt at sige det til James, og han havde svaret, at det var endnu et bevis på min barnlighed. Nå, men han havde sikkert ret. Det havde han som regel.

Sikke en skiderik, tænkte jeg oprørsk.

Nu måtte jeg holde op med at være vred og oprørsk. Jeg var ikke længere en niogtyvårig teenager. Jeg kunne lige så godt begynde nu, hvis jeg skulle til at være en følsom, betænksom, omsorgsfuld voksen.

Jeg kunne begynde med at tage mig af Kate.

„Hvad kan jeg gøre for dig, min skat?" spurgte jeg og spekulerede på, om det var *modent* nok for James. Jeg må stoppe!

James havde ret, og jeg tog fejl.

Jeg forsøgte at berolige det grædende barn i mine arme.

„Måske en ren ble? Eller hvad siger du til en flaske mælk? Og vi har et vidunderligt udvalg af opmærksomhed og kærlighed. Alt står til rådighed. Du skal bare spørge."

Men nej, selv det gjorde jeg forkert. Ifølge James burde folk ikke engang bede mig om det, de ønskede. Hvis jeg virkelig var uselvisk, burde jeg vide det.

Bare for at være på den sikre side gav jeg hende hele dynen. Jeg skiftede ble, gav hende mad og fortalte hende, at hun var smukkere end Claudia Schiffer.

Mor, Anna og Helen materialiserede sig inde på mit værelse. De sneg sig vagtsomt ind, mens de spekulerede på, præcis hvor gal jeg var.

„Åh hej," sagde jeg, da jeg så det første forsigtige hoved komme ind ad døren. „Kom ind, kom ind. Ked af den lille scene i entreen. Jeg var ked af det. Jeg havde ingen ret til at lade det gå ud over jer tre."

„Åh, det er helt fint," sagde Helen. De marcherede alle tre ind og slog sig ned på sengen, mens jeg tog mig af Kate og fortalte dem om min aften.

„Det gør på en sjov måde det hele lettere, nu hvor jeg ved, hvor krævende jeg har været," sagde jeg til dem. „I ved, det giver i det mindste mening."

„Claire," sagde mor langsomt. „Jeg er overbevist om, at du ikke har været så slem, som han siger."

„Jeg ved det, jeg forstår det heller ikke," indrømmede jeg. „Men da jeg sagde det til ham, sagde han, at det var præcis sådan, han havde forventet, at jeg ville reagere."

Der var faktisk ikke noget andet, man kunne sige.

James havde klemt mig godt og grundigt op i hjørnet.

Den nat var rædselsfuld. Lige så slem som de første dage, lige da James havde forladt mig. Da de andre endelig var gået efter at have opgivet at overbevise mig om, at jeg umuligt kunne have været så slem, kunne jeg ikke falde i søvn. Jeg lå på ryggen og stirrede ud i mørket. Spørgsmålene summede rundt i hovedet på mig.

Det var et forfærdeligt chok. Jeg havde ikke nogen anelse om, at jeg var så egoistisk og umoden. Der var aldrig nogen andre, der havde brokket sig over det. Indrømmet, jeg var temperamentsfuld. Og måske også lidt højrøstet og livlig. Men jeg mente helt ærligt, at jeg tog hensyn til andre menneskers følelser.

Tanken slog mig da, at James overdrev, hvor slem jeg havde været. Måske var det oven i købet noget, han fandt på. Men jeg afviste tanken næsten lige så hurtigt. Det var bare mig, der forsøgte at undgå at påtage mig skylden. Hvorfor skulle James sige sådan noget, hvis det ikke var sandt? Som han selv havde sagt – og hans ord summede rundt og rundt i mit hoved: „Hvis jeg var lykkelig, hvorfor forlod jeg dig så?"

Jeg indrømmer, at jeg virkelig hadede at tage fejl. Jeg var meget dårlig til at indrømme, at det var mig, der var galt på den. Jeg følte mig brændende, tyndhudet, fanget med bukserne nede om anklerne, forfærdet. Jeg havde været så kæphøj. Jeg troede, at jeg havde retten på min side. Det var meget ydmygende at opdage, at det havde jeg ikke.

Selv da jeg var lille og ikke stavede alle ordene korrekt i diktat, var det meget svært for mig at bøje nakken, synke en klump og sige: „Du har ret, og jeg tog fejl."

Nå, øvelse gør mester.

Jeg faldt langt om længe i søvn.

Kapitel tredive

Far vækkede mig den følgende morgen ved at stikke en enorm foret konvolut op under næsen på mig. „Her," sagde han arrigt. „Tag den. Jeg kommer for sent på arbejde."

„Tak, far," sagde jeg søvnigt og kæmpede mig op at sidde i sengen, mens jeg skubbede håret ud af øjnene.

Jeg så på brevet. Der var poststemplet i London. Med en lille kold rislen ned ad ryggen gik det op for mig, at det var skødet til lejligheden og alle de andre dokumenter, James havde sørget for at få sendt over.

Jeg legede med tanken om at ringe til Vatikanet for at rapportere et mirakel. Det var sikkert og vist, at posten aldrig nogen nogensinde før var kommet så hurtigt fra London til Dublin.

Jeg legede med tanken om at ringe til James i stedet.

Det ville nok være bedre, hvis jeg ringede til James.

Selvom jeg højst sandsynligt ville blive bedre modtaget i Vatikanet.

Jeg fandt nummeret på The Liffeyside i telefonbogen. En kvinde tog telefonen. Jeg bad om at tale med James.

Hun bad mig vente et øjeblik, mens hun hentede ham. Mens jeg ventede, kunne jeg høre larm i baggrunden, der lød som maskingeværsalver. Indrømmet, det kunne bare være vaskemaskinen, men hvis du kendte The Liffeyside og den gade, hvor det lå, ville du være tilbøjelig til at satse på maskingeværet.

„James, det er mig," sagde jeg.

„Claire," sagde han og forsøgte at lyde venlig. „Jeg skulle lige til at ringe til dig."

„Skulle du?" spurgte jeg høfligt og spekulerede på hvorfor. Var han kommet i tanke om flere forfærdelige ting, jeg plejede at gøre mod ham? Havde han udeladt vigtig kritik af min opførsel blandt andre mennesker, som han havde planlagt at fortælle mig i går aftes?

Rolig nu, advarede jeg mig selv. Vær uselvisk og voksen.

„Vil du tro det?" sagde han vantro. „Ikke en eneste aviskiosk i den her by åbner før klokken ni. Jeg har forsøgt at få fat på FT, lige siden jeg stod op. Det kan jeg godt glemme alt om."

„Nå, nå, tænk virkelig," sagde jeg og mærkede en bølge af irritation. Men jeg forsøgte at skjule det. Jeg blev nødt til at huske på, at selvom *Financial Times* ikke betød noget for mig, så betød den noget for et andet menneske, nemlig James, så jeg *burde* tage mig af det, som det altruistiske, betænksomme, medfølende menneske jeg var.

„Var det derfor, du ville ringe til mig?" spurgte jeg. „For at fortælle mig det?"

„Nej, nej, nej. Hvorfor var det nu? Åh jo," sagde han og kom i tanke om det. „Jeg ville høre, om du var okay efter i går aftes. Jeg har indset, at jeg måske var lidt… altså… *hård* ved dig. Jeg kan godt se nu, at du ikke havde nogen anelse om, at du var så egoistisk og ubetænksom. Sandheden er måske kommet som lidt af et chok for dig."

„Tja, lidt," indrømmede jeg. Nu begyndte forvirringen igen. Jeg følte mig som en mistænkt, der blev forhørt af to politimænd; en der var sød, og en der var grov. Lige når jeg havde vænnet mig til, at den ene var grov mod mig, begyndte den anden at være ekstra sød og gav mig lyst til at græde og kramme ham. Bortset fra at det kun var James. Men det havde samme effekt. Nu hvor han var sød ved mig, havde jeg lyst til at, ja, du har gættet rigtigt, græde og kramme ham.

„Du opførte dig ikke bevidst forfærdeligt," fortsatte han. „Du var bare ikke klar over det."

„Nej," snøftede jeg. „Det var jeg ikke."

Jeg var så *glad* for, at han langt om længe var sød ved mig. Jeg kunne have grædt af lettelse.

„Du må gøre dig mere umage," sagde han med et lille grin. „Er det ikke rigtigt?"

„Øh, jo, det er det vel. Godt nyt, James," sagde jeg for at komme tilbage til grunden til min opringning.

„Hvad er det?" spurgte han. Han lød glad og overbærende.

„Papirerne er kommet!" sagde jeg triumferende. „Jeg troede næsten ikke mine egne øjne. Det må være første gang for det irske postvæsen."

„Og?" spurgte han skarpt.

Åh gud, tænkte jeg, nu har jeg gjort ham irriteret igen. Jeg forstår, hvad han mener. Jeg gør det tilsyneladende uden overhovedet at vide det.

„Det er godt…" sagde jeg mat. „Så behøver vi ikke spilde mere tid. Vi kan begynde at ordne tingene med det samme."

„Åh." Han lød lidt omtåget. Lidt ubegavet.

„Åh," sagde han igen. „Okay. Fint."

„Hvorfor kommer du ikke herover?" foreslog jeg. „Der er ingen kogende olie, det lover jeg."

Jeg tvang mig selv til at grine på en blid, føjelig måde.

Som om selve tanken om, at han kunne komme ud for en ulykke ved enten min eller min families hånd, var latterlig.

„Fint," sagde han kort for hovedet. „Jeg er hos dig om en time."

Og så lagde han på! Bare sådan.

Et kort øjeblik slog en tanke ned i mig.

Var James skizofren?

Eller var der sindssyge i hans familie?

Jeg syntes, at det var forbandet svært at følge med i alle de humørsvingninger, det er helt sikkert.

Der måtte være *noget*, der forårsagede det.

Måske ville jeg finde ud af det, når han kom. Imens ville jeg kaste et hurtigt blik på skødet for at se, om jeg overhovedet havde nogle rettigheder.

Præcis en time senere ringede det på døren. Det var James.

Han hilste på mig med et lille smil og spurgte, hvordan Kate havde det.

„Hvorfor spørger du hende ikke selv?" spurgte jeg ham.

„Åh, øh, fint så," sagde han.

Vi gik ind i spisestuen, hvor Kate var. James kildede hende tøvende. Jeg gik ud i køkkenet for at lave kaffe.

Jeg vendte tilbage med kaffen og vendte mig mod James med et smil. „Okay," sagde jeg elskværdigt. „Skal vi begynde?"

Jeg vinkede hen mod papirerne, som lå spredt ud på bordet.

Vi satte os begge ned.

„Jeg tænkte, at det ville være bedst, hvis vi begyndte med skødet på lejligheden," sagde jeg.

„Okay," sagde han mat.

„Altså, hvis du ser på den her paragraf," sagde jeg og pegede på en paragraf, som refererede til salg af lejligheden, før kreditforeningslånet var betalt ud. „Så vil du se, at…"

Jeg kastede mig ud i forklaringer og forslag, krydret med forskellige bidder juridisk snak. Jeg var stolt af mig selv. Jeg lød, som om jeg vidste, hvad jeg talte om. Jeg håbede åndsfraværende, at han var imponeret af mig. Selvom vi var gået fra hinanden, var det vigtigt for mig, at han så mig som en ansvarsfuld kvinde og ikke en eller anden fjollet, forkælet bimbo.

Efter et stykke tid bemærkede jeg, at han ikke hørte efter, hvad jeg sagde.

Han sad bare tilbagelænet i sin stol og så på mit ansigt, ikke på de papirer, som jeg så omhyggeligt udlagde for ham.

Jeg holdt inde midt i en paragraf om gældsfragåelse og sagde: „James, hvad er der galt? Hvorfor hører du ikke efter?"

Han uglede kærligt mit hår – det kom som lidt af en overraskelse, kan jeg godt fortælle dig – og sagde med et lille smil: „Du kan godt stoppe nu, Claire. Du har overbevist mig."

„Overbevist dig om hvad?" spurgte jeg.

Hvad helvede snakkede han nu om?

„Jeg er overbevist om, at du har forandret dig. Du behøver ikke blive ved med at spille skuespil."

„Skuespil?" spurgte jeg forvirret.

„Du ved," sagde han og så mig smilende ind i øjnene. „Hele forestillingen om, at vi skal sælge lejligheden og finde ud af en aftale med hensyn til børnebidrag til Kate. Du kan godt holde op nu."

Jeg sagde ikke noget. Hvad i alverden skulle jeg sige?

„Det er ikke skuespil," kvækkede jeg.

„Claire," sagde han og smilede overbærende. „Stop det! Jeg må indrømme, at jeg virkelig faldt for det på et vist tidspunkt. Jeg troede næsten, at du mente det alvorligt. Behøvede du virkelig at gå så langt som til at få papirerne sendt herover? Var det ikke at overdrive lidt?"

„James," sagde jeg mat.

Det lod til, at han opfattede det som en kapitulation af en art. Han lagde armene om mig og trak mig ind til sig. Jeg sad der med mit hoved hvilende stift på hans skulder.

„Hør her. Jeg ved, at du har været besværlig. Skidebesværlig," sagde han. Jeg kunne høre det bitre smil i hans stemme. „Men jeg kan se, at du gør dig umage. Jeg kan se, hvor meget du prøver at overbevise mig om, at du er ansvarsfuld og voksen og betænksom nu."

„Gør jeg?" spurgte jeg.

„Ja," sagde han kærligt. Han trak sig væk fra mig og så mig dybt i øjnene. „Det gør du. Så til at begynde med kan vi smide dem her ud." Han rodede papirerne på bordet sammen i en bunke.

„Hvorfor?" spurgte jeg.

„Fordi vi ikke skal sælge lejligheden." Han smilede.

Han så lidt mere indgående på mit hvide, chokerede ansigt.

„Åh gud," sagde han og slog sig melodramatisk på panden. „Det er endnu ikke gået op for dig, vel?"

„Nej," sagde jeg.

Han greb mig voldsomt i skuldrene og stak sit ansigt helt op til mit. „Jeg elsker dig," sagde han med et lille grin. „Dit fjollehoved. Har du ikke indset det?"

„Nej," sagde jeg og havde det, som om jeg skulle til at tude.

Er det ikke sært, hvordan lettelse sommetider føles næsten ligesom rædsel?

Hvordan lykke kan føles ligesom skuffelse?

„Hvorfor tror du ellers, jeg kom til Dublin?" Han rystede mig blidt i skuldrene og sendte mig det samme overbærende smil.

„Det ved jeg ikke," sagde jeg usikkert. „Måske for at få orden på tingene."

„Du troede vel ikke, at jeg nogensinde ville kunne tilgive dig for den måde, du opførte dig på?"

Nej, faktisk tænkte jeg overhovedet ikke noget i den stil, tænkte jeg.

„Men jeg *har* tilgivet dig," sagde han venligt til mig. „Jeg er klar til at prøve at få tingene til at fungere fremover. Jeg er sikker på, at alting bliver meget anderledes, fordi du er blevet så moden."

Jeg nikkede stumt.

Hvorfor var jeg ikke lykkelig?

Han elskede mig stadig.

Han var aldrig holdt op med at elske mig.

Jeg havde drevet ham bort.

Men jeg var anderledes nu, og tingene kunne ordnes.

Var det ikke det, jeg gerne ville have?

Nå, var det ikke?

Han så på mit stille, chokerede ansigt og kildede mig under hagen.

„Du er ikke stadig sur over det med Denise, vel?" spurgte han, som om det var en fuldstændig latterlig tanke.

„Jo, det er jeg faktisk," sagde jeg med en lille stemme. Jeg følte ikke, at jeg havde ret til at brokke mig over noget, nu hvor han var så sød over for mig.

„Men det var jo ingenting," protesterede han grinende. „Det var bare en reaktion på sådan, som du fik mig til at føle mig. Jeg er overbevist om, at du ikke gør den samme fejl igen." Han smilede, som om det var sjovt.

Men det var det ikke.

„Øh, okay, James," sagde jeg. Jeg havde det, som om mit hoved skulle eksplodere. Jeg måtte væk fra ham et stykke tid.

„James," sagde jeg mat. „Det her kommer som en forfærdelig…"

„Overraskelse!" brød han ind. „Jeg ved det. Jeg ved det."

„Jeg bliver nødt til at være alene og tænke lidt over tingene."

„Hvad er der at tænke over?" spurgte han let.

„James," sagde jeg. „Du sårede mig virkelig meget. Sårede mig og ydmygede mig. Jeg kan ikke bare lige hoppe ud af den følelse for at gøre dig glad."

„Åh gud," sukkede han. „Så er vi tilbage til 'Stakkels Claire' igen. Jeg troede, du havde forandret dig. Hvad med, hvordan du sårede og ydmygede mig?"

„Jamen, det var jo ikke min mening…"

„Nå, men jeg besluttede mig heller ikke for at såre dig," svarede han lettere utålmodigt. „Det skete bare."

„Men du sagde, at du *elskede* Denise," sagde jeg og mindedes den del, der gjorde mest ondt.

„Jeg *troede*, at jeg elskede hende," sagde han langsomt, som om han forklarede det til et barn. „Men det viste sig, at det gjorde jeg ikke."

Der var en pause.

Så sagde han igen noget.

„Fint, okay så!" sagde han krigerisk. „Du vil have mig til at indrømme, at jeg begik en fejl. Fint, det gør jeg så. Bare for at vise dig, hvor fast besluttet jeg er på at få det her ægteskab til at fungere."

Han holdt en pause og sagde så med syngende drengestemme, den slags drenge man har lyst til at slå ned: „'Det Var Forkert Af Mig'. Er det godt nok?"

„Øh, tak," sagde jeg høfligt.

Kunne han ikke bare gå?

„Der er selvfølgelig ikke nogen grund til at være her, hvis du har tænkt dig at bære nag," sagde han.

„Hvis det er tilfældet, så kan jeg lige så godt tage direkte ud i lufthavnen og flyve tilbage til London, og så snakker vi aldrig om det her igen."

„Nej, lad være med det." Jeg blev panikslagen ved tanken om, at han forlod mig igen.

Jeg blev også panikslagen ved tanken om, at han blev.

Det her var for meget for mig.

Røvhullet forlod mig ud i det blå.

Så dukkede han op igen og fortalte mig, at det var min skyld, at han havde forladt mig.

Men at han stadig elskede mig og gerne ville prøve igen.

Var det sådan, en logisk person opførte sig?

„Claire," sagde han og var atter den blide, søde James. „Jeg kan se, hvor overvældet du er af alt det her. Det er fuldstændigt forståeligt. Du troede, du var helt alene. Nu opdager du, at du har fået dit gamle, lykkelige liv igen. Det må være svært at kapere på en gang."

„Det er det," mumlede jeg.

„Så jeg lader dig være i fred i et par timer."

„Tak," sagde jeg og sank sammen af lettelse.

„Jeg finder ud af det med flybilletterne. Hvilken dag vil du gerne flyve hjem til London?"

„Åh, det ved jeg ikke." Jeg blev endnu en gang grebet af panik. Jeg havde ikke lyst til at tage tilbage til London. I hvert fald ikke sammen med James.

„Vi må hellere få det overstået med det samme, hva'?" Han blinkede. „Hvor lang tid vil det tage dig at pakke?"

„Åh, James, jeg ved ikke," sagde jeg og var rædselsslagen. „Sikkert virkelig lang tid, du ved, med alle Kates ting og sådan noget."

„Åh ja, Kate," sagde han, som om han først lige var kommet i tanke om hende. „Jeg må også hellere bestille en billet til hende."

„Nej, vent, du skal ikke gøre noget endnu," sagde jeg. „Giv mig lige lidt tid til at få styr på tingene."

„Altså," sagde han og rynkede panden. „Jeg har taget fri fra arbejde for at være her. Så jeg vil gerne tilbage så hurtigt som muligt, nu hvor vi har fået ordnet tingene."

„Lad os snakkes ved senere om det," sagde jeg og fulgte ham ud til hoveddøren.

„Lad nu være med at bruge for meget tid på det," sagde han. „Tid er…"

„Tid er penge, jeg ved det, jeg ved det," afsluttede jeg udmattet sætningen for ham.

Jeg lukkede døren bag ham og stod et øjeblik lænet op ad den og følte mig helt svag i koderne.

„Er han gået?" hvæsede en stemme.

Det var mor, der stak hovedet ud ad soveværelsesdøren og så ned på mig i entreen.

„Ja," sagde jeg.

„Hvad er der galt?" spurgte hun, da hun så mit chokerede ansigt.

„Ikke noget," sagde jeg mat.

„Godt," sagde hun.

„James sagde, at han stadig elsker mig," sagde jeg tomt.

„Hvad!" hvinede hun.

„Jeg håber, du bad ham om at stikke det skråt op," råbte en stemme bag mor.

„Claire, Claire," sagde mor og løb ned ad trappen. „Kom med. Sæt dig ned. Fortæl mig alt om det. Det er vel nok dejligt nyt."

Hun førte mig ud i køkkenet.

„Hvor er Kate?" spurgte hun.

„I spisestuen," sagde jeg og satte mig slapt på køkkenstolen.

„Jeg henter hende," sagde mor og styrtede af sted.

Hun var tilbage i løbet af et øjeblik, helt ivrig og spændt.

„Nå, hvad sagde han så?" spurgte hun utålmodigt.

„Han sagde, at han stadig elsker mig og vil have mig tilbage," sagde jeg udtryksløst.

„Jamen, er det ikke fantastisk?" udbrød mor.

„Det er det vel," sagde jeg tvivlrådigt.

„Hvad med hende Denise?" spurgte hun og så indgående på mig.

„Han elskede hende tilsyneladende aldrig," sagde jeg stille. „Han vendte sig bare til hende, fordi han ikke følte, at han fik nogen opmærksomhed, omsorg og kærlighed fra mig."

„Så det er fuldstændig slut med hende?" spurgte hun.

„Ja," sagde jeg.

„Tror du på ham?" spurgte hun.

„Det gør jeg sjovt nok," sagde jeg.

„Jamen, så er det jo fint," sagde mor.

„Er det?" spurgte jeg.

Mor var stille et øjeblik. Hun tænkte over noget.

Da hun endelig sagde noget, var det med højtidelig stemme.

„Claire," sagde hun. „Nu må du ikke gøre den fejl at lade stolthed stå i vejen for tilgivelse. Du elsker ham stadig. Han elsker stadig dig. Smid nu ikke det hele væk, bare fordi du er blevet såret."

Jeg sagde ikke noget. Og hun fortsatte. Med et tåget, fjernt glimt i øjet.

„Masser af ægteskaber har kriser," sagde hun. „Og folk kommer videre. De lærer at tilgive. Efter et stykke tid lærer de oven i købet at glemme. Og ægteskabet er som regel stærkere bagefter, hvis man arbejder for det og bliver sammen."

Åh nej, tænkte jeg. Jeg genkendte sceneriet. Det var nu, moren afslører for sin datter, at moren har haft en affære for mange år siden med en eller anden, f.eks. mandens bedste ven. Eller mere sandsynligt, at datterens far har haft en affære. („Hvad? Mener du, at far havde en affære?"). Moren var klar til at forlade ham og tage børnene med sig. („Du var kun en lille baby i mine arme."). Men moren forlod ham ikke. Hun tilgav ham. Faren var sønderknust af anger. Men nu er deres ægteskab stærkere end nogensinde før.

Men hvis hun skulle til at fortælle mig noget i den stil, så ombestemte hun sig. Det uklare glimt lettede fra hendes blik.

Hun vendte tilbage til nutiden.

„Det kommer til at tage tid, før smerten forsvinder," sagde hun. „Du kan ikke forvente, at det bare forsvinder øjeblikkeligt. Men med tiden vil det virkelig forsvinde."

„Jeg ved ikke, mor," mumlede jeg. „Det føles helt forkert."

„På hvilken måde?" spurgte hun.

„Jeg ved ikke…" Jeg sukkede. „Der er ikke nogen fornemmelse af… af… af… af *triumf*. Af sejr. Jeg er stadig vred på ham."

„Det er helt fint stadig at være vred på ham," sagde hun. „Du har al mulig ret til at være vred. Men tal det igennem med ham. Måske burde I gå i parterapi. Men lad ikke vreden forblinde dig i forhold til alt andet.

Det er trods alt faren til dit barn, vi taler om. Hvis du ikke kan sluge vreden på egne vegne, så tænk på Kate. Gør det for hende. Har du tænkt dig at berøve hende en far, bare fordi du er vred?"

Hun sluttede af i et meget lidenskabeligt tonefald.

Og før jeg kunne svare, var hun i gang igen.

Endnu en lidenskabelig svada:

"Med hensyn til at føle triumf eller sejr over at få ham tilbage. Det er bare så tomt. Så hult. Det er virkelig barnligt at ønske at være vinderen i det her. Der er ikke nogen vindere eller tabere i en situation som denne. Hvis du får dit ægteskab op at køre igen, så er du en vinder. Så *vil* du være sejrrig!"

Hun burde få et job som taleskriver for revolutionære grupper.

"Okay," sagde jeg lidt tvivlrådig. "Hvis du mener det."

"Åh, det gør jeg," sagde hun fortroligt. "Dit ægteskab var rigtigt godt et stykke tid. Okay, så stødte I på problemer. Og de blev ikke håndteret særlig godt. Men I har sikkert begge to lært noget af alt det her."

"Det har vi vel," sagde jeg.

"Det viser bare, at du ikke kan have været så slem, som han siger, hvis han gerne vil have dig tilbage," sagde hun og grinede.

Men jeg syntes ikke, det var sjovt.

Jeg havde stadig svært ved at fatte, at jeg overhovedet havde været så besværlig.

Hvem var det, der sagde: "Pas på, hvad du ønsker dig. Det kan være, du får det."?

Og en eller anden helgen sagde: "Der er flere tårer forårsaget af bønner, der går i opfyldelse, end af ubesvarede bønner."

Jeg kunne godt se, hvad de mente.

Jeg havde været så såret. Jeg havde elsket ham så højt. Jeg havde ønsket mig James og mit gamle liv tilbage. Men nu hvor jeg havde fået det, var jeg slet ikke sikker på, hvad det hele handlede om til at begynde med.

Hvorfor ikke?

Jeg havde fået mit ægteskab tilbage, men først skulle jeg lige acceptere, at jeg var umoden og besværlig og egoistisk. At jeg havde været en byrde for James. Og det var meget, meget svært for mig. Jeg mener, jeg vidste, at det måtte være sandt. Hvorfor skulle han ellers have forladt mig? Men hvis jeg ikke engang vidste, hvad jeg gjorde galt, hvordan helvede skulle jeg så undgå at gentage fejlen?

Jeg følte mig stadig meget ydmyget og såret over, at han havde kneppet den fede ko. Men han lod mig ikke sige det. Jeg havde det, som om det ville få mig til at fremstå som egoistisk og umoden, hvis jeg beklagede mig over det. Jeg kunne ikke vinde.

Jeg vidste, at jeg elskede ham. Men jeg kunne ikke rigtig huske, hvad det var, jeg elskede ved ham. Han virkede så... så... så opblæst. Havde han altid været sådan? Så humorforladt og kold?

Og hvordan ville fremtiden ikke blive?

Ville jeg være bange for at komme med respektløse bemærkninger og fortælle ham sjove historier?

Ville jeg være bange for at læne mig op ad ham og føle mig tryg, sådan som jeg plejede, i tilfælde af at han skulle føle sig ensom og bange.

Vores roller var vendt på hovedet.

Jeg vidste ikke, hvordan vi skulle opføre os over for hinanden.

Alting skulle læres forfra. Det var meget skræmmende.

Hvad var der galt med sådan, som det havde været?

Masser tilsyneladende, ifølge James.

Men jeg kunne godt lide det på den måde. Jeg var ikke sikker på, det kunne fungere på nogen anden måde.

Der var imidlertid kun én måde at finde ud af det. Og det var at flytte sammen med ham igen.

Jeg blev nødt til det, om ikke andet så for Kates skyld.

Det var forsøget værd. For det havde været så godt.

Men lige nu var det forfærdeligt.

Jeg følte mig stadig hudløs og vred og ydmyget. Jeg havde lyst til at slå ham, hver gang han sagde noget om, hvor barnlig jeg var.

Fint, så. Dyb indånding. Rank ryggen.

Jeg ville tage tilbage til London med ham.

Kate havde ret til sin far.

Og jeg ville få en chance for at rette op på tingene.

Sjovt, hva'? Man ønsker noget så meget, at det gør ondt. Når man så får det, er der brug for så meget restaurering og renovering og vægge, der skal rives ned, og nye kabler til el, der skal lægges, og nye rør, der skal lægges ind, at man tænker: Glem det, jeg vil ikke have det længere. Jeg slår mig til tåls med noget meget mindre, uden have, men i det mindste er det *færdigt*.

Mor sad stadig og så på mig. Hun så ængstelig ud.

„Det er okay, mor. Jeg har tænkt mig at vende tilbage til ham. Jeg vil prøve igen."

Der var egentlig ikke andet at sige.

Jeg rejste mig og sukkede. „Jeg må hellere ringe til James og fortælle ham, at jeg kommer tilbage."

Jeg gik hen til telefonen. Jeg havde det, som om jeg var på vej til en henrettelse. Jeg ringede til The Liffeyside.

„James," sagde jeg, da han tog den. „Jeg har tænkt over det, vi talte om, og jeg har taget en beslutning."

„Som er?" sagde han studst.

„Jeg kommer tilbage. Jeg prøver igen."

„Godt," sagde han. Jeg kunne høre det svage smil i hans stemme. „Godt. Så gør vi os mere umage denne gange, ikke?"

„Ikke mere Denise?" spurgte jeg.

„Ikke mere af noget som helst, hvis tingene fungerer," sagde han.

Jeg kunne ikke lide den skjulte trussel i det.

„James," sagde jeg nervøst. „Du ved, jeg har det ikke let med det her. Jeg føler mig stadig svigtet og såret, og det vil ikke forsvinde med det samme."

„Nej," samtykkede han i det ultrafornuftige tonefald. „Måske ikke med det samme. Men du må arbejde på at slippe de følelser, ikke sandt? Der er ingen fremtid i det, hvis du ikke kan tilgive mig."

„Det ved jeg godt," sagde jeg og fortrød næsten, at jeg havde bragt det på bane.

Så tog jeg en dyb indånding.

„Du gjorde også noget galt, ikke?"

„Det har jeg allerede indrømmet," sagde han koldt. „Skal vi igennem det her hver dag resten af vores liv?"

„Øh, nej… men…" sagde jeg.

„Men ingenting," sagde han. „Det er fortid nu. Vi bliver nødt til at glemme det og vende blikket fremad."

Det er meget lettere for dig end for mig, tænkte jeg. Men jeg sagde ikke noget. Der var ingen mening i det. Jeg kom ingen vegne med det.

„Nå, hvornår skal jeg bestille billetter til hjemturen til London?" spurgte han og afbrød min vrede tavshed.

„Åh, James, jeg ved ikke. Jeg har brug for et par dage til at få styr på alting," sagde jeg.

Tanken om at rejse var rædselsvækkende.

„Claire, jeg kan ikke vente et par dage til," sagde han irritabelt. „Jeg har en masse arbejde i øjeblikket."

„Hvor er det heldigt, at jeg gik med til at vende tilbage på kun to dage," sagde jeg bittert. „Tænk, hvis jeg havde kæmpet imod, og det havde taget dig en hel uge at overbevise mig."

„Rolig nu, Claire," sagde han glat. „Det duer ikke at tænke sådan. Jeg har overbevist dig. Det er hovedsagen."

En pause.

„Jeg *har* overbevist dig, ikke?" spurgte han. Hvis ikke jeg havde vidst bedre, så ville jeg næsten mene, at han lød usikker.

„Ja, James," sagde jeg mat. „Du har overbevist mig."

„Det kommer til at gå fint," sagde han. „Bare vent og se."

„Ja," sagde jeg og følte mig langtfra sikker, men jeg havde hverken overskud eller energi til at diskutere med ham.

„James, du kan lige så godt tage tilbage til London med det samme," foreslog jeg. „Jeg kommer i begyndelsen af næste uge med Kate."

„Hvorfor vil det tage dig en hel uge?" Han lød irriteret.

„Altså… der er folk, jeg skal sige farvel til… og ting…" sagde jeg tøvende.

„Jeg ville foretrække, hvis du kom hurtigere," sagde han strengt.

„Nej, James, helt ærligt, jeg er ked af det, men… jeg har brug for tid til at vænne mig til det," sagde jeg mat.

„Så længe du ikke ombestemmer dig," sagde han med noget, der lød som et krampagtigt latterbrøl.

„Det gør jeg ikke," sagde jeg stille, vel vidende, at det kunne jeg ikke. „Det gør jeg ikke."

„Godt!" sagde han. „Nå, men så kan jeg lige så godt tage tilbage til London med det samme. Hvis jeg tager ud til lufthavnen nu, så kan jeg nå at fange et fly. Monstro jeg kan få refunderet pengene for overnatningen i nat?"

„Sikke en skam, jeg ikke bestemte mig noget tidligere og fortalte dig det," sagde jeg. „Det er sikkert for sent at få dine penge tilbage nu."

„Glem det," sagde han gemytligt. „Det kunne ikke være anderledes." Sikke et røvhul!

Jeg var totalt sarkastisk.

„Jeg ringer til dig i aften, når jeg kommer hjem," lovede han.

„Gør det," sagde jeg stille.

„Hils Kate," sagde han.

„Det gør jeg."

„Og vi ses snart."

„Ja, vi ses snart."

Kapitel enogtredive

„Hvornår rejser du så?" spurgte mor.

„*Rejser* du?" hylede Helen.

„Ja," mumlede jeg, bevidst om, hvor svag og ynkelig jeg måtte se ud i hendes øjne.

„Du er jo blevet sindssyg," udbrød hun.

„Jamen, Helen, du forstår ikke…" Jeg forsøgte at forklare hende det. „Det var ikke hans skyld. Han havde det virkelig svært sammen med mig. Jeg var krævende og barnlig. Han kunne ikke klare det. Så han vendte sig mod en anden af bar desperation."

„Og det tror du på?" vrængede hun med foragt. „Du er gal. Det er slemt nok, at han kneppede en anden, men at han skyder skylden på dig, det er bare totalt *sindssygt*. Har du ingen selvrespekt?"

„Helen, det her er vigtigere end selvrespekt," insisterede jeg og forsøgte desperat at overbevise hende. Hvis jeg fik overbevist hende, ville jeg måske også overbevise mig selv.

„Han er far til mit barn. Vi var lykkelige sammen. Meget lykkelige," – for det var vi – „og hvis vi arbejder på det, kan vi blive det igen."

„Hvorfor ser du så så elendig ud?" spurgte hun. „Burde du ikke være glad? Din elskede tager dig tilbage. Selvom han har været dig utro."

„Helen, så er det nok," sagde mor advarende. „Du kan umuligt forstå det. Du har aldrig været gift. Du har aldrig fået børn."

„Nej, men det vil jeg godt nok heller ikke, hvis man bliver lige så skrupskør af det som hende," udbrød hun og så foragteligt på mig.

„Du er *gal!*"

Og så trampede hun ud af lokalet.

Derpå fulgte stilhed.

„Hun har nu fat i noget," sagde mor til sidst.

„Hvad mener du?" spurgte jeg uinteresseret.

„Tja, du virker ikke ligefrem særlig, ja… *lykkelig*. Du er ikke ved at få kolde fødder, vel?"

„Nej," sukkede jeg. „Det er jeg ikke. Jeg skylder os alle sammen at prøve igen. Men jeg føler, at det er helt forkert. Jeg føler mig manipuleret.

Jeg føler, at han har kørt hen over mig med en damptromle. Som om han ikke ville acceptere et nej. Jeg føler lidt, at jeg er heldig at få ham tilbage. Ja, det er sådan han får mig til at føle. *Heldig!*"

„Jamen, er det ikke heldigt at få en ny chance? Det er der ikke mange kvinder, der får," sagde mor.

„Nej, ikke heldig på den måde," sagde jeg, desperat efter at få hende til at forstå, efter selv at forstå. „Han får mig til at føle, at jeg ikke fortjener at være så heldig. Som om han er sød ved mig, selvom han ikke behøver det. Men fordi han er et godt menneske. Ud af hans hjertes godhed. Eller noget i den stil. Jeg ved det virkelig ikke. Men det føles forkert."

„Jamen, han er da sød ved dig," sagde hun og fangede den eneste ting, der betød noget for hende.

„Ja, men…"

„Men hvad?"

„Jamen… jamen… han er sød ved mig, på samme måde som man er sød ved et uartigt barn, som man nu har bestemt sig for at tilgive. Og selvom jeg er mange ting, så er jeg ikke et uartigt barn."

„Du er sikkert bare paranoid," sagde hun og prøvede at hjælpe.

Tak, mor!

„Det kan ikke have været let for ham at komme tilbage, at krybe til korset og indrømme, at han har gjort noget galt."

„Jamen, det er jo lige det! Han krøb ikke til korset. Han ville knap nok indrømme, at han havde gjort noget galt."

„Claire, du kan sikkert bare ikke få øje på det, fordi han ikke dukkede tårevædet op med en hel lastvogn fuld af røde roser og tiggede dig om at tage ham tilbage," foreslog hun.

„Det ville ellers have været rart," indrømmede jeg.

„Men blomster betyder ingenting. Det gør kærlighed," sagde hun.

„Ja," samtykkede jeg fortvivlet.

„Jeg føler, at han har fanget mig nu," udbrød jeg, da det endelig gik op for mig, præcis hvordan jeg havde det. „Jeg bliver nødt til at være perfekt hele tiden, ellers forlader han mig igen. Jeg kan ikke sige ham imod, for det vil bare være bevis på, at jeg kun tænker på mig selv. Jeg føler, at jeg burde være så taknemmelig over at være sammen med ham igen, at jeg ikke vil kunne brokke mig over noget nogensinde igen. At han kan opføre sig lige så slemt, som han vil, og jeg bliver nødt til at holde kæft."

„Nej, hør nu, du skal ikke finde dig i mere fra ham," bralrede mor op. „Hvis der er nogen antydning af en anden kvinde, så kommer du her tilbage med det samme."

„Tak, mor."

„Men i mellemtiden så vær glad for, at I har fået en ny chance. Og gør et forsøg. Gør dit bedste. Jeg vil vædde på, at du vil blive behageligt overrasket."

„Jeg skal prøve," lovede jeg.

Hvad havde jeg trods alt at tabe?

„Der er noget helt andet," sagde hun forlegent.

„Hvad er det?"

„Jeg er ikke sikker på, om jeg burde fortælle dig det."

„Hvad! Hvad er det, du ikke er sikker på, om du burde fortælle mig? Fortæl mig det, for himlens skyld," krævede jeg.

„Altså," sagde hun og så fåret ud. „Ham Adam har ringet til dig."

Adam!

Det gav et spjæt i mit hjerte. Eller var det min mave? Der var i hvert fald noget, der spjættede.

„Hvornår?" spurgte jeg åndeløst. Jeg følte mig ophidset, svimmel, lykkelig.

Jo, sådan som James burde få mig til at føle.

„Et par gange," indrømmede hun og så virkelig meget fåret ud. „I går morges. I går eftermiddag, da du lå og sov. I går aftes, da du var ude."

„Hvorfor fortalte du mig det ikke?"

„Jeg syntes ikke, at du havde brug for nogen distraktioner, mens du ordnede tingene med James," sagde hun ydmygt.

„Det burde du have ladet mig selv bestemme," sagde jeg irriteret.

En tanke slog mig.

„Du fortalte ham ikke, hvor jeg var i går aftes, vel?" spurgte jeg hurtigt.

„Jo," sagde hun forsvarsberedt. „Jeg sagde, at du var ude sammen med din mand. Hvorfor skulle jeg ikke det? Det var jo sandt, ikke?"

„Jo, men…" sagde jeg tøvende.

Var det ikke lige meget nu? Jeg tog tilbage til London. Jeg vendte tilbage til James. Ikke mere Adam.

Men jeg måtte se ham. Jeg måtte sige farvel. Jeg måtte takke ham for, at han havde været så sød ved mig. For at have fået mig til at føle mig smuk og attråværdig og interessant og særlig.

„Lagde han et nummer?" spurgte jeg håbefuldt.

„Øh, nej," sagde hun og så skamfuldt væk.

„Måske ringer han igen," sagde jeg lidt panisk.

„Måske," sagde hun tvivlrådigt.

Hvad havde hun dog fortalt ham?

„Hvis han gør, vil jeg snakke med ham, hører du?" sagde jeg til hende.

„Der er ikke nogen grund til at bide hovedet af mig," knurrede hun.

Som lovet ringede James til mig senere den tirsdag aften for at sige, at han var kommet hjem i god behold. Havde jeg bestemt mig for, hvornår jeg vendte tilbage?

„Nej, ikke endnu," sagde jeg mat. „Men snart, det lover jeg."

„Bare sørg for, at du kommer snart," sagde han med et lystent skær i stemmen. Hvad der rent faktisk fik en spasme af rædsel, frygt næsten, til at løbe igennem mig. Tanken om at gå i seng med ham, at dyrke sex med ham igen, var ikke særlig rar.

I samme øjeblik jeg – taknemmeligt – lagde på, ringede telefonen igen.

Det var Adam!

Smukke, høje, venlige, sjove, søde Adam.

„Hej, Claire," sagde han med sin fantastiske stemme.

„Hej, Adam." Jeg følte mig så lykkelig over at høre hans stemme. Jeg følte mig helt piget og fnisende og kilden og fjollet.

„Jeg hører, at lykønskninger er på sin plads," sagde han med kold, hård stemme.

Det var en spand koldt vand i hovedet på min glæde over at høre fra ham.

„Hv… hvad mener du?" spurgte jeg. Jeg var en hårdhjertet kælling, som havde forført ham for sjov. Som ikke havde nogen reel interesse i ham. Nu hvor min mand var tilbage, havde jeg ikke længere brug for ham.

„Helen har fortalt mig, at du tager tilbage til London. Tilbage til James," sagde han anklagende.

„Øh ja, det er rigtigt," sagde jeg undskyldende. „Jeg føler, at jeg bliver nødt til det. For Kates skyld."

„Hvad med for din egen skyld?" spurgte han.

Jeg havde lyst til at tude. Jeg havde lyst til at fortælle ham, at jeg havde det elendigt ved tanken om at vende tilbage til det fordømmende, selvretfærdige svin.

Som du kan høre, så blev James værre og værre i mine øjne, for hvert sekund der gik. Adam blev mere og mere attråværdig og tiltrækkende. Jeg *længtes* efter at være sammen med ham.

Men det kunne jeg ikke fortælle ham. Jeg blev nødt til at gøre et forsøg med James. Det var ikke ligefrem konstruktivt at drømme om at være sammen med en anden.

„Det skal nok gå," sagde jeg til ham.

„Det ser sandelig sådan ud," sagde han bittert.

Jeg skammede mig for meget til at sige noget.

„Hvad med for min skyld?" spurgte han. „Hvad med mig? Betød det søndag aften overhovedet ikke noget for dig?"

„Selvfølgelig gjorde det det," sagde jeg tøvende.

„Det kan da ikke være særlig meget, når du mindre end to dage efter vender tilbage til en anden mand," sagde han studst.

„Adam, det er ikke sådan…" Jeg forsøgte desperat at forklare ham det. „Jeg bliver nødt til… jeg bliver nødt til at give det en ny chance."

„Hvorfor? Han opførte sig forfærdeligt over for dig," påpegede Adam.

„Ja, men… ser du, det var ikke hans skyld."

Adam grinede humørforladt.

„Hvis skyld var det så? Sig det ikke. Nej, vær sød ikke at sige det. Han sagde, at det var *din* skyld," sagde han.

„Ja, men, ser du…"

„Jeg nægter at tro det," afbrød han mig arrigt. „Du er en intelligent kvinde – en *meget* intelligent kvinde – og så lader du den idiot nedgøre dig. Hvad sagde han til dig?" galopperede Adam videre. „Lad mig se. Han havde behov for sex, mens du var gravid, men du kunne ikke give ham det? Hmmm. Var det det?"

„Nej," sagde jeg med lille stemme.

„Eller du var for fokuseret på det nye barn, og han følte sig ignoreret og skubbet ud og måtte søge andetsteds hen for at få omsorg."

„Nej, heller ikke det," sagde jeg taknemmelig over, at han endnu ikke var faldet over den rigtige grund.

„Det er åbenlyst, at du ikke har tænkt dig at fortælle mig præcis, *hvorfor* det er din skyld," rasede han. „Men du kan være helt sikker på, at det ikke *er* din skyld. Hvorfor lader du ham manipulere dig sådan?"

Det må du nok spørge om, tænkte jeg. Det var rigtigt, hvorfor *lod* jeg ham manipulere mig sådan? Åh jo, nu kan jeg huske det.

„Fordi det var så godt engang, at det er værd at forsøge igen," sagde jeg til Adam. Men det lød uærligt og usikkert, selv i mine ører.

„Adam," fortsatte jeg bævende. „Jeg havde det virkelig dejligt sammen med dig. Du fik mig til at føle mig smuk og speciel og tiltrækkende igen."

„Når som helst," sagde han sarkastisk.

„Åh, du må ikke være vred på mig," sagde jeg trist. „Jeg er virkelig ked af det, det er jeg. Jeg har ikke noget valg. Jeg bliver nødt til at gøre det her."

„Du har et valg," sagde han.

„Det har jeg ikke," svarede jeg. „Om ikke andet, hvad så med Kate?"

„Du går altså tilbage til et forfærdeligt forhold med en mand, som ikke respekterer dig eller holder af dig, bare på grund af Kate," sagde han.

„Han holder af mig," protesterede jeg.

„Han har en sær måde at vise det på," sagde Adam.

„Hør, er der nogen mulighed for, at vi kan være venner?" spurgte jeg i et desperat forsøg på at redde noget ud af alt det her.

„Nej."

„Hvorfor ikke?" spurgte jeg panisk.

„For jeg nægter at tro, at jeg snakker med den samme kvinde, som jeg var sammen med søndag aften. Jeg troede, at hun var intelligent og havde selvrespekt og vidste, hvad hun ville."

„Jeg *er* intelligent. Jeg *har* selvrespekt," sagde jeg og var lige ved at græde. Jeg måtte overbevise ham. Jeg ville ikke miste ham. Jeg vidste, at der ikke ville ske noget romantisk mellem ham og mig. Ikke nu. Men jeg syntes stadig, at han var vidunderlig, og jeg ville så gerne være hans ven.

„Bortset fra det," sukkede han. „Jeg kan ikke være venner med dig. For jeg vil have så meget mere fra dig. Og jeg vil vædde på, at du heller ikke kan være venner med mig. Vi er alt for tiltrukket af hinanden."

„Nå, men hvis vi ikke kan være venner, så kan vi ikke være noget," sagde jeg. Jeg var ved at dø, men jeg blev nødt til at sige det. Jeg kunne ikke gå tilbage til James, hvis jeg stadig var vild med Adam. Jeg blev nødt til at være hård. Det ville gøre tingene lettere. Et rent, ærligt brud var mindre smertefuldt i længden.

Men jeg håbede på, at han bluffede. Jeg var ikke forberedt på det, han derpå sagde.

„Så kan vi ikke være noget," sagde han stift.

Panikken væltede ind over mig.

Over hans tonefald. Over erkendelsen af, hvor meget jeg havde skuffet ham. Ved tanken om aldrig at se ham igen.

„Må jeg få dit telefonnummer?" fløj det ud af mig.

Jeg kunne ikke *bære* tanken om at afslutte alting med ham nu. Jeg hang fast i håbet om, at han ville være sød ved mig.

I håbet om, at hvis han stadig ville være venner med mig, så ville det bevise, at jeg gjorde det rette.

„Nej," sagde han med en stemme, der ikke skulle diskuteres med.

„Hvorfor ikke?" spurgte jeg og diskuterede alligevel. Hvad det end betød.

„Hvad skal du bruge det til?" spurgte han.

„Så jeg kan ringe til dig," sagde jeg.

„Hvorfor skulle du ringe til mig?" spurgte han.

„For at snakke med dig," sagde jeg og var lige ved at græde. „Jeg vil ikke miste dig."

„Claire," sukkede han. „Lad være at være dum. Du har taget en beslutning. Du tager til London for at bo sammen med en anden mand. Du kan ikke få os begge. Der er ingen *mening* i, at du ringer til mig for at snakke. Vi kommer ikke til at være venner. Punktum."

„Der er virkelig ikke noget andet, jeg kan sige, vel?" sagde jeg trist, da det gik op for mig, at jeg ikke ville få det, som jeg ville have det. Han havde ikke tænkt sig at give mig sin velsignelse.

Hvorfor i alverden skulle han det?

„Nej," sagde han.

„Jeg har svigtet dig, ikke?" spurgte jeg.

„Du har svigtet dig selv," sagde han koldt.

„Jeg har skuffet dig, ikke?" sagde jeg ude af stand til at holde op med at gnide salt i såret.

„Jo, du har... skuffet mig," sagde han efter en lille tøven.

„Nå, men øh... pas på dig selv," sagde jeg og følte mig dum. Der var så meget, jeg ville sige. Men jeg kunne ikke finde på andet end banaliteter.

„Det skal jeg nok," sagde han.

„Jeg er ked af det," sagde jeg og havde det elendigt.

„Ikke lige så ked af det, som jeg er," sagde han.

Så lagde han på.

Jeg stod et stykke tid med telefonrøret i hånden. Jeg havde det, som om mit hjerte var ved at sprænges. Jeg følte en forfærdelig angst. Var det en forfærdelig fejltagelse?

Stod jeg ved et vendepunkt i mit liv? Betød jeg virkelig noget for Adam?

Men betød det noget? For jeg havde bestemt mig for, hvilken retning jeg ville gå.

Men var det den rigtige?

Hvordan skulle jeg vide det?

Mit hoved summede. Jeg følte mig bange og ude af kontrol.

Jeg blev tilbudt to mulige liv. Et med James. Og måske et andet med Adam.

Var det det forkerte liv, jeg smed væk? Havde jeg misforstået min skæbne? Var meningen med bruddet med James, at jeg skulle møde Adam og være meget lykkeligere? Havde det været smertefuldt, så jeg kunne blive stærkere?

Havde jeg misforstået alle tegnene?

Havde jeg misforstået det hele?

Men det var for sent nu. Jeg havde taget min beslutning. Og jeg havde tænkt mig at gennemføre det. Jeg ville drive mig selv til vanvid, hvis jeg blev ved med at ombestemme mig.

Min fremtid var sammen med James. Adam eksisterede ikke længere i mit liv.

Jeg var sikkert bare et engangsknald for Adam. Jeg ville gerne tro, at jeg havde været et *godt* engangsknald. Men måske handlede det bare om sex.

På den anden side, måske gjorde det ikke.

Hvad skulle jeg så gøre?

Jeg måtte komme mig over ham. Jeg ville komme mig over ham.

Selvfølgelig ville jeg det.

Jeg havde kun kendt ham i tre uger.

Det var bare, fordi… han havde en indflydelse på mig. Han havde rørt mig på en uventet måde. Han havde fået mig til at føle, at jeg skulle passe på ham. Han fik mig til at føle mig speciel og vidunderlig på en måde, som James ikke længere kunne.

Hallo! Måske handlede det her i virkeligheden om mit galopperende ego. James kunne ikke længere gøre mig glad. Så jeg kastede mig om halsen på den næste ledige mand, der fik mig til at føle mig godt tilpas.

Men helt ærligt, så mente jeg faktisk ikke, at det var sådan.

Adam var noget særligt.

Adam og jeg var noget særligt.

Bare ikke længere.

Adam foragtede mig nu. Fordi jeg var så dum at godtage James' elendige forklaring. Og fordi jeg havde forladt hans seng så hurtigt kun for at forsvinde sammen med en anden mand. Også selvom den anden var min mand.

Det sårede mig virkelig, at Adam ikke tænkte højere om mig. Selvom jeg ikke kunne bebrejde ham det. Jeg havde heller ikke den store selv-respekt.

Kapitel toogtredive

Efter samtalen med Adam tirsdag arbejdede jeg hårdt på at glemme ham. Hver gang jeg kom til at tænke på ham, skubbede jeg det væk. Jeg forsøgte at tænke på rare ting, som stemningen i London. Det dejlige ved at komme tilbage til min egen lejlighed. Hvor rart det ville være at se alle mine venner igen. Hvor interessant det ville være at vende tilbage til jobbet. Hvor skønt det ville være at komme tilbage til en by, hvor hver anden butik sælger sko.

Det skulle nok gå godt med James. Jeg ville blive så lykkelig. Jeg havde fået alt, hvad jeg havde *længtes* sådan efter den første måneds tid, efter at han havde forladt mig.

Mit liv ville blive bedre. Som om James' lille sidespring aldrig var sket. Forhåbentlig ville jeg bare kunne udviske disse tre måneder og fortsætte som planlagt. Kate ville få sin far. Jeg ville få min mand. Vi ville begynde vores gamle liv forfra. Og hvis jeg skulle gøre mig umage for at være lidt mere stille og ikke så fnisende og mere alvorlig og omsorgsfuld for at sikre James' lykke og sjælefred, så var det en lille pris at betale.

Jeg var overbevist om, at det slet ikke ville blive så slemt, som det lød, hvis jeg arbejdede på sagen. Jeg ville lære min nye personlighed at kende. Det ville være godt for mig. Og den rædsel, jeg følte, ville gå over.

Noget af den tristhed, jeg kunne mærke, var smerten over at forlade min familie. Hvor rædselsfulde de end var, så havde jeg vænnet mig til dem i løbet af den sidste tid. Deres anarkistiske version af familieliv virkede uendeligt meget mere tiltrækkende end den rolige, styrede eksistens, der lå foran mig med James.

Jeg ville savne dem. Jeg ville savne mor, jeg ville savne far, jeg ville savne Anna.

For fanden, jeg ville endda savne Helen.

Eller måske ikke.

Jeg havde svært ved det. Jeg blev stadig overvældet af forfærdelige bølger af vrede og følelsen af at være blevet røvrendt af James. Det var svært at modstå trangen til at gribe telefonrøret og fortælle ham, hvilket egoistisk røvhul han var. At han ikke havde ret til at få mig til at føle, at det alt sammen var min skyld. At jeg ikke var noget dårligt menneske. At jeg ikke engang var et egoistisk menneske. Eller umoden. Men så forestillede jeg mig, hvordan han ville reagere på min vrede. Han ville være én stor rationel forklaring og fordømmelse. Og jeg ville få det endnu værre. Mere frustreret. Som om jeg havde svigtet mig selv endnu mere.

Det eneste, som gjorde mig i stand til at undertrykke al denne vrede, var erkendelsen af, at jeg på en eller anden måde – fuldstændig ubevidst, glem ikke det – havde været den, der gjorde noget galt. De ord, han sagde den aften på den italienske restaurant, blev ved med at give genlyd i mit hoved: „Hvis jeg var lykkelig, hvorfor forlod jeg dig så?"

Jeg havde ikke noget valg. Jeg blev nødt til at acceptere, at det var min skyld. Han ville ikke have forladt mig, han ville ikke have taget det forfærdelige skridt at have en affære og tro, at han elskede en anden kvinde, hvis ikke det havde været min skyld.

James var ikke nogen scorekarl. James var ikke noget overfladisk menneske. James tænkte godt og grundigt – alt for forpulet godt og grundigt efter min mening – over tingene. Han gjorde ikke tåbelige og ødelæggende ting bare for sjovs skyld. Han havde ikke haft andet valg. Han havde ikke kunnet holde til mere.

Det ville blive okay. I sidste ende ville tingene blive normale igen med James. Det ville bare tage lidt tid.

Jeg gjorde det rigtige.

Jeg besluttede mig langt om længe for, at jeg ville vende tilbage til London den følgende tirsdag.

Det ville give mig nok tid til at pakke. Og vigtigere endnu, tid nok til at slippe min vrede mod James og i stedet være positiv over for ham.

Fredag eftermiddag, efter to hektiske dage, der var gået med at pakke mit tøj ned og senere finde det hængende i Helens klædeskab, fjerne det fra klædeskabet, pakke det ned i kufferten igen og derpå et par timer senere finde det under Helens seng, pakke det ned igen osv., bestemte jeg mig for at ringe til James på jobbet og fortælle ham, hvornår jeg landede om tirsdagen. Det var meget sært. Han havde ringet til mig mindst en gang om dagen siden tirsdag og spurgt, hvornår jeg kom hjem. Han virkede næsten... *utålmodig* efter at se mig, Som om han var bange for, at jeg ikke kom tilbage alligevel. Den kyniske del af mig indså selvfølgelig, at det ikke var så mærkeligt, at han var ivrig efter at se mig velbeholden hjemme igen, for han havde hverken dyrket sex eller fået ordnet vasketøj, siden han flyttede ud af Denises lejlighed.

Men på samme tid var jeg ikke vant til følelsen af, at han trængte til mig. Ikke efter den afvisende og nedladende måde, han havde behandlet mig på, da han var i Dublin, dengang han gav mig indtryk af, at han gjorde mig en tjeneste ved at tage mig tilbage.

Nu virkede han nervøs og usikker på mig, selvom han gjorde sit bedste for at skjule det.

Han behøvede ikke at bekymre sig.

Jeg skulle nok komme tilbage.

Det kunne godt være, at jeg ikke havde lyst til det. Men jeg kom tilbage.

Jeg ringede og fik hans kontor. En mand svarede og sagde: „Nej, jeg er bange for, at mr. Webster ikke er på kontoret lige nu."

Nu ved vi alle sammen godt, hvad der så sker. Det er i denne del af bogen, at den ulegemlige stemme fortsætter og siger: „Nej, mr. Webster er taget til jordemoder med sin kæreste Denise," eller „Nej, mr. Webster har taget fri resten af eftermiddagen for at tage hjem og kneppe sin kæreste," eller noget i den stil. Og hvor jeg hvisker: „Tak, nej, der er ikke nogen besked," og så lægger på med rystende hænder og afbestiller billetterne til London.

Der skete imidlertid overhovedet ikke noget i den stil. Den ulegemlige stemme spurgte: „Hvem må jeg sige, det er?"

Jeg måtte tænke over det et øjeblik.

Hvem *var* det, der ringede? Så kom jeg i tanke om det.

„Åh, øh, det er hans kone," sagde jeg.

„Claire!" udbrød manden og var ultragemytlig. Sikkert for at skjule sin forlegenhed. „Hvordan har du det? George her. Dejligt at høre fra dig."

George var James' partner. Og hans ven. Og på en macho, øldrikkende, guttermandsagtig måde var han vel også en af mine venner.

George var en rar mand. Hvis du så igennem fingre med nogle af hans mere specielle karaktertræk, kom man rigtig godt ud af det med ham. Jeg ville for eksempel aldrig tale ondt om manden ved at sige, at han spillede rugby. Men man kunne ikke komme uden om det faktum, at han så på det.

Men han var rar. Jeg kunne godt lide ham, og hans kone, Aisling, var rigtig sjov. Vi havde alle sammen drukket os fulde ved utallige lejligheder.

„Hej, George," sagde jeg pinligt berørt.

Det var første gang siden bruddet, jeg havde talt med ham, og jeg anede ikke, hvad jeg skulle sige. Skulle jeg hentyde til det eller ej?

Skulle jeg lade, som om der overhovedet ikke var sket noget? At alt var fint?

Eller måske skulle jeg bare bralre ud med det. Tage det i stiv arm og med bedrøvede, selvironiske bemærkninger vende det til en vits? Måske sige: „Hej, det er Claire. Men du kan kalde mig Denise, hvis det er lettere."

Det gik op for mig, at jeg, når jeg vendte tilbage til London, meget ofte ville befinde mig i denne situation.

Gud, hvor ville det være ydmygende.

Men George reddede mig ved at kaste sig ud i det.

„Så, du vender tilbage til ham," grinede George. „Gudskelov for det. Så kan vi måske få noget ordentligt arbejde ud af ham igen."

„Åh," sagde jeg høfligt.

„Ja," fortsatte George muntert og i godt humør. Hvorfor jeg fik mistanke om, at han havde indtaget en lang og flydende frokost – det var trods alt fredag. „Hvordan skal jeg udtrykke det, Claire? Lad os bare sige, at det ikke har været nemt. Jeg mener, du ved, hvordan han er. Han har svært ved at snakke om sine følelser – men det har vi vel alle – og han er for stolt til sit eget bedste. Men selv en blind mand kan se, hvor højt han elsker dig. Bare ved at se på ham har det været åbenlyst, at han har været helt ødelagt uden dig. Ødelagt! Hvad! Tal ikke til mig om det! Jeg kan ikke sige andet, end at det er en velsignelse, at du tog ham tilbage. Ellers var vi blevet nødt til at fyre ham." Stor halvanden-liter-fadøl-til-frokost-latter fra George.

Hvad i alverden snakkede George om?

Han var da ikke… han kunne ikke… du tror da ikke, at han gjorde grin med mig, vel?

Varme, vrede, skamfulde tårer vældede op i øjnene på mig.

Var jeg blevet den lokale vits?

Grinede alle og enhver godt og grundigt på min bekostning?

Ja, ja, okay, for at være helt ærlig, indrømmet, under andre omstændigheder ville jeg være den første til at knække sammen af grin over den forladte hustru, der så hurtigt tog sin syndige mand tilbage med åbne, taknemmelige arme. Og jeg ville da være for dum, hvis jeg troede, at folk ikke ville grine af, hvor ynkelig jeg var, når jeg så gladelig tog James tilbage.

Men jeg nægtede at tro, at George var så åbenlyst hånlig. Jeg var udmærket klar over, at James ikke havde været ødelagt uden mig. Og George var udmærket klar over, at jeg var klar over det. Det *måtte* han da være. Jeg vidste, at de begge var mænd, men de måtte da for himlens skyld indimellem have talt om andre ting end fodbold og biler.

Som regel var George så sød. Jeg forstod ikke, hvorfor han lavede sjov med det, der skete mellem James og mig. Hvordan kunne han være så grusom?

Jeg var såret. Men jeg kunne ikke græde. Jeg blev nødt til at markere mig. Kvæle det her i fødslen. For hvis ikke jeg gjorde det, ville alle tro, at de havde ret til at gøre grin med mig.

„Virkelig?" sagde jeg meget sarkastisk til George.

Og forsøgte med det ene ord at vise, at selvom James havde behandlet mig med en total mangel på respekt, gjorde det mig stadig ikke til offentlig skydeskive. James kunne behandle mig dårligt – eller det kunne han ikke, men du ved, hvad jeg mener – men det gav ikke andre ret til at gøre grin med mig.

Hvad bildte George sig ind! Tænk, at jeg altid havde syntes godt om ham.

Men George reagerede ikke på mit 'Virkelig?'.

Han blev i hvert fald ikke fornærmet over det.

Han fortsatte gemytligt. „Jeg er ikke nogen ekspert i parforhold, men jeg er så glad for, at I to har fået ordnet hele den her elendige historie. Jeg kan bare sige til dig: Godt gået, at du har tilgivet ham. Det må have været forfærdeligt for dig. Men det var vel, da du så, hvordan han havde det – lidt ligesom en zombie, ikke? – at det gik op for dig, hvor ulykkelig han var?"

Mit hoved føltes, som om det skrumpede af forvirring.

Hvad foregik der?

Gjorde George grin med mig?

Jeg var ikke sikker på det. Han *lød* oprigtig.

Men hvis ikke han hånede mig, hvad helvede snakkede han så om?

Hvad mente han med 'en zombie'? Snakkede vi om den samme James? Den samme opblæste, fordømmende James, som opsøgte mig i Dublin?

Men før jeg kunne samle tilstrækkelig mange af mine forvirrede tanker, var George i gang igen.

Han var i humør til at snakke. Fredag eftermiddags kedsomhed og halvanden liter fadøl til frokost havde åbenbart løsnet tungen.

„Hør, Claire," sagde han og lod, som om han var alvorlig. „Jeg håber, du var en fornuftig pige og ikke tilgav ham med det samme. Jeg håber, at du kæmpede imod, indtil der var mindst et par seriøse juveler og en ferie på Maldiverne på bordet."

Tager du pis på mig? tænkte jeg forvirret. Jeg var heldig, at han overhovedet tog mig tilbage. Det var lige før, jeg var nødt til at love *ham* juveler og en ferie.

„Øh…" sagde jeg.

Men George blev ved med at snakke:

„Han elsker dig så højt, og han troede, at der ikke var noget håb for ham, vidste du det? Han troede ikke, at du ville have noget med ham at gøre. Det kan man jo på en måde ikke bebrejde ham."

„George!" indskød jeg kraftfuldt. Jeg blev nødt til at få på plads, hvad der foregik! „Hvad snakker du om?"

„Om James," sagde han overrasket.

„Siger du, at han var *ked af*, at han og jeg var gået fra hinanden?" spurgte jeg.

„Sådan kan man også formulere det," sagde George med et lille grin. „'Smadret' ville være et bedre ord efter min mening."

„Jamen, hvor ved du det fra?" spurgte jeg mat, mens jeg spekulerede på, hvor George fik sine informationer fra. For det var åbenlyst, at han var blevet godt og grundigt vildledt.

„James sagde det til mig," sagde han. „Vi snakker sammen i ny og næ, at du ved det. Kvinder har ikke monopol på en ærlig og åben snak!"

„Jo, men… jeg mener, er du *sikker?*"

„Selvfølgelig er jeg det," sagde George indigneret. „Han var fuldstændig ødelagt ved tanken om ikke at være sammen med dig. Ødelagt! Han blev ved med at sige til mig: 'George, jeg elsker hende så højt. Hvordan skal jeg få hende tilbage?', og så sagde jeg til ham: 'James, fortæl hende sandheden. Fortæl hende, at du er ked af det'. Han var ved at drive mig til vanvid."

„Er det rigtigt?" stammede jeg.

Det var alt, hvad det lykkedes mig at sige. Det snurrede rundt i mit hoved. Det her lød overhovedet ikke som det, der skete i virkeligheden.

Hvad foregik der?

„Claire," sagde George meget medfølende. „Jeg ved, at det må have været meget svært for dig. Men jeg er sikker på, at det også var svært for James. For du ved, hvordan han hader at tage fejl. Lad os se det i øjnene, det gør han meget sjældent. Det må have været næsten umuligt for ham at indrømme, at han havde gjort noget forfærdelig galt og så oven i købet undskylde for det. På den anden side har du det sikkert sådan, at du kaster op, hvis du hører ordet 'undskyld' igen. Du må være ved at *brække* dig over at høre det!"

Endnu et latterbrøl fra George.

På nuværende tidspunkt var jeg overbevist om, at George ikke gjorde grin med mig. Det var ikke en udførlig og grusom spøg. George lød meget oprigtig. Men jeg kunne ikke forstå, hvorfor hans version af begivenhederne var så meget anderledes end den, James havde præsenteret mig for.

Jeg var ikke ved at brække mig over at høre ordet 'undskyld'. Jeg ville have elsket at høre det. Men jeg tror ikke, at jeg ville have genkendt ordet 'undskyld' – i hvert fald ikke fra James' læber – om det så sprang op og bed mig.

Men jeg måtte være opmærksom, for George var i gang igen.

„Det mærkelige er, at James altid har troet, at det var dig, der ville have en affære, og ikke ham."

„Hvorfor det?" spurgte jeg. Selvom jeg egentlig godt vidste, hvad han mente. Folk opfattede altid mig som den vilde og James som dydsmønsteret.

„Fordi det var dig, der var festaben," sagde George. „Den livlige, karismatiske person. James mente aldrig, at han var god nok til dig," fortsatte George. „Aldrig nogensinde! Han var altid bange for, at han var alt for alvorlig og kedelig til dig. Os revisorer, vi har det ikke let med kvinder. De synes ikke, at vi er spændende nok, tro det eller ej."

„Jeg anede ikke, at James syntes, at han var for alvorlig og kedelig til mig," sagde jeg mat.

„Helt ærligt, kom nu," sagde George vantro. „Er du ikke enig med mig i, at det var dig, der var festens midtpunkt?"

„Jo," samtykkede jeg forsigtigt, desperat efter at få George til at sige mere.

„Og James!" grinede George. „Ja, man kan jo ikke finde en bedre fyr på planeten, men han er jo heller ikke ligefrem typen, der er omringet af folk, der er ved at knække sammen af grin, vel?"

„Nej, det er han vel ikke," sagde jeg. „Hvis jeg nu dæmpede mig lidt, ville han måske ikke føle sig så kedelig."

„Jamen, hvad skulle det gøre godt for?" udbrød George. „Så ville du jo ikke være dig."

„Det ved jeg godt," sagde jeg panisk. „Men det er det, James gerne vil have.

Måske syntes James ikke om at bo sammen med en, der var så højrøstet og livlig som mig," foreslog jeg. „Måske gik jeg ham på nerverne."

Jeg gjorde noget utilgiveligt. Jeg fiskede ganske åbenlyst efter informationer fra George. Jeg opmuntrede ham til at sladre om sin ven.

„Lad nu være at være dum," grinede George. „Selvfølgelig gik du ham ikke på nerverne. Det er rigtigt, indimellem syntes han, at det var svært. Men det var bare hans ego og hans usikkerhed, der flammede op. Det kan ikke altid være let at bo sammen med en, som er meget mere populær end en selv."

„Åh," sagde jeg mat. „Jeg forstår."

Og hvis du vil vide det, så tror jeg faktisk, at jeg forstod. Jeg tror, at jeg var begyndt at forstå.

Burde jeg sige det til George?

Jeg måtte tænke over alt det, jeg lige havde hørt. Jeg kunne ikke høre på mere, for så ville mit hoved eksplodere.

Jeg begyndte at liste ud af samtalen.

„Hvordan kan det være, at du pludselig er sådan en parforholdsekspert?" spurgte jeg ham drillende. „Du er jo blevet helt følsom og new age-agtig."

„Åh, øh," sagde han og lød både forlegen og glad. „Aisling købte en bog til mig."

„Jeg forstår," grinede jeg. „Nå, men tak skal du have, George. Du har været en stor hjælp."

„Godt," sagde han. „Det er jeg glad for. Det skal nok gå, skal du se."

Åh nej, jeg skal ej, tænkte jeg.

„James følte sig truet" (selvbevidst brug af parforholds-terapijargon fra George) „af din vitalitet. I stedet for at indse, at din livlighed komplementerede" (mere selvbevidsthed) „hans ro," sagde George, der lød, som om han citerede fra en lærebog i psykologi.

„Men denne her krise kan få jer til at vokse og" – let forlegen pause – „omformulere jeres parforholds parametre."

„Wow, George," sagde jeg, desperat efter at få ham til at lægge på. Jeg var ikke sikker på, hvor meget mere jeg kunne klare. „Du er da i hvert fald kommet i kontakt med dine følelser."

„Ja," sagde han genert. „Jeg udforsker endda min kvindelige side."

Det ville være skideskægt, hvis ikke det var, fordi jeg var så forvirret og angst.

„George," sagde jeg. „Det har været en fornøjelse at snakke med sådan en følsom mand. Du har stor forståelse for dynamikken i James' og mit forhold. Det er ikke alle mænd, som er så meget i kontakt med deres følelser."

„Tak, Claire," sagde han stolt. Jeg kunne næsten høre, hvordan han strålede over hele hovedet. „Jeg føler, at jeg har lært en masse. Jeg er ikke længere bange for at græde."

„Godt, godt," sagde jeg hjerteligt, skræmt fra vid og sans ved tanken om, at han ville tilbyde at demonstrere det på stedet.

Hvordan i alverden skulle jeg få ham til at lægge røret uden at lyde, som om jeg ikke var interesseret i hans følelsesmæssige vækst?

Jeg tog mig selv i at stille et nyt spørgsmål.

„Passer og plejer du også dit indre barn?" spurgte jeg med blid stemme.

„Øh, hvad?" spurgte han forvirret.

Jeg havde forvirret ham. Aisling havde ikke givet ham fortsættelsen endnu. „Jeg har ikke nogen børn, Claire. Det ved du da."

„Det ved jeg," sagde jeg elskværdigt. Ingen mening i at skubbe ham for langt ud og ødelægge alt det gode arbejde, Aisling havde gjort.

„George…" afbrød jeg brat hans lyriske beskrivelse af, hvordan det alt sammen var gået så godt, fordi James havde fulgt hans råd, og hvor lykkelige James og jeg ville blive og…

„George," gentog jeg lidt højere. Det lykkedes mig at få hans opmærksomhed.

„Nå, George, lad mig se, om jeg har fattet det rigtigt," sagde jeg til ham. „James elsker mig. James har altid elsket mig. James følte sig usikker og nervøs for, at han måske var for kedelig til mig. Er det rigtigt?"

„Jamen, alt det ved du da," sagde George forvirret.

„Tjekker bare lige" sagde jeg let.

George ævlede videre. Måske var det bare noget, jeg forestillede mig, men var han i gang med at snakke om noget, han kaldte den mandlige menstruation?

Jeg kunne knap nok høre efter. Jeg havde meget vigtigere ting at bekymre mig om.

Nemlig hvorfor James havde sagt til George, at han elskede mig vanvittigt meget og var bange for at miste mig, og hvorfor han havde sagt til mig, at jeg fandme nærmest var umulig at bo sammen med, men at han ville tage mig tilbage, næsten som en barmhjertighedsgerning?

Selv en blind mand kunne se, at der var en mindre uoverensstemmelse mellem de to historier.

Enten løj han over for George, eller også løj han over for mig.

Og et lille glimt af instinkt sagde mig, at han havde løjet over for mig.

Jeg måtte tale med ham. Jeg blev nødt til at finde ud af det.

„George," sagde jeg og afbrød ham igen. „Jeg må tale med James. Gider du bede ham om at ringe til mig? Det er vigtigt."

„Ja," sagde han. „Det skal jeg nok. Han burde være tilbage om en halv times tid."

„Tak," sagde jeg. „Farvel."

Og så lagde jeg på.

Jeg sad og forsøgte at få mening ud af det, George uforvarende havde fortalt mig. Så James havde altid elsket mig. James følte sig truet af, at jeg var... mig, i mangel af bedre beskrivelse.

Var det derfor, han havde behov for at have en affære med en anden kvinde? Hvorfor fortalte han så mig, at jeg blev nødt til at forandre mig totalt, hvis vores ægteskab skulle have nogen chance fremover?

Jeg var ikke helt sikker på, hvad helvede der foregik. Men jeg vidste én ting. Noget foregik der.

Kapitel treogtredive

For at være på den sikre side ringede jeg til Judy.

„Claire," sagde hun og lød glad. „Er du tilbage igen?"

„Nej, Judy, ikke endnu," sagde jeg elendigt tilpas.

Jeg snakkede videre, før hun kunne nå at sige noget.

„Prøv at høre, Judy," fløj det ud af mig. „Jeg bliver nødt til at spørge dig om noget."

„Bare spørg løs," sagde hun. „Er du okay? Du lyder lidt ophidset."

„Det er jeg også, Judy," sagde jeg. „Jeg er ophidset og forvirret, og jeg ved ikke, hvad der foregår."

„Hvad mener du?" spurgte hun blidt.

„Altså, du ved vel, at James og jeg har fundet sammen igen," begyndte jeg.

„Ja," sagde hun.

„Nå, men vidste du også, at det var min skyld, at James havde en affære?"

„Hvad i alverden snakker du om?" sagde hun forfærdet.

„Han fortalte mig, at det alt sammen var min skyld. At jeg var umoden og egoistisk og krævende og ubetænksom, og at han kun ville tage mig tilbage, hvis jeg forandrede mig radikalt."

„Siger han, at det er *ham*, der tager *dig* tilbage?" sagde Judy vantro. „Claire, Claire, tag det lige roligt et øjeblik. Der er noget helt galt her."

Okay, hvis Judy mente, at der var noget galt, så var det ikke noget, jeg forestillede mig.

Men jeg vidste ikke, om jeg skulle være lettet over det eller ej.

„Okay, Claire, lad os begynde forfra igen," sagde hun. „James sagde, at han var tvunget til at have en affære, fordi du var så besværlig at bo sammen med. Har jeg fattet det rigtigt?"

„Ja," sagde jeg og følte mig helt rundt på gulvet. Jeg indrømmer, at det lød meget forlorent, sådan som Judy sagde det. På en eller anden måde fik James det til at lyde mere *rimeligt*.

„Og nu siger han, at *han* vil tage *dig* tilbage, hvis du forandrer dig?"

fortsatte hun. „På hvilken måde vil han have, du skal forandre dig?"

„Åh, du ved," mumlede jeg. „Han vil have, at jeg hverken skal invitere til fest eller gå til nogen. Være mere stille. Mere betænksom."

„Åh, jeg forstår," sagde hun vredt. „Han vil have, at du skal være et kedsommeligt røvhul som ham selv, er det rigtigt? Eller er det, fordi han vil have dig, hvor han kan holde sit lyseslukkende lille øje med dig? Hold kæft en skiderik!"

Hun holdt inde. Og så slog en ny tanke ned i hende.

„Og hvad er du for en idiot? Vil du virkelig fortælle mig, at du *troede* på det ævl! Kan du ikke se, at det er det ældste trick i verden?"

„På hvilken måde?" spurgte jeg. Men jeg havde ikke lyst til at vide det.

„Han har en affære. Det går op for ham, hvilken enorm fejl han har begået. Han vil have dig tilbage, fordi han virkelig elsker dig – det kan enhver idiot se – men han er bange for, at du beder ham om at skride ad helvede til, så han får det til at fremstå, som om det alt sammen var din skyld, så du får dårlig samvittighed, og så bliver du taknemmelig over, at han stadig vil have dig, selvom du er et forfærdeligt menneske.

Og desuden," sagde hun, tog en dyb indånding og begyndte en ny rasende svada. „Så ved jeg tilfældigvis, at han lyver."

„Åh?" sagde jeg. Det var alt, hvad jeg kunne klare.

„Ja," sagde hun. „Michael har fortalt mig det."

Michael var Judys kæreste. Michael var James' ven.

„For cirka en måned siden gik Michael ud med James for at få et par øl, eller nærmere ti-tyve øl, men lige meget, og James blev vildt stiv og kunne ikke holde op med at snakke om dig. Michael siger, at James er totalt skudt i dig. Det har han altid været. Han har altid været mere forelsket i dig end du i ham. Og det kunne han ikke klare. Så på grund af presset med babyen og alt det bestemte han sig for at smide håndklædet i ringen og stikke af med Denise, som, lad os bare se det i øjnene, ikke kunne fatte, at hun var så heldig at få fingre i et hug som James."

„Jeg forstår," sagde jeg monotont. „Det er meget interessant. For George sagde noget lignende i dag."

„Jeg kan ikke *fatte*, at du måtte høre det fra George eller mig. Vidste du ikke, at James er vild med dig? Og totalt usikker i forhold til dig?"

Judy var åbenlyst vred på mig.

„Tænk, at han er så manipulerende," rasede hun. „Udnytter situationen, så han kan få dig under tøflen. Fortæller dig, at det er din skyld, at han forlod dig, og at hvis ikke du opfører dig, sådan som han vil have det, så skrider han igen. Typisk!"

„Judy," sagde. „Du bliver nødt til at tage det lidt roligt. Det her er meget vigtigt."

„Åh, øh, selvfølgelig," sagde hun og lød lidt flov. „Hør, da jeg sagde, at han var et kedsommeligt røvhul, så mente jeg ikke..."

„Det er okay, Judy," sagde jeg. „Jeg ved, at du mente det, men det gør ikke noget."

„Du ved, hvordan det er," sagde hun. „Et øjebliks ophidselse og alt det der."

„Judy!" sagde jeg. „For fanden! Glem det! Jeg har brug for at få styr på det her inde i hovedet."

„Undskyld, undskyld," sagde hun. „Bare fyr løs."

„James havde en affære, men sagde, at det var min skyld. Korrekt?" spurgte jeg Judy.

„Det siger du jo," samtykkede hun.

„Han burde have sagt undskyld til mig, men ville ikke. Korrekt?"

„Øh, korrekt," sagde Judy.

„Han har overbevist alle om, at han elsker mig. Bare ikke mig. Korrekt?"

„Korrekt."

„Han har såret mig, ydmyget mig, forvirret mig, kompromitteret mig, løjet over for mig, undermineret mig og fået mig til at undskylde for, at jeg er den, jeg er. Korrekt?"

„Korrekt."

„Og han ville ikke undskylde over for mig eller trøste mig. Korrekt?"

„Korrekt."

„Jeg har ikke brug for sådan en mand. Korrekt?"

„Korrekt! Men... øh... Claire, hvad vil du gøre?"

„Slå skiderikken ihjel."

„Nej, Claire, tag det nu roligt," stammede Judy.

„Åh, slap af, Judy," sukkede jeg. „Jeg har ikke tænkt mig at slå ham ihjel. Men jeg har tænkt mig at gøre ham virkelig ondt."

„Nå, men det er okay så," sagde hun lettet. „Han er ikke værd at havne i fængsel for."

„Tak for dit lige-ud-ad-landevejen-råd," sagde jeg. „Du har ret. Han *er* virkelig et kedsommeligt røvhul, ikke?"

„Totalt," sagde hun lidenskabeligt.

„Vi snakkes ved," sagde jeg. „Held og lykke. Farvel."

Hvad så nu?

Jeg måtte hellere vente, til James ringede til mig.

Men jeg var ikke længere forvirret. James havde gjort mig meget, meget vred.

Og jeg mente kun, det var fair at fortælle ham det.

Personligt.

James ringede tilbage lidt senere. Han virkede glad for, at jeg havde ringet til ham.

Jeg kunne næsten ikke være høflig over for ham. Min vrede truede hele tiden med at koge over.

„Claire, hvor er det dejligt at høre fra dig," sagde han.

„Hvad laver du i aften, James?" spurgte jeg studst.

„Øh, ingenting," sagde han. Jeg kan godt lide at tro, at han blev lidt chokeret over mit studse tonefald.

„Godt," sagde jeg. „Vær hjemme omkring klokken otte. Jeg bliver nødt til at tale med dig."

„Øh, om hvad?" spurgte han og lød lidt nervøs.

„Det får du at se," sagde jeg glat.

„Nej, nej, fortæl mig det nu," sagde han og lød en smule ængstelig.

„Nej, James, du må vente indtil i aften," sagde jeg elskværdigt, men meget, meget bestemt.

Han var tavs.

„Klokken otte i aften, James," afsluttede jeg høfligt.

„Okay," mumlede han.

Jeg lagde røret på.

Mens jeg tænkte på alt det, jeg lige havde fundet ud af.

Jeg vidste faktisk godt, at jeg ikke var helt så forfærdelig, som James sagde. Det var virkelig ikke kun, fordi jeg ikke ville tro, at jeg var et dårligt menneske. Jeg havde heller ikke lyst til at tro, at jeg var et dårligt menneske, men... lige meget, du ved, hvad jeg mener. Jeg havde haft på fornemmelsen, at James havde løjet for mig eller i det mindste overdrevet rimelig meget, da han fortalte mig, hvilken forfærdelig, barnlig, egoistisk, ubetænksom kælling jeg havde været i hele vores ægteskab.

Men jeg kunne ikke fatte, hvorfor han skulle lyve for mig.

Jeg havde en følelse af, at han havde forsøgt at nedgøre mig – i hvert fald gøre mig lille nok til en størrelse, der passede til ham – ved at fortælle mig, at jeg havde været sådan.

Han havde ikke syntes om min selvsikkerhed. Den havde skræmt ham. Så på en led, kynisk måde havde han bestemt sig for at underminere mig totalt, så jeg ville være afhængig af ham.

Hold kæft, et røvhul.

Ved du hvad? Jeg tror faktisk, at jeg hadede ham mere, end da jeg fandt ud af, at han havde bollet med Denise. Det her var et meget større svigt.

„Mor," råbte jeg ned ad trappen.

„Hvad?" råbte hun op fra køkkenet.

„Jeg har brug for hjælp."

„Til hvad?"

„Du bliver nødt til at passe Kate i aften. Og du bliver nødt til at køre mig til lufthavnen."

„Hvad i alverden snakker du om?"

„Jeg tager til London. Du bliver nødt til at passe Kate," sagde jeg fornuftigt.

„Er det allerede tirsdag?" spurgte hun forvirret.

„Nej, mor, i dag er det fredag. Men jeg tager alligevel til London."

„Tager du så af sted igen på tirsdag?" spurgte hun og så lidt desorienteret ud.

„Måske," sagde jeg. Jeg kunne ikke svare hende. Jeg vidste ikke selv, om jeg rejste eller ej.

„Hvad handler det her om?" spurgte hun mistænksomt.

„Jeg har nogle ting, jeg skal have på plads med James," sagde jeg.

„Jeg troede, at I havde fået ordnet tingene," sagde hun rimeligt nok.

„Det gjorde jeg også," sagde jeg trist. „Men der er dukket andre – hvad skal jeg kalde det? – beviser op inden for den sidste times tid, og jeg bliver nødt til at tage over og mødes med ham."

„Hvornår kommer du tilbage?" spurgte hun.

„Snart," lovede jeg. „Mor, vær sød, det her er vigtigt. Jeg har virkelig brug for din hjælp."

„Åh, okay så da," sagde hun og lød lidt sødere. „Tag al den tid, du har brug for."

„Det vil ikke tage mere end en dags tid," sagde jeg.

„Fint nok."

„Jeg bliver nødt til at låne nogle penge."

„Nu skal du vist passe på."

„Må jeg ikke nok?"

„Hvor meget skal du bruge?"

„Ikke så meget. Jeg betaler for billetten på kortet. Men jeg har brug for penge til uforudsete udgifter. Til undergrunden, knojern osv. osv."

„Du kan få halvtreds, hvis jeg får dem tilbage i næste uge."

„Halvtreds er perfekt," sagde jeg.

Det håbede jeg i hvert fald, at det ville være. Jeg havde ingen anelse om, hvor jeg skulle sove i nat. Men der var noget, der sagde mig, at det ikke ville være i dobbeltsengen i London med James.

Ikke noget problem. Jeg havde en ekskæreste eller to, der aldrig helt var kommet sig over mig. Så jeg ville i det mindste have tag over hovedet.

Såvel som en erektion presset ind i ryggen.

Jeg tog dræbertøjet på.

Jeg syntes, det var passende.

Men det var ikke, som du måske forestiller dig, militærbukser, hjelm med net med blade på og et par patronbælter hen over brystet. Nej, nej, jeg iførte mig en sexet, kort, sort nederdel med en sort jakke, tynde strømpebukser og meget, meget højhælede sko. Jeg ville have taget en lille, sort pilleæskehat på med slør, hvis jeg havde haft en. Men det havde jeg heldigvis ikke.

Jeg ville ligne en dræbersild fra helvede. Men i bakspejlet kan jeg godt se, at hatten ville have været for meget.

Jeg ville bare have lignet en af de der glamourøse enker, som ser smukke ud til begravelsen, men som hele byen hader, fordi de har mistanke om, at hun har slået sin mand ihjel og arvet alle de penge, som han havde planer om at donere til byen, så de kunne bygge et nyt hospital.

Da jeg kom ned ad trappen, så min dramatiske fremtoning ud til at gøre mor lidt bestyrtet, men hun kastede et enkelt blik på mit beslutsomme, rasende ansigtsudtryk og undlod at kommentere det.

„Er vi klar?" spurgte jeg.

„Ja," sagde mor. „Jeg skal bare lige finde bilnøglerne."

Jeg sukkede. Det kunne tage flere dage.

Mens mor løb ind og ud af stuerne og tømte håndtasker ud på køkkenbordet og famlede rundt i frakkelommer og mumlede for sig selv som den hvide kanin (det var da den hvide kanin, ikke?) i *Alice i Eventyrland*, gik hoveddøren op, og Helen ankom med sædvanlig pomp og pragt.

„Prøv lige at gætte det her," råbte hun.

„Hvad?" spurgte jeg. Gnavent. Uinteresseret.

„Adam har en kæreste!"

Blodet løb fra mit ansigt, og mit hjerte holdt næsten op med at slå. Hvad snakkede hun om? Var der nogen, der havde fundet ud af det med Adam og mig?

„Og vent, til du hører det her!" fortsatte Helen frydefuldt. „Han har en baby!"

Jeg stirrede på hende.

Var hun seriøs?

„Hvilken slags baby?" lykkedes det mig at spørge.

„En *baby*-baby, en pige," sagde Helen hånligt. „Hvad regnede du med? En giraf-baby? Gud altså, sommetider må man bare undres over dig!"

Det summede i hovedet på mig. Hvad betød det? Hvornår var alt det her sket? Hvorfor havde Adam ikke fortalt mig noget?

„Jamen, er det en ny baby eller hvad?" spurgte jeg. Jeg forsøgte ikke engang at holde trøstesløsheden ude af min stemme, men med Helens sædvanlige empati lod det ikke til, at hun bemærkede det.

„Nej," sagde Helen. „Det tror jeg ikke. Hun ligner ikke Kate. Hun har hår, og hun ligner ikke en gammel mand."

„Kate ligner ikke en gammel mand!" sagde jeg vredt.

„Jo, hun gør," grinede Helen. „Hun er skaldet og fed og har ingen tænder."

„Hold kæft!" sagde jeg arrigt. „Hun kan høre dig. Babyer kan godt forstå sådan nogle ting, at du ved det. Hun er smuk."

„Klap lige hesten," sagde Helen mildt. „Jeg aner ikke, hvorfor du er så skidesur."

Jeg sagde ikke noget.

Det kom alt sammen som et forfærdeligt chok.

„Det var hylende morsomt," fortsatte Helen. „Adam tog pigen og babyen med hen på universitetet, og nu snakker halvdelen af min klasse om at begå selvmord. Han kan godt glemme alt om at bestå professor Stauntons eksaminer. I skulle have set det blik, hun sendte ham! Jeg sværger ved gud, hun *hader* ham."

„Så, øh, du har ikke mødt pigen før nu?" spurgte jeg og forsøgte at få mening ud af det hele. Kom han sammen med hende, mens han lagde an på mig? Det måtte han jo have gjort. Man går jo ikke bare ud og køber en baby med hår i et supermarked. Den slags tager tid.

„Nej, jeg har ej," sagde Helen. „De havde åbenbart haft et kæmpe skænderi for hundrede år siden, og han har hverken set hende eller babyen i lang tid. Men nu har de fundet sammen igen."

Helen begyndte at synge vildt højt. En eller anden forfærdelig sang om at have fundet sammen igen, og hvor godt det føltes. Hun svansede op ad trappen, mens hun sang.

Jeg havde lyst til at råbe: „Vent! Jeg er ikke færdig. Der er masser af ting, jeg vil spørge dig om."

Men hun gik ud på badeværelset og smækkede døren bag sig. Jeg kunne stadig høre hende synge, men det var lidt svagere nu.

Jeg stod i entreen og følte mig elendigt tilpas.

Og meget tåbelig.

Det er så sandt, som det er sagt. Det største fjols er et gammelt fjols.

„Det kan jeg ikke tænke på nu," sagde jeg til mig selv. „Jeg må glemme det. Jeg tænker på det på et andet tidspunkt, når alting er anderledes. Når jeg er glad og har styr på mit liv. Men ikke nu."

Jeg tvang mig selv til at holde op med at tænke på det. Jeg gik ind i det rum i min hjerne, hvor alle mine tanker om Adam boede, og slog elektriciteten fra og sømmede brædder for alle døre og vinduer, så der ikke var noget, der kunne komme hverken ind eller ud.

Det var selvfølgelig meget stygt. Der ville helt sikkert komme klager fra de omkringliggende tanker. Men jeg havde ikke noget valg. Jeg forsøgte at få styr på mit ægteskab på den ene eller den anden måde, og jeg kunne ikke klare forstyrrelser.

Mor fandt langt om længe bilnøglen. Kate, mor og jeg kravlede ind, og vi kørte til lufthavnen. Vi sagde ikke noget. Jeg kunne mærke, at mor sad som på nåle for at spørge mig, hvad der foregik. Men hun holdt gudskelov kæft.

Det var et mirakel, men jeg holdt faktisk op med at tænke på Adam. Jeg var så ked af det og rasende på James, at der ikke var plads til at tænke på noget andet inde i mit hoved. Min bekymrings-arena var fuld af tusinder og atter tusinder af tanker, der spekulerede over det med James. Der var ikke engang ståpladser tilbage til de tanker, der gjorde sig håb om at komme ind og spekulere over Adam.

Det var måske uretfærdigt. Men det var først til mølle, først malet.

Det var forfærdeligt at forlade Kate, men jeg blev nødt til det. Det ville ikke være rigtigt at tage hende med. Jeg er overbevist om, at det har en forfærdelig effekt på børn at se, at deres mor slår deres far ihjel.

Jeg kyssede Kate farvel i afgangshallen. „Vi ses snart, skat," sagde jeg. Jeg gav mor et knus.

„Må jeg spørge dig om noget," sagde hun ængsteligt og studerede mit ansigt for at se, om der var et raserianfald på vej.

„Bare spørg løs," sagde jeg og forsøgte at lyde sød.

„Er James gået tilbage til hende Denise-kvindemennesket?" spurgte hun.

„Ikke det jeg ved af." Den beroligende udtalelse var ledsaget af et bittert smil.

„Gudskelov," sagde hun og åndede lettet op.

Åh gud. Stakkels mor. Hvis hun bare vidste. Denise var ikke noget problem. Men der *var* et problem. Et problem, der var meget større end Denise. Og hallo, det sagde virkelig noget.

Helt ærligt, man skulle tro, at jeg på nuværende tidspunkt var begyndt at kunne tilgive og glemme. Var det ikke på tide, at jeg holdt op med at være led over for Denise?

Men det var bare så nemt.

Jeg vendte om på mine sexede, højhælede sko og forsøgte at marchere målrettet gennem afgangshallen. Det er ikke let at marchere målrettet, når man bliver ved med at støde ind i alle mulige afslappede mennesker, der står og snakker, omgivet af kufferter og tasker, med albuerne hvilende på bagagevognene, som om de har alverdens tid. Som om det slet ikke var en lufthavn, og der ikke var nogen, der skulle ud at flyve. I hvert fald ikke i løbet af det næste årti eller deromkring.

Jeg prøvede hurtigt at bestille en billet til London.

Men det var ikke muligt.

Den elskværdige, afslappede Air Lingus-repræsentant ville kun lade mig bestille billetten på en afslappet, rolig facon.

Imellem en diskussion om den russiske præsident ("Er alkohol ikke bare en plage?") og en sludder om vejret ("Lad os håbe, det tørre vejr holder") fik jeg tilfældigvis bestilt en standby-billet på et fly, der kort efter fløj til London.

Der var overhovedet ingen problemer. Det var virkelig et forfærdeligt spild, for det var ikke ofte, at jeg var i så dårligt humør og i stand til at forsvare mig selv og hævde min ret og skabe problemer og alt sådan noget, og denne dag ville have været perfekt til det.

Jeg var rigtig tændt til et godt skænderi.

Men alle var elskværdige og hjælpsomme, og det hele gled let og smertefrit.

For satan.

Klokken var ti minutter over fem.

Flyveturen var begivenhedsløs.

Det ville have været fantastisk, hvis den vigtigpeter af en forretningsmand, der sad ved siden af mig, var begyndt at tale til mig, eller endnu bedre, flirte med mig, bare så jeg virkelig kunne få udnyttet mit dårlige humør.

Helt ærligt, hvor var jeg dog barnlig. Jeg sad som på *nåle* for en chance for at sige noget grimt. Jeg tænkte, at jeg ville eksperimentere med en Joan Collins-agtig stemmeføring. Altså snobbet og skræmmende, hvor ordene lød som små stykker is, der ramte indersiden af glasset. Og sige noget i stil med: "Jeg ville virkelig ikke prøve på at tale til mig. Jeg er i meget dårligt humør, og jeg er ikke sikker på, hvor længe jeg kan være høflig over for dig."

Men ud over at mumle "undskyld" for at rode rundt ved min hofte for at finde sin sikkerhedssele, ignorerede han mig totalt. Han åbnede sin imponerende læderattachemappe, og i løbet af ingen tid sad han med næsen begravet i en Catherine Cookson-roman. Du kender den helt sikkert. Det er den om den uægte datter med det vinrøde modermærke, hvis fætter er vild med hende, hvis stedmor pisker hende med en ridepisk, og som bliver voldtaget som trettenårig af herremanden på godset, og mens hun flygter fra ham, får hun foden i en kaninfælde og bliver nødt til at få den amputeret og får såret ætset med en rødglødende ildrager, mens hendes skrig giver genlyd mellem slaggerne.

Eller er det dem alle sammen?

Bortset fra det, var manden mere interesseret i Catherine Cookson end i mig, og det gjorde mig lidt rastløs. Jeg trængte sådan til at udnytte mit dårlige humør. Varme op, så at sige, til de virkelige ubehageligheder, som jeg skulle være en del af senere. Men lige meget hjalp det.

Og så skammede jeg mig og forsøgte at få gang i en samtale med ham og smilede mere end højst nødvendigt til ham, da han rakte mig min bakke med mad, mens jeg mildt tilbød at åbne hans lille karton mælk, da det blev for besværligt for ham, og forærede ham min mintpastil, så han kunne tage den med hjem til sin lille datter, selvom han spiste sin egen – alt sådan noget.

Det viste sig, at han var en dejlig mand. Vi snakkede om bogen, han læste. Jeg anbefalede ham et par andre forfattere. Og da vi endelig landede i Heathrow, var vi på fornavn med hinanden. Vi gav hinanden hånden, sagde, at det havde været hyggeligt at mødes, og ønskede varmt hinanden en god rejse videre.

Så var jeg alene igen. Alene med mine tanker og angst og vrede.

Ud over de halvfems millioner andre mennesker var jeg fuldstændig alene i London.

Hvis det her var en film i stedet for en bog, ville du nu se billeder af røde busser og sorte London-taxaer, der kørte forbi Parlamentet og Big Ben, og politimænd med sjove hatte, der dirigerede trafikken uden for Buckingham Palace, og smilende piger i meget korte nederdele, der stod under et 'Velkommen til Carnaby Street'-skilt.

Men da det her er en bog, må du bare bruge din fantasi.

Heathrow var, øh… Heathrow var, altså… der var travlt. Det var én måde at sige det på.

Det var totalt sindssygt.

Jeg kunne ikke fatte, at der var så mange mennesker. Det var ligesom legemliggørelsen af et renæssancemaleri af Dommedag.

Eller åbningsceremonien til De Olympiske Lege.

Folk af alle nationaliteter, iført alt muligt eksotisk tøj, styrtede forbi mig, mens de talte samtlige sprog under solen.

Hvorfor *skyndte* folk sig sådan?

Larmen var øresønderrivende. Meddelelser over højtaleranlægget. Små drenge var blevet væk. Voksne mænd var blevet væk. Dyre kufferter var forsvundet. Tålmodigheden var forsvundet. Besindelsen forsvandt. Fornuften med. Bare nævn et eller andet, og der var en god chance for, at det var blevet væk.

Jeg havde glemt, at London var sådan. Der var engang, hvor jeg let og elegant opererede i dette tempo. Men nu kørte jeg i Dublin-tempo, så jeg var langsommere og mere afslappet. Jeg stod rædselsslagen i ankomsthallen og følte mig overvældet af antallet af mennesker, mens jeg hjælpeløst undskyldte over for folk, der stødte ind i mig og tiskede højlydt.

Så tog jeg mig sammen. Det var trods alt bare *London*.

Jeg mener, jeg kunne have været et rigtig skræmmende sted. Som

Limerick, for eksempel. Undskyld, det var bare for sjov.

Alle vegne, og jeg mener alle vegne, stod der små grupper af forretningsmænd. De stod i deres lede jakkesæt og ventede enten på deres tasker eller på et fly, mens attachemapperne ved deres fødder sikkert bare var fulde af pornoblade.

De drak alle sammen øl og dystede om det mest faste håndtryk, fast besluttede på at udvise 'flinkfyr-agtighed' og gemytlighed, mens de konkurrerede om, hvem der kunne brøle højest af grin, og hvem der kunne fyre flest nedsættende kommentarer af om deres koner eller flest vulgære bemærkninger om kvinderne til den konference, de lige havde været til eller skulle til. Bemærkninger som „Jeg ville ikke smide hende ud af sengen, selv om hun pruttede" og „Næ, hendes patter er for små" og „Alle har bollet med hende, selv fyrene i postrummet" sivede over mod mig fra de forskellige grupper.

Jeg spekulerede på, hvad det samlende navneord for en gruppe forretningsmænd er? Der må helt sikkert findes et.

En konference af forretningsmænd? En attachemappe af forretningsmænd? Et møde mellem forretningsmænd? En polyester af forretningsmænd? En nålestribe af forretningsmænd?

Det duer ikke. Ingen af de ord viser rigtig, hvor *væmmelige* sådan nogle små grupper er. Hvad med en uærlighed af forretningsmænd? En illoyalitet af forretningsmænd? En utroskab af forretningsmænd?

Jeg greb en af mændene i at skæve over til mig. Jeg så hurtigt væk. Han vendte sig om mod de fire-fem mænd, han var sammen med, og sagde et eller andet. Der lød et stort latterbrøl, og de begyndte at bøje sig frem og strække hals for at se rigtig godt på mig.

Røvhuller! Jeg havde lyst til at slå dem ihjel!

De var alle sammen så utiltrækkende og ubestemmelige. Hvad bildte de sig ind at være arrogante over for mig? Eller nogen anden kvinde for den sags skyld. De burde være taknemmelige, hvis der overhovedet var kvinder, der ville røre dem med en ildtang. Op i røven med dem! tænkte jeg rasende.

Nu måtte jeg af sted.

Jeg havde ikke nogen tasker, der skulle hentes. Jeg havde ikke planer om at blive her længe nok til at få brug for dem. Så jeg slap i det mindste for bagagehelvedet.

Jeg tog en dyb indånding, rettede ryggen, bed tænderne sammen og begyndte at mase mig gennem ankomsthallen. Jeg gik i retning af undergrundsstationen, fast besluttet på at komme forbi alle de andre mennesker, som en eventyrer i Amazonjunglen, der hugger sig vej gennem underskoven.

Til sidst nåede jeg til stationen. Japan afholdt åbenbart sin nationale folketælling her. Efter at jeg havde ventet i, hvad der føltes som flere år, mens Nippons sønner regnede ud, hvordan billetmaskinen fungerede – jeg troede, at de alle sammen var teknologiske vidunderbørn! – købte jeg en billet og tog et tog mod Londons centrum. Der var ikke penge til en taxa. Toget var fuldt, og der var en repræsentant fra samtlige jordens nationer om bord.

Jeg behøver ikke at tage til møde i FN's Sikkerhedsråd. Jeg har allerede været der.

Turen i undergrunden var så pakket og ubekvem og ubehagelig, at det på en måde var som sendt fra Gud. Selv hvis jeg ikke allerede havde været i et totalt morderisk humør, da jeg kom op i toget, var der en god chance for, at jeg ville være det, når jeg steg af igen.

En af mine medpassagerer var så venlig at sørge for, at jeg ikke skænkede den forestående konfrontation med James en tanke, idet han pressede sin erektion ind mod mig, hver gang toget svingede.

Omkring ti minutter i otte ankom jeg til min station.

Kapitel fireogtredive

Da jeg trådte ud fra undergrundsstationen på den gade, hvor jeg boede, vendte det sig pludseligt i maven på mig. Alt var så smerteligt velkendt; aviskioskerne, vaskeriet, vinforretningen, den indiske take-away.

På den ene side føltes det, som om jeg havde været væk i flere lysår, men på den anden side føltes det, som om jeg aldrig havde været væk. Med bankende hjerte begyndte jeg at gå hen imod lejligheden, og mine knæ føltes besynderligt bævende.

Jeg var overrasket. En lille smule chokeret.

Jeg havde ikke regnet med, at det ville påvirke mig så meget at være tilbage i mit gamle kvarter. Da jeg drejede rundt om hjørnet og så lejligheden, det hjem, jeg havde delt med James, begyndte sveden at pible frem på panden af mig.

Jeg gik langsomt, modvilligt.

Nu hvor jeg var her, var jeg ikke så sikker på, hvad jeg skulle gøre.

Jeg ville bare ønske, at jeg ikke var her. At jeg ikke behøvede at være her.

„Behøver jeg denne konfrontation?" spurgte jeg mig selv. „Måske tager jeg fejl. Måske elsker James mig virkelig, som jeg er. Måske burde jeg bare vende om og tage hjem og lade, som om alt er godt."

Jeg stod ved hoveddøren og lænede mit brændende ansigt op ad glasruden.

Jeg var ikke så vred nu. Jeg var slet ikke vred. Jeg følte mig bange og meget, meget trist.

En taxa drejede om hjørnet. Den havde lyset tændt. Håb vældede op i mig som en bølge. Jeg kunne praje den og bare slippe væk herfra, tænkte jeg. Jeg behøver ikke gennemføre det her.

Lad denne skål gå mig forbi.

Apropos skål, tænkte jeg og kom til at tænke på noget andet. Jeg må virkelig huske at købe nogle nye bh'er, nu hvor jeg er her. Nu hvor mine bryster – desværre – var vendt tilbage til deres normale størrelse, var alle de bh'er, jeg havde med til Irland, blevet for store til mig.

Dette momentane koncentrationsbrist var fatalt, og taxaen kørte videre.

Det lod ikke til, at jeg skulle nogen steder. I hvert fald ikke endnu. Jeg måtte se James og finde ud af, hvad der foregik.

– Mind mig lige om, hvorfor jeg er her – åh, jo, nu kan jeg huske det. Fordi James havde løjet over for mig. Løjet om sine grundlæggende følelser for mig, om essensen af vores parforhold.

Jeg begyndte at blive vred igen. Det var godt. Det føltes ikke helt så mareridtsagtigt, når jeg var vred.

Jeg tog en dyb, usikker indånding.

Skulle jeg ringe på dørklokken og give James en lille advarsel om, at jeg var kommet? Eller skulle jeg marchere ind, som om jeg ejede stedet? Når enhver ved, at jeg kun ejede halvdelen. Men så tænkte jeg: For helvede, nej, det er også mit hjem. Jeg låser mig for fanden bare ind.

Jeg rystede på hånden, mens jeg rodede rundt i tasken efter mine nøgler. Det tog mig hundrede år at få nøglen i låsen.

Den velkendte, stemningsvækkende duft i opgangen ramte mig helt nede i maven. Det lugtede som hjemme. Jeg gjorde mig umage for at ignorere det – dette var ikke rette tid eller sted til sentimentalitet.

Elevatoren førte mig op til anden sal. Jeg gik modvilligt ned ad gangen til min hoveddør. Da jeg hørte lyden fra fjernsynet, der kom ud fra lejligheden, sank mit hjerte endnu dybere. Det betød, at James var hjemme. Nu var der virkelig ikke nogen vej udenom.

Jeg låste mig ind, og i et forsøg på at være nonchalant slentrede jeg ind i stuen.

Det var lige før, James døde af chok, da han så mig.

På en pervers måde ville det have frydet mig, hvis jeg havde grebet ham i et eller andet snavs. Måske midt i en omgang SM med en fjortenårig pige. Eller endnu bedre, en fjortenårig dreng. Eller bedre endnu, et fjortenårigt får. Eller allerbedst, i færd med at se *Every Second Counts* (se, det er afskyeligt og utilgiveligt).

Men som den skide Rasmus Modsat han var, kunne han umuligt have set mere sund og uskyldig ud, om han så havde øvet sig hele dagen. Han læste avis og havde *Coronation Street* kørende i baggrunden. Selv kruset ved siden af ham indeholdt cola og ikke alkohol. Så uskyldig som bare fanden.

„Cl... Claire, hvad laver du her?" gispede han og sprang op. Han så ud, som om han havde set et spøgelse.

Helt ærligt, det må da også have været et forfærdeligt chok. Så vidt han vidste, var jeg flere hundrede kilometer væk i en anden by.

Men på den anden side burde han under andre omstændigheder så ikke have været *lidt* glad for at se mig? Overrasket og glad i stedet for chokeret og forfærdet.

Hvis han virkelig elskede mig og ikke havde dårlig samvittighed og ikke havde noget at være bange for eller skamme sig over, ville han så ikke have været vildt glad for at se mig?

Han så nervøs ud. Altså anspændt, vagtsom. Overvejede, hvorfor jeg var kommet. Han *vidste*, at der var noget galt.

Med et stød gik det op for mig, at det ikke var noget, jeg havde forestillet mig. Der var noget helt galt. Jeg behøvede bare at se på James' ansigt for at vide det.

Jeg må ikke blive trist nu, sagde jeg til mig selv. Senere kan jeg være knust og bryde sammen, men lige i øjeblikket må jeg være stærk.

„Dej... dejligt at se dig, Claire," sagde han og lød forfærdet. Han virkede lidt hysterisk.

Jeg så på hans blege, ængstelige ansigt, og jeg mærkede så voldsom en bølge af vrede, at jeg fik lyst til at bide ham.

Men jeg *ønskede* at være vred. Jeg ville have vreden til at bølge igennem mig.

Vrede er godt, sagde jeg til mig selv. Vrede holder smerten væk. Vrede gør mig stærkere.

Jeg så mig omkring i stuen. Jeg smilede elskværdigt til ham, selvom jeg rystede indvendigt.

„Her ser pænt ud," sagde jeg venligt. Det overraskede mig, at min stemme ikke dirrede. „Jeg kan se, at du har flyttet dine bøger og plader og ting tilbage igen. Og..."

Jeg skred forbi ham og marcherede ind i soveværelset og slog skabsdørene op. „... Jeg kan se, at du også har flyttet alt dit tøj tilbage. *Rigtig* hyggeligt."

„Claire, hvad laver du her?" lykkedes det ham at spørge.

„Er du ikke glad for at se mig," spurgte jeg koket og sødladent.

„Jo!" udbrød han. „Selvfølgelig, det er bare... jeg mener, jeg ventede dig ikke... du ved... jeg troede, at du ville ringe."

„Jeg ved lige præcis, hvad du troede, James," sagde jeg og stirrede fordømmende på ham.

Jeg må sige, at jeg med en følelse af nærtforestående undergang var begyndt at nyde det.

Der var stille et øjeblik.

„Er der noget galt, Claire?" spurgte han forsigtigt.

Han så bange ud. Fra det øjeblik James havde set mig træde ind i lejligheden, havde han vidst, at jeg ikke var kommet på en kærlighedsmission. Han opførte sig alt for skyldbevidst og ængsteligt.

Han havde måske allerede snakket med George og vidste, at jeg kendte til hans dobbeltspil?

Måske forventede han en eller anden form for opgør.

I det mindste ville han gerne snakke om, hvad der var galt.

Det måtte da tælle for noget, ikke?

Måske ville det hele ordne sig.

Eller var jeg bare for ynkelig?

„Claire," sagde han igen, denne gang lidt mere indtrængende. „Er der noget galt?"

„Ja, James," sagde jeg sødt. „Der er noget galt."

„Hvad?" sagde han og betragtede mig vagtsomt.

„Jeg havde en meget interessant samtale med George i dag," sagde jeg dovent.

„Havde du?" spurgte James og forsøgte at lade være at se forfjamsket ud. Men en spasme af et eller andet – frygt måske? Eller var det irritation? – bølgede hen over hans ansigt.

„Hmmm," sagde jeg og nærstuderede mine fingernegle. „Ja, det havde jeg faktisk."

Der var en pause. James stod og betragtede mig på samme måde, som musen betragter katten.

„Ja," fortsatte jeg i et meget afslappet tonefald. „Han fortalte mig en meget anderledes version af vores situation."

„Åh," sagde James og sank en klump.

„Du har tilsyneladende altid elsket mig," sagde jeg. „Og dit eneste problem var åbenbart, at du var bange for, at jeg skulle forlade dig."

James var stille og mut.

„Er det rigtigt, James?" spurgte jeg skarpt.

„Du skal ikke tage dig af George," sagde han og genvandt kontrollen en smule.

„Det ved jeg, James," svarede jeg glat. „Og derfor ringede jeg til Judy. Prøv at gætte; hun fortalte mig sørme præcis det samme."

Mere tavshed.

„James," sukkede jeg. „Det er på tide, at du fortæller mig, hvad der foregår."

„Det har jeg gjort," mumlede han.

„Nej, du har ikke," rettede jeg ham højlydt. „Du havde en affære med en anden kvinde, du forlod mig den dag, jeg fødte dit barn, og så bestemte du dig for, at du ville have mig tilbage. Men i stedet for at fortælle mig det, skulle du absolut brygge en lang række løgne sammen og tale ondt om mig og kalde mig egoistisk og barnlig og ubetænksom og dum." (Her steg min stemme flere decibel). „I stedet for at undskylde for den usle måde, du behandlede mig på, fik du det til at lyde, som om det var min skyld." (Stemmen steg stadig). „Du bestemte dig for, at du ville skræmme mig til at være noget andet end den, jeg er. En lille, svag kvinde som ikke ville svare igen. Som ikke ville overskygge dig. Og ikke ville gøre dig usikker!"

„Det var ikke sådan, det var," protesterede James usikkert.

„Det var *lige præcis* sådan, det var," råbte jeg. „Jeg kan simpelthen ikke fatte, at jeg var dum nok til at hoppe på din latterlige historie!"

„Claire, du må høre på mig," sagde han og lød sur og irriteret.

„Åh nej, det behøver jeg ikke," svarede jeg arrigt. „Hvorfor skulle jeg høre på dig? Har du tænkt dig at fortælle mig en bunke nye løgne? Nå, har du?" råbte jeg, da han ikke svarede.

Jeg sad og så på ham og forsøgte ved tankens kraft at få ham til at tale, få ham til at rette op på det hele.

Overbevis mig! tiggede jeg stumt. Jeg vil så gerne tage fejl. *Sig* til mig, at jeg har taget fejl. Forklar mig det, så er du sød. Jeg vil endda nøjes med en undskyldning. En undskyldning vil være nok.

Han satte sig langsomt ned på sofaen med ansigtet i hænderne. Og selvom jeg egentlig havde forventet sådan en reaktion, gav det alligevel et sæt i mig, da det gik op for mig, at han græd.

For himlens skyld! Hvad skulle jeg sige til ham?

Jeg hader at se en voksen mand græde.

Det er faktisk overhovedet ikke rigtigt.

Der er normalt ikke noget, jeg sætter større pris på, end at se en voksen mand græde.

Især hvis det er mig, der har fået ham til at græde.

Der er ikke noget, der kan slå den magtfølelse!

Hvis han græd, måtte det være ensbetydende med, at han virkelig var ulykkelig over, at han havde opført sig så rædselsfuldt over for mig, og at alting nok skulle ordne sig.

Han havde tænkt sig at undskylde.

Han ville indrømme, at det helt og aldeles var ham, der havde gjort noget galt.

Mit hjerte begyndte at smelte lidt.

Men så kiggede han op på mig, og jeg kunne næsten ikke begribe hans ansigtsudtryk. Han så utrolig vred ud. „Det er bare så typisk dig!" råbte han.

„Hvad?" spurgte jeg usikkert.

„Du er så forpulet egoistisk!" skreg han, og ethvert spor af den tårevædede mand var på magisk vis forsvundet.

„Hvorfor?" spurgte jeg forbavset.

„Alt gik godt!" råbte han. „Det hele var ordnet, og vi skulle til at begynde forfra, og du ville forsøge at være mere moden og lidt mere betænksom. Men du kunne bare ikke lade det ligge, vel?"

„Jamen, hvad skulle jeg da have gjort?" spurgte jeg spagfærdigt. „George fortæller mig en ting, og du fortæller mig noget helt andet. Georges historie er meget mere troværdig end din. Især fordi Judy bekræftede den."

Jeg gjorde mig meget, meget umage for at være rimelig. Jeg kunne se, hvor vred James var, og det var skræmmende, men på samme tid måtte jeg hævde min ret. Kære Gud, bad jeg, giv mig styrke til at forsvare mig over for ham. Du må ikke lade mig tage al skylden igen. Bare for en gangs skyld ville det være rart ikke at være en kujon.

„Ja, selvfølgelig foretrækker du at tro på George og Judy," sagde han ondskabsfuldt. „Selvfølgelig vil du helst tro pæne ting om dig selv. Du kunne bare ikke klare at høre sandheden fra mig, vel?"

„James," sagde jeg og kæmpede for at forholde mig i ro. „Jeg vil bare gerne til bunds i tingene. Jeg vil gerne vide, hvorfor du fortalte George, at du virkelig elskede mig, og at du var bange for at miste mig, og hvorfor du sagde til mig, at du knap nok kunne holde mig ud. Det passer bare ikke sammen, vel?"

„Jeg fortalte dig sandheden," sagde James mopset.

„Hvad var det så, du fortalte George?" spurgte jeg.

„George misforstod det," sagde han kort for hovedet.

„Misforstod Judy det også?" spurgte jeg koldt.

„Det gjorde hun vel," sagde han henkastet.

„Og Aisling og Brian og Matthew, misforstod de det også?"

„Det må de jo have gjort," sagde han skødesløst.

„Prøv at høre, James," sagde jeg alvorligt. „Vær rimelig. De kan ikke *alle* sammen have misforstået dig, vel?"

„Det kan de da godt," sagde han studst. „Det har de."

„James, vær nu sød. Du er et logisk menneske," sagde jeg og begyndte at blive desperat. „Kan du ikke se, at der er *nogen*, der ikke fortæller sandheden? Forventede du slet ikke, at de forskellige historier før eller siden ville komme mig for øre? Ved du ikke, at mine venner og jeg taler om alt?"

Han sagde ikke noget. Han sad på sofaen med armene over kors og så udfordrende på mig.

Åh gud! Det skulle hives ud af ham.

Okay! Jeg prøvede igen. Lige meget hvad der skete, så ville jeg forholde mig roligt. Jeg ville forsøge at undgå at hidse mig op. Jeg ville forsøge at undgå at skade ham, sådan som jeg havde lyst til. Endnu en gang ville jeg sluge min stolthed. Jeg ville gøre det klart for ham, at jeg var parat til at tilgive ham affæren. Men det var ikke let, det kan jeg godt fortælle dig.

Især ikke når jeg på samme tid forsøgte at hævde min ret og ikke blive totalt tromlet ned af ham.

Jeg forsøgte at huske på, at der var meget lille forskel på at være forstående og være en dørmåtte, på at forsvare sig selv og være en rasende øksemorder.

„James," sagde jeg, og mirakuløst nok lykkedes det mig at lyde helt rolig. „Vi bliver virkelig nødt til at få styr på det her. Hvis jeg stiller dig nogle spørgsmål, vil du så bare svare ja eller nej?"

„Hvilken slags spørgsmål?" spurgte han mistænksomt.

„Altså, løj du for eksempel for mig, da du sagde, at det var min skyld, at du forlod mig?"

„Du mener, at du vil krydsforhøre mig?" sagde han ophidset. „Tager du pis på mig? Hvem helvede tror du, du er? Du prøver at få mig til at fremstå som en eller anden kriminel!"

„James," sagde jeg. Jeg var lige ved at tude af frustration. „Det er ikke det, jeg vil! Virkelig! Jeg vil bare have, at du skal tale med mig, fortælle mig, hvad du virkelig føler, hvad der virkelig foregår. Jeg vil have, at du skal være ærlig over for mig. Ellers har vi ikke nogen fremtid."

„Jeg forstår," sagde han rasende. „Så du vil have, at jeg skal sige noget i stil med: 'Du er et vidunderligt menneske, Claire, jeg ved ikke, hvorfor jeg havde en affære, for du er så fantastisk.' Er det det, du vil høre?"

Ja, tænkte jeg.

„Nej…" sagde jeg mat. „Det er bare…"

„Du vil have mig til at påtage mig hele skylden, er det det?" sagde han og hævede stemmen. „Du vil have, at jeg er den onde, 'manden, som du og dine venner elsker at hade', er det det? Efter alt, hvad jeg har gjort for dig? Er det så det, du vil?" råbte han til sidst med ansigtet helt oppe i mit.

„Jamen, du er den onde," sagde jeg desorienteret. „Det var dig, der havde en affære, ikke mig."

„Åhr, for helvede!" råbte han, *virkelig* højt denne gang. „Det har du bare aldrig tænkt dig at glemme, vel? Du prøver at give mig dårlig samvittighed over det. Nå, men jeg har det ikke dårligt med det! Jeg har altid været god ved dig. Det ved alle. Jeg er ikke det dårlige menneske her. Det er du!"

Der fulgte en lang tavshed. Hele lokalet gav genlyd af det.

Jeg sad meget stille. Og havde det, som om jeg havde fået granatchok.

James pustede tungt og arrigt ud og begyndte at vandre frem og tilbage i stuen. Han så ikke på mig.

Det gik op for mig, at jeg rystede.

Er jeg et dårligt menneske? spurgte jeg mig selv.

Er jeg virkelig?

En lille stemme inde i hovedet sagde, at jeg skulle holde op med at være latterlig. At det her var gået for vidt. Jeg måtte holde fast i det, jeg vidste var sandheden. Det var James, der havde haft en affære. Ikke mig. Jeg havde ikke tvunget James til at have en affære. Han valgte selv at gøre det. James fortalte mig, at jeg var næsten umulig at elske, men han fortalte alle andre, at han elskede mig meget højt.

James ville have, at jeg skulle påtage mig skylden for *hans* affære.

Mens jeg sad der og rystede, og det summede i mit hoved, var der noget, der stod mig meget klart. Noget, som jeg ikke havde set før nu. James havde ikke lyst til at indrømme, ville ikke indrømme, at han var den, der havde gjort noget galt. Han kunne ikke acceptere, at han havde haft en affære. Eller altså, han vidste naturligvis godt, at han havde haft en affære – jeg vil vove at påstå, at mindet om Denise ikke var så let at udviske – men han benægtede, at det skulle være hans fejl.

Der gik lidt tid. Spændingen hang tungt i luften.

James' reaktion fik mig til at indse, at han ikke havde tænkt sig at indrømme, at han havde løjet over for mig og fortalt George sandheden, ikke om der så gik en million år.

Og jeg troede tilfældigvis på George. Jeg var overbevist om, at det ikke var noget, han fandt på – desuden var han også for dum! Jeg var sikker på, at James ikke et sekund havde troet, at det, han havde fortalt George, ville gå videre til mig. Han troede, at det var fuldstændig sikkert at fortælle George, at han elskede mig meget højt, mens han fortalte mig, at det var svært for ham at elske en, som var så besværlig og egoistisk som mig. Jeg vidste, at James hadede at føle sig usikker i forhold til noget som helst. Han hadede at være sårbar, ikke at have totalt kontrol, selv med hensyn til sit arbejde. Og han ønskede at føle sig sikker på mig.

Jeg havde stadig til hensigt at komme til bunds i den store kontrovers om Georges/Claires modstridende historier, men denne gang bestemte jeg mig for at gribe det an på en ny måde. På den ene side havde jeg kun lyst til at bede James om at skride ad helvede til, fortælle ham, at han var en uansvarlig, umoden, følelsesmæssig krøbling, og at ethvert barn kunne se, at han forsøgte at manipulere med mig. På den anden side var det åbenlyst, at han var bange. Eller forvirret.

Måske havde han brug for, at nogen formulerede hans angst, fordi han selv var for skræmt til at gøre det, så måske kunne jeg prøve at berolige ham.

Det var forsøget værd.

„James," sagde jeg blidt. „Der er jo ingen skam i at elske mig. Det er ikke et tegn på svaghed at elske et andet menneske og sommetider føle sig usikker. Det er menneskeligt. Der er ikke noget galt med det. Hvis du fortalte George, at du elskede mig meget højt, er der ingen grund til at lyve for mig om det. Jeg har ikke tænkt mig at bruge det mod dig. Da du kom til Dublin, var der ingen grund til at lade, som om du knap nok kunne elske mig. For himlens skyld, der er ingen, der fordømmer dig for at elske din kone. Og med hensyn til affæren så begik du en fejl." (Det var ekstremt svært at sige det, tro mig, men jeg sagde det). „Ingen er perfekt," fortsatte jeg. „Vi begår alle fejl. Du kan være ærlig over for mig, det ved du. Du behøver ikke at spille et spil for at beskytte dig selv. Vi kan få det her til at fungere og få et ordentligt ægteskab."

Jeg holdt op med at tale. Jeg var udmattet.

Der var en pause. Jeg turde knap nok trække vejret. James sad helt stille og så ned på gulvet. Alt afhang af det her.

„Claire," sagde han til sidst.

„Ja," sagde jeg anspændt og angst.

„Jeg ved ikke, hvad det er for noget psyko-ævl, du snakker om, men det giver ingen mening for mig," sagde han.

Det var så det.

Jeg havde tabt.

„Jeg kan ikke se, hvad problemet er," fortsatte han. „Jeg har aldrig sagt, at jeg ikke elskede dig. Jeg sagde bare, at du blev nødt til at forandre dig, hvis vi skulle blive ved med at bo sammen. Jeg sagde, at du måtte se at blive voksen. Jeg sagde, at du var så ubetænksom…"

„Jeg ved, hvad du sagde, James," afbrød jeg. Jeg bestemte mig for at stoppe ham, før han begyndte på hele svadaen igen. Han lød, som om han læste op fra et manuskript. Eller som om han var en robot, der var programmeret til at sige disse ting – tryk på knappen, og så var han i gang.

For mit eget vedkommende så havde jeg fået nok.

Ikke flere ydmygelser, ellers tak. Ikke noget med at sluge min vrede. Jeg kunne helt ærligt ikke få en eneste mundfuld mere ned. Men den smagte dejligt. Har du selv lavet den?

Jeg havde gjort mit bedste. Det var ikke nok. Men jeg gad fandme ikke gøre mere. Det var ganske enkelt ikke det værd.

„Fint," sagde jeg.

„Fint?" sagde han spørgende.

„Ja, fint," sagde jeg.

„Det er godt," sagde han og lød faderlig og selvglad. „Men er det virkelig det? Jeg gider ikke, hvis du skal tage det her op hver anden måned eller sådan noget og stikke mig det i næsen."

„Det gør jeg ikke," sagde jeg kort.

Jeg begyndte at samle min taske og avis sammen med meget mere raslen og hurlumhej end nødvendigt. Jeg rejste mig og begyndte at tage jakken på.

„Hvad laver du?" spurgte James, og forvirringen stod skrevet hen over ansigtet på ham.

Jeg tog et forskrækket og uskyldigt ansigtsudtryk på. „Hvad tror du, jeg laver?"

„Jeg er ikke sikker," sagde han.

„Nå, men så må jeg jo hellere fortælle dig det," sagde jeg glat.

„Øh... ja," sagde James. Det gav mig en frydefuld, kold kilden at høre ham lyde lidt ængstelig.

„Jeg går," sagde jeg.

„Går?" råbte han. „Hvorfor helvede går du? Vi har jo lige fået styr på det hele."

Så begyndte han at grine lettet. „Åh gud, undskyld," sagde han. „I et kort sekund..." Han rystede på hovedet over sin egen tåbelighed. „Men du skal jo tilbage. Du skal jo hente dine ting og tage Kate med tilbage. Men jeg må indrømme, at jeg ligesom havde håbet, at du ville blive natten over, og vi kunne... øh... lære hinanden at kende på ny. Glem det. Vi kan godt vente et par dage til. Så hvornår skal jeg regne med dig på tirsdag?"

„Åh, James," sagde jeg med et parodisk, medfølende lille grin. „Det er ikke gået op for dig, vel?"

„Hvad er ikke gået op for mig?" spurgte han forsigtigt.

„Jeg kommer ikke på tirsdag. Eller nogen anden dag for den sags skyld," forklarede jeg pænt.

„Åh, for himlens skyld, hvad er der nu?" brølede han. „Vi har lige fået styr på det hele, og nu..."

„Nej, James," afbrød jeg iskoldt. „Vi har ikke fået styr på noget som helst. Overhovedet ingenting. Det kan godt være, at *du* har fået styr på noget – dit selvbillede som en ordentlig fyr er intakt – men jeg har ikke fået styr på noget som helst."

„Jamen, hvad har vi så snakket om den sidste time?" spurgte han krigerisk.

„Lige præcis," sagde jeg.

„Hvad?" bjæffede han og så på mig, som om jeg var blevet sindssyg.

„Jeg sagde: 'Lige præcis'. Hvad helvede har vi egentlig snakket om?" spurgte jeg. „Jeg kunne i hvert fald lige så godt have talt til en mur."

„Åh, nu handler det om dig igen?" spurgte James ondt. „Det er det eneste, du tænker på, dig og dine følelser og..."

Nu var det slut!

„Hold kæft!" kommanderede jeg, og min stemme lød meget højere, end jeg havde tænkt mig.

James blev så chokeret, at han rent faktisk holdt kæft.

„Jeg gider ikke høre mere ævl om, hvilket forfærdeligt menneske jeg er," råbte jeg. „Det var ikke *mig*, der kneppede med en anden. Det var *dig.* Og du er så umoden og egoistisk, at du ikke engang kan indrømme det og påtage dig skylden."

„Er *jeg* umoden og egoistisk?" sagde James overrasket. „*Mig?*" sagde han og pegede vantro og melodramatisk på sin brystkasse. „Mig? Jeg tror, du er blevet lidt forvirret."

„Nej, det er jeg fandme ikke," råbte jeg. „Jeg ved godt, at jeg ikke er perfekt. Men jeg kan i det mindste indrømme det."

„Hvorfor indrømmer du så ikke, at du opførte dig egoistisk og ubetænksomt i vores ægteskab?" spurgte han med en triumferende mine.

„Fordi det ikke er rigtigt!" sagde jeg. „Jeg *vidste*, at det ikke var sandt, men jeg elskede dig, og jeg ville gerne gøre dig glad, så jeg overbeviste mig selv om, at det måtte være sandt. Jeg troede, at hvis jeg kunne fikse mig selv, så kunne jeg fikse vores ægteskab. Men der var ikke noget galt med mig. Du manipulerede bare med mig."

„Hvad bilder du dig ind?" sagde han, og han var helt rød i ansigtet af vrede. „Efter alt hvad jeg har gjort for dig. Jeg har været den perfekte ægtemand."

„James," sagde jeg med iskold ro. „Der er ingen tvivl om, at du har været meget god ved mig i årenes løb. Og jeg tror, at hvis vi ser tilbage, så vil du opdage, at det var gensidigt. Vi elskede hinanden, det var en del af aftalen. Men det er, som om du er begyndt at tro på din egen løgn. At have en affære med en anden kvinde er ikke at være god ved mig. Du kan ikke retfærdiggøre det på nogen måde." Der var en pause. For en gangs skyld havde James ikke et indigneret svar på rede hånd. „Men," fortsatte jeg. „Du er ikke den første person i verden, der opfører dig skidt, der overtræder reglerne. Det er for fanden ikke verdens ende. Vi kunne have overvundet det. Men du er alt for interesseret i at fremstå fejlfri, renere end ren. Det er dit valg."

Jeg begyndte at gå over mod døren.

„Jeg kan ikke forstå, hvorfor du går," sagde han.

„Det ved jeg godt," sagde jeg.

„Fortæl mig hvorfor," sagde han.

„Nej."

„Hvorfor ikke, for helvede?" spurgte han.

„Fordi jeg har prøvet. Og jeg har prøvet. Hvorfor skulle du høre efter nu, når du ikke har hørt efter nogen af de andre gange? Jeg gider ikke spilde mere tid på det. Jeg gider ikke prøve længere."

„Jeg elsker dig," sagde han stille.

Røvhul.

Han lød, som om han virkelig mente det.

Jeg bed mig i læben. Dette var ikke det rette tidspunkt at være svag.

„Nej, det gør du ikke," sagde jeg med fast stemme.

„Det gør jeg," protesterede han højlydt.

„Nej, du gør ikke," sagde jeg til ham. „Hvis du elskede mig, ville du ikke have haft en affære."

„Jamen..." afbrød han.

„Og," fortsatte jeg højlydt, før han begyndte på sin tale igen, „hvis du elskede mig, ville du ikke ønske, at jeg skulle forandre mig til en svag kvinde, der var bange for dig. Hvis du elskede mig, ville du ikke have forsøgt at manipulere med mig eller kontrollere mig. Hvis du elskede mig, ville du først og fremmest ikke være bange for at indrømme, at du havde gjort noget galt. Hvis du elskede mig, ville du kunne hæve dig over det og dit ego og sige undskyld."

„Jamen, jeg elsker dig virkelig," sagde han og greb ud efter min hånd. „Tro mig!"

„Jeg tror ikke på dig," sagde jeg og puffede foragteligt hans hånd væk. „Jeg ved ikke, hvem det er, du elsker, men det er helt sikkert ikke mig."

„Jo, det er!"

„Nej, James, det er det ikke," svarede jeg ultraroligt. „Du vil bare have en eller anden idiot, som du kan kontrollere. Hvorfor går du ikke tilbage til Denise?"

„Jeg vil ikke have Denise. Jeg vil have dig," sagde han.

„Nå, men det er bare ærgerligt," sagde jeg monotont. „For du kan ikke få mig."

Chokket var lidt for meget for ham. Han så ud, som om han var blevet sparket i maven. Lidt ligesom jeg havde set ud den dag, han fortalte mig, at han forlod mig.

Du må forstå, at det var ikke, fordi jeg havde behov for noget så simpelt som hævn.

„Og ved du, hvad det værste ved det hele er?" spurgte jeg.

„Hvad?" sagde han, helt hvid i ansigtet.

„Det faktum, at du fik mig til at tvivle på mig selv. Jeg var klar til at forsøge at lave om på mig selv, lave om på den, jeg er, for din skyld. Du fik mig til at svigte min integritet. Du forsøgte at ødelægge den, jeg er. Og jeg lod dig gøre det!"

„Det var til dit eget bedste," sagde han uden overbevisning.

Jeg kneb øjnene sammen og stirrede på ham.

„Vælg dine næste ord med omhu, røvhul. Det kan ende med at blive dine sidste," sagde jeg til ham.

Han blev om muligt endnu hvidere i ansigtet og holdt godt og grundigt kæft.

„Jeg vil aldrig nogensinde lade nogen trampe sådan på mig igen," sagde jeg beslutsomt. Jeg kan godt lide at tro, at jeg havde noget af Scarlett O'Hara's karakterstyrke, som da hun fyrede sin 'Gud er mit vidne, jeg vil aldrig sulte igen'-tale af. „Jeg vil altid være tro mod den, jeg er," fortsatte jeg. „Jeg vil være mig, uanset om det er godt eller skidt. Og hvis nogen mand, selv Ashley, prøver at lave om på mig, så skaffer jeg mig af med ham så hurtigt, at han bliver svimmel."

James fangede overhovedet ikke referencen til *Borte med blæsten*. Ingen fantasi.

„Jeg har aldrig trampet på dig," sagde han dybt indigneret.

„James," sagde jeg og begyndte at føle mig træt. „Denne diskussion er lukket."

„Jamen, glem fortiden," sagde han og lød ængstelig og forhastet. „Hvad nu, hvis… hvad nu, hvis jeg lover dig, at jeg ikke vil trampe på dig fremover?"

Han lød, som om han lige var kommet på den mest innovative og nyskabende ide. Archimedes ville, da han fløj op af badet, have virket tilbageholdende og reserveret i sammenligning.

Jeg så på ham med hånlig medfølelse. „Selvfølgelig kommer du ikke til at trampe på mig fremover," sagde jeg. „For det får du ikke lejlighed til."

„Du mener det ikke," sagde han. „Du ombestemmer dig."

„Nej, det gør jeg ikke," sagde jeg med en perlende, lille latter.

„Jo, du gør," blev han ved med at insistere. „Du kan ikke klare dig uden mig."

Ked af det, det var det forkerte at sige.

„Hvor skal du hen?" spurgte han ophidset, da han så mig gribe tasken.

„Hjem," sagde jeg ganske enkelt. Hvis jeg tog af sted nu, så kunne jeg nå det sidste fly tilbage til Dublin.

„Du kan ikke gå," sagde han og rejste sig.

„Vent og se," sagde jeg og lavede endnu en af de her vendinger på en femøre, som mine høje hæle var så gode til.

„Hvad med lejligheden? Hvad med Kate?" spurgte han.

Det var rart at vide, hvordan han prioriterede, lejligheden lå altså højere på listen end Kate.

„Jeg kontakter dig," lovede jeg med et ubehageligt ekko af de ord, han havde sagt til mig den forfærdelige dag på hospitalet.

Jeg gik hen mod hoveddøren.

„Du kommer tilbage," sagde han og fulgte mig ud i entreen. „Du kan ikke klare dig uden mig."

„Det bliver du jo ved med at sige," sagde jeg.

„Men du skal ikke vente med tilbageholdt åndedræt," var mine sidste ord, før jeg lukkede døren bag mig.

Det lykkedes mig at nå helt ned til undergrundsstationen, før jeg begyndte at græde.

Kapitel femogtredive

Jeg kan faktisk ikke huske særlig meget fra turen i undergrunden ud til Heathrow.

Det hele passerede i en tåge.

Jeg vidste, at jeg havde gjort det rigtige. Jeg mente i hvert fald, at jeg havde gjort det rigtige. Men det her var det virkelige liv, og der var ingen vejviser til den rigtige beslutning. Det er ikke sådan, at hvis du går til den rigtige side, får du evig lykke, og hvis du går til den gale side, bliver dit liv en katastrofe. I det virkelige liv er det som regel fuldstændig umuligt at sige, hvilken beslutning man skal tage, for det, man kan vinde, og det, man kan tabe, står sommetider – ofte – side om side.

Hvordan skulle jeg virkelig vide, om jeg havde gjort det rette? Jeg ville gerne have, at der var nogen, der kom med en guldpokal eller en medalje og gav mig hånden og klappede mig på ryggen og lykønskede mig med, at jeg havde taget den rette beslutning.

Jeg ville ønske, at mit liv var som et computerspil. Tag den forkerte beslutning, og du mister et liv. Tag den rigtige, og du får point. Jeg ville bare gerne vide det. Jeg ville bare gerne være sikker.

Jeg blev ved med at opremse alle grundene til, at der ikke var nogen fremtid for James og mig. James ville have, at jeg skulle være noget, jeg ikke var. James var ikke lykkelig med mig, sådan som jeg var. Og jeg ville ikke være lykkelig, hvis jeg forandrede mig for at gøre James lykkelig. Og jeg var ikke glad for James' helgenkompleks. Hvis jeg tog ham tilbage, ville James være glad, for så ville han tro, at jeg så gennem fingre med alt, hvad han gjorde. På samme måde som han allerede selv så gennem fingre med det. Det ville højst sandsynligt betyde, at alting igen ville falde totalt fra hinanden ved det første skænderi i vores nye og forbedrede ægteskab. James var højrøvet og fordømmende, og James mente, at jeg var rastløs og umoden. Jeg var sikker på, at det bedste var, at vores ægteskab virkelig var ovre nu. Men der er altid plads til en lillebitte smule tvivl.

Jeg spekulerede på, om jeg kunne have reddet mit ægteskab, hvis jeg havde været rarere, hvis jeg havde været stærkere, blidere, mere tålmodig, sødere, venligere, mere led, mere grusom, hvis jeg havde slået i bordet oftere, hvis jeg havde holdt kæft oftere.

Jeg pinte mig selv med disse tanker.

For når det kom til stykket, var det mig, der havde taget beslutningen. Det var mig, der havde sagt, at ægteskabet ikke længere fungerede. Jeg vidste godt, at James ikke havde givet mig mange andre muligheder eller noget andet valg, men det var stadig mig, der havde affyret skuddet, så at sige.

Jeg følte mig så *skyldig*.

Men jeg sagde til mig selv, at jeg måtte holde op med at være fjollet. Det, James tilbød, var ikke det papir værd, det var skrevet på. Det var bare en parodi på et forhold, og det ville være fuldstændig på hans præmisser, og det ville ikke have holdt en uge. Og hvis det havde holdt, ville det have været på bekostning af min lykke. Det ville være en pyrrhussejr.

Tankerne susede rundt og rundt i hovedet på mig, mens jeg sad og vuggede blidt i toget, og mine tanker jagtede sin egen hale.

Gud! Jeg hadede at være voksen og følsom. Jeg hadede at tage beslutninger, når ikke jeg vidste, hvad der gemte sig bag døren. Jeg ville have en verden, hvor de gode og de onde var klart markeret. Hvor der lyder ildevarslende musik i samme øjeblik, den onde kommer på skærmen, så man umuligt kan tage fejl af ham.

Hvor man bliver bedt om at vælge mellem at lege den smukke prinsesse i den duftende have eller blive spist af et rædselsvækkende monster i den ildelugtende grotte. Ikke ligefrem et svært valg, vel? Ikke noget, der piner og plager én, ikke noget, man ligger vågen over.

Det er ikke særlig rart at være offer, men for helvede, det fjerner en masse forvirring. Man ved i det mindste, at man har *ret*.

Jeg var egentlig også skuffet. Meget skuffet. Engang havde jeg elsket James. Jeg vidste ikke, om jeg gjorde det længere. Og hvis jeg gjorde, så var det ikke på samme måde. Men en forsoning ville have været rarere end ingen forsoning, hvis du forstår, hvad jeg mener. Det vil sige en forsoning, som fungerede. Ikke et eller andet ubrugeligt kompromis.

Jeg var trist. Og jeg følte mig vred. Så fik jeg dårlig samvittighed. Og så følte jeg mig trist igen. Det var et forpulet mareridt!

Der var kun én ting, der forhindrede mig i at blive komplet vanvittig. Jeg indså, at der ikke var noget, der forhindrede mig i at gå tilbage til James. Jeg kunne i samme øjeblik, lige i det *øjeblik*, springe af toget, krydse perronen og tage direkte tilbage til lejligheden og fortælle ham, at jeg havde taget fejl, og at vi skulle prøve igen.

Men det gjorde jeg ikke.

Og lige så tykhovedet og forvirret og desorienteret, rundt på gulvet og splittet jeg følte mig, så fortalte det mig én ting.

Hvis jeg virkelig havde elsket ham, virkelig havde ønsket at være sammen med ham, ville jeg være taget tilbage.

Så jeg blev enig med mig selv om, at jeg havde gjort det rette.

Men så begyndte jeg forfra igen.

Der var meget roligere i Heathrow. Meget mere stille. Som den første dag på januarudsalget. Det var dejligt.

Flyet tilbage til Dublin var praktisk talt tomt.

Jeg havde en hel række sæder for mig selv, så jeg kunne sidde og snøfte og græde i diskret bekvemmelighed, hvis trangen skulle komme over mig.

Alle stewardesserne var nysgerrige.

Jeg greb dem flere gange i at stirre bekymret på mig.

De troede sikkert, at jeg lige havde fået en abort.

Det regnede, da jeg ankom til Dublin. Landingsbanen var glat og skinnende i mørket. Og ankomsthallen var fuldstændig øde. Jeg gik forbi de tomme bagagebånd, mens mine sexede, højhælede sko gav genlyd på kakkelgulvet.

Jeg havde ikke fortalt nogen, at jeg kom tilbage, så der var ingen til at hente mig.

Det så ikke ud til, at der var nogen, der blev hentet.

Jeg fik øje på en ensom drager. Han havde travlt med at fortælle en forvirret mand, at det var uheldigt at komme for sent til ét fly, men at komme for sent til to, det var simpelthen for skødesløst.

Jeg klik-klakkede forbi alle de lukkede butikker, alle vekselboderne, der stod i mørket, de forladte biludlejningsstande. Til sidst nåede jeg til den regnvåde udgang.

Der holdt en ensom taxa og ventede udenfor i den våde nat. Chaufføren læste avis.

Han så ud, som om han havde holdt der i flere dage.

Han kørte mig hjem i uventet tavshed. De eneste lyde var swish-lyden af vinduesviskeren og lyden af regnen, der trommede på bilens tag.

Vi kørte gennem de sovende forstæder, og til sidst afleverede han mig uden for mit hjem, der lå helt hen i mørke. Han takkede mig høfligt for den sum penge, jeg rakte ham. Vi sagde farvel.

Klokken var ti minutter over et.

Jeg låste mig stille ind. Jeg havde ikke lyst til at vække nogen.

Jeg er bange for, at det ikke var af hensyn til dem. Men fordi jeg ikke gad svare på de uundgåelige spørgsmål.

Jeg længtes efter at se Kate, men hun var ikke inde på mit værelse.

Mor havde nok regnet med, at jeg ikke kom hjem, og havde flyttet liften ind på hendes og fars soveværelse.

Men jeg længtes efter at holde hende. Jeg savnede hende så meget.

Jeg listede ind på mors værelse for at tage Kate, mens jeg desperat håbede på, at jeg ikke vækkede mor.

Det lykkedes mig at få barnet med. Og så faldt jeg udmattet om på sengen. Sovende med Kate i armene.

Kapitel seksogtredive

Da jeg vågnede næste morgen, havde jeg det en lillebitte smule bedre. Jeg var ikke helet eller kureret eller noget i den stil, men parat til at vente. Vente på, at tingene blev bedre, vente på, at smerten gik væk.

Jeg havde taget en beslutning om ikke at være sammen med James, og da jeg var 'en Øjeblikkelig Tilfredsstillelses-pige', ville jeg bare have, at det øjeblikkeligt skulle føles vidunderligt. Jeg ville have, at frugten af min beslutning øjeblikkeligt skulle lande i mit utålmodige skød.

Jeg ville have, at det skulle være 'Ud med det gamle, ind med det nye'. Jeg ville skille mig af med min forrige inkarnations staffage og ikke have en hel masse følelser for James, ikke mærke den mindste smule ubeslutsomhed. Jeg ønskede en øjeblikkelig, mirakuløs forandring. Jeg ville have, at den Gode Parforholdsfe rørte mig med sin tryllestav og dryssede glimtende Reparationsstøv ud over mig, og i samme øjeblik ville jeg glemme alt, hvad jeg nogensinde havde følt for James, glemme, at han overhovedet eksisterede.

Jeg ville efterlade min sorg under puden, så den var væk om morgenen. Jeg ville ikke engang have noget imod det, hvis der ikke lå nogen penge i stedet.

Men der var ingen magisk kur, der var ingen Parforholdsfe. Det havde jeg indset for længe siden.

Jeg blev nødt til selv at klare mig igennem det her. Det gik op for mig, at jeg måtte være tålmodig. Tiden ville vise, om jeg havde taget den rigtige beslutning.

Jeg vidste stadig ikke, om jeg havde gjort det rigtige ved at forlade James. Men det var helt klart det forkerte at blive sammen med ham.

Prøv at fat det, hvis du kan.

Når du har fattet det, gider du så forklare mig det?

James ringede klokken otte. Jeg ville ikke tale med ham. Og tyve minutter i ni. Ditto. Og ti minutter over ni. Og endnu en gang ditto. Så kom der en uventet pause, indtil klokken var næsten elleve, hvor der var tre opringninger lige efter hinanden. Ditto, ditto, ditto. Et kvarter over tolv var der endnu en. Ditto. Fem minutter i et, fem minutter over et og tyve minutter over et blev der ringet. Ditto osv. Opringningerne kom med jævne mellemrum hele eftermiddagen, cirka hver halve time eller deromkring. Til sidst kom der en sidste omgang omkring klokken seks. Ditto ligesom ovenstående.

Mor var sød og holdt skansen ved telefonen hele dagen. Må jeg have lov at sige, at når det kommer til stykket, er den kvinde sin vægt værd i Marsbarer.

Far kom hjem fra arbejde tyve minutter over seks, og tyve minutter over syv brasede han ind på værelset, hvor jeg sad med Kate og alle de dokumenter, der havde med lejligheden at gøre, og brølede ad mig: „Claire, for himlens skyld, vil du så gå ned og tale med ham!"

„Jeg har ikke noget at sige," sagde jeg sødt.

„Jeg er ligeglad," brølede han. „Nu er det gået for vidt. Han siger, at han vil ringe hele natten, indtil du kommer og taler med ham."

„Bare tag røret af," foreslog jeg og rettede igen opmærksomheden mod skødet på lejligheden.

„Claire, det kan vi ikke," sagde han irriteret. „Helen bliver ved med at lægge det forpulede rør på igen."

„Ja, hvorfor skal det gå ud over mig, at du giftede dig med en idiot," lød Helens dæmpede stemme et sted bag døren.

„Vær nu sød, Claire," tryglede far.

„Åh, okay," sukkede jeg og lagde den kuglepen, jeg havde brugt til at tage noter med.

„James," sagde jeg ned i røret. „Hvad vil du?"

„Claire," sagde han og lød vred. „Er du ikke kommet til fornuft endnu?"

„Jeg var ikke klar over, at jeg havde mistet den," sagde jeg høfligt. Det ignorerede han.

„Jeg har ringet hele dagen, og din mor siger, at du ikke vil tale med mig," sagde han og lød galhovedet og vred.

„Det er rigtigt," sagde jeg elskværdigt.

„Jamen, vi bliver jo nødt til at tale sammen," sagde han.

„Nej, vi gør ej," sagde jeg.

„Claire, jeg elsker dig," sagde han oprigtigt. „Vi bliver nødt til at få ordnet det her."

„James," sagde jeg koldt „Der er ikke noget, der skal ordnes. Vi har ordnet så meget, som vi kan. Nu er vi nået til enden af linjen. Du mener, at du har ret. Jeg mener, at du tager fejl. Jeg gider ikke spilde mere energi på at forsøge at overbevise nogen af os om at ændre mening. Nå, jeg ønsker dig alt godt, og jeg håber, at vi kan holde det her på et civiliseret plan, især for Kates skyld, men der er virkelig ikke mere at tale om."

„Hvad er der sket med dig, Claire?" spurgte James chokeret. „Sådan her har du aldrig været før. Du har forandret dig så meget. Du er blevet så hård."

„Åh, det har jeg måske glemt at fortælle dig," sagde jeg henkastet. „Min mand havde en affære. Det gjorde ligesom et stort indtryk på mig."

Ikke særlig sødt, jeg ved det godt, men jeg kunne ikke lade være.

„Meget sjovt, Claire," sagde han.

„Faktisk ikke, James," sagde jeg. „Det var ikke spor sjovt."

„Hør her," sagde han og begyndte at lyde irriteret. „Vi kommer jo ingen vegne."

„Det er helt fint med mig," sagde jeg. „For ingen vegne er lige præcis der, vi skal hen."

„Meget vittigt, Claire. Rigtig skægt," sagde han rasende.

„Tak," svarede jeg overdrevent sødt.

„Hør nu her," sagde han og lød pludselig meget officiel og endnu mere opblæst end normalt. Jeg kunne næsten høre papirerne knitre i baggrunden. „Jeg har... øh... et forslag til dig."

„Åh?" svarede jeg.

„Ja," sagde han. „Claire, jeg elsker dig virkelig, og jeg vil ikke have, at vi skal gå fra hinanden, så hvis det vil sætte dig i bedre humør, er jeg villig til at øh... komme med... øh... en indrømmelse."

„Og hvad er det?" spurgte jeg. Jeg var ikke særlig interesseret. Jeg tog mig knap nok af det.

Det gik med et chok op for mig, at der var intet, overhovedet intet, han kunne sige, som ville gøre tingene bedre.

Jeg elskede ham ikke længere.

Jeg vidste ikke, hvorfor eller hvornår jeg var holdt op med det.

Men det var jeg.

James blev ved med at tale, og jeg forsøgte at koncentrere mig om det, han sagde.

„Jeg er klar til at glemme alt det med, at du skulle forandre dig, når du kom tilbage," sagde han. „Du har åbenbart nogle meget stærke følelser omkring det at skulle gøre dig mere umage for at være moden og betænksom og alle de andre... øh... ting, vi diskuterede. Så hvis det betyder, at du vil opgive den her ide om at gå fra mig, så kan jeg godt finde mig i, at du er sådan, som du var før i tiden. Du var vel egentlig ikke så slem," sagde han modstræbende.

Vreden vældede igennem mig. Et kort øjeblik glemte jeg, at det ikke længere betød noget for mig. Jeg mener, hvad *fanden* bildte han sig ind! At han turde. Jeg kunne næsten ikke tro mine egne ører.

Det sagde jeg så.

„Er du glad nu?" spurgte han forsigtigt.

„Glad! Glad!" skreg jeg. „Selvfølgelig er jeg ikke glad, for fanden. Det her gør det hele meget værre."

„Jamen, hvorfor?" klynkede han. „Her står jeg og siger, at jeg vil tilgive dig, og at det hele nok skal gå."

Det var lige før, jeg eksploderede. Jeg havde så mange ting, jeg ville sige til ham.

„Tilgive mig?" sagde jeg vantro. „*Du* vil tilgive *mig*? Nej, nej, nej, nej, *nej,* James, du har helt misforstået det. Hvis der skal være nogen tilgivelse, er det mig, der skal tilgive dig. Bortset fra, at det gør jeg ikke."

„Lige et øjeblik…" bralrede James op.

„Det her er tilsyneladende grunden til, at du havde en affære med den fede ko. At jeg var umoden og egoistisk. Men nu er du klar til at se gennem fingre med det, bare lige sådan. Og det på trods af, at det var så vigtigt for dig, at du var mig utro. Bestem dig, James! Enten er det vigtigt for dig, eller også er det ikke!"

„Det er vigtigt for mig," sagde han.

„Nå, jamen så kan du jo ikke se gennem fingre med det," sagde jeg rasende. „Hvis du vil have, at jeg skal være på en bestemt måde, og det er vigtigt for dig, hvilket forhold tror du så, vi vil få, når jeg ikke kan være sådan?"

„Okay så," sagde han desperat. „Så er det ikke vigtigt."

„Nå, men hvis det ikke er vigtigt, hvorfor havde du så en affære af den grund?" sagde jeg triumferende.

„Kan vi ikke bare glemme det?" sagde han. Jeg kunne høre panikken i hans stemme.

„Nej, James, det kan vi ikke. Det kan godt være, at du kan, men det er ikke så let for mig."

„Claire," tryglede han. „Jeg vil gøre, lige hvad du vil have mig til."

„Det vil du vel," sagde jeg trist. „Det vil du vel."

Jeg ville ikke mundhugges og skændes og kæmpe med ham længere. Jeg gad ikke.

„James, nu lægger jeg på," sagde jeg.

„Vil du tænke over det, jeg har sagt?" spurgte han.

„Det skal jeg nok," svarede jeg. „Men du skal ikke vente med tilbage-holdt åndedræt."

„Jeg kender dig, Claire," sagde han. „Du skal nok ændre mening. Det hele skal nok gå."

„Farvel, James."

Jeg tænkte rent faktisk over det, James havde sagt. Det skyldte jeg Kate.

Argumenterne for og imod at vende tilbage til James røg frem og tilbage som tennisbolde i hovedet på mig.

Men der var én ting, jeg ikke kunne ignorere, én ting, jeg ikke kunne argumentere mig ud af, én ting, som jeg ikke kunne overbevise mig selv om var anderledes, og det var det faktum, at jeg ikke længere følte noget for James.

Jeg mener, jeg holdt af ham. Jeg ønskede ikke, at der skulle ske ham noget forfærdeligt. Men jeg elskede ham ikke, sådan som jeg plejede. Jeg ville ønske, jeg vidste, hvad der var sket. Men det kunne have været så mange ting. Han havde haft en affære – uanset at han gerne ville have, at jeg overså den. Det havde gjort meget for at ødelægge min tillid til ham. Og det faktum, at jeg fik skylden for det, det var jeg heller ikke ligefrem begejstret for. Det kunne også være det faktum, at han ikke var mand nok til at påtage sig skylden for det, han havde gjort, og bare sige undskyld. Det ødelagde i stort omfang enhver respekt, jeg havde for ham. Selv nu kunne han ikke indrømme, at det var ham, der havde gjort noget galt. Selvom han nu nedtonede sine krav til mig, fik han det til at lyde, som om han gjorde mig en tjeneste.

Han svigtede mig. Og så satte han prikken over i'et ved at behandle mig, som om jeg var idiot.

Eller måske tændte jeg bare ikke længere på lavstammede mænd.

Jeg vidste kun én ting: Hvis det var dødt, så var det dødt. Ingen havde nogensinde kunnet genoplive en død kærlighed.

Jeg ringede til James to dage senere og fortalte ham, at der ikke ville være nogen forsoning.

„Du lader din stolthed stå i vejen," sagde han. Som om det var noget, han var blevet orienteret om.

„Nej, det gør jeg ikke," sagde jeg træt.

„Du vil straffe mig," foreslog han.

„Nej, jeg vil ej," løj jeg. (Det var *naturligvis* rigtig rart at være den, der havde bukserne på).

„Jeg kan vente," lovede han.

„Lad være med det," svarede jeg.

„Jeg elsker dig," hviskede han.

„Farvel," sagde jeg.

James blev ved med at ringe, måske to-tre gange om dagen. Han afprøvede mig, spekulerede på, om jeg havde ombestemt mig endnu; om jeg var kommet til fornuft, som han sagde.

Jeg opførte mig pænt over for ham i telefonen. Der gik ikke splinter af mig af den grund. Han sagde, at han savnede mig. Det gjorde han vel.

Jeg fandt telefonopringningerne en smule irriterende. Det var svært at fatte, at jeg for kun tre måneder siden ville have slået ihjel for at høre fra ham. Nu var det mere sandsynligt, at jeg slog ihjel, hvis han ikke holdt op med det.

Så holdt jeg op med at være irriteret, og jeg følte mig bare trist.

Livet er et meget besynderligt væsen.

Kapitel syvogtredive

Jeg kunne ikke sige, at jeg var lykkelig. Men jeg var ikke helt elendig. Eller ødelagt, sådan som jeg havde været det, da James forlod mig.

Jeg var vel rolig. Jeg havde accepteret, at mit liv aldrig ville blive det samme igen, og det ville aldrig være sådan, som jeg havde forestillet mig det. De ting, jeg havde håbet på, ville aldrig gå i opfyldelse. Jeg ville ikke få fire børn med James. James og jeg ville ikke blive gamle sammen. Selvom jeg altid havde lovet mig selv, at mit ægteskab ville være det, der holdt, det, som ikke gik i stykker, kunne jeg nu, uden at være alt for ødelagt over det, acceptere, at det rent faktisk var gået i stykker.

Jeg var selvfølgelig trist. Trist på vegne af den idealistiske del af mig, den del, som havde giftet sig med så enormt høje forventninger. Selv trist på James' vegne.

Jeg følte mig virkelig ældre – meget! – og klogere.

Jeg havde vel lært – på den lange, hårde måde – lidt ydmyghed.

I virkeligheden var der ikke så meget, jeg kunne styre. Hverken i mit eget liv. Eller i andres.

Når jeg hørte nogen sige: „Der er en årsag til alt," eller „Når Gud lukker en dør, så åbner han en anden," var det ikke længere svært at undlade at stikke dem en lussing. Faktisk overhovedet ikke spor svært.

Jeg følte ikke, at mit liv var fuldstændig forbi.

Uigenkaldeligt forandret, måske. Men ikke fuldstændig slut.

Mit ægteskab var gået i stykker, men jeg havde et smukt barn. Jeg havde en vidunderlig familie, rigtig gode venner og et job, jeg skulle tilbage til. Hvem ved, måske ville jeg oven i købet møde en dejlig mand, som ikke havde noget imod, at Kate var en del af pakken. Eller hvis jeg ventede længe nok, ville Kate måske møde en dejlig mand, som ikke havde noget imod, at jeg var del af pakken. Men jeg havde bestemt mig for, at jeg i mellemtiden bare ville fortsætte med mit liv, og hvis Den Helt Rigtige dukkede op, så skulle det nok lykkes mig at få plads til ham et sted.

Jeg ordnede alle de kedelige, juridiske ting, jeg skulle have ordnet for lang tid siden. Eller måske skulle jeg ikke have ordnet dem for lang tid siden. Måske var jeg ikke klar på det tidspunkt. Måske var dette det rigtige tidspunkt.

Uanset hvad, så gjorde det ikke en hujende forskel. Faktum var, at det ikke blev ordnet på det tidspunkt, og at det blev det nu.

Jeg ville have fuld forældremyndighed over Kate. James sagde, at han ikke ville slås om det, hvis han fik masser af tid med hende. Jeg var ovenud glad, for jeg ville gerne have, at Kate lærte sin far at kende. Jeg vidste, at jeg var meget heldig, at James var så rimelig. Han kunne have været bevidst ondsindet og usamarbejdsvillig, og det var han ikke, når sandheden skal frem.

James og jeg fandt en løsning med lejligheden. Vi besluttede os for at sælge den. Han ville bo i den, indtil den blev solgt.

Det var faktisk virkelig rædselsfuldt. Da han modtog papirerne fra min advokat, tog han det ikke så pænt. Det gik vel endelig op for ham, at det var slut.

„Du kommer ikke tilbage, vel?" sagde han trist.

Og selvom det var mig, der havde sat gang i det hele, selvom det var det, jeg virkelig ønskede, så følte jeg mig også uendelig trist til mode.

Jeg blev ramt af en intens sorg. Hvis bare tingene ikke var endt sådan. Hvis bare tingene aldrig var røget af sporet.

Men det var de.

Tårevædede genforeninger i elvte time forekommer i Romanbladet. Det sker sjældent i det virkelige liv.

Og hvis det gør, sker det ofte, når enten den ene eller begge parter har indtaget alkohol.

Der gik virkelig lang tid, hvor ingen viste interesse i at købe lejligheden. På en måde var jeg glad for det, for tanken om, at nogen skulle bo i det, jeg stadig betragtede som *mit* hjem, var forfærdelig. Men på den anden side var det virkelig bekymrende, for budgettet var temmelig stramt. Jeg kan godt lide at tro, at det var James' skyld. Han greb sikkert fat i hver eneste potentiel køber og kedede dem til døde med snak om skattelettelser på kreditforeningslån og sådan noget. De faldt sikkert i søvn, før de overhovedet havde set soveværelset. Men jeg burde ikke være så strid. Han mente det godt.

Jeg talte med min chef og fortalte hende, at jeg ville være tilbage i sadlen i begyndelsen af august. Hvis ikke jeg allerede havde haft det rimelig elendigt, så var tanken om, at jeg skulle tilbage på arbejde, lige ved at puffe mig ud over kanten igen.

Måske havde jeg det forkerte job, måske havde jeg ikke noget sandt kald, måske var jeg bare luddoven. Uanset hvad, så var jeg ikke et af de her heldige mennesker (selvom jeg synes, de er mærkelige), som får stor fornøjelse ud af deres arbejde. Hvis det var bedst, så tænkte jeg på det som en måde at tjene penge, hvis det var værst, som helvede på jord. Jeg kunne ikke vente, til jeg gik på pension. Der var kun niogtredive år endnu. Medmindre jeg var heldig og døde i mellemtiden.

Nej, helt ærligt, det var bare for sjov.

Om fem ugers tid var det tilbage på kontoret. Tilbage til syv timer om dagen, fem dage om ugen, otteogfyrre uger om året.

Hjælp!

Hvorfor blev jeg ikke født rig?

Undskyld, undskyld, jeg ved godt, at jeg ikke burde klage. Jeg var heldig, at jeg overhovedet havde et job. Det var bare, at jeg ville ønske, at jeg havde en, som kunne tage sig af mig og Kate. Jeg fantaserede bare. Selvom jeg var blevet sammen med James, havde jeg stadig været nødt til at vende tilbage til arbejde. Det var bare, fordi det at vende tilbage til jobbet mindede mig om, hvor alene jeg virkelig var nu. Hvor stort et ansvar jeg havde. Det var ikke længere bare mig selv, jeg arbejdede for. Et barn var afhængigt af mig.

Jeg vidste, at James nok skulle sørge for Kate – åh ja, det vidste jeg. Tro mig, det vidste jeg alt om. Jeg havde en dyr advokat som bevis! Ikke fordi James var nærig eller fedtet på nogen måde. Det skal han have osv., osv. Men de dage, hvor jeg kunne bruge hele min månedsløn på læbestift, blade og alkohol var ovre. For længst.

Du skal ikke tro på alt, hvad du hører om at være voksen. Ikke engang lidt af det. Det er for sent nu, men jeg ville ønske, jeg havde læst det med småt.

Jeg ville have mine penge tilbage. Men jeg havde brugt den forpulede ting nu, så jeg kunne ikke engang bytte den.

Jeg fandt et sted i London, hvor Kate og jeg kunne bo.

Eller det var faktisk Judy, der fandt det.

Det ville have været umuligt for mig at finde en lejlighed i London, mens jeg stadig var i Dublin. Ikke medmindre jeg var villig til at betale ejendomsmæglergebyrer på størrelse med underskuddet i statskassen.

En ven af en ven af en af Judys venner skulle til Norge for at arbejde fra juli af, og han manglede en til at passe på lejligheden i ni måneder. Jeg havde råd til huslejen, og området var ikke alt for slemt. Judy havde set lejligheden og forsikrede mig om, at der var et tag, et gulv og tilmed fire vægge. Derpå løj Judy, så vandet drev, og fortalte sin ven af en ven af en ven, at jeg var ordentlig, renlig, stille og solvent. Jeg er ikke sikker på, om hun overhovedet nævnte Kate.

Andrew – det var hans navn – ringede til mig for at sikre sig, at jeg ikke var en eller anden galning, der ville overhælde hans lejlighed med petroleum og sætte ild til den, inden han overhovedet var nået til Terminal 2.

I telefonen var jeg så sirlig og ordentlig som aldrig før. Jeg fremhævede, at jeg følte, at renlighed hang tæt sammen med gudfrygtighed, og jeg var for genindførelse af dødsstraffen for indbrudstyve og folk, der smed affald på gaden.

„Måske er det tilstrækkelig med en offentlig piskning. Det kan måske banke noget respekt i dem," foreslog han.

„Hmm," sagde jeg uforpligtende, for jeg var ikke sikker på, om han lavede sjov eller ej.

Andrew sendte mig en kontrakt, og jeg sendte ham alle mulige referencer og bankinformationer og vigtigst af alt, nogle penge. (Lånte dem af far – bliver jeg nogensinde voksen?).

I løbet af de næste ti dage eller deromkring førte vi udførlige telefonsamtaler om, hvad jeg skulle gøre med hans post. Og hvilke af hans planter havde brug for at få fortalt vittigheder. Jeg skulle optage *Brookside* på video og sende det til ham hver uge.

Han gav mig alle mulige nyttige råd.

Han advarede mig om, at kvinden nedenunder var vanvittig. „Det er fint," sagde jeg uforsigtigt. „Jeg kan sikkert godt lide hende."

„Du skal ikke bruge den første kinesiske grill," sagde han. „De blev taget med en schæferhund i fryseren. Den længere væk er meget bedre."

„Tak," sagde jeg.

„Brug bare alt, hvad jeg har efterladt i skabene og barskabet," tilbød han.

„Tak," sagde jeg entusiastisk.

„Hvis der er nogen problemer," sagde hans ulegemlige stemme, „så ring bare til mig. Jeg lægger et nummer, hvor du kan kontakte mig."

„Tak," sagde jeg igen.

„Jeg er sikker på, at du bliver glad for at være her," lovede han. „Det er en dejlig, luftig lejlighed."

„Fint," sagde jeg og sank en klump. „Tak." Jeg forsøgte at lade være med at tænke på min egen dejlige lejlighed, som jeg havde indrettet og designet og gjort smuk i løbet af årene. En dag får jeg en anden, lovede jeg mig selv. På rette tid og sted.

Jeg fik det endnu værre, da det gik op for mig, at 'dejlig, luftig lejlighed' er det, ejendomsmæglere som regel siger, når de mener, at det piber ind alle vegne fra.

Åh hjælp.

„Jeg kommer til London et par dage i oktober," sagde han. „Så håber jeg, at vi kan mødes."

„Det ville være hyggeligt," sagde jeg.
Sød fyr, tænkte jeg, da jeg lagde på.
Af en nynazist at være.
Jeg spekulerede på, hvordan han så ud.

Kapitel otteogtredive

Mænd.

Åh ja, mænd. Emnet var vel dømt til at stikke sit grimme hoved frem før eller siden.

Hør her. Jeg vil gerne lige have en ting på det rene. Jeg var ikke vild med ham Andrew-fyren. Det var bare, fordi han lød så sød (bortset fra hele piskningseksperimentet). Jeg var officielt single igen, og jeg gled bare automatisk tilbage til nogle bestemte tankemønstre. Jeg kunne ikke gøre for det! Det var åbenbart genetisk. Eller hormonelt.

Desuden var jeg nysgerrig. Det kunne da ikke skade at spekulere over den slags ting. Det var ikke, fordi jeg havde tænkt mig at gøre noget ved det.

Det var ikke ensbetydende med, at jeg havde tænkt mig at hoppe i seng med den første den bedste mand, der sendte mig et opfordrende blik.

Jeg mener, hvis jeg var så desperat efter en mand, var jeg vel blevet sammen med James.

Jeg ved nu godt, at der er stor chance for, at du ikke vil tro mig, sådan som jeg opførte mig med Adam.

Okay, fint nok, du behøver ikke tro mig, men Adam var en undtagelse. Adam var noget særligt.

Så du hørte godt, at Adam havde en kæreste og et barn. Nå, hvad mener du så om det? Rimelig sensationelt, hva'?

Det gav egentlig meget god mening. Der var altid en antydning af, at han indeholdt mere, end man kunne se med det blotte øje. Men jeg havde ligesom forventet, at hans Forfærdelige Hemmelighed var noget i stil med stofmisbrug, en mindre fængselsdom eller noget lidt mere celebert og måske oven i købet glamourøst. Jeg var helt sikkert ikke forberedt på nyheden om, at Adam var Familiemand.

Det kom som et chok. Jeg vil endda gå så langt som til at sige, at det kom som et ubehageligt chok. Men da Helen fortalte mig nyheden, kunne jeg ikke give det min fulde opmærksomhed og indignation. Jeg var lidt ude af mig selv, i betragtning af at jeg skulle nå et fly til London for at afslutte mit ægteskab og alt det der. Nej, det var helt sikkert ikke gode nyheder, men jeg var for optaget af andre ting til at se det i øjnene og mærke efter, hvordan jeg egentlig havde det.

Og de følgende uger prøvede jeg at lade være med at tænke over det. Der var jo en forfærdelig masse ting, jeg skulle have styr på, og jeg havde ikke råd til at spilde tid på at dagdrømme. Forholdet mellem Adam og mig havde desuden også været slut, allerede inden jeg fandt ud af, at han havde et barn, så det hjalp ikke noget at tænke på ham. Adam var fortid.

Desuden kunne jeg for at være helt ærlig ikke lide at tænke på Adam. Det gjorde mig ikke glad. Det var smertefuldt. Hvis han ved en fejltagelse dukkede op i hovedet på mig, holdt han ikke fem sekunder, lidt ligesom en sømand over bord i det iskolde hav ved Antarktis. Alarmen ville gå i gang, og et par kraftige sikkerhedsfolk blev sendt af sted for at smide ham ud dobbelt så hurtigt.

Når jeg overhovedet tænkte på ham, var jeg som regel så heldig, at jeg havde et eller andet utroligt kompliceret, kedsommeligt juridisk doku-ment, jeg kunne fordybe mig i.

Og Helen var meget hjemme. Hun læste til eksamen og forårsagede en uendelig mængde afbrydelser, når hun bittert beklagede sig og stillede spørgsmål og snakkede om at bolle med alle sine lektorer, hvis hun skulle gøre sig håb om at bestå. Så hun afledte mine tanker fra Adam. Hun afledte mine tanker fra alt, bortset fra slowmotion-fantasier om brutale mord.

Men det var juni, og vejret var pludselig blevet utrolig smukt og varmt. Og sommetider, når jeg var alene med Kate i baghaven, halvvejs sovende med solen i ansigtet, og jeg følte mig fuldstændig afslappet, strejfede min tanker tilfældigvis i retning af Adam, når jeg måske burde have tænkt på James, og så kom jeg i tanke om, hvor sød han havde været, og hvor dejligt jeg havde haft det sammen med ham.

På sådanne tidspunkter, hvor mine barrikader var nede, tillod jeg mig selv at savne ham og være trist over, at han ikke var der. Men kun i et øjeblik. Jeg kunne ikke lide at savne ham. Jeg kunne faktisk slet ikke lide at tænke på ham.

For at være helt ærlig syntes jeg ikke om det, Helen havde fortalt mig. Det var ikke nyheder, som glædede mit hjerte. Eller nogen af mine andre indvolde. Ikke fordi jeg følte, at han havde røvrendt mig. Jeg var ikke ligefrem i en position, hvor jeg kunne indvende noget, i betragtning af at jeg var gift. Ud fra det, som det lykkedes mig at stykke sammen af Helens rodede fortælling, var jeg nogenlunde sikker på, at han ikke havde været sammen med sin kæreste, mens vi havde vores lille affære.

Hvis det overhovedet kunne kaldes en affære.

Hvis ikke jeg havde syntes, det var for ubehageligt, ville jeg sikkert have kaldt det et engangsknald, som det så åbenlyst var.

Jeg tror, jeg følte mig lidt, åh jeg ved ikke, *snydt*, tror jeg. Som det fjols jeg var, havde jeg følt mig smigret over al den opmærksomhed, Adam havde vist mig. Det havde været vidunderligt at føle mig så begæret og beundret. Især efter det med James.

Nu følte jeg, at han kun ville have mig på grund af Kate. Ikke fordi han begærede Kate eller noget sygt i den stil. Men han havde begæret mig, fordi jeg var mor. Jeg mindede ham sikkert om hans kæreste. Jeg vidste ikke, hvad situationen med Adam og hans kæreste var, men hvis hun var stukket af med barnet, havde det nok været virkelig hårdt for ham, og måske havde jeg været en form for erstatning.

Jeg følte mig… pinligt berørt. Jeg havde været lykkelig for, at Adam havde valgt mig. Men det var i virkeligheden slet ikke mig, han havde valgt. Det var mine omstændigheder.

Jeg var såret.

Jeg følte mig dum, fordi jeg havde troet, at så lækker en fyr kunne være alvorligt interesseret i en, der var så almindelig som mig. Hvad i alverden havde jeg tænkt på?

Det eneste, jeg kunne sige til mit forsvar, var, at jeg ikke havde været mig selv. Jeg havde været igennem en masse, og min dømmekraft kom ikke så tit på besøg.

Mens vi snakker om Adam, burde jeg måske indrømme, at jeg også var vred på ham.

Ikke meget. Men lidt. Jeg var sur på ham, fordi han havde leget med mine følelser. Fordi han havde fået mig til at føle mig som noget særligt, når jeg ikke var det. Og derpå fyre hele den hellige svada af om at vende tilbage til James. Det skulle han ikke have gjort, hvis han ikke havde følelser for mig. Folk må gøre sig *fortjent* til retten til at give mig dårlig samvittighed. Det var noget, jeg virkelig måtte forsøge at lade være med at give væk helt så let, som jeg plejede.

Men som tiden gik, og jeg brugte mere og mere tid på at døse i den solrige have, begyndte mine følelser at ændre sig. Jeg begyndte faktisk at føle mig helt metafysisk omkring det. Ikke noget jeg normalt havde tendens til.

Det var måske på grund af for ivrig solbadning.

Måske var der en grund til, at Adam blev sendt til mig, tænkte jeg. Adam fik mig til at få det godt med mig selv, han gav mig min selvtillid tilbage, så det sikkert havde givet mig styrke til at hævde min ret over for James. Måske var Adams fordømmende svada endda medvirkende til at hjælpe mig til at tage den rigtige beslutning med hensyn til James.

Det ville være rart at vide, at Kate og jeg havde hjulpet Adam til at klare smerten over at være skilt fra sit barn og sin kæreste. Måske havde vi fået ham til at indse, hvor meget de betød for ham, alt afhængig af om det var ham, der havde forladt dem, eller om de havde forladt ham.

Det var virkelig dejligt at mærke bitterheden forlade mig. Jeg følte, at Adam og jeg havde mødt hinanden i den korte periode af en ganske særlig grund. Det *måtte* nødvendigvis være kortvarigt. Og jeg kunne godt lide at tro, at vi begge havde fået noget ud af det.

Det her kunne lige så godt være en ordentlig bunke mystisk, overtroisk ævl. Men jeg var normalt ikke den type, der så tegn og varsler og årsager og forklaringer i forskellige begivenheder. Som sagt lavede jeg altid sjov med folk, der hævdede, at der er en årsag til alting. Selvfølgelig var jeg ikke lige så ubehagelig som Helen, men på samme tid var jeg langtfra overbærende. Åh, eksistentialisme, dit navn er Claire.

Normalt ville jeg have sagt noget i stil med: „Adam og jeg dyrkede sex, fordi vi begge trængte til at kneppe. Der var det hele." Men jeg kunne bare ikke være kynisk, selvom jeg gjorde mig virkelig umage.

Det var selvfølgeligt meget bekymrende, men hvad skulle jeg gøre?

Det betød dog, at det var langt mere behageligt at ligge i baghaven. Hver gang jeg tænkte på Adam, følte jeg det ikke længere, som om en kniv blev kørt rundt i maven på mig. Der faldt en form for ro over mig. Jeg behøvede ikke at føle mig svigtet eller ydmyget eller tåbelig eller tænke, at han havde løjet for mig. Det havde været en fornøjelse at kende ham i den korte tid, det havde varet. Måske var det bedre på den måde.

Du ved, hvordan det er. Somme tider møder man et vidunderligt menneske, men det er bare i et kort øjeblik. Måske på ferie eller på toget eller måske oven i købet i køen til bussen. Og de berører ens liv et kort sekund, men på en særlig måde. Og i stedet for at sørge over, at de ikke kan være sammen med dig særlig længe, eller over, at du ikke får chancen for at lære dem bedre at kende, er det så ikke bedre at være glad over, at du overhovedet mødte dem?

Jeg havde en meget mærkbar følelse af, at et kapitel i mit liv var slut. Jeg begyndte at forberede mig på at vende tilbage til London, både følelsesmæssigt og tøjmæssigt.

Jeg begyndte at pakke mit tøj. Jeg spredte mit net vidt og bredt og samlede entusiastisk ind, jeg besøgte alle husets klædeskabe, især Helens, og lod ikke en eneste skuffe uåbnet, ingen bøjle ikkeundersøgt.

Selvom jeg fortsat mundhuggedes med alle i familien, vidste jeg, at det ville være forfærdeligt at forlade dem. Det ville især blive hårdt at forlade min mor. Ikke kun fordi hun var så praktisk at have i nærheden i forhold til Kate. Nej virkelig, jeg mener det, jeg vidste, at jeg ville komme til at savne hende ganske forfærdeligt. Det ville være ligesom at flytte hjemmefra igen. Endnu værre faktisk, for da jeg flyttede hjemmefra første gang for syv år siden, var jeg begejstret over at skulle rejse, jeg kunne ikke komme hurtigt nok af sted i min iver efter at udnytte min nærtforestående frihed.

Det var anderledes nu. Jeg var syv år ældre og mere livstræt. Jeg vidste, der ikke var noget nyt i at stryge mit eget tøj og betale mine egne regninger.

Men jeg måtte tilbage til London.

Det var trods alt der, mit job var. Og jeg havde ikke bemærket, at der var nogen i Dublin, der havde slået døren ind for at tilbyde mig et job. Selvom jeg heller ikke havde søgt noget, for at være helt ærlig.

Men hvad vigtigere var, så var Kates far i London. Jeg ville gerne have, at hun skulle se en masse til ham, at hun skulle have en far, som elskede hende (altså, jeg var sikker på, at han ville elske hende, når han lærte hende bedre at kende), og at hun skulle vokse op med en mand i sit liv. For hvis hun forventede, at jeg sikrede, at der var en hjemmeboende faderfigur, var jeg ikke sikker på, at jeg ville kunne imødekomme det. Måske ville jeg en dag møde en anden mand, men jeg følte mig ikke særlig håbefuld.

Nu hvor jeg tænkte over det, dukkede der en lang række helt nye bekymringer op. Hvad hvis Kate ikke kunne lide den nye mand? Hvad hvis hun blev jaloux og fik hysteriske anfald og løb hjemmefra? Åh gud!

Nå, men det havde jeg ikke tænkt mig at bekymre mig over nu. Det var at male fanden lidt for tidligt på væggen, da jeg allerede havde hænderne fulde med at bekymre mig om aldrig at møde en mand igen.

Jeg mente det i virkeligheden ikke. Det var ikke, fordi jeg gennemgik *frygtelige* kvaler ved tanken om aldrig at møde en mand igen.

Jeg var bare lettere bekymret.

Jeg bestemte mig for, at jeg ville vende tilbage til London den femtende juli. Jeg kunne flytte ind i min nye lejlighed og sørge for, at Kate og jeg fik et par uger, hvor vi faldt til og fandt en barnepige, før jeg vendte tilbage til jobbet.

Og så, på vanlig vis, dukkede et helt nyt sæt bekymringer op. Hvordan skulle jeg tage mig af Kate, når jeg var helt alene? Jeg var blevet meget afhængig af, at min mor var i nærheden til at forklare, hvorfor Kate ikke ville holde op med at græde eller spise eller brække sig eller hvad.

„Du kan altid ringe til mig," lovede mor.

„Tak," sagde jeg snøftende.

„Jeg er sikker på, at du klarer det rigtig godt," sagde hun.

„Virkelig?" spurgte jeg ynkeligt. Selvom jeg næsten var tredive år gammel, kunne jeg stadig opføre mig som et barn, når jeg var i nærheden af min mor.

„Åh ja," sagde hun. „Der er ingen, der ved, hvor stærke de er, indtil de er tvunget til at være det."

„Det har du sikkert ret i," indrømmede jeg.

„Det har jeg," sagde hun bestemt. „Hvad med dig selv? Du har da ikke klaret dig så skidt, i betragtning af hvad du har været igennem."

„Det har jeg vel ikke," sagde jeg tvivlrådigt.

„Det er rigtigt," sagde hun. „Husk, hvis ikke du dør af det, gør det dig stærkere."

„Er jeg stærkere?" spurgte jeg mat med min mest barnlige stemme.

„For himlens skyld," sagde hun. „Når du bruger den stemme, så tvivler jeg faktisk på det."

„Åh," sagde jeg irriteret. Jeg ville have, at hun skulle være sød ved mig og fortælle mig, at jeg var vidunderlig og kunne klare alt.

„Claire," sagde hun. „Der er jo ingen mening i at spørge mig, om du er stærkere. Det er kun dig, der ved det."

„Nå, men det er jeg så," sagde jeg krigerisk.

„Godt." Hun smilede. „Og husk, det var dig, der sagde det. Ikke mig."

Onsdagen før jeg skulle rejse tilbage, lå Anna, Kate og jeg ude i haven. Vejret var stadig vidunderligt. Anna var, øh, hvordan skal jeg formulere det, arbejdsløs, så vi havde tilbragt hele den foregående uge med at ligge i haven, iført et udvalg af bikinitoppe og afklippede shorts, i et forsøg på at blive solbrændte.

Jeg vandt.

Jeg blev let solbrændt, og det gjorde Anna ikke. På den anden side var Anna lillebitte og lækker og så dejlig ud i bikini, og jeg følte mig som en enorm ko ved siden af hende. Jeg var ikke længere fed. Men hun var så lille og delikat, at hun fik mig til at se enorm ud. Jeg kunne faktisk godt lide at være høj. Jeg gad bare ikke føle mig som en østtysk olympisk atlet.

Så det var kun retfærdigt, hvis jeg vandt solbadningskrigen.

Dengang generne blev fordelt, fik hun den lækre, lille krop. Jeg fik den glatte, gyldne hud.

Hun fik tynde ben. Det gjorde jeg ikke.

Jeg fik bryster. Det gjorde hun ikke.

Ret skal være ret.

Vi lagde begge mærke til køkkenvinduet. Mor havde løftet gardinet og stod og bankede og vinkede.

„Hvad vil hun?" sagde Anna søvnigt.

383

„Jeg tror, hun siger 'hej'," sagde jeg og løftede langsomt hovedet fra liggestolen for at se på hende.

„Hej," sagde vi begge to apatisk og vinkede slapt. Mor blev ved med at banke. Hendes bevægelser virkede langt mere hektiske og vulgære nu.

„Du går derind," sagde jeg til Anna.

„Det kan jeg ikke," sagde hun. „Du bliver nødt til at gå derind."

„Jeg er for træt," sagde jeg. „Du bliver nødt til at gå derind."

„Nej, du går derind," sagde hun og lukkede øjnene.

Mor kom marcherende ud i haven.

„Claire, telefon!" brølede hun. „Og næste gang jeg banker på vinduet, så skal du komme ind. Jeg gør det ikke for min fornøjelses skyld, at du ved det."

„Undskyld, mor."

„Hold øje med Kate," sagde jeg til Anna, idet jeg løb ind i huset.

„Mmm," mumlede hun.

„Og smør noget solcreme på hende," råbte jeg over skulderen.

Jeg snublede ind i køkkenet, blændet af husets mørke efter havens solskin.

Jeg tog telefonen. „Hallo," sagde jeg.

„Claire," sagde James.

„Åh hej, James," sagde jeg og spekulerede på, hvad fanden han ville. Hvis ikke han havde ringet for at fortælle, at han havde solgt lejligheden, gad jeg ikke snakke med ham.

„Hvordan har du det, Claire?" spurgte han høfligt.

„Fint," sagde jeg kort for hovedet og ville ønske, at han kom til sagen.

„Claire," sagde han med stor tyngde. „Jeg har noget, jeg skal fortælle dig."

„Okay, så kom med det," sagde jeg hjerteligt.

„Claire, jeg håber ikke, du har noget imod det, men jeg har mødt en anden."

„Åh," sagde jeg. „Nå, men hvad vil du have, jeg skal sige til det? Tillykke?"

„Nej," sagde han. „Det er der ikke grund til. Men jeg tænkte, at jeg hellere måtte sige det, i betragtning af den scene du lavede sidst."

Med monumental selvkontrol lykkedes det mig at lade være med at lægge på.

„Tak, James," fik jeg fremstammet. „Det er meget betænksomt af dig. Hvis du vil undskylde mig, så lægger jeg på nu."

„Jamen, vil du ikke vide noget om hende?" sagde han hurtigt.

„Nej," sagde jeg.

„Har du ikke noget imod det?" sagde han ængsteligt.

„Nej," grinede jeg.

„Hun er meget yngre end dig," sagde han ondskabsfuldt. „Hun er kun toogtyve."

„Det er da godt," sagde jeg mildt.

„Hun hedder Rita," sagde han.

„Pænt navn," sagde jeg.

„Hun er aktuar," sagde han og lød lidt desperat.

„Hvor herligt," udbrød jeg. „Hvor må I have meget til fælles!"

„Hvad helvede er der galt med dig?" råbte han.

„Jeg ved ikke, hvad du snakker om," protesterede jeg.

„Hvorfor opfører du dig, som om det rager dig en høstblomst?" buldrede han. „Jeg har lige fortalt dig, at jeg har fået en ny kæreste!"

„Jeg opfører mig vel, som om det rager mig en høstblomst, fordi det rent faktisk rager mig en høstblomst," var det eneste svar, jeg kunne komme på.

Åh, og James," fortsatte jeg.

„Ja," sagde han håbefuldt.

„Kate har det fint," sagde jeg. „Jeg er sikker på, at det bare var en forglemmelse, at du ikke spurgte. Nu lægger jeg på. Sikke nogle gode nyheder! Jeg er virkelig glad på dine vegne. Må det holde i mange år og alt det der. Farvel." Jeg smækkede røret på.

Hvor ynkelig kan man være? Hvad havde han regnet med, at jeg ville gøre? Briste i gråd og trygle ham om at tage mig tilbage? Havde han overhovedet ikke lært noget?

Jeg gik ud i haven igen. Anna var vågnet op og sad og legede med Kate. Hun var så smuk. Altså Kate. Selvom Anna også var dejlig, ingen tvivl om det. Men Kate, hun var dejligere. Hun var begyndt at udvikle sin helt egen personlighed. Når man snakkede med hende, kom hun med gurglelyde og grinede nogle gange, og man fik øjenkontakt med hende. Det var næsten som at føre en rigtig samtale med hende.

Hun grinede nu ikke særlig meget i øjeblikket. Hendes fede, lille ansigt var højrødt og skinnende under den gule solhat, og hun så ud, som om hun ikke havde lyst til at solbade længere. „Jeg er varm, og jeg keder mig," sagde hendes blik. „Jeg har fået nok af at tale med det her syrehoved."

„Hvem var det?" spurgte Anna.

„James," spruttede jeg og kunne knap nok sige hans navn.

„Hvad er der med ham?" spurgte Anna.

„Han har fået en ny kæreste," svarede jeg studst.

„Har du noget imod det?" spurgte hun ængsteligt.

„*Selvfølgelig* har jeg ikke noget imod det," sagde jeg krænket.

„Hvorfor er du så vred?" spurgte Anna.

„Fordi han forstyrrede min solbadning – fik mig til at rejse mig fra liggestolen og *gå* hele vejen – bare for at fortælle mig det. Jeg nægter at tro det! Det gør jeg virkelig. Sikke et røvhul."

Glem James. Jeg var bekymret for Kate.

„Du tror vel ikke, at hun bliver forbrændt" spurgte jeg ængsteligt Anna. „Måske skulle jeg have brugt en højere solfaktor."

„Måske," sagde Anna tvivlrådigt. „Men jeg tror ikke, de *laver* en højere faktor."

Det var sandt. Jeg havde smurt Kate ind i en solcreme, der havde den højeste beskyttelsesfaktor i hele verden. Var jeg en overbeskyttende mor? Jeg kunne ikke gøre for det. Jeg var bekymret for hende. Jeg mener, hun var trods alt en lille baby, og hendes hud var så fin. Jeg ville ikke tage nogen chancer.

„Jeg tror, jeg tager hende med indenfor," sagde jeg. „Bare for at være på den sikre side."

„Slap af," sagde Anna.

„Nej, jeg må hellere tage hende med ind," sagde jeg. „Hun kan blive forbrændt."

„Åh, du må ikke gå," tryglede Anna. „Hvem skal jeg så snakke med?"

I samme øjeblik hørte vi stemmer i køkkenet. Det lød, som om der var lidt af et postyr.

„Helen er hjemme," sagde jeg til Anna. „Du kan lege med hende."

„Åh nej," stønnede Anna. „Hun snakker kun om at begå selvmord, hvis hun dumper, og om, hvorvidt hun kan klare at bolle med professor Macauley, og så stiller hun mig alle mulige åndssvage spørgsmål om oldtidens Grækenland.

Jeg mener, hvad ved jeg om oldtidens Grækenland?" spurgte hun og lød forurettet og krænket. „Bare fordi jeg arbejdede på en bar på Santorini i seks uger, så tror hun, at jeg ved alt muligt om Zeus og det slæng."

Hun sukkede og begyndte at samle sine ting sammen. „Jeg tror, jeg går ind sammen med dig."

Men før hun kunne nå at flygte, kom Helen brasende ud i haven. Hun var iført en lille cowboynederdel og en T-shirt. Hendes hår var sat op i en knold på hovedet, og hun så som sædvanlig vidunderlig ud.

Hun stoppede op, da hun fik øje på os, og stirrede længe og indgående.

„Se lige på dem," sagde hun bittert. „Bare se på dem, de heldige kællinger."

„Hej, Helen," sagde Anna forsigtigt.

„Dovne køer, der bare ligger hele dagen uden at lave noget, mens jeg bliver nødt til at studere min røv i laser," fortsatte hun vredt.

Jeg skyggede for øjnene for at se på Helen og hendes rasende, lille ansigt. Og det var først i det øjeblik, at det gik op for mig, at Helen ikke var alene.

Hun havde taget en gæst med.

En mandlig gæst.

En høj, smuk, mandlig gæst.

En lækker, blåøjet, mørkhåret, høj, smuk, mandlig gæst med pluskæber, iført et par slidte cowboybukser og en hvid T-shirt.

En, som var blevet solbrændt, siden sidst jeg så ham.

Jeg havde ikke troet, at han kunne komme til at se bedre ud, men det så ud til, at jeg havde taget fejl.

Røvhul!

„Hej, Adam," sagde jeg og havde lyst til at tude.

„Hej, Claire," sagde han høfligt.

Jeg holdt vejret og ventede på, at han skulle gå indenfor igen. Så gik det med rædsel op for mig, at han ikke skulle indenfor igen.

Åh for helvede, tænkte jeg panisk. Han kommer herover.

Helen og Adam kom over til den lille oase af liggestole, cola-light, sololie, dameblade og chips, som Anna, Kate og jeg havde lavet. Adam stod et øjeblik og hang ind over Anna og mig, der henslængt lå på liggestolene. Han virkede ikke særlig afslappet. Hans normale, afslappede charme var væk. Han virkede kejtet og lidt uvenlig.

Mit hjerte bankede. Jeg følte mig så ugunstigt stillet. Åh gud, hvorfor kunne Helen ikke have advaret mig om, at hun havde den smukke Adam med herud. Jeg kunne have lagt lidt makeup og taget en pæn bikini på. Da jeg tidligere sagde, at vi lå i haven iført afklippede shorts og små toppe, så antydede jeg ikke på noget tidspunkt, at jeg lignede en af de sexede bimboer fra *Baywatch*. Gud nej! Shortsene var ældgamle og lavet af et par virkelig grimme, forvaskede cowboybukser, og de var klippet af på en meget besynderlig måde. De var totalt uflatterende og fik min røv til at se enormt bred ud. Og lycraen var røget i min bikinitop, så det hele hang og var trukket ud af form.

Endnu en gang er det syndromet med Romanbladet versus det virkelige liv. Hver gang de uventet bliver overrasket af en mand, er de tilfældigvis lige trådt ud af badet, smurt ind i velduftende bodylotion, deres hår stikker ud under håndklædet i fugtige, små, krøllede totter, og de ser vidunderligt smukke ud på en totalt uskyldig og naturlig måde.

Lige til at brække sig over.

Men i det virkelige liv vil jeg godt vædde på, at man ligner lort, når den mand, man godt kan lide/elsker/er varm på, uventet dukker op. Det er i hvert fald min erfaring. Det kan være, at du er lidt heldigere.

Jeg ville ønske, at han ville lade være med bare at stå der og se ned på mig, tænkte jeg nervøst.

„Adam, du skygger for solen," sagde jeg og prøvede at få det til at lyde som en vits. „Hvorfor sætter du dig ikke ned?" Han satte sig ned. Det var virkelig fantastisk, hvordan så stor og høj en mand kunne få det at sætte sig ned til at se så let og elegant ud. Undskyld, det burde jeg ikke have lagt mærke til. Jeg skulle slet ikke have sagt noget om det.

Han smilede til Anna.

„Hej," sagde han.

„Hej, Adam," fnisede hun.

„Hvordan har du det?" Han lød, som om han virkelig var interesseret. Det var lige før, jeg råbte: „Glem hende! Hvad med mig?"

„Jeg har det fint," sagde Anna og smilede genert til ham.

„Hold op," knurrede Helen og sendte Anna et 'hvor er du bare ynkelig'-blik.

Adam og Anna blev ved med at mumle til hinanden.

Så rettede Helen sin opmærksomhed mod mig.

„Skrid fra den der," sagde Helen og forsøgte at puffe mig ud af liggestolen. „Jeg har lige været til eksamen. Jeg bliver nødt til at ligge ned."

„Det er fint," sagde jeg og rejste mig. „Jeg var alligevel på vej ind."

Det var meget vigtigt for mig at få hende til at forstå, at hun ikke havde tvunget mig til at opgive min liggestol. At jeg gjorde det af egen fri vilje.

Magtspil.

Jeg var så barnlig.

„Ja," sagde Anna hurtigt, tomatrød i hovedet. „Jeg smutter også nu."

„Hvorfor? Hvor skal I hen?" spurgte Helen.

„Indenfor," sagde jeg.

„Åh, hvor fedt," sagde hun. Hun var virkelig sur. „Jeg har lige taget en forfærdelig eksamen, og jeg bliver nødt til at lære hele mit antropologipensum udenad her til aften, og så gider I ikke engang blive her i fem minutter og snakke og få mig til at slappe lidt af."

„Jamen, Kate har det for varmt," sagde jeg.

„Bare smut," sagde hun dystert. „Smut."

Hun så på Adam. „Vi begynder om ti minutter, okay?"

„Okay," nikkede han.

„Hvad skal vi lave først?" spurgte hun.

„Hvad har du lyst til at lave?" svarede han.

Korrekt svar. Han havde åbenbart nogenlunde styr på, hvordan man håndterede Helen.

„Vi kunne vel starte med dysfunktionelle familier," sagde Helen. „I betragtning af at du ved så meget om det."

Hun grinede vredt.

„Helen," sagde Anna chokeret.

„Hvad?!" sagde Helen krigerisk. „Det var bare for sjov. Desuden ved han faktisk meget om det. Gør du ikke?" spurgte hun Adam.

„Det gør jeg vel," sagde han høfligt.

Det var nok. Nu gik jeg. Jeg tog Kate og gik hen over græsplænen med hende (græsplæne! Sikke en vits!). De få meter føltes som kilometer og atter kilometer. Det eneste, jeg kunne tænke på, var Adams blik, der zoomede ind på min yderst utiltrækkende røv i de forfærdelige shorts.

Langt om længe nåede jeg i sikkerhed i køkkenet.

Det gik op for mig, at jeg havde glemt mit blad i haven. Nå, men det måtte bare blive der! Du kom ikke til at se mig i nærheden af Adam af egen fri vilje.

Åh gud!

Jeg var meget ked af det. For i løbet af de sidste par uger var jeg begyndt at have mistanke om, at Adam måske slet ikke havde været så tiltrækkende. At min dømmekraft havde været sat ud af kraft, fordi jeg lige var blevet forladt. Måske havde jeg været så taknemmelig over hans opmærksomhed, at det var lykkedes mig at overbevise mig selv om, at han var lækker.

Men nej. Sådan var det ikke. Han var lækker, det røvhul. Det var ikke noget, jeg havde forestillet mig. Jeg var ikke blevet ført bag lyset.

Han så endnu bedre ud, når han var solbrændt. Hans arme var så store og muskuløse i den T-shirt.

Hjælp! Det var bare for meget, nu hvor jeg havde været afholdende i næsten fem måneder, hvis man ikke talte den nat med Adam med.

Det var faktisk meget længere end det, for James ville ikke røre mig med en ildtang de sidste fire-fem måneder af min graviditet.

Bortset fra det, hvad var Adams problem? Hvorfor var han så kold og uvenlig over for mig? Var det ikke rimelig unødvendigt? Var han bange for, at jeg ville springe på ham? At jeg ikke kunne styre mig? Følte han, at han måtte holde mig på afstand?

Nå, men det behøvede han ikke bekymre sig om, tænkte jeg. Han kunne være helt tryg. Jeg ville ikke forsøge at komme mellem ham og hans kæreste. Jeg var ikke helt så dum, som jeg plejede at være. Jeg kunne sagtens genkende en umulig situation, når jeg stod over for den.

Er det ikke mærkeligt? tænkte jeg, mens jeg bar Kate ovenpå. Sidst jeg så Adam, var jeg lige stået ud af hans seng. Vi havde været så intime, som to mennesker overhovedet kan være det. Og nu opfører vi os som høflige fremmede.

Kapitel niogtredive

Kate var meget gladere indenfor. Store smil og gurglelyde og små spark, da jeg lagde hende ned i liften. Jeg holdt hendes små, varme fødder og cyklede med hendes ben – det elskede hun. Eller det håbede jeg i det mindste, hun gjorde, for jeg nød det virkelig – da jeg hørte det banke på døren ind til mit værelse.

Hvad skete der? Der var *ingen*, der bankede på her i huset.

Døren gik op, og Adam stak hovedet ind på mit værelse. I samme øjeblik virkede alting meget mindre, som et dukkehus.

Åh gud, tænkte jeg, gik i chok og slap brat Kates små ben. Hvad vil han?

Måske kunne han ikke fatte, hvor slemme mine shorts var, og var kommet for at se efter endnu en gang.

„Claire," sagde han fåret. „Kan vi snakke sammen et øjeblik?"

Han stod der, stor og smuk, med et nervøst udtryk i sit dejlige ansigt.

Jeg så på ham, og der skete noget indvendigt (nej! Ikke det!), noget vidunderligt.

Mit hjerte løftede sig, og en bølge af *glæde* skyllede så voldsomt ind over mig, at det næsten slog mig omkuld. Jeg fyldtes pludselig med håb og glæde og lykke. Den opløftelse, man oplever, når man tror, at alt er tabt, og man indser, at det nok skal gå alligevel.

Du ved, hvad jeg snakker om. Den følelse, man kun oplever et par gange i løbet af et helt liv.

„Ja," sagde jeg. „Selvfølgelig."

Han kom over og tog Kates fod for at hilse på hende. Så satte han sig ved siden af mig på sengen. Det var lige før, madrassen ramte gulvet, men lige meget.

„Claire," sagde han og så indtrængende på mig med sine blå, blå øjne. „Jeg vil gerne forklare dig om min kæreste og mit barn."

„Okay," sagde jeg og forsøgte at lyde livlig og forretningsmæssig. Som om han ikke bragte mig ud af fatning.

Hans størrelse og nærhed var lidt overvældende. Som sagt, var hans mandighed det første, jeg overhovedet havde lagt mærke til ved ham. Nu var det, som om han havde overhældt sengen med testosteron. Eller som om han havde vandret rundt i lokalet med en af de der røgelsesdimser, som præster vifter med til benediktionen, bortset fra at hans røgelsesdims var fyldt med mandeessens i stedet for røgelse.

Jeg kunne ikke gøre for, at jeg kom til at tænke på at dyrke sex med ham. Jeg var kun et menneske. Bløder jeg måske ikke, hvis du stikker mig? Hvis du stikker en lækker mand op under næsen på mig, får jeg så ikke lyst til at flå tøjet af ham?

Jeg mener, det er ikke *mig*, der laver reglerne.

Det var bydende nødvendigt, at jeg fik styr på mig selv. Adam var her ikke for at tilbyde mig sin krop. Han var her, eller det håbede jeg i hvert fald, så vi kunne få styr på det, som skete, da vi mødte hinanden. For så kunne vi måske være venner.

Det gik op for mig, at jeg virkelig, virkelig gerne ville være venner med ham. Han var så interessant og underholdende og sød. Han var et dejligt menneske at være sammen med. Hvem hans kæreste end var, så var hun meget heldig.

„Claire," sagde han. „Tak for, at du giver mig en chance for at forklare."

„Åh gud," sagde jeg. „Tag dig sammen. Lad være med at lyde så ydmyg."

„Det er bare… jeg ved ikke," sagde han tøvende. „Det må have været lidt af en, en… *overraskelse*, da Helen fortalte dig, at jeg havde et barn."

„Ja, det var en… overraskelse," sagde jeg med et lille smil.

„Okay, okay," sagde han. Han lod sin hånd løbe igennem sit dejlige, silkebløde hår. „Måske er overraskelse det gale ord."

„Måske," samtykkede jeg, men på en pæn måde.

„Jeg burde have fortalt dig det," sagde han.

„Hvorfor?" spurgte jeg. „Det var jo ikke, fordi vi kom sammen eller noget."

Han stirrede på mig. Han så trist ud.

„Nå, men selvom vi ikke kom sammen, så føler jeg stadig, at jeg burde have fortalt dig det," sagde han.

„Men jeg var bange for at skræmme dig væk," fortsatte han.

„Det lyder ikke sandsynligt i betragtning af mine egne omstændigheder," svarede jeg.

„Jamen, jeg troede, at du ville undre dig over, hvad jeg var for en fyr, når jeg ikke måtte se mit eget barn. Jeg ville gerne fortælle dig det. Der var masser af gange, hvor jeg var lige ved det, men jeg mistede altid modet i sidste øjeblik."

„Hvorfor fortæller du mig det så nu?" spurgte jeg.

„Fordi nu er der kommet styr på det," sagde han.

„Nå for søren, var det ikke bare heldigt, at Helen inviterede dig herover i dag, og jeg tilfældigvis bare lige var hjemme?" sagde jeg lidt spidst.

„Claire," sagde han ængsteligt. „Hvis ikke du havde været her i dag, havde jeg ringet til dig. Jeg troede, at du var taget tilbage til London for lang tid siden. Ellers ville jeg have kontaktet dig meget tidligere.

Nej, *helt ærligt*," sagde han, da han så det skeptiske blik, jeg sendte ham.

„Okay," indrømmede jeg. „Jeg tror på dig.

Så fortæl mig det hele," opfordrede jeg og tvang mig selv til at tale roligt. Jeg forsøgte at holde den påtrængende nysgerrighed ude af stemmen.

Jeg elsker en god historie, også selvom jeg tilfældigvis er perifert indblandet.

Der kom en række sære gurglelyde fra Kates lift. Åh nej, vær sød ikke at begynde at græde, lille skat, håbede jeg desperat. Ikke lige nu. Jeg vil *virkelig* gerne høre det her. Det er vigtigt for mor.

Og du tror, det er løgn: Hun faldt til ro igen. Hun havde åbenbart arvet noget godt fra sin far.

Men, ssshhh, mine damer og herrer, Adam skulle til at forklare det hele.

„Hannah og jeg kom sammen i…" begyndte han.

„Hvem er Hannah?" afbrød jeg.

Det er altid godt at få styr på hovedpersonerne, før historien begynder.

„Mor til mit barn," forklarede han.

„Fint," sagde jeg. „Bare fortsæt."

„Vi havde været kærester i lang tid, omkring to år," sagde han.

„Ja." Jeg nikkede.

„Og det sluttede," sagde han.

„Åh," sagde jeg. „Det lyder lidt brat."

„Nej, nej, det var det ikke," sagde han. „Det, jeg mener, er, at ingen af os mødte en anden eller noget i den stil. Det havde bare haft sin tid."

„Okay," nikkede jeg.

„Så vi slog op," sagde han.

„Ja," sagde jeg. „Jeg er stadig med."

„Men jeg holdt stadig virkelig meget af hende," sagde han. „Jeg savnede hende. Men det var forfærdeligt, hver gang vi så hinanden. Hun græd og spurgte, hvorfor det ikke fungerede, og om vi ikke kunne prøve igen, og alt sådan noget."

„Ja," sagde jeg. Det her var alt sammen meget velkendt.

„Og vi endte altid med at gå i seng sammen," sagde han.

Han så lidt forlegen ud, da han sagde det. Jeg vidste ikke hvorfor. Jeg mener, sådan gør *alle* mennesker, når man slår op med en, som man engang har elsket og på sin vis stadig elsker, gør de ikke?

392

Det er reglen.

Man slår op, man siger, at man stadig kan være venner, man mødes en uge senere til den første 'venskabelige' drink, man drikker sig fuld, man siger, at det er sært ikke at kunne røre hinanden, ikke engang hengivent, man kysser hinanden, man holder inde og siger: „Nej, vi burde virkelig ikke", man kysser igen, man holder inde og siger: „Nej, det her er latterligt", man kysser igen og siger: „Okay, så for en gangs skyld. Det er kun, fordi jeg savner dig så meget". Man tager bussen hjem til hans lejlighed, man dyrker bogstavelig talt sex i en eller andens baghave, lige idet man stiger af bussen, man kommer hjem til ham, alt er så velkendt, og man begynder at græde, fordi man ved, at man ikke længere hører til her. Man dyrker sex, man græder igen, man falder i søvn, man har mareridt, hvor man det ene øjeblik er sammen igen, og i næste øjeblik har man slået op igen, og næste morgen vågner man og ville ønske, at man var død.

Alle kender den regel. Det er et af de første principper ved et kærlighedsforholds afslutning. Adam måtte være meget naiv, hvis han troede, at det kun var sket for ham.

„Nå, men Hannah blev gravid," sagde han.

„Åh nej," sagde jeg medfølende.

Han så lidt skarpt på mig. Han troede, at jeg var sarkastisk. Det var jeg ikke, helt ærligt.

„Vi snakkede om det, og vi overvejede alt. Hun ville gerne giftes. Jeg ville ikke giftes, for jeg mente, at det var dumt. Jeg kan ikke se meningen med at blive gift for at give barnet et stabilt hjem, hvis forældrene ikke elsker hinanden længere."

„Mmmm," sagde jeg uforpligtende. Jeg mener, i princippet havde han jo ret. Men fra én kvinde til en anden så følte jeg med stakkels, uheldige Hannah.

„Du synes vel, at jeg er et kæmpe røvhul," sagde han og så lidt elendig ud.

„Nej, ikke rigtigt," sagde jeg. „Jeg er enig med dig i, at man ikke opnår noget ved at blive gift i sådan en situation."

„Du *synes*, jeg er et røvhul," sagde han. „Jeg kan mærke det."

„Det gør jeg ikke," sagde jeg opgivende. „Kom nu videre, så er du sød."

Der var for meget karaktertegning og ikke nok action i den her historie efter min smag.

„Vi overvejede at få barnet og bortadoptere det, men Hannah havde ikke lyst til det. Så snakkede vi om at få abort."

Jeg kastede et hurtigt blik over på Kate. Jeg kunne ikke lade være. Jeg følte mig bare så utrolig heldig, at jeg ikke havde behøvet at overveje abort, da jeg fandt ud af, at jeg var gravid.

„Nå, abort virkede som en løsning af en art," sagde han træt. „Men ingen af os havde lyst til det."

„Selvfølgelig havde I ikke det," mumlede jeg og forsøgte at lyde, som om jeg troede på ham.

Men jeg tænkte for mig selv: Er denne her fyr for god til at være sand?

Jeg havde altid haft mistanke om, at de fleste mænd nærmest anså abort for at være et sakramente, en gave, som Himlen generøst havde skænket dem for at gøre deres liv ukompliceret og behageligt. Så kunne de få ordnet små, irriterende forstyrrelse som børn, der ville gribe forstyrrende ind i deres fornøjelige ungkarleliv.

Der er selvfølgelig altid hele den flok, som er skinhellige og selvretfærdige og siger, at abort er mord. Du vil hurtigt finde ud af, at de mænd, der ubekymret siger sådan, er dem, hvis kærester ikke er gravide. I samme øjeblik deres kæreste kommer ud for et 'uheld' og bliver gravid, er det som regel en helt anden historie. Anti-abort-klistermærkerne forsvinder med lynets hast fra bilens bagrude og bliver udskiftet med 'Min krop, mit valg' eller mere sandsynligt: 'Hendes krop, mit valg'.

De er ofte de første til forsigtigt at antyde, at det måske ikke er det rigtige tidspunkt at få børn, og at der virkelig ikke er nogen problemer med abort. Det er lettere end at få trukket tænder ud. Og i de fleste tilfælde behøver man ikke engang at blive der natten over. Der er skam ingen grund til at føle sig skyldig, for på det her stadie er det ikke engang et barn, bare et par celler. Han skal nok komme med hende og hente hende bagefter. Om et par uger kan de måske tage væk i weekenden for at hjælpe hende med at komme over det. Og så, før kvinden ved af det, ligger hun på operationsbordet på et dyrt privathospital, iført en papirkjole, der er åben hele vejen ned ad ryggen, med en nål i armen, mens hun tæller ned fra ti.

Undskyld, undskyld! Blev lige lidt distraheret.

Som du måske har bemærket, er det noget, der ligger mig stærkt på sinde, men det her er måske ikke det rette tidspunkt at komme ind på det. Jeg behøver ikke sige mere, end at Adam havde fået overbevist mig om, at han ikke var en af den slags mænd.

Bare lige en ting mere, og så skal jeg nok holde kæft. Vis mig en mand, som er gravid, på røven og uden en kæreste, og spørg ham så, om han vil op på sæbekassen og fortælle, om han stadig synes, at abort altid er forkert. Ha! Jeg vil vædde på, at han er et plaprende vrag på vej til færgens billetsalg.

Nå, tilbage til feministen Adam.

Han forklarede stadig nervøst og oprigtigt hele historien, mens han stirrede på mig med et indtrængende blik i sine smukke øjne.

Ved du hvad? Han havde altså de smukkeste øjenvipper. Rigtig tykke og lange og… undskyld.

Øhm.

„Jeg sagde, at hvis hun fik barnet, så ville jeg gøre, hvad jeg kunne for at hjælpe," sagde han. „Jeg lovede, at jeg ville sørge for hende økonomisk, og at jeg gladelig ville have barnet boende hos mig. Eller hos hende. Eller vi kunne dele. Hvad end Hannah ville. Jeg ønskede, at hun fik barnet, men jeg vidste, at når det kom til stykket, var det hendes valg. Jeg kunne ikke beslutte det for hende, og jeg ville ikke presse hende til at få barnet, for jeg vidste, at hun var bange. Hun var kun toogtyve."

„Åh nej," sagde jeg. „Det er meget trist."

„Det var det," sagde han elendigt. „Det var virkelig forfærdeligt."

„Og hvad skete der så?" spurgte jeg.

„Hendes forældre blev indblandet. Da de fandt ud af, at vi havde snakket om at få abort, blev de rasende. Fint nok. Men så tog de hende med, væk fra min angiveligt dårlige indflydelse, hjem til Sligo."

„Åh gud," sagde jeg og forestillede mig, hvordan Hannah var blevet låst inde i et tårn på Lars Tyndskids mark, som hende prinsessen med det lange, gyldne hår. „Hvor forfærdeligt. Det er jo barbarisk! Det lyder som noget fra middelalderen."

„Nej, nej," sagde han hurtigt, ivrig efter at få mig til at forstå. „Det var ikke så slemt. De mente det godt. De ville bare gøre det bedste for barnet. Det var trods alt deres barnebarn, og de ville sikre sig, at Hannah ikke fik en abort. Men så ville de ikke lade mig snakke med Hannah, når jeg ringede. De sagde, at jeg skulle lade hende være i fred, når barnet var blevet født."

„Mener du det alvorligt?" sagde jeg ophidset. „Jeg har aldrig hørt noget lignende. Eller det har jeg måske nok. Men kun om sindssyge, uciviliserede mennesker. Hvad skete der så? Havde hende Hannah ikke selv nogen mening? Fortalte hun ikke sine forældre, hvor grænsen gik? Jeg mener, hun er da en voksen kvinde!"

„Nå, men," sagde han akavet. „Hannah ville heller ikke se mig. Jeg tog til Sligo, og vi snakkede sammen, og hun sagde, at hun ikke ville have mere at gøre med mig, og at hun ikke ville have, at jeg blandede mig, når babyen var født."

„Jamen, hvorfor?" råbte jeg.

„Jeg ved det virkelig ikke," sagde han ulykkeligt. „Jeg tror, at hun var meget bitter, fordi jeg ikke ville giftes med hende. Hun var meget vred på mig over, at jeg havde gjort hende gravid. Hendes forældre havde overbevist hende om, at jeg måtte være selveste Satans søn, bare fordi jeg havde overvejet abort."

„Jeg forstår," sagde jeg. „Hvad skete der så?"

„Jeg fik noget juridisk rådgivning for at se, hvad jeg kunne gøre. Ved du hvad? Jeg har næsten *ingen* rettigheder. Men selvom jeg kunne have insisteret på min ret til at se barnet, så ønskede jeg ikke, at det skulle blive et voldsomt juridisk slagsmål. Jeg kunne næsten ikke fatte, at Hannah gjorde det mod mig. Det var forfærdeligt."

Han var stille et øjeblik.

Kate var mistænkeligt stille, tænkte jeg forfærdet. Men hun *så* ud til at have det fint.

„Det værste af det hele var dengang, barnet blev født," fortsatte Adam. „Jeg vidste ikke engang, om hun havde født eller ej. Jeg vidste ikke, om barnet var sundt. Jeg vidste ikke, om det var en dreng eller en pige. Jeg ringede hjem til hende, og hendes far fortalte mig, at det var en pige, og at hun havde det fint. Og at Hannah også havde det fint. Men han sagde, at hun ikke ville tale med mig."

„Hvor er det bare forfærdeligt," sagde jeg åndeløst.

„Ja, det var. I et helt år hørte jeg ingenting," sagde han. „Det var et mareridt. Jeg var totalt magtesløs."

Min opmærksomhed blev afledt fra Adams trængsler af fødder, der trampede op ad trappen. Så brasede Helen ind på værelset. Hun stirrede fra mig til Adam og tilbage igen. „Hvad foregår der her?" spurgte hun forbavset.

Jeg var totalt målløs. Jeg kunne ikke sige et ord. Jeg vidste ikke, hvad helvede jeg skulle sige til hende.

Adam kom som sædvanlig til undsætning.

„Helen," sagde han blidt. „Ville du have noget imod at give mig fem minutter sammen med Claire?"

„Ja!" sagde hun bidsk. „Det ville jeg have noget imod."

Så var der en pause, mens hun kæmpede med sin nysgerrighed. Så spurgte hun: „Hvorfor?"

„Jeg forklarer det senere," sagde han med et venligt blik.

Hun stod i døren lidt tid, og mistænksomheden og jalousien stod skrevet hen over hendes vidunderlige, lille ansigt.

„Fem minutter," sagde hun og sendte mig et giftigt blik, hvorpå hun svansede ud af rummet.

„Åh gud," sagde jeg. „Du må hellere gå."

„Nej," sagde han. „Hun er allerede sur på mig. Så kan jeg lige så godt blive og fortælle færdigt."

„I så fald bliver det over *dit* lig," sagde jeg og forundredes over hans mod.

„Fint," sagde han ubekymret. „Nå, men som sagt, jeg hørte ikke fra hende et helt år – jeg var lige begyndt at acceptere det. Og så for omkring en måned siden dukkede hun op ud af det blå. Jeg kunne ikke fatte det! Hun havde Molly med sig."

„Hvem er Molly?" afbrød jeg. „Er det din datter?"

„Ja," sagde han. „Er det ikke bare et forfærdeligt navn til en baby?"

„Jeg kan godt lide det," sagde jeg fornærmet. Jeg var vel lidt i forsvarsposition, for mit barns navn er heller ikke det mest glamourøse, man kan forestille sig.

„Måske," sagde Adam. „Men du skulle se hende. Hun er så smuk. Hun burde hedde noget smukt. Som Mirabelle eller…"

„Er det ikke en restaurant?" afbrød jeg. Jeg syntes ikke om den retning, samtalen var ved at tage. Især ikke med Kate inden for hørevidde. Jeg ville ikke have, at hun skulle få komplekser. Guderne skal vide, at oddsene allerede var imod hende, sådan som det var. Jeg var bange for, at det var mig, der om tredive år ville få skylden, når hun var stofmisbruger og alkoholiker og bulimiker og kleptoman. At hun ville sige, at det alt sammen var min skyld, fordi jeg ikke havde døbt hende noget kønt og piget.

„Hør, du skal ikke tænke på din datters navn," sagde jeg. „Bare fortæl videre."

„Okay," sagde han. „Nå, men i hvert fald blev vi gode venner igen. Hun sagde, at hun var ked af, at hun ikke havde inddraget mig i Mollys liv fra starten. Men hun ville vide, om det var for sent at begynde nu."

„Og?" spurgte jeg.

„Altså, til at begynde med havde jeg bare lyst til at bede hende om at skride ad helvede til," sagde han.

Det var lige før, jeg gispede: „Hjælp!" Jeg kunne næsten ikke fatte, at Adam kunne opføre sig så *normalt.*

Ryd forsiden. Chokerende overskrift: 'Adam bærer nag!'

„Men så gik det op for mig, at det ville være at skære den gren over, jeg sad på," fortsatte han.

Hvor skuffende, tænkte jeg. Et kort øjeblik troede jeg lige, at han ville opføre sig umodent og barnligt. Nå, glem det. I morgen er der atter en dag.

„Så vi er nået frem til en civiliseret aftale om forældremyndigheden over Molly. Hannah og jeg er venner igen – eller vi arbejder i det mindste på sagen," sagde han.

„Åh!" sagde jeg forskrækket. „Åh."

Jeg spekulerede på, hvad 'venner' betød. Betød det, at de dyrkede sex ved hver en given lejlighed, eller betød det virkelig bare 'venner'?

Der var kun én måde at finde ud af det. Jeg tog en dyb indånding.

„Øh, så betyder det, at du og Hannah altså ikke er kærester?" spurgte jeg og prøvede at få det til at lyde meget henkastet.

„Nej," sagde han, grinede og sendte mig et 'Har du overhovedet ikke hørt efter'-blik.

(„Gudskelov!").

„Nej." Han grinede. „Det troede jeg var indlysende. Det er hele pointen. Det er det, der er så fantastisk ved det. Jeg kan være en del af mit barns liv uden at have et forhold til hendes mor. Men på samme tid kan jeg være venner med Hannah, fordi jeg respekterer og beundrer hende," tilføjede han hurtigt, altid ivrig efter at være pæn og anstændig.

„Er du virkelig lykkelig over at se dit barn?" spurgte jeg blidt.

Han nikkede og så ud, som om han var lige ved at græde.

Åh nej, lad nu være, tænkte jeg panisk. Jeg tror, jeg er ved at brække mig over alt det her følsomme mandeævl. *Hold op* med at være i kontakt med dine forpulede følelser. Hold dig væk fra din feminine side! Hvis jeg griber dig i nærheden af den igen, så får du en flad.

En stemme i hovedet på mig lokkede: „Spørg ham!"

„Skrid!" mumlede jeg tilbage til den.

„Kom *nu*," sagde den igen. „Spørg ham. Hvad har du at miste?"

„*Nej*," sagde jeg og følte mig meget ilde til mode. „Lad mig være i fred."

„Du er vild efter at få det at vide," mindede stemmen mig om. „Du fortjener faktisk at vide det."

„Hold nu kæft," sagde jeg sammenbidt. „Jeg har ikke tænkt mig at spørge ham om det."

„Nå, men hvis du ikke vil," sagde stemmen, „så gør jeg det."

Til min store rædsel åbnede jeg munden, og en stemme kom ud og spurgte Adam: „Var det derfor, du godt kunne lide at være sammen med mig? På grund af Kate? Fordi jeg havde et barn?"

Jeg var meget flov!

Jeg nægtede at tro, at jeg havde haft mod til at spørge om det.

Man kunne bare ikke gå *nogen* steder hen med min underbevidsthed.

„Nej!" sagde Adam. Eller han nærmest råbte det. „Nej, nej, nej. Jeg var så bange for, at du ville tro det. At du ville blive helt freudiansk og tro, at jeg kunne lide at være sammen med dig, fordi jeg ledte efter en form for erstatning for det barn og den kæreste, jeg havde mistet."

„Du kan ikke bebrejde mig det, vel?" spurgte jeg. Men ikke på en ondsindet, aggressiv måde.

„Jamen, hvorfor skulle jeg have brug for en grund til at have lyst til at være sammen med dig?" spurgte han. „Du er vidunderlig!"

Jeg sagde ingenting. Sad der bare og følte mig halvt om halvt pinligt berørt, halvt om halvt lykkelig.

„Helt alvorligt," fortsatte han. „Du bliver nødt til at tro på mig. Har du ikke nogen selvtillid? Du er fantastisk. Sig ikke, at du ikke vidste det."

„Nå, ved du det ikke godt?" spurgte han igen, da jeg ikke svarede.

„Nej," mumlede jeg.

„Se på mig," sagde han. Han lagde blidt hånden på min kind og vendte mit ansigt op mod sit. „Du er så smuk. Og sød og klog og sjov og dejlig og morsom. Det er bare nogle af grundene til, at jeg så godt kan lide at være sammen med dig. Det faktum, at du har et barn, betyder hverken fra eller til."

„Virkelig?" spurgte jeg. Mens jeg rødmede som en tomat og blev helt piget og genert.

„Virkelig," grinede han. „Jeg ville også have kunnet lide dig, selvom du ikke havde noget barn."

Han smilede.

Hvor var han smuk.

Åh gud! Jeg smeltede.

„Helt ærligt," sagde han.

„Jeg tror på dig," sagde jeg.

Jeg smilede også. Jeg kunne ikke lade være.

Vi sad på sengen og smilede til hinanden som to idioter.

Efter lidt tid sagde han igen noget.

„Så du fulgte mit råd i sidste ende?" sagde han blidt og drillende.

„Om hvad?" spurgte jeg. „Åh, du mener med hensyn til James. Tja, jeg vendte ikke tilbage til ham, men det var ikke på grund af noget, *du* sagde."

„Fint, fint," grinede han. „Jeg er bare glad for, at du ombestemte dig. Det er faktisk lige meget, hvem der fik dig til at ændre mening. Du fortjener noget meget bedre end ham."

„Må jeg spørge dig om noget?" sagde jeg.

„Selvfølgelig," svarede han.

„Hvordan ser Hannah ud?"

Han sendte mig et bedrevidende blik og grinede lidt, før han svarede: „Hun har langt, krøllet, lyst hår. Hun er omtrent lige så høj som Helen og Anna. Hun har brune øjne."

„Åh," sagde jeg.

„Er du glad nu?" spurgte han.

„Hvad snakker du om?"

„Fordi hun overhovedet ikke ligner dig? Fordi jeg ikke forsøgte at erstatte hende med dig?"

Det måtte man lade ham. Man kunne ikke sige, at han ikke var hurtigt opfattende. Jeg havde forvisset mig om, at hende Hannah ikke lignede mig. Men nu var jeg jaloux, fordi det lød, som om hun var lillebitte og smuk.

Åh hold kæft. Blev jeg nogensinde tilfreds?

Jeg begyndte at grine. Jeg opførte mig helt latterligt. „Ja, Adam. Jeg er glad, fordi du ikke forsøgte at erstatte hende med mig. Men lige nu må du hellere gå tilbage til Helen," sagde jeg.

Jeg rejste mig.

Så rejste han sig også, og i samme øjeblik følte jeg mig lillebitte.

Der stod vi uden rigtig at vide, hvad vi skulle sige. Jeg vidste bare, at jeg ikke havde lyst til at sige farvel.

„Du er noget helt særligt," sagde han. Han trak mig hen og knugede mig ind til sig.

Og som det fjols jeg var, lod jeg ham gøre det.

Stor fejl. Helt enorm, kolossal, *gigantisk* fejl.

Det havde ikke været *så* slemt, indtil vi kom i fysisk kontakt med hinanden. Men i samme øjeblik jeg var i hans arme, brød helvede løs på den følelsesmæssige front. Længsler og behov og begær (ja, endnu mere!) og tab og en varm, blød følelse. At være i hans arme mindede mig om, hvordan han havde fået mig til at føle. Jeg troede, jeg havde glemt, hvor vidunderligt det var at være sammen med ham. Men det hele kom vældtende tilbage.

Mit hoved var begravet i hans brystkasse. Jeg kunne mærke hans hjerte slå gennem T-shirtens tynde stof. Der var den samme smukke antydning af sæbe og varm mandehud, som jeg huskede.

Jeg havde lyst til at blive der for altid, helt tryg, presset ind mod hans smukke, hårde krop, mens hans arme holdt kærligt om mig.

Jeg trak mig væk fra ham.

„Du er heller ikke selv så værst," svarede jeg. Jeg anede ikke, hvorfor jeg havde tårer i øjnene.

„Op med humøret," sagde han.

„I lige måde," svarede jeg.

Jeg vred mig ud af armene på ham.

„Nå, men farvel," snøftede jeg.

„Hvorfor 'farvel'?" spurgte han smilende.

„Fordi jeg flytter tilbage til London på søndag, så vi kommer nok aldrig til at se hinanden igen," sagde jeg. Jeg var lige ved at briste i gråd. Mens jeg spekulerede over, hvorfor helvede han smilede. Hvad gav ham ret til at se så selvtilfreds og glad ud? Havde han ikke nogen situationsfornem-melse? Det her var ikke noget at grine af! Tværtimod.

Jeg kunne ikke fatte, at jeg havde det så elendigt. Det var så smertefuldt.

Jeg ønskede, at han ville *gå*.

„Har du ikke tænkt dig at gå ud nogensinde igen?" spurgte han. „Kan du ikke få en babysitter?"

„Selvfølgelig vil jeg det," sagde jeg trist. „Men jeg kan stadig ikke se dig. Ikke medmindre du flyver til London i ny og næ for at gå i byen. Og det kan jeg ligesom ikke se for mig."

„Nej," sagde han tankefuldt. „Du har ret. Der ville ikke være nogen mening i at flyve til London for at gå i byen, når jeg allerede bor der."

Et kort øjeblik troede jeg, at jeg havde hørt galt. Men jeg så på ham og hans smilende ansigt og vidste, at jeg ikke havde hørt forkert.

Håb, en følelse af noget vidunderligt, skyllede igennem mig, så det var lige før, jeg eksploderede af det.

„Hvad snakker du om?" spurgte jeg og kunne næsten ikke trække vejret. Jeg måtte sidde ned.

„Øh, jeg flytter til London," sagde han stille. Han satte sig ved siden af mig på sengen. Han forsøgte at se meget alvorlig ud, men smilet blev ved med at bryde igennem.

„Gør du?" kvækkede jeg. „Jamen, hvorfor?"

Så slog en tanke mig.

„Sig det ikke. Du har ikke noget sted at bo, og du tænkte bare lige på, om du kunne sove på gulvet hos mig. Bare et par nætter, et år max. Er det ikke rigtigt?" sagde jeg bittert.

Han begyndte at le.

„Claire, du er bare så sjov!" sagde han.

„Hvorfor?" spurgte jeg irriteret. „Hvad griner du af?"

„Dig!" sagde han og brølede stadig af grin. „Jeg har et sted at bo. Jeg er ikke så dum, at jeg er sød over for dig, bare så jeg kan spørge dig, om jeg må bo hos dig. Tror du, at jeg har et dødsønske? Jeg ved godt, at du ville slå mig ihjel."

„Godt," sagde jeg formildet. Han havde i det mindste en lillebitte smule respekt for mig.

„Tror du virkelig, at det var derfor, jeg kom herop for at snakke med dig?" spurgte han langt mere seriøst. „Det kan godt være, at det er mig, der er dum, men jeg troede, at jeg havde gjort det klart, hvor vild jeg er med dig, og hvor meget jeg holder af dig. Tror du mig ikke?"

„Jamen, kan du bebrejde mig, at jeg er lidt mistænksom?" sagde jeg mopset.

„Nej," sukkede han. „Vi må bare arbejde på at få dig overbevist om, hvor vidunderlig du er, og at jeg ikke har nogen skjult dagsorden for at være sammen med dig. Jeg vil ikke have dig på grund af dit barn. Jeg vil ikke have dig på grund af din lejlighed. Jeg vil bare have dig."

„Vil du have mig?" hviskede jeg og følte mig pludselig meget levende og sexet. Så fuld af styrke, så bevidst om, at jeg var kvinde, og at han var mand, og at der pulserede uundgåelig, fysisk tiltrækning mellem os. Hans

øjne blev mørke, det blå forvandlede sig næsten til sort, og han lød og
så meget alvorlig ud.

„Jeg vil have dig rigtig meget," sagde han.

Der blev pludselig helt stille i rummet. Selv Kate gav ikke en lyd fra sig.
Man kunne have skåret igennem den seksuelle spænding med en kniv.

Jeg brød stemningen, før en af os selvantændte.

„Lad mig lige få styr på det her," sagde jeg og forsøgte at være saglig.
„Du kommer til London. Hvorfor? Af hvilken grund?"

„Jeg har fået arbejde," sagde han, som om det var den mest rimelige
forklaring i verden.

„Jamen, hvad med universitetet?" spurgte jeg desorienteret. „Opgiver
du det fuldstændig?"

„Nej," sagde han. „Men det bliver anderledes. Jeg må læse om aftenen."

„Hvorfor?" spurgte jeg og forstod stadig ikke noget. „Hvorfor gør du
det?"

„Fordi jeg bliver nødt til at arbejde nu, hvor jeg har et barn, jeg skal
forsørge. Der er ikke nogen job i Dublin. Og min far kunne skaffe mig
et job i en forretningsbank i London. Jeg kan stadig tage min uddannelse.
Det tager bare lidt længere tid."

„Jamen, hvad med dit barn?" hylede jeg. „Du har lige lært hende at
kende, og nu bliver du nødt til at forlade hende igen. Det er forfærde-
ligt!!!"

Nu var det hans tur til at se desorienteret ud.

„Jamen, Molly kommer med mig," sagde han og lød lidt forbavset. „Jeg
tager Molly med til London."

„Gud," sagde jeg med dæmpet stemme. „Du siger ikke, at du kidnapper
hende? Jeg har godt hørt om fædre, der gør sådan noget."

„Nej!" sagde han opgivende. „Hannah vil have, at jeg skal tage hende.
Hun vil rejse jorden rundt, hun har fået nok af at være ansvarlig et godt
stykke tid. Det er vel ikke noget tilfælde, at hun pludselig fik dårlig sam-
vittighed over ikke at have ladet mig se Molly, da hun pludselig indså, at
hun havde brug for en babysitter i et år."

„Hjælp," sagde jeg. „Det lyder ikke ligefrem ideelt. Hvad med stakkels
Molly? Og hvorfor insisterede Hannahs forældre ikke på at tage sig af
hende?"

„Åh, Hannah havde et kæmpe skænderi med dem, da hun bestemte sig
for, at hun ville tage på ferie et års tid," forklarede Adam. „Molly skal nok
klare sig, håber jeg. Jeg skal nok få sendt hende til terapi, lige så snart hun
kan tale.

Det er kun for sjov," sagde han, da han så min forfærdede mine. „Jeg
ved godt, at det ikke er den perfekte opvækst for et barn. At blive hevet

op med rode fra sit hjem og have en mor, der stikker af et års tid, og lande hos en far, man ikke engang kender. Men jeg kan ikke gøre andet end mit bedste."

„Og hvad så, når Hannah vender hjem og vil tage Molly med tilbage til Irland?" sagde jeg bekymret.

„Åh, Claire," sagde han blidt og tog min hånd i sin. „Slap af. Hvem ved, hvad der vil ske om et års tid? Den tid, den sorg. Kan vi ikke bare leve lidt i nuet?"

Jeg sagde ingenting.

Jeg tænkte.

Jeg indså, at han havde ret.

Når lykken laver en gæsteoptræden i ens liv, er det vigtigt at få det bedste ud af det. Det er ikke sikkert, den bliver så længe, og når det hele er forsvundet igen, ville det så ikke være forfærdeligt at tænke på, at al den tid, man kunne have været lykkelig, var spildt med at bekymre sig over, hvornår den lykke ville blive taget fra en?

„Så hvis jeg må forklare grunden til mit besøg," fortsatte han pludselig meget bryskt. „Må jeg spørge dig om noget?"

„Selvfølgelig." Jeg smilede.

„Du må endelig sige til, hvis jeg er for påtrængende," sagde han, fuld af selvudslettende charme. „Men tror du, at det ville være muligt for os at mødes på et tidspunkt i London? Måske kunne vi dele babysitter? Og når som helst du får brug for en babysitter, så må du endelig sige til."

„Tak, Adam," sagde jeg høfligt. „Jeg ville elske at se dig i London. Og hvis du skulle få brug for en babysitter, så skal du naturligvis også bare sige til."

„Helt alvorligt," sagde han, og hans stemme faldt flere oktaver. „Det er meget vigtigt for mig. Kan vi virkelig se hinanden i London?"

„*Selvfølgelig,*" grinede jeg. „Jeg ville elske at se dig." Jeg så op og fik øjenkontakt med ham. Da jeg så hans ansigtsudtryk – beundring, næsten helt sikkert begær. Det kan faktisk også have været kærlighed – stivnede smilet på mit ansigt.

„Åh, Claire," stønnede han, da han bøjede sig ned for at kysse mig. „Jeg har savnet dig."

Det var på dette tidspunkt, at Kate besluttede sig for, at hun havde fået nok af at blive ignoreret, og begyndte at hyle som en politisirene.

I samme øjeblik brasede Helen ind gennem døren og stoppede brat, da hun fik øje på os. Hun så på os, som vi sad der på sengen. Adam holdt min hånd, mit ansigt var vendt opad, klar til Adams kys, og hun sagde langsomt: „Jeg nægter kraftedme at tro det."

Jeg væbnede mig mod angrebet.

Straffen ville blive både hurtig og forfærdelig.

Jeg så på mine fødder og blev helt forfærdet, da jeg hørte hende græde.

Helen græd? Der måtte være sket en fejl. Det var ganske uhørt!

Jeg så op på hende, plaget af samvittighedsnag og medfølelse. Det var lige før, jeg selv begyndte at græde.

Og så gik det op for mig, at hun ikke græd.

Kællingen grinede!

Hun grinede og grinede. „Dig og Adam," sagde hun og rystede på hovedet, mens lattertårerne løb ned ad hendes ansigt. „Hvor *langt* ude!"

„Hvorfor?" spurgte jeg irriteret. „Hvad er der galt med mig?"

„Ingenting," grinede hun. „Ingenting. Men du er så gammel og…" Hun stoppede op, ude af stand til at sige noget, fordi hun syntes, det var så sjovt. „I skulle have set jer selv! Du så rædselsslagen ud. Og jeg, som troede, at han var vild med mig!" udbrød hun, og så knækkede hun sammen igen. Det var alt sammen så hylende grinagtigt, at hun ikke engang kunne stå op. Hun lænede sig op ad væggen og bøjede sig fremover.

Jeg sad og stirrede koldt på hende, mens Kate hylede som en sirene.

Adam så ud, som om han morede sig lidt.

Jeg kunne virkelig ikke få øje på det morsomme.

Jeg tog Kate op, før hun fik en blodprop, og nikkede til Adam. „Snak med Helen," foreslog jeg.

Adam rejste sig og fulgte efter Helen ud af værelset.

Jeg vuggede Kate i mine arme og prøvede at trøste hende. Hun var sådan et dejligt barn, men jeg sværger ved gud, sommetider var hendes timing ikke så god.

Jeg kunne høre Helen grine hele vejen ned ad trappen.

Og lidt senere kom hun op igen.

„Din lede kælling," sagde hun muntert og satte sig ved siden af mig på sengen. „Du narrede os alle sammen. Lod, som om du var totalt knust over James, og så var du hele tiden varm på Adam."

„Nej, Helen…" protesterede jeg mat. „Sådan var det ikke…"

Hun ignorerede mig. Hun havde vigtigere ting at tænke på.

„Hvordan er han?" sagde hun og rykkede konspiratorisk tæt på, og hendes stemme faldt flere decibel. „Har han en stor en?"

„Hvad er det for et spørgsmål?" spurgte jeg og lod, som om jeg var meget krænket.

„Jeg siger det ikke til nogen," løj hun.

„Helen," sagde jeg, og mit hoved svømmede lidt. Jeg tror, jeg ville have foretrukket, at hun var rasende på mig.

Nu måtte jeg finde mig i, at hun var min bedste veninde, så hun kunne finde ud af, hvordan Adam var i sengen, og fortælle alle om det.

„Hvor er han for øvrigt?" spurgte jeg hende.

„Han står og fedter for mor i køkkenet. Men glem det," sagde hun entusiastisk. „Jeg tror, han elsker dig."

„Åh, Helen, smut nu med dig," sagde jeg og følte mig helt udmattet.

„Nej, det er rigtigt," lovede hun.

„Virkelig?" sagde jeg forsigtigt. Jeg var så godtroende. Jeg burde ikke lytte til noget, hun sagde. I min alder burde jeg virkelig vide bedre.

„Ja," sagde hun og lød usædvanlig seriøs.

„Hvorfor?" spurgte jeg.

„Fordi han havde en enorm stådreng, da han snakkede om dig lige før." Hun skreg af grin. „Der fik jeg dig virkelig, hva'?"

„Åh, smut med dig," sagde jeg.

Jeg havde fået nok for en dag.

„Undskyld," fnisede Helen. „Nej, jeg mener det. Jeg lover. Jeg tror, at han elsker dig. Det gør jeg virkelig. Helt ærligt, hvis der findes en ekspert i forelskede mænd, så er det vist mig."

Hun havde fat i noget.

„Elsker du ham?" spurgte hun.

„Det ved jeg ikke," sagde jeg kejtet. „Jeg kender ham faktisk ikke godt nok til at kunne sige det. Men jeg kan virkelig godt lide ham. Er det godt nok?"

„Det bliver det jo nødt til at være," sagde hun tankefuldt. „Jeg håber, I elsker hinanden. Jeg håber, I bliver meget lykkelige sammen."

„Gud, tak, Helen," sagde jeg og var virkelig rørt. Tårerne pressede sig frem i øjnene på mig. Jeg var overvældet af hendes gode ønsker.

„Ja," sagde hun uklart. „Jeg har væddet med Melissa Saint, den ko, om, at hun ikke kan score ham, inden sommeren er slut. Jeg var faktisk begyndt at blive lidt nervøs, men det her er rigtig fedt. Hun har ikke en chance nu, hvor du holder ham væk.

Det er de letteste hundrede pund, jeg nogensinde har tjent," sagde hun og gned sig frydefuldt i hænderne.

„Ja," sagde hun og lød godt tilfreds. „Jeg må sige, at det alt sammen er endt godt. Rigtig godt endda."

Marian Keyes

Sushi for Begyndere

Den unge, smarte og ambitiøse ugebladsredaktør Lisa Edwards tror, at hendes verden er brudt sammen, da hendes fantastiske nye job viser sig at være en forvisning til Dublin, hvor hun skal søsætte et helt nyt dameblad.

Havde det ikke været for hendes forpjuskede og humørsvingende, men særdeles kønne chef, Jack Devine, ville hun være snurret omkring på sine stilethæle og have taget det første fly hjem til London. Alt tyder på, at opgaven vil ende i en fiasko af de helt, helt store. Men hun er Lisa. Hun hader fiasko.

Uddrag fra bogen:

Trix bemærkede det øjeblikkeligt og skyndte sig at dække over bommerten: „...Min mor hader min kæreste – dem begge to – jeg blegede mit hår og sved hårbunden af, sådan noget i den stil."

„God idé," sagde Jack. „Mercedes, har du tænkt på noget?"

Mercedes havde siddet og tegnet krimskrams, og hendes øjne var fjerne og uudgrundelige. „Jeg vil præsentere så mange nye irske designere som muligt. Gå med til afgangsopvisningerne på Kunst- og designskolerne..."

„Det er da bare *så* provinsielt," afbrød Lisa skarpt. „Vi er nødt til at have internationale designere for at blive taget alvorligt."

Ikke under nogen omstændigheder ville hun rende rundt i nogle hjemmelavede klude som Mercedes og hendes fans havde strikket sammen hjemme i soveværelset! Ordentlige magasiner som *Femme* lavede billedoptagelser af udsøgt tøj der blev tilsendt fra de internationale modehuses presseafdelinger. Tøjet var kun til låns, men det skete ofte at tøjet 'forsvandt' efter en optagelse. Modellerne fik som regel skylden – ærlig snak, vi ved jo godt de har dyre narkotikavaner, ikke? Og når det efterlyste tøj dukkede op i Lisas garderobe, var alle lige kloge. Og det var en fryns Lisa ikke havde tænkt sig at opgive.

Mercedes sendte Lisa et vidende, foragteligt øjekast. Til Lisas store overraskelse virkede hun helt uanfægtet.

„Er der mere?" spurgte Jack.

„Hvad med…" sagde Ashling langsomt fordi hun knap nok turde stole på sine egne ord. Hun havde en mistanke om at hun havde fået en original idé, men kunne ikke være sikker på det. „Hvad med en klumme skrevet af en mand? Jeg ved godt det er et kvindeblad, men kunne vi ikke have en ABC om hvordan en mand fungerer inde i hovedet? Hvad han *egentlig* mener, når han siger 'jeg ringer!' Og for resten," hun peb næsten af ophidselse, „hvad med at vise det fra kvindens side samtidig? Sådan noget 'han og hun'?"

Jack løftede spørgende øjenbrynet hen imod Lisa.

„Det er bare for passé," sagde Lisa.

„Er det?" sagde Ashling ydmygt. „Okay."

„I dag er det den tolvte maj," sagde Jack afsluttende. „Bestyrelsen ønsker første nummer på hylderne i slutningen af august. Det lyder som lang tid for jer der kommer fra ugeblade, men det er det faktisk ikke. Det bliver hårdt arbejde."

Rachels Ferie

Rachel Walsh er midt i tyverne. Hun bor i New York og er vild med Luke Costello, også selv om han går klædt som en skuespiller i en gammel Western-film. Og så er hun *ret* glad for euforiserende stoffer.

Hendes familie og den veninder, hun deler lejlighed med, mener, at Rachels stofmisbrug er kommet fuldstændig ud af kontrol. Så de overtaler hende til at tage med hjem til Irland og tvangsindlægger hende på en afvænningsklinik langt ude på landet. Rachel er ude af sig selv af raseri over denne utidige indblanding: *Hvad bilder de sig ind!? Kan hun måske ikke selv styre sit liv??*

På den anden side, tænker hun, er afvænningsklinikker jo berømte for deres celebre 'gæster'; rockstjerner, skuespillere og andet godtfolk, der også har sniffet en bane kokain for meget. Og det ville måske gøre godt med en lille luksusferie…

Rachel bliver støt og roligt ført fra stofmisbrugets tåger og ind i voksenlivet, via en kærlighedshistorie eller to, og opholdet bliver ikke helt så glamourøst, som Rachel havde forestillet sig det.

Mor tog nyheden om, at jeg var stofmisbruger, meget, meget dårligt. Min yngste søster, Helen, havde siddet og set morgen-tv sammen med hende, da min far fortalte det. Han var åbenbart kommet styrtende ind i dagligstuen, da han var færdig med at snakke med Brigit, og var helt forfjamsket buset ud med det: „Din datter er narkoman."

„Hmmmm?" var det eneste, mor havde sagt, hvorpå hun fortsatte med at se Ricki Lake-show og taberne med stort hår.

„Jamen, det ved jeg godt," tilføjede hun. „Hvorfor hidser du dig sådan op over det?"

„Nej," sagde far irriteret. „Det er ikke for sjov. Jeg snakker ikke om Anna. Det er Rachel!"

Og så havde mor åbenbart set mærkelig ud i hovedet og var nærmest vaklet op at stå. Og mens far og Helen stirrede på hende – far nervøst, Helen triumferende – famlede hun sig i blinde ud i køkkenet, hvor hun lagde hovedet på køkkenbordet og begyndte at græde.

„Narkoman," snøftede hun. „Jeg kan ikke klare det."

Far lagde en trøstende hånd på hendes skulder.

„Anna, måske," jamrede hun. „*Helt sikkert* Anna, men ikke Rachel. Det er slemt nok at have én, Jack, men to. Jeg aner ikke, hvad fanden de bruger al den stanniol til. Det gør jeg virkelig ikke! Anna bruger kilometervis af det, og når jeg spørger hende, hvad hun bruger det til, så... Det er helt umuligt at få et klart svar ud af det barn."

„Hun bruger det til at pakke hash ind i små pakker, når hun skal sælge det," forklarede Helen hjælpsomt.

„Mary, hold lige mund med stanniolen et øjeblik," sagde far, mens han forsøgte at udforme en behandlingsplan for mig.

Så vendte han lynhurtigt hovedet mod Helen. „Hvad *gør* hun?" sagde han forfærdet.